DATE DUE			

Golo Mann

Erinnerungen und Gedanken
Eine Jugend
in Deutschland

S. Fischer

3. Auflage: 101.–130. Tausend

© S. Fischer Verlag GmbH, Frankfurt am Main 1986
Satz: Clausen & Bosse, Leck
Druck und Einband:
Franz Spiegel Buch GmbH, Ulm
Printed in Germany 1986
ISBN 3-10-047909-2

Inhalt

Was ich erzähle, beginnt in tief versunkener, von mir gleichwohl erinnerter Vergangenheit, gleitet hin bis zu den Ereignissen des Jahres 1933, den meisten der heute Lebenden fremd, und wird vielleicht in einem anderen Band enden, ich weiß nicht wo und wie. Wer sich erinnert, denkt über das Erinnerte nach; daher der Obertitel. Meine Jugend verbrachte ich fast ausschließlich in Deutschland; daher der Untertitel. Beide sind schlicht – jeder erinnert sich, jeder denkt, viele haben ihre Jugend in Deutschland verbracht –, derart, daß auch jeder ein Recht auf sie hat.

Vorspiele

Am 4.Juni 1919 starb in Berlin meine Urgroßmutter Hedwig Dohm, die bedeutende Frauenrechtlerin und Autorin. Damals war meine Schwester Elisabeth, Thomas Manns geliebtes »Kindchen«, dreizehnundeinhalb Monate alt. Unlängst erzählte sie mir, sie könne sich genau an die Situation erinnern, in welcher wir im Münchner Haus die Nachricht erhielten. Ich, der ich damals schon zehn Jahre gewesen war, fragte sie aus, und sie stand Rede und Antwort; auf dem Schoß ihres Vaters sei sie bei Tisch gesessen, die Mutter habe im Nebenzimmer bei geöffneter Tür telefoniert und habe öfters ein trauriges »Ach!« hören lassen; dann sei sie wieder hereingekommen und habe gesagt: »Miemchen ist tot«, und bei dem Wort »tot« habe sie, Elisabethchen, sich eine große, schwere Puppe vorgestellt, die zu Boden fiel. So weit also reichte ihr Kindheitsgedächtnis. Ein ähnliches Beispiel gibt die Erzählerin Mechtilde Lichnowsky in ihrem Buch *Kindheit*. Sie vermochte genauestens ihre ersten Gehversuche zu beschreiben, wie und wo sie stattgefunden hatten. Auch ihre Angaben wurden bezweifelt, jedoch von ihrer Mutter bestätigt; bekanntlich macht man die ersten Schritte mit zwölf oder dreizehn Monaten. Das sind Ausnahmen, zu denen ich nicht gehöre. Erst für das dritte Lebensjahr nehmen meine Erinnerungen Form an; dann freilich mit solcher Plastizität, daß sie dem Träumenden und Wachenden zur Plage werden können, besonders wenn es peinliche sind.
An sich, und vom Grade der Intensität abgesehen, scheint

mir das etwas Natürliches. Wann könnten die Sinnes-Eindrücke stärker sein als am Anfang, wenn alles neu ist, fremd ist, Erlebnis im ursprünglichen Sinn des Wortes, und so sich unauslöschlich einprägt? Je mehr dann das Leben zur Gewohnheit wird, je mehr Menschen und Dinge an uns vorüberziehen, desto schwächer wird die Sensation. Bis zu meinem dreißigsten Jahr etwa sehe, spüre, höre ich das Erinnerte. Darum beginne ich dies Buch mit Kindheits-Erinnerungen, so als ob es eine Autobiographie wäre, was es nicht sein, nicht werden soll; es soll das sein, was der Titel sagt. Freilich, welcher Autor ist seines Buches sicher, ehe es fertig ist?

Über ihre älteren vier Kinder – nicht, später, über die beiden jüngsten – führte meine Mutter eine Art von Tagebuch oder Monatsbuch mit allerlei Beobachtungen, meist lustiger Art. Das Büchlein über mich, geschrieben in ihrer »deutschen« oder »gotischen« klaren Schrift – ihr Vater nannte es »Bettelbrief-Schrift« –, die sie bis zu allerletzt schrieb, hat sich erhalten. Im Folgenden gebe ich einige Stücke daraus.

꣠Angelus, geboren am 27. März 1909, nachmittags zwischen vier und fünf Uhr. – Sommer 1910. Angelus entwickelt sich langsam und hat ein aufgeregtes, nervöses Wesen. Die ersten Zähnchen mit acht Monaten, läuft mit vierzehn Monaten. Mit zehn Monaten fängt er schon an zu singen, summt erkennbar, wenn er das Liederbuch der Kinder sieht: »Alles neu macht der Mai« etc., dagegen von Sprache auch nicht die leiseste Spur. Im Ganzen ist er ruhig, dann aber plötzlich imstande, hundertmal ums Zimmer zu rennen, wie rasend und mit zusammengebissenen Zähnen den Kopf hin und her zu schütteln und seinem Vater auf den

Rücken zu klopfen. Besonders mit dem Motz *(schottischer Schäferhund)* benimmt er sich wie toll. Ängstlich und schreckhaft veranlagt, wird er bei jedem ungewöhnlichen Geräusch oder Anblick ganz hart und steif vor Angst. Während des Sommers fängt er an, alles mögliche zu verstehen, spricht aber keine Silbe. – Weihnachten 1910. Erst kurz vor Weihnachten kommen die ersten Worte und zwar sonderbarerweise »Wust« und »Bod«. Papa und Mama folgen erst nach einiger Zeit. – 1911. Von Weihnachten ab geht es mit dem Sprechen rapid, zu seinem zweiten Geburtstag kann er schon das meiste sagen… Im allgemeinen ist er weich und, da ich im Frühling 1911 krank liege, besonders zärtlich zu mir. Sowie jemand zu ihm sagt, daß ich krank bin, bricht er in Tränen aus. Auch ängstlich ist er noch immer sehr, und zwar verkörpert sich jedes unheimliche Geräusch für ihn in einem mystischen Wesen namens »Mämä«. »Die Mämä«, flüstert er, sowie in der oberen Etage gehämmert wird oder sonst etwas Ungewohntes geschieht, wird steif und verlangt fort. Manchmal aber versucht er das schreckliche Wesen zu versöhnen und flüstert ängstlich: »Bave Mämä«. – Sommer 1911. Golo, wie er sich nennt, wird immer verständiger und weniger verrückt. Von seinem Schwesterchen, Buckeli *(Monika)*, läßt er sich tyrannisieren und besonders, wenn sie zusammen im Sportwagen fahren, malträtiert sie ihn ununterbrochen, er aber, obgleich er doch viel stärker ist, wimmert nur: »Nicht schopsen, Buckeli, nicht schopsen!« Einmal aber wird es ihm zu dumm, er sagt: »Golo leicht mal'n Stock holen«, holt einen großen Stock vom Boden auf und bedroht sie mit Herrenstimme: »du, du, Buckeli.« Er bekommt öfters zu hören, daß er nicht hübsch sei, neulich aber, sie hatten wohl unterwegs einen Offizier getroffen, der sie angesprochen, kommt er triumphierend nach Hause: »Offizier hat gsagt, daß der Gololo ist ganz schen.« Seiner weichen Natur entsprechend, ist er auch mit sich selbst sehr zärtlich. Als die Kinder zu sehr mit ihm im Garten rannten, ruft er: »Aissi *(Klaus)* lauf net so, sonst fallt der gute Gololo hin.« Alles macht er sonderbar ungeschickt und grotesk: aus einer üppig blühenden Wiese, wo die Kinder Sträuße pflücken, rupft er, für einen anderen kaum auffindbar, drei ganz verhutzelte und verdorrte Gänseblümchen und überreicht sie mir stolz und verschmitzt... Sommer 1911. In Tölz lernt er vielerlei Lieder, als erstes: »Wer will unter die Soldaten, der muß haben ein Gewehr, das er muß mit Pulver laden und mit einer Kugel swer, der muß einen Säbel haben, auf dem Kopse einen Helm, sonst wenn die Trompeten blasen ist er nur ein Amisell *(armer Schelm)*«, was er unbeschreiblich komisch singt, aber nicht unmusikalisch und ganz rhythmisch. Es folgen »Ich hatt' einen Kameraden«, »Oh Straßburg, oh Straßburg, du wunderscheene Stadt« etc. – Herbst 1911. Körperlich ist er, wie wir vom Land zurückkommen, sehr gut entwickelt, kann zu Fuß auf den Kogel, und geistig mindestens seinem Alter entsprechend, aber immer noch ein bißchen aufgeregt, nachts unruhig und krampfig, manchmal auch von einer etwas unheimlichen, kichernden Heiterkeit. An mir hängt er immer noch besonders und hätte, als ich aus Sils Maria zurückkam, wie Erika spöttisch bemerkt, vor Freude fast geweint. Auch da wir während des Umzugs in der Arcisstraße wohnen, begrüßt er mich immer stürmisch: »Mamali, Mamali«, und weint, wenn ich wieder weg gehe. – November 1911. Auf Weihnachten freut er sich auch sehr, nachdem er mich neulich in seiner stotternden Art gefragt hat: »Du, Mama, k-k kann das Christkindchen auch beißen?« Vor dem Mämä dagegen fürchtet er sich gar nicht mehr und legt neulich sogar solche geistige Freiheit an den Tag, daß er mit gräßlich verzerrtem Gesicht den Tisch mit einem Stück Holz bearbeitete und dazu voll Hohn rief: »Das sind die Mäma, Mämä sind das!« Er ist ein furchtbar komischer Junge, darüber sind sich alle einig, die ihn sehen. Schon vor einem Jahr erklärte Pfaundler *(Arzt)*, als ich ihn zu ihm brachte, was für ein apartes Kind, Ceconi *(Zahnarzt, Gatte Ricarda Huchs)* findet ihn einfach einen Witz… S. Fischer findet ihn Maxim Gorki ähnlich, alle erklären ihn für ein Original und schenken ihm trotz seiner Häßlichkeit am meisten Beachtung von allen Kindern. Das heißt, ich finde ihn ja gar nicht häßlich, und er selbst, der arme, kommt immer so stolz, wenn er etwas Neues hat: »Schau mal, wie scheen daß ich bin.« – Dezember 1912. So drollig ist er, wenn er mit ernster Miene etwas Sachliches berichtet. Er kommt nach einem stürmischen Tag nach Hause: »Heut ists aber sehr stark windig«, oder begrüßt mich morgens: »Heut früh hats awa fürchterlich gesneit.« Auch von seinen Träumen berichtet er gern: »Heut nacht hab ich einen Zweerg geträumt, daß er bees war«, und auf die Frage, was es denn gewesen sei, wiederholt er bloß verschmitzt und ausdrucksvoll: »Beese, beese Sachen.« Wenn man ihn neckt, das kann der Golo gar nicht vertragen, es verwirrt und beleidigt ihn. Wenn er mittags, ernst und wortlos auf seinen Stuhl klettert, begrüße ich ihn: »Tach, Moni.« »Ich bin doch nicht die Moni.« »Doch du bist die Moni!« und so geht es weiter, bis er ganz zornig und traurig wird, jeden Mittag fällt er wieder darauf herein… Die Großen *(Erika und Klaus)* haben Golos Becher geleert; er kommt in seiner gewöhnlichen, leicht mißmutigen Weise herein, klettert auf seinen Stuhl, setzt ihn an die Lippen und trinkt und trinkt, aber natürlich kommt nichts. Dies geht ihm über den Spaß, dumpf und beleidigt fragt er: »Wo ist denn mein Brunn-wasser, wo ist denn mein Brunnwasser?«, bis die Geschwister herausplatzen... Golo ist beim Papa im Arbeitszimmer. Er verhält sich ganz still und artig, plötzlich sagt er: »Ich störe doch nicht, Papa?« Er hat überhaupt oft so etwas merkwürdig Gesetztes und Altkluges. Jedesmal, wenn mich jemand in Ebenhausen *(Sanatorium)* besucht, sagt er mit einer höflichen kleinen Verbeugung: »Und bitte, grüße auch die Mama scheen.« Wenn ich aus Ebenhausen in die Stadt komme, freut sich der Golo über die Maßen und springt immer vollständig verzerrt, steif und schief an mir hoch. Und wie ich nach Davos reise, ist er sehr betrübt. – Frühjahr und Sommer 1912, aus Tommys Briefen. Der Golo soll neuerdings am meisten von allen Kindern schwatzen. Besonders rühmt er sich, mehrere Freunde zu besitzen, unter denen ein gewisser Doktor Klauber die Hauptrolle spielt. Eines Tages berichtet er: »Heut hat mich mein Freund, der Doktor Klauber, in seinem schwarzen Auto abgeholt. Zum Schießen wars...« Am Morgen von Tommys Abreise nach Davos schlich sich Golo in aller Frühe ins Eßzimmer und fragt die Affa *(Zimmermädchen)*: »Wenn ich den Papa recht schön bitte, glaubst du, daß er mich dann mit zur Mama nimmt?« ...Die Großen unterhalten sich über den Zoologischen Garten in München und daß es doch an Verschiedenem fehle, an Elefanten etc., worauf sich der Golo in das Gespräch mischt: »Awa, besonders fehlt es leider an Menschenfresser.« – Herbst 1912. Golo speist, während die großen Geschwister in Berlin sind, mit dem Papa in der Arcissi zu Mittag, wo er mit Frau von Belli zusammentrifft. Diese gefällt ihm aber gar nicht, und auf die Frage, warum denn nicht, gibt er zur Antwort: »Weil ich alte Damen überhaupt nicht mag.« ...Golo hat jetzt ganz Aissis Art, ausgedachte Geschichten zu erzählen. Zum Beispiel erzählt er: »Der König und die Königin saßen im Saal. Da sagte der König: ›Mir wird so unwohl.‹

Und dann sagte er: ›Mir wird noch unwohler‹ und fiel in eine tiefe Ohnmacht. Und dann kam der Leichenarzt und holte ihn ab«, was er alles mit gerunzelten Brauen sonderbar ausdrucksvoll vorbringt. Von Krankheit und Tod spricht er überhaupt mit großer Vorliebe. Alle seine fiktiven Freunde, Dr. Klauber, Dr. Londoner, Dr. Pitzer und wie sie alle heißen, leiden anhaltend an den seltsamsten Krankheiten, und es vergeht kaum ein Tag, daß er nicht den Verlust des einen oder anderen zu beklagen hätte... Golo macht auch Gedichte, hauptsächlich Reminiszenzen aus Uhland, den sich die Großen mit Vorliebe vorlesen lassen, etwa so:

> König Karl saß im Saal
> Mit vielen edlen Herren.
> Da flog durchs Fenster ein Geschoß
> Der König rief: Mein Held, mein Sohn
> Und sank.

Das Komische ist, daß er solche Gedichte, die er mit großem Pathos vorträgt, tagelang wörtlich wiederholen kann... Es gibt irgendeine Mehlspeise mit Schlagrahmrand. Da zitiert der Golo, stolz und verschmitzt: »Und rings auf hohem Balkone, der Schlagrahm in schönem Kranz.« Beim Essen ist der Golo recht anspruchslos; er ißt immer genau so viel wie ich ihm auftue, verlangt nie ein zweites Mal, sondern antwortet immer, wenn ich ihm noch einmal anbiete: »Nein, danke vielmals.« – Frühjahr und Sommer 1913. Golo quatscht jetzt mehr als der Aissi. Oft redet er tagelang kaum ein vernünftiges Wort, sondern spricht lauter gesteigerten Unsinn, von seinen verschiedenen Freunden, von Hofmannsthal und von Wedekind, vom Balkankrieg, aufgeschnapptes und ausgedachtes vereinend, so daß man es ihm ernsthaft verweisen muß... Ein

Lieblingsspiel der Kinder ist, infolge der zahlreichen Militärkonzerte diesen Sommer, dirigieren. Während Aissi sich dabei wie ein richtiger Militärkapellmeister benimmt, macht es Golo unbeschreiblich komisch, mit häßlich verzückten Mienen, weichlich von unten heraufgeholten Pianos und wilden, leidenschaftlichen Fortes. Woher er dies hat, da er noch nie einen richtigen Kapellmeister gesehen hat, ist mir unbegreiflich... Die Geschwister necken den Golo mit Vorliebe, und das kann er gar nicht vertragen. Aissi zieht ihn immer mit sich fort und erzählt ihm gräßliche Gespenstergeschichten, wobei sich Golo fast weinend widersetzt, weil er behauptet, dann nachts davon zu träumen. Meist verträgt sich das Brüderpaar aber sehr gut und ergeht sich, untergefaßt, stundenlang im Garten, sich gegenseitig siezend und über Gott und die Welt recht eigentümliche Meinungen austauschend... Im allgemeinen ist der Golo recht artig, sanft und gefügig. Er schenkt gern alle seine Sachen her. Als der Aissi anfing, den Keuchhusten zu bekommen, war er anfangs immer ganz erschüttert, ging bei jedem Anfall hin und wischte ihm mit seinem Tüchlein die Augen. Als Erika bei Tisch einmal über etwas heftig weinte, reichte er ihr zum Trost wortlos einen Löffel von seiner Suppe... Aber wenn er einmal anfängt, ungezogen zu werden, ist er ganz fürchterlich. Über alles fängt er dann an zu gnauzen, steigert sich allmählich in ein grauenhaftes Plärren, ist weder mit Freundlichkeit noch mit Strenge zu beruhigen, schreit, halbe Stunden lang, so weiter, eigensinnig, hoffnungslos, und sieht dabei so über alle Maßen abscheulich aus, daß man nicht anders kann als ihn hassen... Mit Moni kann Golo sehr niedlich spielen. Oft umfassen sich die beiden und tanzen mit Vergnügen miteinander herum. Oft führen sie auch ernste, sachliche Gespräche. Zum Beispiel der Golo äußert plötzlich, dumpf und abrupt: »Totenköpfe sind manchmal sehr wertvoll.« »Ja«, sagt Moni, »aber wenn die Beine dabeiliegen, dann sind sie noch wertvoller, denn dann können sie gehen.« »Nein, Moni, dann können sie auch nicht gehen.« »Doch Golo, wenn sie Beine haben, dann müssen sie doch gehen können.« »Aber nein, wenn sie gehen könnten, dann wären es doch keine Totenköpfe!« So geht es noch lange weiter, aber die kecke Moni läßt sich nicht überzeugen. *(G. damals vier, M. drei Jahre alt)* – Weihnachten 1913. Durch sein sonderbar gravitätisches Wesen erregt Golo in der Arcissi oft viel Heiterkeit. Wir sitzen beim Tee im Speisesaal, da klopft es und ernsthaft schreitet der Golo herein: »Offi *(die Großmutter)*, ich wollte nur fragen, ob wir das große Buch von Onkel Heinz anschauen dürfen, wir machen es gewiß nicht kaputt.« Offi ist genötigt, die Bitte abzuschlagen. »Also nicht?« Und ernst und gefaßt geht er wieder davon… Zu Weihnachten sagt Golo mit vielem Applomb und niedlichem Ausdruck ein langes Gedicht auf, das er erst Tage zuvor von der Erika gelernt hat. – Winter und Frühling 1914, aus Briefen. Tommy begegnete dem Golo, der auf der Treppe stand und ein ganz sonderbares Gesicht machte, hatte auch eine dicke Backe. Warum er denn da stehe? Was denn mit ihm sei? Er konnte nicht sprechen, starrte den Papa unheimlich an und schüttelte den Kopf. Was er denn im Mund habe. Pause. Dann in höchster Not herausgestoßen: »Aber, aber – der Aissi hat auch Zucker genascht!« Er zitterte, sein Herzchen flatterte, seine Augen waren groß und angstvoll. Auf Papas sanfte und eindringliche Ermahnung hin war er dann ungeheuer erleichtert und dankbar und sah ihm noch lange mit großen und nachdenklichen Augen nach. Der dickfellige Aissi erzählte dann lachend, ja, sie hätten gemeinsam in der Küche Zucker genascht; während er aber seinen in aller Ruhe verzehrte, hätte der

Golo heftig zugegriffen und sei dann davongerannt, als sei der Teufel hinter ihm her; und dann hatte er sich mit seinem Stück Zucker in der Backe auf der Treppe versteckt und da hatte er das Unglück, den Papa zu treffen... Die herzlose Moni sagte zur wirklich wenig reizvollen Schneiderin Frau Dreher: »Aber unsere frühere Schneiderin war viel netter als du«, aber der gute Golo nimmt sie gleich in Schutz: »Nein, weißt du, netter war sie eigentlich nicht, nur halt viel jünger.« Tommy schreibt mir: Der Golo, meistens schweigsam, sagt, wenn er den Mund aufmacht, kolossale Dummheiten und lacht dann selbst gütig darüber... 🐘

Hier enden die Aufzeichnungen. Der fünfjährige Junge war nichts Neues, eigens zu Beobachtendes mehr; auch dürfte das Drollige, Originelle nun schnell abgenommen haben. Sechsundsechzig Jahre später nahm ein alter Herr Abschied von einer uralten Frau, von der er sich, gern oder ungern, nie so recht hatte trennen können. Aber wie hübsch sie schrieb, damals in der Frühe des Jahrhunderts und ihrer eigenen; wie klug beobachtend und amüsiert, keines ihrer Gefühle verschleiernd, wie geglückt die Formulierungen. Sie war keine Schriftstellerin, weil sie es nicht sein wollte, hat nie einen Artikel geschrieben, nie auch nur eine Tischrede gehalten, sie fühlte später sich nur halb wohl angesichts ihrer *Ungeschriebenen Memoiren*, dem nach Fernseh-Gesprächen edierten Werk ihres jüngsten Sohnes. Aber sie besaß ein Urtalent, zu sehen und das Gesehene festzuhalten. Auch spricht gute Laune aus dem in braunes Leder gebundenen Büchlein. Jenes erste Jahrzehnt ihrer Ehe, sagte sie mir viel später einmal, war ihre glücklichste Zeit. Friede, sorgloser Wohlstand, des Gatten wachsender Ruhm, die Wohnungen, die stattlicher wurden in dem Maß, in dem Familie und Hausstand es wurden, Franz-Joseph-Straße, das Landhaus in Bad Tölz, errichtet 1908/09, Mauerkircherstraße, zuletzt, acht Monate vor Kriegsausbruch, die Villa im Herzogpark; das Glück des Zusammenlebens ungetrübt, oder beinahe; die Kinder gesund, drollig und hoffnungsvoll; im Hintergrund die reichen, prunkliebenden Eltern, noch gar so alt nicht, ihr großes, nun etwas leer gewordenes Haus gastlich weiterführend; neue interessante Freunde, nun zumeist aus der Literatur, während die frühen, noch aus der Arcisstraße stammenden erhalten blieben – was gab es, was die Stimmung trübe gemacht hätte? Ja doch, zwei Fehlgeburten, ohne die wir zuletzt acht Geschwister gewesen wären. Die Mutter, wenige Wochen vor dem Sterben, zu einer Besucherin: »Geheiratet habe ich nur, weil ich Kinder haben wollte.« Und das Lungenleiden, das zu häufigen Sanatoriums-Aufenthalten nötigte: Ebenhausen im Isartal, Sils Maria, Arosa, zuletzt Davos. Von dort die in späteren Wirren untergegangenen Briefe, die für den *Zauberberg* so viel bedeuteten; woher sonst hätte der Autor alle die Porträts, alle die Anekdoten nehmen sollen? Wie bekannt, war er selber nur wenige Wochen dort oben...

Was ich mich fragte, während ich jene Notizen wieder las und einige von ihnen kopierte: Bin ich das? Ja und nein. Ich bin es, weil ich mich an einige Dinge, die vorkommen, recht wohl erinnern kann. Das früheste hier notierte Erlebnis ist der Gang mit dem Vater zum Haus der Großeltern in der Arcisstraße. Es muß ein Sonntag gewesen sein, die Familienessen dort fanden nur sonntags statt. TM trug einen schwarzen Zylinder, was er nur noch selten tat, hier muß die Gelegenheit es gefordert haben. Die Mutter lag in der Klinik – eine jener beiden Fehlgeburten. Man hatte des bevorstehenden Ereignisses wegen die »beiden Großen«, Erika und Klaus, nach Berlin zu Verwandten geschickt. Monika blieb zu Haus unter Obhut des »Fräuleins«, was ich recht gut auch gekonnt hätte. Warum TM mich mitnahm, verstand ich Jahrzehnte später: er ging ungern in die Arcisstraße, weil er Schwiegermutter und Schwäger nur wenig leiden konnte, den Geheimrat aber gar nicht. Er nahm mich mit, ein menschliches Wesen immerhin, um den Besuch nicht ganz allein zu machen. Er führte mich an der Hand, den ganzen langen Weg, den ich in den zwanziger und frühen dreißiger Jahren so oft ging, immer mit Vergnügen an der Eleganz und Schönheit seiner Stationen: über die Isar am »Tivoli« vorbei in den Englischen Garten, um aufzutauchen bei der Österreichischen Gesandtschaft – heute wieder Prinz-Carl-Palais –, durch den Hofgarten, über den Odeonsplatz in die Briennerstraße, Obelisk und dort, wo der Königsplatz sich öffnet, links um die Ecke; nach wenigen Schritten gelangte ich zu dem roten Ziegelbau mit dem bedeckten Portal. Während des Essens fragte TM: »Habt ihr nicht bereut, daß ihr nicht mit dem Zeppelin gefahren seid?« Ich dachte: daß auch Erwachsene mir durchaus verständliche Fragen stellen können! Die große, nationalistisch angeheizte Zeppelin-Begeisterung war im Jahre meiner Geburt gewesen, 1909. Es muß aber im Jahre 12 der Zeppelin in Oberwiesenfeld aufgestiegen sein, und Honoratioren der Stadt oder Leute, die bereit waren, den Preis zu bezahlen, hatten die Möglichkeit erhalten, mitzufahren. Ganz sicher bin ich nicht, ob man damals, nicht etwas später oder früher, auf die Sensation zu sprechen kam. Ich glaube es, zumal wir, wenn meine Geschwister mit dabei waren, am unteren Ende des langen Tisches saßen und uns leise unterhielten, ohne dem unverständlichen Gespräch der Erwachsenen zu folgen.

Übrigens gab es ein anderes unvergeßliches Erlebnis spät im Jahre 12, welches die Mutter unerwähnt läßt, vielleicht weil sie damals in einem der Sanatorien war: der Tod des Prinzregenten Luitpold am 12. Dezember. Da führte unsere Köchin mich mit in die Allerheiligen-Hofkirche: viele Kerzen, viele, viele dunkle Menschen, die an dem offenen Sarg vorbeizogen. Darin lag ein starrer Nikolaus, an den vier Ecken bewegungslose Männer in Helm und Harnisch – »Hartschiere«. Wir durften nur einen kurzen Moment stehen bleiben, der dunkle Zug hinter uns drängte. Was der Tod war, wußte ich ja in der Theorie schon, dank des häufigen Sterbens meiner Freunde, und doch war mir nicht recht klar, daß ich hier einen Leichnam vor mir hatte. Von der Kirche gingen wir zur Prinzregentenstraße, an deren Rändern es von wartenden Herren und Damen wimmelte. Nach einer Weile kam das Erwartete, ein Auto, gedeckt, nicht offen, langsam vorbeigefahren. Da sah ich nun den Kaiser, oder glaubte ihn zu sehen. Nach Hause zurückgekehrt, äußerte ich mich: »Er hat gar keine Krone aufgehabt, nicht einmal einen Federbusch-Helm!« Das sagte ich, nicht weil ich enttäuscht war, sondern weil ich – dessen erinnere ich mich genau – das enttäuschte kleine Kind spielen zu sollen glaubte. Der Vater schien das zu merken, denn anstatt mir zu erklären, daß heutzutage die Könige ihre Krone nur noch bei seltenen Gelegenheiten trügen, winkte er ärgerlich ab. Eine Niederlage…

Ein paar Jahre später, ich mag sechs oder sieben gewesen sein, sah ich dann Luitpolds Sohn, den König Ludwig, mit weißem Vollbart auch er, am Fronleichnamstag in der Prozession, unter einem Baldachin hinter dem Allerheiligsten schreitend. Eine Impression, unauslöschlicher als das Bild des toten Regenten: der König als ein Abbild Gottvaters. Eindrücke, die mich im ältesten Herzen immer Monarchist bleiben ließen; das älteste Herz ist ja nun auch das wahrste, noch nicht von Vernunft angekränkelte.

Sehr genau kann ich mich erinnern an jenen schweren Gang zu den Erwachsenen in der Arcisstraße, um die Erlaubnis zum Ansehen des großen Bilderbuches zu erreichen. Wir wohnten damals dort, wegen des Umzugs von der Mauerkircher- in die Poschingerstraße. Anstatt selber zu gehen, hatten die »beiden Großen« mir die Aufgabe gestellt, wissend, daß ich immer bereit war, ihnen gefällig zu sein. So schritt ich denn durch das weite Eßzimmer, einem Erker oder niedrigeren, nach vorne offenen Nebenraum zu, wo die Erwachsenen beim Tee saßen, und trug mein Sprüchlein vor. Gravitätisch? Es war wohl mehr Scheu; oder Angst. Es sind die Scheuen, die oft zur Repräsentanz sich besser eignen als die Selbstsicheren, Burschikosen. Das habe ich zum Beispiel bei meinem Onkel Heinrich beobachtet, der durchaus scheuer Natur war – das gerade Gegenteil zur Frechheit, wie man sich diese bei ihm wohl vorstellte –, aber sehr würdig einherging und redete. Bei meinem lübischen Großvater, dem »Senator«, mag es nicht viel anders gewesen sein. Eine ganze Reihe von Mitgliedern dieser Familie besaß die Gabe, zu repräsentieren, aber in verschiedenen Verkleidungen oder Nuancen.

Daß ich häßlich sei, wurde mir auch später noch gesagt, so daß diese Vorstellung sich, nicht zu meinem Glück, in mir festsetzte. Sehe ich heute meine Kinderbilder, so kann ich es eigentlich nicht finden; einen wunderlichen Ernst lassen einige von ihnen erscheinen. Ob er irgend etwas Dauerhaftes zu bedeuten hatte? Manches, womit ich der Mutter Kummer machte, war keineswegs dauerhaft, weder in der frühesten noch auch in der späteren Kindheit. Gar nichts, zum Beispiel, hatte jene verkrampfte Heulerei zu bedeuten; ein flüchtiger Gast. Zwischen etwa dem neunten und dem zwölften Jahr war ich bei weitem der Schmutzigste unter den Geschwistern, ein wahrer Struwwelpeter; während Monaten putzte ich mir nie die Zähne, indem ich mir sagte, die Hunde täten es ja auch nicht, und was für weiße, gesunde Zähne hatten die! Auch schwindelte ich das Blaue vom Himmel herunter, Erlebnisse, die ich mir erdachte, um mich wichtig zu machen, und die manchmal geglaubt wurden, mit peinlichen Folgen für mich, öfter wurden sie prompt entlarvt. Beides, die Neigung zur Unsauberkeit und zum Lügen, nahmen die Eltern sehr ernst, was sie besser nicht getan hätten. Mit vierzehn fing ich an, auf Körperpflege Wert zu legen, wobei die in der Schule Schloß Salem vorgeschriebenen Sitten den ersten Anlaß abgaben, aber auch nicht mehr. In späteren Zwangslagen, Internierung, Gefängnis, litt ich an der Unmöglichkeit, mich zu waschen, mehr als an Hunger oder der Sorge vor dem, was mir noch zustoßen könnte. Als ich einmal das goldene Wort meines Freundes W. H. Auden las: »There is no sex-life in the grave«, dachte ich: ein heißes Bad auch nicht... Was das Lügen oder die Lüglein betrifft: Nichts ist dem Kind natürlicher, als zu erfinden und das Erfundene als wahr auszugeben oder die Grenzen zwischen Wirklichkeit und Unwirklichem zu verwischen. Lügen die Märchen denn nicht auch? Daß man nicht lügen darf, ist ein Gesetz der Gesellschaft, eine der eindeutigsten Wirkungen des Freudschen »Über-Ich«. Mir wurde es in Salem so gründlich ausgetrieben, daß ich seither die Hitze in meinem Gesicht fühle, wenn ich zu einer Verlegenheitslüge Zuflucht suchen muß, und jene bewundere, die in meiner Gegenwart, etwa am Telefon, mit freudiger Eleganz sagen, wovon ich doch weiß, daß es nicht wahr ist.

Dann wieder erscheinen in den Beobachtungen der Mutter sehr früh schon Anlagen ernsthafter Art, so komisch sie sich damals ausnahmen. Die Liebe zu den Gedichten ist von Ferne der Musikalität verwandt, ist eine geringere Abart davon. Und wir wissen ja, wie früh das musikalische Talent sich äußert. Den »beiden Großen«, Erika und Klaus, wurden Gedichte vorgelesen, vom »Fräulein« oder von Gästen der Eltern wie dem Freund und Nachbarn, dem Schriftsteller Bruno Frank, zuerst Uhland, dann auch Schiller. Uneingeladen hörte auch ich zu, mit Begier offenbar und schnappte auf und wußte, was ich mir gemerkt hatte, sogar passend und variierend anzuwenden; so das »Rings auf hohem Balkone« aus dem *Handschuh*. Das erste Gedicht für Erwachsene, das ich auswendig wußte, ehe ich auch nur lesen konnte, war Uhlands *Des Dichters Abendgang*, keine Ballade, sondern ein höchst lyrischer Gesang, von dessen Sinn ich nicht das Allermindeste verstand.

Ergehst du dich im Abendlicht...

Warum dies Gedicht den Geschwistern vorgelesen wurde, obendrein mehrfach, weiß ich nicht; vielleicht weil es in der Uhlandschen Gedichtsammlung das erste war. Was mir gefiel, war Klang, Rhythmen, schöne Worte. »In hoher Feier schwebt dein Geist« – da war vermutlich die Rede von einem Gespenst, wie auch der »Rachegeist« in *Des Sängers Fluch* ein solches war. »...die dunklen Wolken niederrollen« – ich wußte nicht, was da rollte, aber es klang schön und unheimlich. In der Grundschule – es war der Privatkurs des guten Fräulein Hell in der Mauerkircherstraße, den ich während drei Jahren besuchte – kamen zu törichten Versen die besseren von Robert Reinick und besonders Rückerts gereimte Erzählungen für Kinder, *Vom Bäumlein, das andere Blätter gewollt, Vom Büblein, das überall mitgenommen hat sein wollen*.
Wie ich das hersagen konnte! Im Münchner Wilhelms-

gymnasium dann, dessen kalte Gänge ich im Herbst 1918 zuerst betrat, war ich, sonst als Schüler eher unter Mittelmaß, im Gedicht alsbald der Erste und blieb es. Wir lasen den *Postillion* von Lenau, hatten ihn auswendig zu lernen, das war in der dritten Klasse, ich elf Jahre alt. Die Kameraden stammelten kläglich ihre Strophen, ich sagte die meinen. Der Lehrer zum Schluß, tief verärgert von seinem mißglückten Versuch, uns etwas Schönes beizubringen: »Jetzt soll es der M. noch einmal ganz sagen.« Danach: »Ja, wenn man es so hört, dann kann es geradezu ein Genuß sein.« So blieb es; Gedichte, nicht meine eigenen, deren gab es nur wenige, sie blieben mein Trost, mein Stecken und Stab alle Zeit, zumal in dunklen Zeiten. Nun wußte ich auch, daß ich sie besser sprechen könnte als andere Leute, sogar als Schauspieler, die es für meinen Geschmack oft zu dramatisch machten. (Hier nehme ich Gert Westphal aus, der kann es unvergleichlich besser als ich.) Aber ich mußte alt werden, siebenundsechzig Jahre alt, um diese Gabe vor einem Zuhörerkreis verwirklichen zu dürfen, was ich seither öfters tat. Lag es an widrigen Umständen, daß es so spät kam, lag es an mir? Besser spät als nie.

So bleibt es das Gedicht, welches die Identität in aller Frühe schon bilden half. Auch mag die Ungeschicklichkeit meiner Hände dazu gehören – nur der Hände? –, die verhutzelten Gänseblümchen inmitten der blühenden Wiese. Dann der Gehorsam gegenüber den großen Geschwistern, die zahme Geduld und Friedensliebe gegenüber der zu mir gehörenden, kleineren Monika, Angst und böses Gewissen nach der Untat des Naschens und Anderes mehr. Dagegen kam mir die drôlerie bald und völlig und für immer abhanden.

Im Dreijährigen ist der fertige Mensch, der dreißigjährige,

verborgen und geborgen, jedoch ohne daß Erscheinung und Wesen, oder scheinbares Wesen des Kindes, irgend etwas für die fernere Zukunft bewiesen. Kinder können schön sein wie Engel, mit der Zeit werden sie indifferent. Bei Wedekind:

> ...die Pubertät
> Macht dich den übrigen Flegeln ähnlich
> Der Duft ist hin und du wirst gewöhnlich.

Sie können häßlich-unselig dareinschauen, später werden sie hübsch. Sie können sich scheu, zahm, feige verhalten; später werden sie aggressiv, vielleicht, um frühe Erfahrungen zu überwinden. Und so fort. Aber das Gedächtnis des Ich verbindet das Früheste mit dem Spätesten, erhält die Identität in der Nicht-Identität; und wenn Bertrand Russell behauptet, es sei lächerlich, dem Alten einen Ehrenpreis zu verleihen für das, was der Junge geleistet, er habe ja mit jener Frühe überhaupt nichts zu tun, er sei ein Anderer, so ist das nur ein philosophischer Scherz. Der gleiche Russell beweist in seinen Memoiren ein hervorragendes Kindheitsgedächtnis; also ist er der Gleiche geblieben, allen Verwandlungen zum Trotz.

Wenn ich nun zu einem Teil wenigstens mich finde in jenem ersten, bunten Abziehbild – wie lange ist das alles her? Nach Schopenhauer ist das menschliche Leben weder lang noch kurz, weil der Maßstab fehlt, an dem man es messen könnte. Das ist logisch unanfechtbar, sagt aber wenig. Nicht die schiere Zeit zählt hier für das nachdenkende Gefühl, sondern das, was in ihr geschah, die Ereignisse, Erlebnisse, Wandlungen. Darum, und nicht weil sie im Durchschnitt zwei oder drei Jahrzehnte weniger lang lebten als wir, war das Leben der Menschen in vergangenen Zeiten kürzer. Eine Reise ins noch Unbekannte ist lang, während man unterwegs ist, und die ersten Tage, voller neuer Eindrücke, sind die längsten, kaum können wir glauben, daß wir vor drei Tagen noch zu Hause gewesen waren. Ist man wieder zurück, so zieht das Erlebte sich zusammen wie ein langer oder im Träumen langer Traum nach dem Erwachen. Was sind schon drei Wochen. Sie waren lang in ihrer starken Gegenwart. Dem ist die Lebensreise vergleichbar, jedoch mit Unterschieden. Das Leben bleibt lang auch im Rückblick. Es sind die Verwandlungen, die es lang machen, die Verwandlungen in dem Erlebenden selber und in der Menschenwelt rings umher. Die Sonntag-Nachmittage in der Arcisstraße, die ferne hallenden Hufschläge eines Droschkengauls, sonst alles still, und die große laute, wimmelnde Stadt heute – um ein banales Beispiel zu geben. Der graue Herr, der hier in Kilchberg bei Zürich an seinem Schreibtisch sitzt, mit dem Blick auf den nebligen See, nur noch eines von drei alten Geschwistern, und so lange waren wir doch sechs und zwei Generationen schützend über uns, ein weites, freund-feindliches System von Verwandten, der Großvater, der von seinem bewunderten Freund Richard Wagner erzählte, die Großmutter, die Bismarck gehört hatte im Reichstag im Jahre 1888, als er den Abgeordneten formelle Mitteilung vom Tode Kaiser Wilhelms I. machte, er soll sehr würdig und gefaßt gesprochen haben – und das alles längst versunken, Institutionen, die ich für dauernd hielt, aber wie undauerhaft waren sie doch – Zeuge schier eines Jahrhunderts und welchen Jahrhunderts, und die toten Freunde unter meinen Altersgenossen und die nachdrängenden Generationen unter mir, neben mir, es sind nun schon zweieinhalb, wenn man dreißig Jahre für eine rechnet, *das* bewirkt Zeit, lange Zeit, und ich bin noch immer da, immer noch der Ungeschickte, Friedliebende, Scheue, mit dem verhutzelten Gänseblümchen, und noch immer sind Anfang und Mitte Gegenwart, so düster sie oft waren, nur gegen Ende verschwimmt das Gedächtnis, die Jahre werden leerer, ähneln einander mehr und mehr, vergehen schneller und schneller, was die Natur ungerecht eingerichtet hat, denn je weniger Zeit-Vorrat man noch besitzt, desto kostbarer sollte er sein, das Gegenteil ist der Fall, Menschen, die ich vor Wochen sah, erkenne ich nicht mehr und muß mir ihre Namen zuflüstern lassen, wenn einer da ist, der ihn weiß.

Erika muß im Jahre 1911 in die Grundschule gekommen sein, Klaus ein Jahr danach – besser sage ich, »der Klaus«, denn wir setzten immer den Artikel vor den Namen. Es war die »Ebermayer-Schule«, eine Privatschule auch sie, aber viel stattlicher, geleitet von Fräulein Ebermayer zusamt einem Stab von Lehrerinnen, deren Namen ich alsbald wußte und heute noch weiß, denn alles, was die beiden Großen betraf, erfüllte mich mit bewundernder Neugier. Das Schulhaus lag im ferneren Schwabing, ein weiter Weg also, beschützt durch eine der Erzieherinnen, die sich zu einem Pool zusammengetan hatten, so daß nur eine der Damen im Wechsel die Gruppe von Kindern aus dem Herzogpark anführte, oft auch begleitet von ihren noch nicht schulpflichtigen Zöglingen. Aus bloßer Sage wurden die Lehrerinnen der Ebermayer-Schule für mich zur Wirklichkeit, allen voran Fräulein Ebermayer selbst, mehr »Frau« als »Fräulein«, mit einem Zwicker vor den strengen Augen. Es kam vor, daß Klaus mir schreckliche Erlebnisse aus der Schule berichtete, etwa: Fräulein Ebermayer habe heute »Pankrott« gemacht, es seien Männer in das Klassenzimmer gekommen und hätten der Dame ihre Kleider ausgezogen, alle Kleider, und auch die Pulte hätten sie pfandweise hinausgeschleppt, im bloßen Hemd stand die Unglückliche in dem verödeten Raum... grausiger Vorgang, der noch Jahre später sich mir mit dem Begriff des Bankrottes verband. Also konnte auch der Bruder schwindeln, aber ihm nahm man es nicht so übel, vielleicht, weil er es phantasievoller machte.

Einmal, in der Schule oder im Hof, sah ich Erika und Klaus mit einem Jungen, der mir überaus gefiel, warum wußte ich nicht. Aber verliebt war ich nun, ohne zu wissen warum und ohne noch das Wort zu kennen. Als ich ein paar Bonbons geschenkt bekam, »Pfefferminzkugeln«, hob ich sie mir auf und bat den Klaus, sie meinem Freund zu bringen mit einem Gruß von mir. »Hast du sie ihm gegeben? Hat er sie genommen?« Ja, das habe er und sie mit sichtlichem Vergnügen gelutscht. Was mich weit mehr freute, als wenn ich sie selber verzehrt hätte. Hans Ludwig war der Sohn des Architekten, der im folgenden Jahr unser Haus in der Poschingerstraße bauen würde. Der Sohn wurde auch Architekt, ein berühmter sogar, Johannes Ludwig jetzt, zeitweise Präsident der Bayerischen Akademie der Künste, Ritter des schwedischen Nordstern -Ordens, anderer Würden nicht zu bedenken. Als ich ihn etwa sechzig Jahre später wieder traf, erinnerte ich ihn an jene Pfefferminzkugeln, die auf ihn nur einen sehr flüchtigen Eindruck gemacht zu haben schienen. Seitdem sahen wir uns oft. Gelegentlich schlug er mich sogar für irgendeinen Ehrenpreis vor, und ich konnte ihm sagen, nun, endlich habe er sich revanchiert und sehr großzügig... Es war meine erste Liebe zu dem bewunderten größeren Jungen im Schulhof; die letzte bei weitem nicht. Auch dies ein Stück früher Identität.

Krieg

Die Mutter, in jenen Aufzeichnungen, erwähnt die stark erhöhte Zahl der Militärkonzerte im Bad Tölz des Sommers 1913, ohne sich etwas dabei zu denken. Dagegen konnte der Historiker GM, als er jene Seite wieder las, nicht umhin zu fragen: »Ei, ei, warum gerade in diesem Jahre 1913?« Klar: man bereitete sich allen Ernstes auf Krieg vor. Und da war vom bayerischen Kriegsministerium ein Rundschreiben an die Herren Garnisonskommandanten ergangen: in Anbetracht der bedrohlichen Weltlage sei es wünschenswert, den vaterländischen Geist der Bevölkerung zu stärken durch patriotische Vorträge aller Art wie auch durch musikalische Darbietungen. Man bitte um regelmäßige Berichte darüber. Nicht, daß man den Krieg für das Jahr 1914 mit Sicherheit vorausgesehen oder gar gewollt hätte. So einfach geht das nicht zu – mit einer einzigen Ausnahme, der von 1939. Nur, die Zeiten wurden immer ernster und die außenpolitischen »Krisen« jagten einander immer dichter und die militärische Übermacht der Russen wuchs Jahr für Jahr und je länger der Friede schon gedauert hatte, desto kürzer würde er noch dauern, und da der Krieg ja doch kommen *mußte*, so war es am Ende und mit offenen Augen gesehen leider sogar wünschenswert, daß er mit seiner Ankunft nicht allzulange mehr zögerte. Nie würde man ihn ruchlos beginnen, aber kommen würde er. Das war die Psychologie; im Rückblick leicht nachzuvollziehen. Aber die Mutter verstand es nicht so, der Vater auch nicht. In den zwanziger Jahren sah ich eine, seither vermutlich untergegangene Postkarte von ihm an die »Frau Senator«, die Großmutter, geschrieben Ende Juli 1914: »Ich kann immer noch nicht glauben, daß es zum Kriege kommen wird. Man wird bis hart an das Äußerste gehen und dann sich doch irgendwie einigen.« (Der erste Satz wörtlich erinnert, der zweite nur dem Sinn nach.)

Und nun saßen wir beim Mittagessen auf der gedeckten Veranda des »Tölzhauses«, und TM sprach zu uns, so ernst, wie ich ihn noch nie gehört hatte: »Ja, Kinder, es ist Krieg...« Am Nachmittag zogen wir alle vier mit der Mutter und einem Leiterwagen »ins Ort«, um bei der alten Frau Holzmayer nicht weniger als zwanzig Pfund Mehl einzukaufen, das allererste Hamstern. Wir hatten ein Theaterspiel geplant, das *Die Einbrecher* hätte heißen sollen, zusammen mit den drei Cousinen, Eva-Marie, Ilse-Marie, Rose-Marie, Töchter des Bankdirektors Hofrat Löhr und seiner Frau Julia, »Tante Lula«, des Vaters überlebender Schwester. Nichts wurde aus dem schon geprobten Spiel. Denn es geschah ein allgemeiner, hastiger Aufbruch, so wie später im *Zauberberg*. Nicht, daß in der Stadt so viel Dringendes augenblicklich zu tun gewesen wäre; aber nach München zurückkehren – man mußte es. Allenfalls galt es, Verwandte, die zu den Fahnen eilten, feierlich zu verabschieden: den »Herrn Rittmeister« Heinz Pringsheim, Bruder der Mutter, den Leutnant Viktor Mann, des Vaters jüngsten Bruder, der, ehe er auszog, noch rasch in den Stand der Ehe trat. Die letzten Stunden in Tölz: wir saßen in einer Ecke des Gartens zusammen mit den Löhrschen Töchtern und besprachen die Lage, Eva-Marie, bei weitem die älteste, war auch die informierteste. »Das große Rußland... die zünden Deutschland an allen vier Ecken an!« Ich hörte zu, mit Grausen wohl, mitreden konnte ich nicht.

Die Löhrschen Kinder waren für uns der Inbegriff des Feinen und Falschen; immer mit seidenen Schleifen in den auf die Schultern wallenden Haaren, immer in den hübschesten Kittelchen und so wohlerzogen, wenn sie, »Grüß Gott, Tante Katja, Grüß Gott, Onkel Tommy«, ihre Knickse machten. Von Erika, die einmal bei der Familie wohnte, sie war schon schulpflichtig, während wir noch in Tölz blieben, von ihr hörten wir freilich, daß da nicht alles Gold war, was glänzte. Die beiden Zwillinge, Issi und Rosi, pflegten in häufigem Streit miteinander zu raufen, sich zu zwicken, sich an den zarten Haaren zu ziehen und die lieblichen Kleider zu zerreißen. Dann brach auch Tante Lulas lübischbürgerliche Vornehmheit zusammen. Ihre Strafpredigt, zuerst noch traurig-vorwurfsvoll – »Wie könnt ihr mich denn so betrüben?« – steigerte sich, wurde schriller und schriller und endete mit blindwütig ausgeteilten Hieben... Die Familie wurde später in dem Roman *Doktor Faustus* beschrieben; der Bankdirektor verwandelte sich in den Kunstgelehrten Dr. Institoris, die Tante in Frau Ines, die ihren Geliebten, den Geiger Rudi Schwerdtfeger, in der Trambahn erschießt.

Kriegsjahre. Das skurrile Kind, das »Wurzelmännchen«, wurde zum kleinen Jungen in dieser Zeit, zum ordinären Schüler, mit den meisten Dummheiten eines solchen, nicht der Rede wert, auch mit ein paar Eigenarten. Indem ich zum praktischen Leben erwachte, wollte ich im Hause nützlich sein, mich der Familie gefällig erweisen, vielleicht um Nachteile auszugleichen. Nachdem ich lesen gelernt hatte, wurde ich oft am späten Nachmittag zum »Tagesbericht« geschickt, angeschlagen an einer Ecke des Kufsteinerplatzes, um mit den guten Nachrichten, den Zahlen der getöteten oder gefangenen Feinde nach Hause zu kommen. Nicht, daß es ein notwendiger Dienst gewesen wäre, man konnte es ja am nächsten Morgen in den *Münchner Neuesten*

Nachrichten lesen. Und dann ging ich, achtjährig, um die Lebensmittelkarten zu holen, stand lange dafür an, oben in der Gebele-Schule, von wo ich einmal, ich weiß nicht warum, in die entfernte Innenstadt verwiesen wurde und den Weg mutig-wichtig antrat. Machte ich irgend etwas falsch, so hatte ich zum Schaden den Spott der »Großen«: »Schlechter Hausvater!« – ein Ausdruck, der an mir hängenblieb. Siege, deren gab es viele, wurden durch dumpfe Kanonenschüsse angezeigt, je größer der Sieg, desto mehr Schüsse zählten wir. Die »Pioniere« übten in der Isar. Als es schlimmer und schlimmer wurde, mit der Ernährung und mit den Gefallenen, kam es vor, daß sie eine Selbstmörderin aus dem Wasser zogen und ich es, die Föhringer Allee herunterkommend, mit ansah, die herabhängenden Arme, die nassen Haare, die vergeblichen Wiederbelebungsversuche... Mit der Ernährung war es am Anfang so schlimm nicht. Das kam allmählich in dem Maße, in dem die »Hunger-Blockade« sich auswirkte; in gleichem Maß nahm die Kriegsfreude ab, die im August 1914 so betörend gewesen war, in allen europäischen Hauptstädten, keineswegs nur in den deutschen. Was blieb, war der Haß, der im Jahre 1915 sich auch auf die verräterischen Italiener ausdehnte. Ihr Chef-Politiker, Salandra, war mit englischen Millionen bestochen worden, sonst hätten sie es gewiß nicht getan! Der Böseste von der Bande war ein Engländer namens Grey, »Lügen-Grey«. Dann kamen Lord Kitchener – welcher Jubel über seinen Wassertod! –, Poincaré, Marschall Joffre und andere mehr. Man brauchte Namen für den Haß, wie für das Bewundern.

Den Namen Hindenburg, der uns dann zwanzig Jahre lang in den Ohren bleiben sollte, hörte ich zuerst im Spätsommer 1914. TM bei Tisch: »Dieser Hindenburg ist ein Tausendsassa!« Natürlich glaubten wir alle, den Vater mit eingeschlossen, an den kunstgerecht gemachten Mythos, bis zu allerletzt. An den Kaiser ebenso, auch für ihn gab es geschickte Publizität, indem man etwa in den Schulen Aufsätze über ihn schreiben ließ, von denen die besten oder lustigsten in den *Münchner Neuesten* zitiert wurden: »Unser Kaiser ist klein und hat eine swaze Schnurrbart...« Dann die beiden Kronprinzen, der deutsche und der bayerische, welch letzterer meinem hier ganz richtigen Instinkt der liebere war, besonders, wenn vom Endsieg gesprochen wurde: »Dann zieht der Kronprinz Rupprecht ein...« Wie schön das werden würde! Ludendorff blieb im Hintergrund, es fiel nur ein wenig von des Feldmarschalls künstlichem Glanz auf ihn. Daß der Kriegsplan nach wenigen Wochen zerrissen, die Marne-Schlacht verloren war, davon ahnten wir nichts; hatten die Eltern es besser verstanden – was ich nicht glaubte –, so sprachen sie nie davon.

Es war im Krieg, daß die bis dahin so verwöhnte Mutter zu einer Art von Heldin wurde, mit zwei schweren Aufgaben: den nervösen, hart arbeitenden Gatten zu beschützen, ihn zu ernähren, so gut es eben ging, und doch auch die Übrigen, die vier Kinder und die drei »Mädchen«, Köchin, Zimmermädchen, Hausmädchen, nicht gar zu kurz kommen zu lassen. Dazu kamen Krankheiten, eine Kette von Blinddarm-Entzündungen, erst ich, dann Monika, dann die Mutter selber, dann Klaus – eine wahre Epidemie. Klaus, bei dem die Operation zu spät gemacht wurde, wäre beinahe gestorben, während Monaten lag er in der Klinik des Hofrats Krecke, weit draußen nahe Nymphenburg, jeden Vormittag besuchte ihn die Mutter, eine endlose Reise in überfüllten Trambahnen. In seinem ersten Erinnerungsbuch *Kind dieser Zeit*, erschienen 1932, hat Klaus diese Erfahrung, wie manche andere, so beschrieben, daß ich es nicht zu wiederholen brauche. Tief erschöpft kam die Mutter von diesen Besuchen zu einem späten Mittagessen nach Hause, immer voller Erzählungen. Einmal hatte sie das letzte Stück des Weges zu Fuß gehen müssen, die »Pendelbahn« war ausgefallen. Unterwegs kam sie mit einem dem gleichen Ziel zustrebenden Herrn ins Gespräch und lüftete aus irgendeinem Grund das Geheimnis ihres Namens. »Was!« rief er, »Sie sind die Frau unseres berühmten Münchner Künstlers!« Damals erfuhr ich wohl zuerst, daß der Vater ein Schriftsteller war, sogar ein berühmter. Als ich selber im Kindersaal der Klinik lag, hatte ich auf die Frage »Was ist denn dein Vater?« noch die Antwort schuldig bleiben müssen. Im Kindersaal gab es wohl ein Dutzend Kinder oder mehr, auch schwerkranke. Eines, Hänschen, hatte eine Gehirnoperation hinter sich, woran es sterben mußte, aber nicht im Saal. Es rief immer nach der Schwester »Iii – da!« Der Chef-Chirurg pflegte jeden Morgen Visite zu machen. Hänschen stolz: »Herr Hofrat Krecke, ich lieg im Bäbä drin!« Der Hofrat: »Großartig« – eine Antwort, die mir imponierte. Als Krecke mich neun Jahre später am Knie operierte, die erste von sechs Knieoperationen, sagte er nicht ohne Bitterkeit zu mir: »Ihr Bruder Klaus ist Literat geworden.« Ich verstand, was er meinte: *dafür* habe ich ihm das Leben gerettet... Krecke war ein großer und gütiger Arzt. Als er wußte, daß es aus mit ihm war, ein unheilbares Krebsleiden, nahm er Gift.

Noch einmal zur Mutter. Ihre Einkäufe machte sie meistens auf dem Rad, auch im Winter. Das Essen teilte sie aus und nahm sich selber am wenigsten. TM, solches beobachtend, schlug gelegentlich vor, wir sollten alle, ihn selber eingeschlossen, etwas von unseren Tellern auf den ihren tuen. Sie war arg mager geworden, aber das alte Lungenleiden, an dem sie noch im Winter 1914 laborierte, hatte

sich beruhigt, wieso, ist mir ein Rätsel. Das Brot, zum Frühstück und Abendessen, schnitt sie für uns in hauchdünne Scheiben, vier für jeden, um uns die Illusion des Mehr zu geben. Einmal gab es zum Abendessen nur drei. Erika und Klaus murrten. Ich, begütigend: »Drei ist doch für abends schon sehr viel!« Hohngelächter der Großen: meine typische Liebedienerei. Das war es nicht. Ich glaube zu wissen, was es war: zwei Motive. Das Eine: die Eltern waren die Obrigkeit, die Obrigkeit hatte es schwer, und wir durften es ihr nicht noch schwerer machen. Immer war in mir eine Neigung, es mit der Obrigkeit zu halten: mit dem König von Bayern, solange es ihn noch gab, wie später mit dem Bauern, für den wir in Frankreich als internierte »feindliche« Ausländer zu arbeiten hatten, wie mit dem Präsidenten des Colleges, in dem ich unterrichtete, und anderen mehr. Man mag diese Neigung deutsch nennen, obgleich ich von der Frage »Was ist deutsch?« nichts halte. Das Andere: jeder Streit tat meiner zarten Seele überaus weh; Ausbrüche väterlichen Jähzorns, die gab es in jenen Jahren reichlich, ein haderndes Gespräch zwischen den Eltern. Sah ich ein solches herankommen, so wand ich mich in stummer Pein. Als Erwachsener versuchte ich zu vermitteln: Beide hatten recht, jeder auf seine Art... Tatsächlich war TM der immer präsenten, der logisch-juristischen Intelligenz der Mutter nicht gewachsen. Er hatte leichtsinnig, nur so des Gespräches halber, irgendeine Behauptung gemacht, die ihn gar nicht interessierte und die er nicht aufrechterhalten konnte. Ihrerseits war die Mutter, so sehr sie ihn liebte und bewunderte, ihm diente, eine viel zu starke und naive Persönlichkeit, als daß sie in dieser Beziehung sich hätte ändern können oder wollen, in fünfzigjähriger Ehe nicht. Daraus für mich mancher Kummer.
Trotz aller Härten des Krieges blieb unser Haushalt ein

gut bürgerlicher, vielleicht betont bürgerlicher als vor 1914, was, denke ich, mit den *Betrachtungen eines Unpolitischen* zusammenhing. Wir Kinder nahmen unser Frühstück und Abendessen auf der oberen Diele, letzteres am Samstag in Schlafröcken, weil ihm das wöchentliche Abendbad vorausging. Da gab es dann »Schaumtorte« oder Dr. Oetkers »Mandelpudding mit Rosinen«, zwei Phänomene der späteren Kriegszeit, höchst kalorienarm, aber erfreuliche Illusionen. Mittags aßen wir mit den Eltern, TM an der Spitze der Tafel, Kriegsbier aus einem großen silbernen Henkelbecher trinkend, was er vor dem Krieg nicht getan hatte; dieser Humpen ist noch in meinem Besitz. Jeder Geburtstag wurde begangen, das Geburtstagskind beschenkt. Und Weihnachten war noch immer ein Fest, nicht ganz so herrlich wie in *Buddenbrooks*, aber doch mit einem Schein davon; das Singen der Weihnachtslieder im stockdunklen Arbeitszimmer, das Heraustreten in den Lichterglanz des Baumes, das wie geblendete Suchen nach dem eigenen Geschenktisch, die Anwesenheit der Großeltern Pringsheim, die ihrerseits Geschenke brachten, das Antreten der »Mädchen«, die ihren Teller mit Lebkuchen und Nüssen zusamt einem Geldschein in Empfang nahmen, die mit Äpfeln gefüllte Gans zum Abendessen. Selber hatte ich mir das »Schwarze«, das gestockte Blut und den Hals ausbedungen, ein Recht, das eingehalten wurde, wie alle Rechte, die wir zwischen uns verabredeten. Gänse konnte man beliebig kaufen, ihre »Markenfreiheit« war ein beliebtes Thema der Zeitung, nur kosteten sie eben sehr viel; bei uns gab es sie nur einmal im Jahr. Am ersten Feiertag dann das Mittagessen in der Arcisstraße, vergleichsweise noch immer großartig. Der Geheimrat war kein »Kriegsgewinnler«, nichts weniger als das, patriotisch zeichnete er viele Hunderttausende in Kriegsanleihen, aber sein Vermögen blieb ihm einstweilen, und mit viel Geld konnte man noch immer kaufen, was der großen Mehrheit vorenthalten blieb. Von den Söhnen war einer, Heinz, im Feld, ein anderer, Peter, interniert in Australien, wohin er kurz vor Kriegsausbruch zu einem Physiker-Kongreß gereist war. Ein paar Mal im Jahr durfte man ihm über das Rote Kreuz Briefe schreiben, und es wurden dann vaterländisch verschlüsselte Mitteilungen gemacht wie: »Tante Victoria besucht uns häufig und wir hoffen, daß sie bald für immer bei uns wohnen wird.« Der Jüngste, Klaus, Zwillingsbruder der Mutter, der »Herr Kapellmeister«, war untauglich gesprochen worden wie TM. Er war von den drei Brüdern entschieden der hellste, anregend, humoristisch, subversiv und sehr streitsüchtig. Hochgebildet waren sie alle drei, besaßen schöne Bibliotheken, kannten ihre Klassiker, sprachen französisch so gut wie deutsch, erlernten auch etwas, der eine Physik, in der er es zu etwas Tüchtigem brachte, der andere Archäologie, später Musik. Jedoch eignete ihrem Wesen etwas Skeptisches, Zahmes und Flaues, vielleicht hatte der strenge Vater sie in ihrer Kindheit geduckt. Aber der Jüngste blieb ein Rebell. Er mag von der Liebe profitiert haben, mit der der Geheimrat der einzigen Tochter, der Zwillingsschwester, anhing. Klaus Pringsheim wußte früh, daß Deutschland den Krieg nie gewinnen könnte. In Tölz, spätestens im Sommer 1917 – das Haus wurde im Herbst 1917 verkauft –, konnte der Achtjährige ein Streitgespräch überhören, das die Eltern mit dem Bruder-Schwager führten. »Nun und«, rief TM, »sollen wir ihnen Elsaß-Lothringen zurückgeben?!« Offenbar hatte Klaus Pringsheim von der Notwendigkeit eines Verzichtfriedens gesprochen. Die Namen Elsaß-Lothringen hörte ich damals zum ersten Mal; ich hielt sie für typisch französisch.

Daß der Onkel Heinrich ebenso dachte oder noch ärger, ahnten wir damals noch nicht. Wir wußten nur, daß er aus unserem Gesichtskreis verschwunden war, in dem er auch vorher eine sehr intensive Rolle nicht gespielt hatte, daß Vater und Onkel im Streit miteinander lagen. Dem Erwachsenen erzählte, Jahrzehnte später, Heinrichs Frau, Mimi, von der letzten Auseinandersetzung zwischen den beiden Brüdern, von Heinrichs sanft und kühl überlegenen Reden – »Weißt du denn nicht, daß Deutschland den Krieg verlieren wird, daß seine herrschenden Stände die Hauptschuld daran tragen, daß er zum Sturz der Monarchie führen muß...« – und von TMs schroffem Abgang.

Seinerseits lag der »Herr Rittmeister«, Heinz Pringsheim, mit seinen Eltern in Fehde, weil er eine Ehe eingegangen war, welche die Alten mißbilligten. Grund genug zur moralischen Enterbung. Vorläufig wurde ihm die Apanage, wenn nicht gestrichen, so doch strafweise gekürzt, so daß seine Frau, Olga, eine Russin von Geburt, sich Bekannten von uns als Köchin anbot, wohl nur zu demonstrativem Zweck. Folgendes Erlebnis blieb mir in Erinnerung. Eines Vormittags sah ich einen Offizier mit langem Schleppsäbel die Poschingerstraße herunterkommen und sich unserem Haus nähern. Es war der Onkel, auf Urlaub, der seine Schwester besuchte. Während die beiden sich unterhalten, läutet es an der Haustüre. Meine Mutter wirft einen Blick durch das Rundfensterchen und erkennt die Frau Geheimrat, »Fink«, wie sie von ihren Kindern genannt wurde. Schreckhafte Überraschung; die Großmutter kam am Vormittag nie, nur um halb sechs zum Tee. Die Schwester macht dem Bruder entsprechende Zeichen. Dieser entflieht durch eine Hintertür in den Keller, um von dort das Weite zu suchen. Die Großmutter kommt herein, bemerkt die wunderliche Verlegenheit der Tochter und errät den Grund mit mütterlicher Intuition. »Der Heinz ist im Haus!« Da würde kein Leugnen helfen. Sie eilt zu jener Hintertür: »Heinz, sei doch kein dummer Junge, komm herauf!« Der Offizier erscheint wieder, während ich mich taktvoll aus dem Staube mache. Es soll dann eine Art von Versöhnung stattgefunden haben. Rückblickend war es eine Situation wie aus dem Lustspiel... Jene verhängnisvolle Ehe ging später auf traurige Weise in die Brüche. Frau Olga, eine begabte Malerin übrigens, Schülerin von Matisse, stürzte sich in einem Berliner Hotelzimmer aus dem Fenster, weil ihr Gatte eine andere liebte, die er nun nach einer Trauerpause heiraten konnte.

Am Vater hatte ich, hatten wir früher mit beinah gleicher Zärtlichkeit gehangen wie an der Mutter, das änderte sich während des Krieges. Wohl konnte er noch Güte ausstrahlen, überwiegend aber Schweigen, Strenge, Nervosität oder Zorn. Nur zu genau erinnere ich mich an Szenen bei Tisch, Ausbrüche von Jähzorn und Brutalität, die sich gegen meinen Bruder Klaus richteten, mir selber aber Tränen entlockten. Kann man an sich nicht immer *sehr* nett zu seiner Umgebung sein, wenn man sich ausschließlich der eigenen schöpferischen Arbeit widmet, um wie viel weniger, wenn man Tag für Tag sitzt an den *Betrachtungen eines Unpolitischen*, in denen, um nur ein Beispiel für die dunkelsten Akzente des Buches zu nennen, die Versenkung des englischen Schiffes Lusitania, mit zwölfhundert Zivilisten an Bord, ausdrücklich gebilligt wird? Diese »Gewissensprüfung«, eine Kriegspflicht, wie er es verstand, war dem Autor selber zur schweren Last, nicht zur Freude geschrieben, wie bei den einstweilen liegengelassenen Fragmenten *Felix Krull* und *Zauberberg* doch ungefähr der Fall gewesen war. Ein Werk, nur für sich selber oder für seinen Autor entstehend, ein labyrinthisch angelegtes Schloß, für den Abbruch bestimmt, kaum daß es fertig gebaut wäre – das konnte keine gute Laune geben. Ich sehe ihn noch von der Diele her, das hieß von der Garderobe, von der Haustür her, nach seinem Spaziergang um halb zwei das Eßzimmer betreten mit einer Art, die über seine Präsenz keinen Zweifel aufkommen ließ, sehe ihn nach dem Essen in sein Arbeitszimmer hinübergehen und die Türe hinter sich schließen mit einer Entschiedenheit, für welche man in der Schweiz sagt: »Die ist dann zu.« Die Türe war in der Tat zu, und nicht im Traum wäre es einem von uns eingefallen, ihm je in das Heiligtum zu folgen. Im Hause trug er eine graue Jacke, eine Art von russischer Litewka, die er seine »Dienstjacke« nannte.

Zu den Mahlzeiten kamen Gäste nur noch selten, aus naheliegendem Grund. Einmal, ich denke 1917, erschien Hugo von Hofmannsthal zum Abendessen. Der Name war uns wohlbekannt, wie so viele berühmte Namen, und seit langem. Längst wußten wir, daß Ernst von Possart und Paul Wegener berühmte Schauspieler waren, Hugo von Hofmannsthal und Frank Wedekind und Jakob Wassermann berühmte Dichter. Nun also kam Hofmannsthal. Es muß ein Samstag gewesen sein, denn wir wurden in unseren Nach-dem-Bad-Schlafröcken herunter ins Eßzimmer gerufen, um den Gast zu begrüßen. Er saß, wo sonst der Vater zu sitzen pflegte, eine Ehre, die ausschließlich ihm zuteil wurde. Daß er ein hübscher, eleganter Herr war, so viel bemerkte ich; auch die Melodie seiner Sprache, wie ich solche noch nie gehört hatte. Er unterhielt sich ein bißchen mit uns auf das freundlichste, um zu enden: »So, jetzt muß ich aber meine Sardinen essen, die Eltern sind schon fertig damit.« Da ich Sardinen noch nie gesehen hatte, so fragte ich oben den Bruder danach. Der, überlegen: »Wenn man einen so berühmten Dichter einlädt, dann muß man ihm schon etwas bieten.«

Als etwa zehn Jahre später Hofmannsthal wieder einmal zum Abendessen kam, diesmal zu einem reicheren, erinnerte ich mich an jene Sardinen. Die Mutter, skeptisch wie oft, glaubte nicht daran: Erstens sei es an sich unwahrscheinlich und zweitens könnte ich mich doch unmöglich an ein solches Detail erinnern. Hofmannsthal bestätigte mich jedoch großmütig: »Diese Sardinen haben mich damals ein bisserl gerührt« – vermutlich, weil in seinem Österreich alles schlampiger zuging, alles weniger gerecht verteilt wurde und die Wohlhabenden, wie ganze Länder, Ungarn, Böhmen, sich ungleich besser ernährten als die Menschen im »Reich«.

Damals dann, 1927, kam die Rede auf den Onkel Heinrich. Hofmannsthal, nachdenklich: »Was ist nun mit dem Mann?« Er meinte, ist er nun ein guter Schriftsteller oder ist er's nicht? Über Heinrichs politische Äußerungen: »Ja, da kann er wirklich etwas« – sichtlich froh, doch etwas Positives über ihn sagen zu können. Beim Abschied bemerkte ich, daß Hofmannsthal ungern die Hand gab, indem er sie gleichzeitig reichte und auch zurückzog, so daß man nicht wußte, ob er nun wollte oder nicht. Nur diese beiden Male bin ich Hofmannsthal begegnet. Meine älteren Geschwister unvergleichlich öfter, Erika, charmant, geistreich, selbstsicher, war recht eigentlich mit ihm befreundet.

Ein anderer Tischgast, gegen Ende des Krieges recht häufig, war ein bebrillter junger Herr, beinahe wie ein Student wirkend, der Privatdozent für Germanistik Ernst Bertram. Die Freundschaft zwischen Bertram und TM, zuerst beruhend auf den Werken, die sie in Arbeit hatten, den *Betrachtungen* und Bertrams *Nietzsche*, entstand damals, um sich bis 1933 hinzuziehen, während der letzten zehn Jahre durch stetig wachsende Gesinnungs-Unterschiede belästigt.

Geistig-deutsch-bürgerlich-unpolitisch – was so viel wie politisch hieß, nur eben von besonderer Art – war auch die Freundschaft zwischen TM und dem Komponisten Hans Pfitzner, der eines Sommerabends in weißem, rohseidenem Anzug zum Essen kam. Von ihm hatte ich den Eindruck eines eher unguten Menschen, ohne daß ich sagen könnte, warum; vielleicht fehlte es nur an Interesse für Kinder. TM verehrte ihn damals, er liebte seine Oper *Palestrina* – die *Betrachtungen* geben Zeugnis davon – und fuhr von Tölz eigens nach München, wenn sie gegeben wurde. Nachdem er im Jahre 22 seinen Vortrag *Von Deutscher Republik* gehalten hatte, nahm Pfitzner in einem strengen Brief von ihm Abschied. TM antwortete würdig: wohl könne die Politik trennen für den Tag, aber SUB SPECIE AETERNITATIS würde man sie später doch nahe beieinander finden. Heute trifft das kaum noch zu, es ist ja Pfitzner so gut wie vergessen. Selber hörte ich *Palestrina* im Jahre 27 und will gestehen, daß auch ich stark beeindruckt war, zumal die Inszenierung, das Tridentiner Konzil, die Himmels-Vision des Komponisten den Zuschauer durch dramatische Schönheit überwältigte.

Die meisten Gäste also kamen nachmittags oder, wenn einmal Gesellschaft war, nach dem Abendessen; es gab dann Wein und etwas Dürftiges zu knabbern. Auch die Besucher waren während des Krieges noch weniger Bohème, noch betonter bürgerlich als vorher: Professoren, beamtete Juristen, literarisch gesinnte Offiziere auf Urlaub; um zu spezifizieren, der Oberlandesgerichtsrat Ulmann, der Historiker Geheimrat Erich Marcks, ein Bismarck-Verherrlicher und Treitschke-Nachahmer, mit seiner Frau Friederike,

»geborene von Sellin« – so stand es auf der Visitenkarte –,
der Bühnenbildner, Illustrator und Sammler Emil Preeto-
rius, der reiche Privatgelehrte Robert Hallgarten, der Ge-
neralmusikdirektor Bruno Walter. Marcks, Hallgarten
und Walter wohnten in der Nähe. Natürlich wurde viel politisiert und strategisiert; was ich von der Kriegslage
wußte, hörte ich von daher – besonders, daß es im Osten
sehr großartig stand.

Nie war Frank Wedekind im Haus. Wohl empfand der Vater tiefe Bewunderung für ihn, aber Freunde konnten sie
nicht sein. Zur Beerdigung Wedekinds, März 1918, ging er,
wobei er zum Gram der Mutter nicht nur ein Taxi nahm,
sondern es während des Aktes warten ließ, vermutlich, um
jederzeit fliehen zu können, was er – wir wissen es aus den
Betrachtungen – auch tat, weil er die Grabrede seines Bruders Heinrich nicht aushielt. An jenem Nachmittag warte-
ten meine Schwester Monika und ich, aus der Turnstunde
kommend, in der Liebigstraße auf die Trambahn. Eine
Dame trat an uns heran und fragte: »Seid ihr die Kinder
vom Wedekind?« Was ihr diesen Gedanken eingab, bleibt
mir ein Rätsel.

Beim sonntäglichen Mittagessen in der Arcisstraße trafen
wir einmal Herrn Maximilian Harden, den grimmigen
Publizisten, dessen Bismarck sich in seinem erzwungenen
Ruhestand für seine eigensten Zwecke bedient hatte, den
Hasser Wilhelms II. Wohlgemerkt, er hatte ihn nicht etwa
wegen seiner kriegerischen Reden angegriffen, sondern
weil ihnen keine Taten folgten; war vor dem Krieg nicht
gegen den Krieg gewesen, kritisierte aber nun, solange er
durfte, dessen politische Führung, nicht ohne Grund übrigens. Unvergeßlich ist mir sein bleiches Mimengesicht, die
Schärfe seiner Stimme und Sprache. Wir Kinder behaupteten, er habe sich mit weißer Hand durch seine Wu-

schelhaare gegriffen und mit rollenden Rs diese Worte gesprochen: »Ich werrrde bald sterrrben.« Was wohl eine Erfindung war. TM meinte, er könnte wohl etwas gesagt haben wie »Ich erleb's nicht…« Heutzutage ist Harden, trotz des historischen Interesses seiner Artikel, für mich unlesbar; der Manierismus des Stils, welcher wirkte in seiner Gegenwart, aber schnell verwelken mußte. Harden war kein guter Charakter. Als ich mich später mit ihm befaßte, war er mir so unsympathisch wie sein Rivale in Berlin, Alfred Kerr, und der Dritte im feindlichen Bunde, Karl Kraus in Wien, die »Kraus-Laus«, wie Kerr ihn nannte. Im Grundsatz ist es gefährlich, von Feindschaften zu leben; denn erstens tun sie der eigenen Seele schlecht, und zweitens, was sollen die Hasser tun, wenn der Feind nicht mehr da ist? Harden war selber am Ende, nachdem der Kaiser verschwunden war, auch Kraus nach dem Sturz der Habsburger schwierig daran. In ihm konnte ich nicht umhin, das parodistische Talent zu bewundern, den Purismus der Sprache immerhin zu erkennen. Aber der allein tut es nicht. Monomanen können im Ernst nicht helfen, wie brillant sie auch seien. TM, der sie alle drei im Grunde verachtete – vergleichsweise noch am höchsten schätzte er Harden –, bemerkte einmal, sie »geiferten einander apokalyptisch an«. Wie weit ich hier unter seinem Einfluß stand, ist schwer zu entscheiden; wie überhaupt die Grenze zwischen dem, was »Erbmasse«, was Wirkung des Lebenden ist, kaum bestimmt werden kann. – Übrigens hatten Alfred Kerrs witziger Hohn, sein Haß auf meinen Vater einen banalen Ursprung: Er selber hatte meine Mutter heiraten wollen.

Unsere eigenen Freundschaften entsprachen jenen der Eltern, wenigstens insoweit sie mit Nachbarschaft zu tun hatten. Da waren die beiden Söhne der Hallgartens, Wölfi und

Ricki, die beiden Töchter der Walters, Lotte und Gretel, Gerta Marcks, schon erwachsen oder beinahe, und Otto, Nesthäkchen der Marcksschen Kinder, ein hübscher und verwöhnter Junge, etwa im Alter von Erika, immer adrett angezogen. Das waren wir keineswegs. Zum Beispiel gingen wir barfuß vom Frühling bis in den vorgerückten Herbst, auch in der Stadt, was mitunter zu widerlichen Fehltritten führte. Dagegen trug Otto feine Halbschuhe, Hemden und Jacken, manchmal sogar einen Schlips. In den verliebte sich der Neunjährige, ungefähr so wie Tonio Kröger in Hans Hansen – auch Otto hatte kein Interesse für Literatur und ihr Benachbartes, später ging er zur Reichswehr. Aber im Gegensatz zu Hans Hansen war er kein Altersgenosse, im Wilhelmsgymnasium etwa vier Klassen über mir, wieder »der große Junge im Schulhof«. Da ich wußte, daß er an bestimmten Tagen auch nachmittags Unterricht hatte, auch wußte, von wann bis wann, so ging ich ein paar Mal in die Stadt, um ihn so von ungefähr zu treffen und den Heimweg mit ihm anzutreten, was nie gelang. Der Höhepunkt der Woche war ein Schlagball- oder »Deutschball«-Spiel auf einer großen Wiese hinter unserem Haus. Otto war der Kapitän einer Mannschaft, und ich sorgte dafür, ihr anzugehören. Mit dem Schlagen des Balles, womit die Partie begann, gelang es mir schlecht, aber die Grenze der Gegenseite erreichte ich fast immer von dem kleinen Ball ungetroffen, was das Ziel war, indem ich mich im rechten Moment zu Boden warf, und wie glücklich war ich, wenn er mich lobte. Als wir anfingen, Theater zu spielen, machte er ein- oder zweimal mit, zog sich aber dann zurück, vermutlich fühlte er, daß er in diesen Kreis heranwachsender »Intellektueller« nicht paßte. Mein Versuch, ihn zum Bleiben zu überreden, mißlang kläglich.

Hatten wir eine freie Kindheit in dieser Zeit oder eine unterdrückte? Teils, teils. Kinder sind lärmfreudig. Wir mußten uns nahezu immer ruhig verhalten; am Vormittag, weil der Vater arbeitete, am Nachmittag, weil er da erst las, dann schlief, gegen Abend, weil er sich wieder ernsthaft beschäftigte. Und fürchterlich war das Donnerwetter, wenn wir ihn gestört hatten; um so schärfer in die Seele schneidend, weil es nur selten provoziert wurde. Auch bei Tisch schwiegen wir meistens, derart, daß besuchende Tanten aus Berlin lobende Beobachtungen darüber machten, ohne nach der Ursache unserer Disziplin zu fragen. Die Autorität des Vaters war enorm; die der Mutter, viel häufiger ausgeübt, auch nicht eben gering, sie hatte den Jähzorn ihres Vaters geerbt. Die erste, welches dieses Verhältnis überwand, war Erika, dank ihres früh sich zeigenden geselligen Talents, Charmes und Mutes. Meine Schwester Monika und ich, die beiden Kleinen, seit 1919 die beiden Mittleren, blieben noch lange stumm, am stummsten wenn, wie später oft vorkam, die beiden Großen abwesend waren. Draußen dagegen, nicht im Garten, der war klein und lag vor des Vaters Fenstern, aber im »Wäldchen« oberhalb der Isar, auf den Wiesen der Umgegend, waren wir so wild und aggressiv wie andere Kinder, wenn nicht mehr. Einmal mußte der Vater herzlich über uns lachen, mit stolzem Vergnügen: auf der Föringer Allee war eine Kinderschar ihm fliehend entgegengeeilt mit dem Schreckensruf: »Die Manns kommen, die Manns kommen!«

Und dann war das Elternhaus so anregend, wie eines nur sein kann: die zahlreichen Gäste, die Gespräche über Theater- oder Opernaufführungen, über Bücher, über Politik – Anregungen, welche die älteren Geschwister aufnahmen, um ihr eigenes Echo daraus zu machen. Schon dem

Siebenjährigen hatte Klaus angefangen, Geschichten zu erzählen, zumal in dem weiten Tölzer Garten, in dem wir herumspazierten. Dafür brauchte er zwei Stäbchen oder Stöckchen, mit denen er hantierte. An einige Geschichten kann ich mich noch erinnern: etwa an die schreckliche Bestrafung eines Mannes, der unbedingt nicht an Gespenster glauben wollte, dann aber an einer Fischgräte erstickte, um nun seinem Freunde zu erscheinen – »sein Gesicht war blau und aufgedunsen« – und zu murmeln: »Nun *muß* ich glauben, daß es Geister gibt.« Ein Roman, betitelt *Des Doktors Hosen*, kam über das erste Kapitel, *Beim Schneider*, nicht hinaus; vermutlich hatte der Erzähler von dem Romantitel *Die Hosen des Herrn von Bredow* gehört. Nachdem er, anno 16, aufs Gymnasium gekommen war, fing er an, seine blauen Hefte mit Romanen und Dramen vollzuschreiben, die er mir vorlas; mancher Titel, auch mancher Inhalt, ist mir noch gegenwärtig, etwa die naturalistisch-tragische Liebesgeschichte *Heinrich und Elise Walter* oder das Drama aus der Französischen Revolution, *Marquis Desfarges*. Auch fingen wir noch während des Krieges an, Theater zu spielen. Zunächst nur wir vier, noch ohne Nachbarskinder. Das erste war Poccis *Kasperl als Porträtmaler*, Erika der Casperl, Klaus Maler Schmierpinsel, ich die Dame, die sich malen lassen will, Monika der stotternde Polizei-Commissär Karrnpichler. Noch heute kann ich die Dialoge und liebe sie, noch heute sehe ich Klaus hereinstürzen und sich auf das Sofa werfen, schon ganz Künstler: »Der Gram tötet mich noch! Ich möchte vor Neid bersten... Eichbaum mit dem Verdienstorden des ›goldnen Pinsels‹ geschmückt und ich noch nicht!« Ein anderes Mal dichtete Klaus allerlei Verse und Szenen für ein Varieté oder Cabaret – er hatte also gehört, daß es so etwas gibt. Eines Sommerabends ging die Aufführung vor TMs Arbeitszimmer vor sich. Ich mußte den Prolog sprechen: es hätten die Gäste in der Stadt schon viel Unterhaltendes besucht, ein Lokal etwa

> »wo man pikante Schnäpse trinkt
> und eine schöne Dame singt…«

– hier, nach des Bruders Anweisung, hatte ich anzüglich zu lachen – und nun würden sie doch auch unsere Darbietung nicht verachten etc. Ich glaube, es war der Abend, an dem Hans Pfitzner da war und sich wenig amüsiert zeigte, das könnte aber Gedächtnistäuschung sein. Jedenfalls nahmen die Eltern solche Unternehmungen freundlich auf und mögen an unserer Unternehmungslust ihren Spaß gehabt haben.

Im Sommer 1917 waren wir zum letzten Mal in Bad Tölz. Es war schlimme Hungerszeit nun; die Bittgänge, welche die Mutter zu den umliegenden Bauernhöfen machte und bei denen sie uns alle vier mitnahm aus Gründen, die man errät, blieben meist völlig vergeblich. Kamen wir dann unter schwerem Regen in unseren Lodenmänteln wieder nach Haus, so war die Stimmung trübe. Aber Freuden gab es immer noch. Die interessanteste war ein neuer Hund, »Bauschan«, wie mein Vater ihn taufte, eine lübische Abart von Bastian. Der alte Hund, der schottische Schäfer »Motz«, längst vorhanden, als ich geboren wurde, hatte uns im Vorjahr verlassen. Es ist der, welcher im Roman *Königliche Hoheit* als Percy eine bedeutende Rolle spielt. Das greise Tier litt an einer Alterskrankheit, sein Rücken bedeckte sich mit Beulen. Es wurde beschlossen, ihn eines ritterlichen Todes sterben zu lassen, zu welchem Zweck der Büchsenmacher des Ortes bestellt wurde. Meine Eltern reisten nach München; sie wollten nicht dabei sein. Aber wir hörten die Schüsse, fanden danach das frische Grab am Waldrand, außerhalb des Gartens nach hinten, und setzten einen großen Stein darauf. Nun also Bauschan, der Held von *Herr und Hund*. Dort werden seine Flucht, vollführt, nachdem er wenige Tage bei uns gewesen war, seine Wanderung zurück zum Dorfe Otterfing, von wo er gekommen war, einprägsam beschrieben. Wir spielten mit ihm im Garten. Plötzlich lief er davon, hinaus durch die halboffene Gartentür und verschwand. Unbeschreiblicher Kummer. Unbeschreibliche Freude, als der Flüchtling nach ein paar Tagen zurückgebracht wurde, um nun seinem neuen Herrn so treu zu bleiben, wie er dem alten, dem Bauern in Otterfing, gewesen war... Den letzten Tag machten Klaus und ich noch einen Spaziergang durch den Garten, die altvertrauten Dinge, »Hüttchen«, eine Hütte für Gartenwerkzeuge und Ähnliches, in der wir oft gespielt hatten, unser Planschbecken, die vier Kastanien, unter denen wir im Sommer unser Frühstück bekamen, mit Augen des Abschieds betrachtend – ein Abschied zum ersten Mal, Klaus zehn Jahre alt, ich acht.

Es dauerte dann etwa fünfunddreißig Jahre, bis ich Tölz wieder sah. Anfang der fünfziger Jahre war das meiste noch da wie eh und je, die vier Kastanien und »Hüttchen«, letzteres renoviert, das Haus nach außen hin unverändert. Wie sehr seine Verzierungen »Jugendstil« waren, bemerkte ich erst jetzt. Im Inneren aber war nichts wiederzuerkennen; man hatte daraus eine Wohnung für krankenpflegende Nonnen gemacht, die in der hinten im Garten errichteten Klinik arbeiteten. Neue, auf der anderen Seite des Sträßchens stehende Villen verbauten den Blick auf Gaisach mit seiner weißen Kirche und den Schafsberg, der ehedem mir so gewaltig vorgekommen war. Auch gab es den »Klammer-Weiher« nicht mehr, ein kleines, vom Besitzer des Klammer-Bräu gestiftetes Moorbad. »Da dieben, da dieben Kaweier, Kaweier« hatte der kleine G. gerufen – und, so die Mutter in ihren Notizen, »im Wasser lacht und jubelt er«. Ich ging dann auf den Blomberg, den ich, sechs-, sieben-, achtjährig, mit Mutter und Geschwistern so oft erstiegen hatte. Die Blomberg-Hütte stand noch oder stand wieder, sie war in den letzten Kriegstagen zerstört worden als eine Festung törichter SS-Männer. Eine junge Frau bediente mich und fragte: »Waren Sie nicht schon einmal hier?« »Ja, zuletzt vor fünfunddreißig Jahren. Erkennen Sie mich wieder?«

Zurück in der Zeit. So wie das Leben weiterging, so ging der Krieg weiter, und noch immer blieben die Nachrichten hocherfreulich. Dezember 1916. Mein Bruder und ich lagen zusammen in der Badewanne – beide Buben, beide Mädchen badeten zusammen, um warmes Wasser zu sparen –, die Mutter überwachte unser Waschen, als das Zimmermädchen Resi, Resi Adelhoch, hereinkam: »Herr Hofrat Löhr hat angerufen und läßt den Herrschaften mitteilen, daß Bukarest gefallen ist!« Der Bankier wurde über das Neueste von den Kriegsschauplätzen etwas früher orientiert als Durchschnittsbürger... Ein paar Monate später war Revolution in Rußland, aber Friede noch nicht – dieser Kerenskij. Meine Mutter zur Resi: »Na, den Kerenskij werden sie schon auch noch um die Ecke bringen, und dann werden die Russen nachgeben.« Sie hielt es für ihre Pflicht, das »Volk«, insoweit es im Hause vertreten war, in hoffnungsvoller Stimmung zu halten. Und dann, März 1918, kam die große Offensive im Westen. TM beim Mittagessen: er könne nachts nicht schlafen, wenn er daran denke. Daß auch sie uns dem Endsieg nicht näher gebracht hatte, ahnten wir im Sommer, die Mutter, bis vor kurzem noch so brav gesinnt, begann nun offen skeptisch zu werden. Der Vater noch immer nicht; es fanden Gespräche statt, die Meinungsverschiedenheiten in gereiztem Ton offenbarten. Noch im September machte er sich Illusionen über den Ausgang: »Man wird doch einem Volk, das so gekämpft hat wie das deutsche...« etc.

Diesen Sommer verbrachten wir in einer für wenige Monate gemieteten Villa am Tegernsee, hoch über einer Bucht, welche »Ringsee« hieß. Da das Motorboot, der »Quirinus«, dort nicht anlegte, war das unten im Bootshaus ankernde Ruderboot die einzige Verbindung zum Hauptort auf der anderen Seite des Sees, welcher oft und plötzlich stürmisch wurde und schaumgekrönte Wellen schlug. War doch der berühmte Kammersänger Slezak, der in Rottach wohnte, unlängst mit seinem Boot gekentert, als tüchtiger Schwimmer hatte er das Ufer erreichen können, aber ein Freund von ihm nicht. Gruselige Geschichten. Wenn wir Kinder ruderten, zusammen mit einem neuen »Fräulein«, Amalie, und der Köchin Josefa, und der See begann unruhig zu werden, so höre ich noch die Köchin flehen: »Fräulein Amalie, heimwärts!« Dem Klaus geschah einmal das Folgende. Er hatte brav gerudert, und als er sich erhob, um mir seinen Platz zu überlassen – Platzwechseln war immer gefährlich –, hatte er hinten keine Hose mehr; in der Ruderbewegung hatte sich der »Ersatz«-Stoff buchstäblich in Staub aufgelöst. Mein Bruder und ich konnten damals schon schwimmen, im Winter davor hatten wir es im »Hofbade, einem kleinen Hallenbad nahe der Maximilianstraße, bei einem Bademeister, der uns an der Angel führte, regelrecht gelernt, wie die Sitte war. Einmal rutschte ich auf den Stufen, die in den See führten, aus und fiel hinein. Ein Herr auf dem Nachbarsteg, solches wahrnehmend, warf seinen Bademantel ab, sprang mir nach und zog mich heraus, nicht ohne Stolz ob des Aktes der Lebensrettung. Ich traute mich nicht, ihm zu sagen, daß sie nicht notwendig gewesen wäre.

Die Ernährung war nun erbärmlich. Wir halfen etwas nach, indem wir mit Stock, Schnur und Angelhaken zu fischen begannen. Was wir fingen, waren nur »Bürschlinge«, sehr kleine Dinger, und die etwas größeren »Rotaugen«, mit denen wir die Tafel belieferten. Auch sammelten wir Schnecken, die wir kochten und aßen; der Hunger war größer als der Widerwille. Für den Geburtstag der Mutter, den 24. Juli, rahmten wir in aller Heimlichkeit unsere Milch ab, wochenlang, und versteckten den Rahm im Keller, um sie an ihrem Ehrentag mit Schlagrahm zu überraschen. Als wir am Morgen des Festes das Gesammelte holen wollten, fanden wir eine ertrunkene Maus darin, und aus der Überraschung wurde nichts. Zweimal die Woche radelte die Mutter den langen Weg nach Gmund am unteren Ende des Sees, wo es, wenn man Glück hatte, Gemüse zu kaufen gab. Auch wurden flehende Briefe an die Frau Senator geschrieben, die in Polling bei Weilheim lebte und Beziehungen zu Bauern hatte; während des ganzen Krieges suchte sie uns ein wenig mit Paketen zu helfen, während sie selber darbte – die liebende, sorgende Großmutter, wie aus einem Roman des Jahrhunderts, aus dem sie kam.

Das neue »Fräulein« war notwendig geworden wegen des Zuwachses, den wir im April erhalten hatten, Elisabeth, genannt Lisa, später Medi. Damals hatte ich zuerst dunkel begriffen, was Schwangerschaft war, denn ein ordinärer Nachbarssohn fragte mich, warum denn meine Mutter einen so dicken Bauch hätte. Ich gab ihr das weiter und sie antwortete ausweichend: »Was geht denn das den Franz Kronschnabel an?« Dagegen hatte die Generalin Krafft von Delmensingen, welche am Kufsteiner Platz wohnte, in der Trambahn zu ihr bemerkt: »Nun, Frau M., Sie wollen wohl junge Frau spielen?« Die Generalin hatte zwei Söhne,

Erhart und Luitpolt, der mein Klassenkamerad wurde, als ich im Herbst 18 aufs Gymnasium kam. In der ersten Stunde hatten wir unsere Namen wie auch den Beruf des Vaters zu nennen. Der Lehrer, der in diesem Fall natürlich schon Bescheid wußte, schmunzelte erwartungsvoll, als Krafft an die Reihe kam und sein »Kommandierender General« in den Raum schmetterte. Dann kamen von Leoprechting und Lochmann, dann ich mit dem so bescheidenen wie wunderlichen »Schriftsteller«... Nach der Geburt durften wir die Mutter in der Frauenklinik besuchen; Eindruck von Glück und tiefer Ermattung. Nun also lag Elisabeth in ihrem Bettchen im Defreggerhaus, TM war überaus zärtlich zu ihr, Mutter und Fräulein wechselten am Bett einander ab. Uns Geschwistern erzählte Fräulein Amalie viele interessante Erlebnisse. Zum Beispiel war sie vor dem Krieg in Paris gewesen als Gouvernante bei den Kindern einer Gräfin, und einmal hatte die Gräfin sie zu einer Freundin geschickt, einer Marquise sogar, und die Marquise war noch schmutziger gewesen als die Gräfin, und Ende Juli des Jahres 14 hatte die Deutsche Hals über Kopf abreisen müssen, und der Graf hatte ihr noch einen riesigen Schinken als Wegzehrung mitgegeben... An alledem war gewiß kein wahres Wort.

Wenn die Eltern gegen Abend auf dem Ringsee ruderten, begab der Neunjährige sich zur rechten Zeit herunter, um das Boot unter Dach zu ziehen und festzumachen: der alte Wunsch, mich gefällig zu erweisen. Trotz des Hungers waren sie unternehmungslustig diesen Sommer. Zum Beispiel erklommen sie den Hirschberg und übernachteten oben in der Hütte, um den Sonnenaufgang über dem Gebirg zu erleben; ich könnte mir denken, daß es die einzige Bergtour war, die mein Vater je machte. Wie bekannt, liebte er das Meer, und sehr, wenngleich nur vom Ufer aus; Berge kümmerten ihn nicht viel. Sehr genau erinnere ich mich an den Abschied von dem Haus in »Abwinkl«, die letzte Fahrt über den See; wobei meinem Gedächtnis jedoch ein Irrtum unterlief. Die Mutter war mit den drei Geschwistern, der Köchin und vielem Gepäck vorausgefahren in dem großen Boot, das ein beruflicher Biedermann führte. Ich folgte im Boot des Hauses, mit dem Vater, Elisabethchen, dem Fräulein und einem Dienstmädchen. TM, an einem Ende des Bootes sitzend, ich am anderen, hielt das Kindchen im Arm. Der See wurde wieder einmal stürmisch, TM sehr nervös. So hatte ich es sechzig Jahre lang in Erinnerung. In TMs Tagebuch, beginnend mit dem 11. September 1918, erschienen 1979, lese ich jedoch: »Der Aufbruch aus Villa Defregger schrecklich. Ruderfahrt mit dem Fräulein, Golo, dem neuen Mädchen Anna, das das Kindchen trug, über den bewegten See, der stürmisch zu werden drohte.« Es müssen also der Vater und Fräulein Amalie gerudert haben. Ein geringfügiger Irrtum, für mich trotzdem eine Warnung; auch mein Gedächtnis, welches in der Familie »das brillantne« genannt wurde, kann sich täuschen, und sitzt eine Täuschung einmal tief, so rührt sie sich nicht mehr. So geschieht es mir auch gelegentlich, daß ich in meiner Schriftstellerei aus einem Gedicht, sogar aus klassischer Prosa zitiere, ohne den Text nachzuschlagen. Auch da konnten aufmerksame Leser mir mitunter einen Irrtum nachweisen. Am schlimmsten ging es mir hier mit Arthur Schopenhauer, weil der Philosoph jeden verfluchte, der, aus seinen Schriften zitierend, auch nur einen Buchstaben, auch nur ein Komma am Texte veränderte. Ihm mußte ich ernsthaft Abbitte leisten und schlage seitdem immer in seinen Werken nach, ehe ich aus ihnen zitiere.

Indem ich dies Stück Erinnerung wieder lese, fällt mir auf, daß unser Leben im Kriege, wie reduziert auch die Verhältnisse waren, ziemlich normal weiterging, daß wir Kinder uns so gut amüsierten, wie wir konnten, die Erwachsenen auch; wie denn TM, kaum hatte er die *Betrachtungen*, ein Kriegsbuch auf seine Art immerhin, beendet, an die bürgerlich-friedlich-humoristische Tier- und Familienidylle *Herr und Hund* ging. Nichts könnte natürlicher sein. Das Leben hält zäh an seiner Routine, an Normalität. Hier waren sie ungleich leichter aufrechtzuerhalten als im sogenannten »Zweiten Weltkrieg«. Was wußten wir von der Schlächterei vor Verdun, von den Greueln des U-Boot-Krieges, von den Massenmorden in Rußland während des Bürgerkrieges von 1918? Wir waren weit vom Schuß. Wenn der Vater sich in jenen schlaflosen Nächten vorzustellen versuchte, was damals in Frankreich geschah, wie hätten wir Kinder darauf kommen sollen? Wohl erhielten wir neben friedlichem Spielzeug, einem Marionetten-Theater zum Beispiel, auch schlechtes, weil wir es uns gewünscht hatten; Zinnsoldaten zusamt explodierenden Bomben und Männlein in englischen Uniformen in den Flammen. Aber es waren ja nur Zinnsoldaten. Kamen Offiziere »von der Front« zu Besuch, so schwiegen sie über ihre Erfahrungen; sie wollten von Erfreulicherem reden.

Im September dann kam ich auf das Wilhelmsgymnasium, nach dem Privatschülchen von nur sechs oder sieben Schülern in einem einzigen Zimmer zunächst etwas imponierend Neues, derart, daß ich zu Hause zu berichten wußte, alle Lehrer gingen im Frack. Von dort aus erlebte ich das Kriegsende und die nachfolgende, zeitweise chaotische Epoche – oder auch nicht von dort aus, wenn wegen politischer Wirren, Mangel an Kohle oder einer Grippe-Epidemie die Schule monatelang geschlossen blieb. (TM in seinem Tagebuch: »Es sind Ferien wegen der Grippe und die Kinder stören mich...«)

Weinen und Lachen

Während der letzten Kriegsjahre las uns die Mutter an Samstagabenden häufig etwas vor. Sie wählte Geschichten, die auch für Erwachsene taugten, und daran tat sie recht; warum sollten Kinder das Gute nicht genießen und für ihren Geist davon Vorteil haben können, auch wenn sie das eine oder andere Detail nicht verstehen? So las sie uns E. T. A. Hoffmanns *Majorat* und *Sandmann*, Selma Lagerlöfs *Herrn Arnes Schatz*, Tiecks *Blonden Eckbert*, Brentanos *Geschichte vom braven Kasperl und dem schönen Annerl* und andere solche Meisternovellen. Am Ende des ersten Abends, an dem uns das *Majorat* vorgelesen wurde, die großartige Beschreibung des düsteren Schlosses R..sitten – vermutlich Rossiten –, das Gespenst des bösen Daniel, welches dem Erzähler erscheint, um grausig an einer zugemauerten Tür zu kratzen – damals murmelte ich vor mich hin: »Da ist einer ermordet worden...« – was zutraf. Als die Mutter die Geschichte vom braven Kasperl las, unterbrach sie nach ein paar Seiten und überschlug etwas. Es war die Stelle, an der die alte Bäuerin den Erzähler fragte, von welchem Handwerk er sei, und er nach einigem Zögern antwortet, er sei ein Schreiber. Später las ich diese Seite selber: »Es ist wunderbar, daß ein Deutscher sich immer ein wenig schämt, zu sagen, er sei ein Schriftsteller« etc. Das wollte sie uns nicht lesen, es hätte uns die Idee eingeben können, unser Vater habe einen ausgefallenen oder gar unehrenhaften Beruf. Tatsächlich war ich ab meinem vierzehnten Lebensjahr stolz auf meines Vaters Ruhm, vorher kümmerte er mich nicht, es wußten auch meine Kameraden nichts davon.

Selten, sehr selten, las auch TM uns vor. Das waren nun ernste, ja feierliche Stunden, die einzigen, die wir in seinem Arbeitszimmer verbrachten. Las schon die Mutter gut, so war er der begabteste Vorleser, den ich im Leben getroffen habe – von Professionellen ist hier nicht die Rede. Auch er wählte nur die besten Dinge, meistens Russisches. Als er uns *Ein ehrlicher Dieb* von Dostojewskij gelesen hatte, kamen mir zum Schluß die Tränen. Der Dieb ist ein braver, aber heruntergekommener Mensch, ein Trunkenbold. Er stiehlt auch ein bißchen, läßt sich so weit herab, seinem Wohltäter eine Reithose aus blaukariertem Stoff zu stehlen. Die Tat leugnet er bis in seine letzte Krankheit; erst auf dem Totenbett bekennt er, »daß ich es war, der sie Ihnen damals... weggenommen hat«. Es war die Verbindung von verstocktem Lügen, Bravheit und Sterben, die meine junge Seele so tief rührte. Die großen Geschwister fanden Aufspielerei darin oder weibische Schwäche oder beides.

Heulen ist eines, Weinen etwas anderes. Kinder heulen viel; wenn sie geschimpft oder gar geschlagen werden – da gehörte es ehedem zum Ritus –, wenn sie sich fürchten, wenn Größere die Kleineren malträtieren. Wahrscheinlich heulen sie in dieser Zeit weniger als in der meinen, weil man ihnen seltener Grund dazu gibt – ein Fortschritt. Heulen ist laut, ist also für den Anderen, weinen ist still; und einsam. Einsam war ich auch damals in meines Vaters Arbeitszimmer. Die anderen begriffen die Traurigkeit dieser Geschichte offenbar gar nicht, waren jedenfalls nicht so davon berührt wie ich. Später kam es mir vor, daß ich beim Lesen allein in meinem Zimmer Tränen vergoß, als Halbwüchsiger, auch noch als Erwachsener. So beim Sterben Caspar Hausers in Jakob Wassermanns Roman von der

Trägheit des Herzens, beim Sterben Joachim Ziemsens im *Zauberberg*. Da geschah es mir zweimal; einmal als ich siebzehn, einmal als ich dreiundsiebzig Jahre alt war. Obendrein las ich das Kapitel diesmal in einer spanischen Übersetzung, welche doch immer etwas verfremdet, und in einem Eisenbahnabteil. Um Tränen zu vermeiden, kam es vor, daß ich mir beim Lesen sagte: Es ist ja nicht wahr, es ist ja alles erfunden – was auch nichts half. Tränen also kamen mir leicht, mein Leben lang. Bei Abschieden, während des Sterbens mir Nahestehender oder danach. Dem Toten schulden wir Tränen. Nicht, daß man weint, weil man will, rituellerweise. Sogar mag es viel später sein, wenn die Todesnachricht aus weiter Ferne kommt, wodurch sie einigermaßen irreal wirkt, denn wie es dem Gedächtnis, der zeitlichen Distanz, an Phantasie fehlt, so auch der räumlichen. Die Nachricht vom Selbstmord meines Bruders Klaus erhielt ich in Kalifornien durch ein Telegramm aus Stockholm, wo meine Eltern sich damals aufhielten. Wohl war ich tief bewegt, aber auch nicht mehr; am nächsten Morgen gab ich meinen Unterricht wie sonst. Erst als ich Wochen später nach Zürich kam und meine Schwester Erika, die bald nach dem Ereignis nach Cannes gereist war, mir einige traurige Details erzählte, gab ich dem Entschwundenen meinen Tränenzoll, nicht während unseres Gespräches, sondern danach und alleine... Höchst unschön dagegen ist Weinen aus Pflicht, eine nur wenigen gegebene Kunst. Es geschah mir einmal, daß während der letzten Krankheit einer gemeinsamen Freundin jemand mein Zimmer betrat, sich vor mir aufpflanzte und zu weinen begann. Es war, als ob ein Wasserhahn angedreht würde, als ob mir bewiesen werden sollte, daß der »jemand« meinen Kummer teile. Man spricht dann von »Krokodilstränen«; kein angenehmer Eindruck.

Nie sah ich meinen Vater weinen; die Mutter ein einziges Mal, nicht am Totenbett TMs übrigens, da war sie starr und gefaßt, sondern als wir zur Beerdigung aufbrachen. Bei einer so starken Persönlichkeit, gewohnt, ihre Gemütsbewegungen unter Kontrolle zu halten, eine erschütternde Beobachtung. Selber besaß ich auch damals weniger Selbstbeherrschung und mußte schließlich meine Schwester Erika bitten, mir eine Morphiumspritze zu machen – die einzige, die ich je bei gesundem Leibe erhielt –, weil harmlosere Beruhigungsmittel mir nicht halfen. Auch mein Bruder Michael vergoß damals Ströme von Tränen, obgleich er während der entscheidenden Werde-Jahre durchaus keinen Grund gehabt hatte, dem Vater dankbar zu sein. Ein paar Jahre vor dessen Tod erzählte er mir, er habe sich im Traum wieder einmal mit TM herumgeschlagen. Meine Antwort: »Mein Gott, jetzt lohnt sich das doch nicht mehr.«

Die alte kirchlich-mittelalterliche Benennung unserer Erde als »Tal der Tränen« ist unlängst aus unserem Sprachgebrauch verschwunden, wie auch die nur aus dem vorigen Jahrhundert stammende Redeweise vom »Kampf ums Dasein«, dank dem »sozialen Netz« und Verwandtem. Das »Tal der Tränen« – die Fortschritte der Medizin haben so manches Leiden und gerade das krasseste, welches man miterleben mußte und selber zu gewärtigen hatte, aus der Welt geschafft: die Amputationen ohne Narkose, die tödlichen Seuchen, die verfaulenden Zähne, das frühe Sterben der Kinder, die kurze Zeit des Erdendaseins überhaupt. Indessen wird immer dafür gesorgt bleiben, daß es uns an Grund zum Weinen nicht fehlt.

In solchen Dingen theoretisch unwissend, zweifle ich nicht daran, daß Weinen, wie das Fieber oder wie das Lachen, psycho-somatische Funktionen hat. Es erleichtert. Sogar soll es ein Vergnügen sein können. Amerikaner, wenn sie aus einem rührseligen Film kommen, gebrauchen den gängigen Ausdruck: we had a good cry. Da sinkt etwas, was den Menschen über alle anderen Tiere erhebt, zum ordinären Spaß herab.

Im Gegensatz zum Weinen ist Lachen etwas Geselliges, weswegen es auch ansteckend wirkt, Weinen nicht. Macht ein Gast bei Tisch sich ungewollt lächerlich, so kommt alles darauf an, daß die eigenen Augen nicht einem anderen Augenpaar begegnen, dessen Träger die gleiche Lachlust fühlt; geschieht der Kontakt, so kollabiert man und muß sich dann irgendwie herausreden.

Bekanntlich gibt es grundverschiedene Arten von Lachen: das eine, gesellschaftliche, oft nur höfliche, ein Zeichen dafür, daß man den eben gehörten Witz verstanden und goutiert hat. Darüber sagt ein puritanischer Philosoph bei Wilhelm Busch:

> Ich lieb es nicht, durch ein Gemecker
> Zu zeigen, daß ich Witzentdecker…

Auf dem anderen Extrem finden wir das ununterdrückbare, das explosive, Nerven und Körper zugleich erschütternde und ihnen wohltuende Lachen. Es kann die allerdümmsten Gründe haben, bei Kindern auch überhaupt keine. Natürlich sind Kinder lachlustiger als Erwachsene, am lachlustigsten aber in Gegenwart von Erwachsenen, also dort, wo es sich gerade nicht gehört. Jeder hat solche Schulerinnerungen, und es sind schier die erfreulichsten. In Salem, um ein Beispiel zu nennen, hatten wir einen Physiklehrer: ein stattlicher Herr, in der Tat ein Universitätsprofessor, der sich aus Idealismus ein paar Jahre hatte beurlauben lassen, um an dem renommierten Landerziehungsheim zu unterrichten. Leider nur war er

ein großer Wichtigmacher. Einmal, während seines Un-
terrichts, dichteten mein Nachbar und ich ein Spottgedicht auf ihn; dabei ließen wir den rührigen Schwätzer
selber sprechen. Er hatte einen Sohn in der Schule, der ein
wenig »klaute«. Als ich nun meinem Freund, Polo, heute
Julio del Val, spanischer Herkunft, diese Verse zu-
schob:

> Mein Sohn, der Friedrich stiehlt nicht schlecht.
> Na, Düvel ok! Mir ist es recht!

brach er vor Lachen förmlich zusammen und ich auch. Der
Professor, den Verständnisvollen spielend, trat auf uns zu:
»Was lacht ihr denn so? Zeigt mir das doch; ich möchte
auch lachen...« Wie sollten wir ihm *das* zeigen! Und lachten noch mehr.

Besonderes Lachen bewirkt die Schadenfreude. Die meisten Kinder, was immer sonst sie sein mögen, sind auch
Wilhelm-Busch-Kinder. Nicht so schlecht wie Max und
Moritz, das bei weitem nicht. Aber doch ein wenig so wie
jene Kinder, die hinter dem unter gräßlichen Zahnschmerzen leidenden, mit eingebundener, geschwollener Backe
seinem Landaufenthalt entfliehenden Dichter Balduin
Bählamm hinterdrein lachen.

Eine Winterszene in Bad Tölz. Wir rodelten auf den Abhängen, die von unserem hochgelegenen Haus zur Isar
hinunterführten. Mitten unter uns ein würdiger Herr mit
Pelzmütze, was schon an sich etwas Komisches hatte, ein
Erwachsener unter lauter Kindern bei einem so kindlichen Sport. Der Herr hatte das Pech, sich mit seinem
Schlitten zu überschlagen und einen wahren Purzelbaum
im Schnee zu machen. Wir bogen uns vor Lachen. Nicht
nur warf der Herr, mühselig wieder auf die Beine gekommen, uns einen grimmigen Blick zu; er beging danach die

Torheit, telefonisch sich bei unseren Eltern über unser unerhörtes Verhalten zu beklagen. Grund für neues Gelächter, denn die Mutter tadelte uns nur milde, wenn überhaupt.

Eine Sommerszene in Tölz. An der Ecke unseres Sträßchens, dort, wo es in die Bayerwieser Landstraße mündete, stand ein Heim für Kriegsblinde; solche, die es für immer bleiben würden, wie auch solche, die, so hieß ein Film, den die Großmutter uns mitansehen ließ, *Dem Lichte entgegen* geführt wurden. Das Heim steht heute noch; es mag ein Neubau sein, hat aber die Form des alten. Im Garten fand eine Wohltätigkeits-Veranstaltung statt, deren Ergebnisse den Leidenden zugute kamen; Tische mit Damen und Herren in sommerlicher Bekleidung, Kammersänger Degler sang Schubertlieder, an einem Buffet gab es Erfrischungen, zu hohen Preisen, nehme ich an. Neben uns saß eine Dame in weißer Seidenbluse. Da am Buffet Gedränge herrschte, erbot sich ein ritterlicher Herr, die erbetene Flasche mit Brauselimonade zu beschaffen. Die Dame: »Ach, das ist ja furchtbar liebenswürdig!« Und öffnete die Flasche – das kriegsmäßige Gebräu spritzte zur Hälfte heraus, auf den Tisch und der Dame ins Gesicht und besonders auf die kostbare Bluse. Wieder lachten wir hell. Der Kontrast zwischen dem »Ach, wie liebenswürdig!« und der Frucht solcher Liebenswürdigkeit war – für Wilhelm-Busch-Kinder – gar zu komisch.

Wenn Lachen und Weinen menschlich, besonders aber kindlich sind, so bin ich in dieser Beziehung immer kindlich geblieben. Häufig verdarb ich mir die Pointe eines Witzes durch eigenes vorzeitiges Lachen. So auch wenn ich in Gesellschaft einen Karl Valentin-Dialog sprach oder sprechen wollte; viele Dialoge, seit vielen Jahrzehnten meine Freunde. Aber wie vertraut sie mir auch sind, so vertraut wie dem Kind das Märchen, das es doch immer wieder hören will – nur zu oft kam ich über eine meiner Lieblings-Dicta dieses größten aller tragischen Humoristen nicht hinaus. Lachen muß ich sogar, wenn ich sie mir auf meinen Spaziergängen, allein und stumm, vorsage.

Lesen

Nachdem ich es gelernt hatte, begann ich zu lesen, und bald genügte mir das *Lesebuch für die Volksschulen* nicht. Was da stand, war doch gar zu albern, etwa so: »Der Regen ist vorüber. O wie köstlich ist es nun im Garten. Die Rose duftet noch einmal so schön. Pfui, eine häßliche Raupe möchte an ihr nagen. Schon hat der Star sie gesehen. Naschhaftes Räupchen, nun bist Du verloren...« Nur das »Religionsbuch« fand ich schön und las in den Ferien auf eigene Faust darin. Ein gänzlich neues und wunderbares Gefühl, so als ob einem nie gekannte Flügel wüchsen; schöner noch als später das erste Radfahren. Besonders tat es mir Geschichte und Leidensgeschichte des Herrn an und prompt machte ich im Tölzer Garten segnende Bewegungen, die ich den Illustrationen entnahm, zum Spott der beiden Großen, welche die Quelle dieser flüchtigen Gewohnheit prompt durchschauten. Es folgten Hauffs Märchen: *Der Zwerg Nase, Die Geschichte vom Gespensterschiff, Saids Schicksale, Die Geschichte Almansors.* Da trifft der ägyptische Knabe, der dem General Bonaparte in seiner Heimat begegnet war und auf traurige Weise nach Paris verschlagen wurde, den »Petit-Caporal« wieder auf einer Seine-Brücke, begrüßt ihn und bittet ihn, beim neu gewählten Sultan der Franken ein Wort für ihn einzulegen. Er werde, sagt Napoleon, ihn nun mitnehmen in ein Schloß, in einen großen Saal, und da würden viele Menschen sein und alle ihre Hüte abnehmen mit Ausnahme eines einzigen Herrn, und der sei der Kaiser. Er ist es dann selber, der seinen Hut aufbehält: »Petit-Caporal, bist denn du der Kaiser?« Worauf Napoleon dafür sorgt, daß der Knabe, reich beschenkt, wieder in seine Heimat zurückkehrt. Was »Petit-Caporal« sei, erklärte mir die Mutter... Hauffs Märchen gehören zu den besten unter jenen, die nicht aus dem Volksmund kamen, sondern von einem Schriftsteller frei erdacht wurden; gleich schön für Kinder und Erwachsene, wie alle gute Literatur.

Napoleon begegnete ich bald wieder, in einem Band der Reihe *Für die heranwachsende Jugend*, welche der stets erfindungsreiche Ullstein Verlag herausgab. Die Autoren waren zumeist wohlbekannte, sogar berühmte. Kein geringerer als Gerhart Hauptmann steuerte zwei Bände bei, *Parsifal* und *Lohengrin*, woraus zu schließen, daß die Dinge gut bezahlt wurden. Wohl um sich zu entschuldigen, waren seine Beiträge »meinem elfjährigen Sohn Benvenuto« gewidmet. Hauptmann machte seine Sache ein wenig mythisch-wagnerianisch, für mich stark und rätselhaft schön. Bewundernswert war auch die Geschichte von Aladin mit der Wunderlampe aus der Feder Ludwig Fuldas, eine Ballade über Hunderte von Seiten, durchweg in gereimten Versen, von denen ich so manchen noch im Kopf habe. Fulda besaß ein wahrhaft geniales Reim-Talent; er hat ja auch den *Cyrano de Bergerac* und andere gereimte Theaterstücke des Rostand auf das graziöseste übersetzt, derart, daß man es für Originale halten könnte. Und so noch manches, einem Kinde Wohltuendes in dieser Reihe – wir besaßen sie am Ende vollständig – neben Mittelmäßigem und Miserablem; aber für diese Unterschiede hatten wir noch keinen Sinn. Da gab es zum Beispiel *Siegfried der Held* und *Der Nibelungen Fahrt ins Hunnenland* von Rudolf Herzog – auch der wird's sich gut haben bezahlen lassen. Er war ja ein Bestseller-Autor für den national gesinnten Mittelstand und hatte, dem Vorbild Walter Scotts folgend, hoch über dem Rhein sich eine mittelalterliche Burg erbauen lassen. Nichts hätte, im Rückblick, falscher und abscheulicher sein können als seine Machwerke. Aber nicht für mich, nicht einmal für meinen Bruder Klaus, der doch unvergleichlich reifer war als ich. Als *Der Nibelungen Fahrt ins Hunnenland* verlorenging und meine Lehrerin, Fräulein Hell, die für den besten Aufsatz einen Preis ausgesetzt hatte, es mir zum zweiten Mal schenkte, waren wir beide gleich glücklich und es gab Streit darüber, wer es zuerst noch einmal verschlingen dürfte. Unbestreitbar war Schmiß darin und Drama und eine Art von rhythmisierter Prosa. Ein Beispiel dafür: der Kampf in der brennenden Halle. Herzog Siegstab, der Freund Dietrich von Berns und seines Hildebrands, also aus dem Lager König Etzels, ließ sich von Volker herausfordern: »Hierher, Herr Herzog, ich weiß ein neues Lied!« »So sing es, wenn dein Atem lang«, lachte Siegstab und schmetterte ihm seine Waffe auf den Kopf. Siegstab unterliegt. Hildebrand gewahrt es. »Seines Herren Schwestersohn sah er fallen von des Fiedlers Hand. Wie ein brüllender Löwe sprang er Volker an und so hageldicht fielen des Alten kraftvolle Hiebe, daß Herr Volker von Alzey für immer das Fiedeln vergaß. Lebt wohl, ihr Herrn von Rhein rief er, und sank mit zermalmten Gliedern in sein Blut…« Wie er, mit zermalmten Gliedern, sich noch so vornehm verabschieden konnte, das fragten wir nicht.

Man soll Kindern nur das Beste zu lesen geben. Oh, ein banaler Satz, aber bedeutungsschwer, wie die meisten Banalitäten, die auszusprechen man sich darum nicht schämen sollte; heute, im Zeitalter der Video-Filme, noch brennender wichtig als dazumal. Kinder nehmen das Gute an, aber das Schlechte auch und schleppen es nun, bewußt wie ich oder doch unbewußt, den Rest ihres langen, langen Lebens mit sich herum. Wie ich noch Uhlands *Des Dichters Abendgang* auswendig weiß, so auch so manches widerliche, obendrein historisch blödsinnige Satzgebilde Rudolf Herzogs und seinesgleichen.

Unter den Ullstein-Büchern also befand sich auch *Das Ende der Großen Armee*, die Erzählung von Napoleons Feldzug in Rußland, mit des Kaisers Vorgeschichte, kurz und knapp. Die Illustrationen waren gut gewählt; Bilder des Schlachtenmalers Wassili Wereschtschegin: *Napoleon im Kreml, den Brand Moskaus betrachtend, Gefangene Bauern werden vor den Kaiser gebracht* etc. Der Autor, mit Namen Bloehm, versuchte manchmal sich in kindlichem Ton: »Und da hat Napoleon noch etwas ganz Böses getan. Seine eigene Frau hat er verstoßen«, was uns entschieden weniger gefiel, als wenn er zu uns wie zu vernünftigen Leuten redete. Im großen und ganzen war das politische Vorspiel des Krieges und sein Verlauf wahrheitsgetreu und packend dargestellt. Auch dem Klaus gefiel es; er machte sogar ein Drama daraus, endend mit den Worten des traurig berühmt gewordenen neunundzwanzigsten Armee-Bulletins: »Die Gesundheit Seiner Majestät war nie besser.« So stand es im Buch. Klaus, der Dramatiker, ließ es den versammelten Höflingen in den Tuilerien durch einen Adjutanten verkünden. Ein Schluß, durchaus im Stil Schillers. Er muß damals *Maria Stuart* mit dem Ende »Der Lord läßt sich entschuldigen...« schon gekannt haben.

Daß Napoleon mich beeindruckte wie der segnende Christus zwei Jahre früher, versteht sich von selbst. Es waren die ersten Verlockungen der Historie, welche rasch sich verdichteten. So auch Paul Oskar Höckers *Der Sohn des Soldatenkönigs*, die Jugend Friedrichs des Großen. Das Buch war so ausgezeichnet gemacht, daß, als ich neulich das meisterliche Werk meines Freundes Theodor Schieder las, *Friedrich der Große; ein Königtum der Widersprüche*, ich in der Jugendgeschichte so manche Intrige, so manches Porträt, so manches Zitat wiedererkannte, wie sie dem Neunjährigen vertraut geworden waren.

Es gab noch andere Reihen für die »heranwachsende Jugend«, zum Beispiel eine des K. Thienemanns Verlag. Hier *David Copperfields Jugendjahre*, welche, glaube ich, den ersten Band des Romans nahezu vollständig wiedergaben: der hartherzige Stiefvater Murdstone, der rohrstockschwingende Mister Creakle im Internat Salem House, der bevorzugte, schöne und schlaue Mitschüler Steerforth, der endlich sogar Creakles Tochter ehelicht, der Tod der Mutter, die schreckliche Fluchtwanderung Davids zur Tante Betsey und so fort – unvergeßlich! Und so Bulwers *Die letzten Tage von Pompeji* für die Jugend bearbeitet. »Ha, Diomed, das trifft sich gut; speisest du heute bei Glaucus zur Nacht?« »Ach nein, lieber Clodius, er hat mich nicht eingeladen« – so fing es an. Und dann der böse Arbaces und die Eleganz des römischen Lebens und die grausamen Gladiatorenspiele und die frommen Christen; neue Welten jedesmal, verlockend mit Güte und Grausamkeit und Schönheit und Drama. So die Romane Walter Scotts, die meine Mutter in deutscher Übersetzung samt und sonders besaß, ein Erbe von ihren Großeltern. Da las ich nicht nur *Ivanhoe* und *Quentin Durward*, daneben längst untergegangene Dinge, zum Beispiel *Die Presbyterianer*, ein Roman, von dem später mein Englischlehrer in Salem, Mr. Sutton, bestritt, daß es ihn gab, es gab ihn aber ganz sicher, denn gelesen habe ich ihn. Und Hauffs *Lichtenstein*, offenbar der Stil Scotts ins Württembergische übertragen. »Trivialromane« alles das. Zu ihnen rechnet Schopenhauer, nicht ohne Verachtung, auch die Werke Bulwers, des Autors der *Letzten Tage*.

Leute, die nach dem Publikum schielten, »Bestseller-Autoren«, wie wir heute sagen. Aber deren gelungenste Sachen haben bis heute ihre Vitalität erhalten. *Lichtenstein* nicht; als ich, etwa vierzig Jahre alt, während einer Krankheit wieder zu ihm griff, mußte ich das Buch bald wieder weglegen: verwelkt – sehr im Gegensatz zu Hauffs Märchen. Scott nicht so ganz. Auch den *Ivanhoe* las ich wieder, nicht so begeistert wie in Vorzeiten, aber doch mit Bewunderung für des Autors Können. Wie er sein Handwerk beherrschte, wie er genau wußte, was seine Engländer lesen wollten, das konnte man nun bemerken, ohne daß ein Tadel darin läge oder darin liegen müßte. Wußte nicht auch Homer, was seinen Hörern am Lagerfeuer den meisten Spaß machen würde?

Wie man im Leben nie wieder so lachen kann wie als Kind, so wird man auch nie wieder mit solcher Hingabe lesen, die Wirklichkeit ringsum vergessen, während man sich in das Wahr-Unwahre der Vergangenheit vertieft. In der Privatschulzeit waren meine Nachmittage praktisch frei dafür, auch noch während des ersten Gymnasialjahres. Im zweiten, dem der »lateinischen unregelmäßigen Verben«, verlangte die Schule ihren Dienst auch zu Hause. Jedoch versah ich ihn während der folgenden Jahre zusehends schlechter, weil ich das Lesen zu meinem Vergnügen nicht aufgeben mochte: was Folgen hatte. Zuletzt half mir die Note Eins in Geschichte nichts mehr.

Eine andere Quelle guter Lektüren war meine Großmutter Hedwig Pringsheim. Auch sie las vor, meinen großen Geschwistern, während jener Sonntag-Nachmittage in der Arcisstraße. Auch sie konnte großartig lesen, aber anders als mein Vater; sie war in ihrer Jugend Schauspielerin gewesen, eine Zeitlang Mitglied der »Meininger«, einer Theater-Unternehmung des Herzogs von Sachsen-Meiningen, der als ihr Mäzen und Regisseur fungierte. Da hatte der reiche Dr. Pringsheim sie auf der Bühne gesehen, entzückt, wenn nicht von ihrer Kunst, doch von ihrer Schönheit, und war ihr nachgereist in die nächste Stadt ihres Wirkens und hatte bald sie heimgeführt. Aber so kurze Zeit sie Schauspielerin gewesen war, sie las noch immer mit ihrer schönen Glockenstimme, indem sie jeder Rolle einen anderen Ton oder Akzent verlieh. Sie wählte Dickens *Oliver Twist, Dombey und Sohn*, die *Geschichte aus zwei Städten*. Selber wurde ich für das Zuhören als noch zu unreif erachtet, tat es aber doch, indem ich mich hereinschlich, nachdem die Großmutter schon begonnen hatte, und mich auf ein Stühlchen an der Türe setzte. Da hörte ich aus *Zwei Städten* das Kapitel, welches die Erstürmung der Bastille beschreibt, an der Spitze der Stürmenden der Weinschenk Defarges. Hinreißend; unüberbietbar. Und lernte zum ersten Mal, wie es in einer Revolution zugeht, noch bevor es in München eine solche gab. Und war sogleich auf Seiten der Obrigkeit; hier zugunsten des armen, alten Kommandanten der Festung, der sich ergibt, um weiteres Blutvergießen zu verhindern, und dem zum Lohn dafür der Kopf abgeschnitten wird. Auch meine Geschwister liebten *Zwei Städte* mehr als *Dombey und Sohn*. Wir beschlossen, das Buch zu kaufen, ein blau gebundenes Reclam-Bändchen, indem wir unser Taschengeld zusammenlegten, die Großmutter schenkte uns am Anfang jedes Monats 50 Pfennige. Nun, immer erst neunjährig, verschlang ich das Ganze. Nicht, daß ich blind gegenüber den Ursachen der Revolution gewesen wäre. Unmöglich durfte ich den bösen Marquis Evrémonde billigen. Aber imponieren tat er mir doch, mit der eleganten Kälte des Herzens; dem Klaus übrigens auch, denn als der Tölzer Arzt Dr. Resch uns in seiner Pferdekutsche spazieren führte, grüßten wir hochmütig zum Fenster hinaus, genau wie der Marquis. Wieder ließ Klaus der Roman-Lektüre ein eigenes Drama folgen, *Marquis Defarges*, in dem er seinem erfundenen, von den Jakobinern so grausam wie ungerecht verfolgten Edelmann den Namen von Dickens erfundenem Weinschenk lieh. Und dann die Guillotine und die strickenden Frauen um sie herum und die Ermordung so vieler Unschuldiger oder nur wegen ihres Namens schuldig Gewordener – ich fand es abscheulich. Und fragte immer wieder den Klaus und Mutter und Großmutter: Warum hat England das alles geduldet? Es hätte doch eingreifen können... Eine Frage, die zu stellen wir zwei Jahrzehnte später ernsthafteren Grund erhielten. *Oliver Twist* kauften wir auch und lasen es einer nach dem anderen. Wieder eine neue Welt, diesmal das London des 19. Jahrhunderts; die armen, verführten und ausgebeuteten Kinder, der Mörder Sikes, der arge Fagin – im Kapitel *Des Juden letzte Nacht* wird dann die Rache, welche den alten Schurken trifft, so genüßlich geschildert, daß ich Mitleid für ihn fühlen mußte – die grausame Gerichtsbarkeit. Als ich später in Hollywood einen Oliver-Twist-Film gesehen hatte und TM mich nach meinen Eindrücken fragte, antwortete ich: »Zum Schluß ist alles in Ordnung. Reichtum und Tugend triumphieren und die Armut erhält ihre gerechte Strafe« – was ihn erheiterte: »Ja, das waren doch eigentlich bequeme Zeiten.«

Fast alle Romane, die ich damals las, waren historische oder doch mit historischem Hintergrund; sie waren es, die im Ursprung mir das liebende Interesse für jede Vergangenheit, für »Geschichte« einbrachten, das ich dann nie wieder los wurde. Und da sie alle, teils großartig, teils wenigstens geschickt geschrieben waren, so fand ich nichts natürlicher, als daß Historie so lesbar sein könne und müsse wie ein Roman. Zum Beispiel – zum edelsten Beispiel – Schillers *Geschichte des dreißigjährigen Krieges*. Auch die las ich mit zehn Jahren. Ich weiß es sicher. Denn im Rückblick ist jedes Lebensjahr, und wäre es auch das fünfundsiebzigste, durch irgendein Erlebnis, eine Persönlichkeit, eine Aufgabe, eine Reise bezeichnet, durch welche man es unterscheiden kann. Für die fünf Münchner Gymnasialjahre ist die unterscheidende Gestalt für mich der Klassenlehrer. Lehrer gab es mehr; der Klassenlehrer war die eigentlich verantwortliche Figur, pflegte auch mehrere Fächer zu unterrichten, etwa Lateinisch und Deutsch, oder Lateinisch, Griechisch und Geschichte, wobei er dann, zu meinem Kummer, von den leichten und schönen Stunden, Geschichte und Deutsch, etwas abzuzwacken pflegte, um es den ärgerlichen hinzuzufügen. Im zweiten Jahr war es der Professor Gabriel Mack. Ein schöner, noch junger Mann mit Kinnbart, damals eine Seltenheit. Auch ein großer Patriot. Gern erzählte er von »Fritz dem Großen«, Fritz anstatt Friedrich, weil er an den volkstümlichen Charakter dieses Monarchen glauben wollte. Er gab sich unendliche, zugleich strenge und liebevolle Mühe mit uns, versuchte noch die unregelmäßigen Verben durch allerlei Assoziationen interessant zu machen. Für die lateinischen Schulaufgaben, Übersetzungen aus dem Deutschen, drei im Trimester, für das Zeugnis entscheidend, schrieb er kunstvolle Texte, eigentliche Geschichten mit so schwierigem Vokabular, daß er uns durch zahlreiche Fußnoten helfen mußte. Sogar Gedichte kamen vor, einmal die Verse einer Poetin mir unbekannten Namens:

> Dann ergreift mich solche Lust
> Daß ich's nicht sagen kann;
> Ich sing ein Lied aus frischer Brust,
> Schlag froh die Saiten an…

Gleich damals, anno 19, hatte ich den Verdacht, daß Mack selber der Dichter war. So erzählte ich es in einer Rede, die ich im Jahre 69 gelegentlich der Einweihung des Thomas-Mann-Gymnasiums in München zu halten hatte, und fügte hinzu: »Natürlich habe ich über diese Frage in den folgenden fünfzig Jahren wenigstens einmal im Monat nachgedacht. Aber da Professor Mack lange tot ist, so werden wir die Wahrheit nie erfahren.« Ein Irrtum. Wenige Tage später erhielt ich zwei Briefe von Damen, eine von ihnen die Nichte des Verstorbenen: das Gedicht stammte wirklich von einer ostpreußischen Poetin, es war etwas wie die Hymne ihrer Heimat. So daß meine so lange durchs Leben getragene Hypothese sich endlich doch erledigte. Die Verwandte schenkte mir auch einen Gedichtband Macks, vermutlich auf eigene Kosten gedruckt, ein spätromantisches Bändchen, mit so typisch einteilenden Überschriften wie *Lieder*, *Sinngedichte*, *Nachlese* etc. Mit meiner Vermutung, daß der Professor ein heimlicher Dichter war, hatte ich also dennoch recht behalten. Auch liebte er die freie Natur herzhafter als seine meist schon altersgrauen und durch des Dienstes ewig gleichgestellte Uhr verbitterten Kollegen, seine Ausflüge, wie sie einmal im Trimester stattfanden, waren weitläufiger als die der anderen Lehrer, welche oft nur zum »Milchhäusl« im Englischen Garten führten. Er trug dann ein Sträußchen am Hut und sang *Am Brunnen vor dem Tore*. Einmal nahm er uns sogar über Nacht mit, nach Tegernsee – mein erstes Schlafen im Heu –, um am frühen Morgen uns auf den Wallberg zu führen. Dies Unternehmen, mit einer vielköpfigen Herde von Zehnjährigen, war so kühn, daß der alte Turnlehrer Hackenmüller – schon die Brüder meiner Mutter hatten ihre Übungen am Reck und Barren unter seiner Leitung machen müssen –, daß also dieser vollbärtige Jünger des abscheulichen Turnvaters Jahn dem Kollegen die Hand reichte und ihm Glück für das tollkühne Unternehmen wünschte. Am späten Nachmittag nahmen wir den Zug nach Tegernsee. Und da, an einem Fenster des Korridors, sehe ich mich noch stehen und ein paar Mitschülern ganze Seiten aus Schillers Prosa vortragen. Es waren die Seiten, die von Wallensteins Tod handelten: »...aber Überraschung und Trotz verschließen Wallensteins Mund. Die Arme weit auseinander breitend, empfängt er vorn in der Brust den tödlichen Stoß der Partisane und fällt dahin in seinem Blut, ohne einen Laut auszustoßen.« Oder: »So endigte Wallenstein in einem Alter von fünfzig Jahren sein tatenreiches und außerordentliches Leben.« Ich darf nicht behaupten, daß ich dem Wortlaut immer genau treu geblieben wäre; so hieß es bei mir »mit ausgebreiteten Armen« und »in sein Blut«.

Was ich vorher schon alles gelesen hatte – und nachgerade war es eine Menge –, nichts schlug mich auch nur annähernd so in Bann wie dieses. Was war es? Ich hätte es nicht sagen können – nicht so wie ich es heute kann. Die Lucidität in der Darstellung noch der kompliziertesten politischen Zusammenhänge, die Fülle der Figuren, die goldene Sprache in ihren drängenden Rhythmen, Drama und wieder Drama, von Anfang an, lange vor Wallensteins erstem Auftritt. Es war aber mit dem Satz: »Graf Wallenstein war es, ein verdienter Offizier, der reichste Edelmann in Böhmen«, daß meine Spannung auf ihren Höhepunkt gelangte und so lange anhielt, wie mein neuer Held lebte, und länger nicht. Ich zitterte förmlich, wenn er einen Fehler beging, wenn seine Feinde frech wurden, wenn von seinem »verjährten Feldherren-Ruhm« die Rede war, ein Ausdruck, den ich mißverstand; er bedeutete hier »fest eingewurzelt«, während ich etwas wie »abgestorben« meinte. Natürlich

»verstand« ich nicht alles, mitunter sogar das Primitivste nicht. Der Band, den ich las, war mit Fußnoten des Herausgebers reichlich versehen, und es gab da einen Historiker namens »Ebenda«, von dem ich mit Staunen glauben mußte, er habe ungeheuer viel geschrieben. Das, worauf es ankam, verstand ich. Immer jedoch bleibt mir ein Rätsel, warum ich dermaßen Feuer fing, kaum hatte ich den Namen zum ersten Mal gelesen. Ein wohlklingender Name, das ja. Aber es gab da andere stattliche Namen genug: Liechtenstein und Eggenberg und Pappenheim und wer noch; auch ein so fremdartiger Name wie Piccolomini hatte seinen Reiz. Ein Pappenheim war sogar in meiner Klasse gewesen, obgleich nur wenige Monate; der Name hätte mir doch besonders interessant sein müssen. Also tat es gewiß nicht der Name allein. Was sonst? Von der Fülle dessen, was später die Persönlichkeit mir in reifem Ernst so anziehend machte, die Politik und Ökonomie und die Sprache und der Humor und die Phantasie und die Härte zusamt der Güte und die Vorahnung im Bereich der Strategie – nicht das Land, sondern das Meer entscheidet über den Ausgang eines Kontinentalkrieges – und die Krankheit, die innere Gebrochenheit, die Einsamkeit – von alledem später Erarbeiteten konnte ich nicht die blasseste Ahnung haben. Nicht bei jenem ersten Satz und auch im Laufe der Erzählung nicht. Die Figur wird ja in Schillers Prosawerk noch recht konventionell und im Stil des 18. Jahrhunderts gestaltet. Seine Quellen waren erbärmlich. Keinen einzigen Brief aus Wallensteins Hand hatte er noch gesehen. Außer dem nie gestillten Ehrgeiz und dem Können und der Härte und der Rachsucht und der verderblichen Astrologie und der »Verschwörung« war da nicht viel. Anders im »Dramatischen Gedicht«, was ich zwei Jahre später las, mit dem gleichen Entzücken. Da klingen Ahnungen an, welche dem Prosawerk noch fehlen; auch stand dem Dichter nun eine erste, ernsthafte Quellen-Edition zur Verfügung... Kurzum, ich weiß nicht, was es war. Ich weiß nur, *daß* es so war.

In der Eingangshalle des Wilhelms-Gymnasium gab es eine Wand, an der alle Lehrer der Schule vorgestellt wurden mit Namen, Rang und Fächern. Und da sah ich schon den meinen prangen: Oberstudienrat GM, Lehrer der Geschichte des Dreißigjährigen Krieges.

Angst

Würde das Kind sich vor Gespenstern fürchten, wenn es keine Gespenstergeschichten gäbe? Ich glaube es. Die Furcht vor den Toten, daß sie wiederkommen und daß sie, waren sie auch im Leben Freunde, nun Feinde sind, ist dem primitiven homo sapiens eingeboren, wobei die Grenze zwischen Gespenstern und Dämonen eine verschwimmende bleibt. Da nun das Kind die seelischen Erfahrungen seiner frühesten Ahnen in aller Eile wiederholen muß, so wird es auch die Furcht vor den Toten nachvollziehen. Selbst wenn dem nicht so wäre, so würden doch Erwachsene schlichteren Geistes, wie sie meine Kindheit noch umsorgten, Köchinnen, Erzieherinnen, sogar Großmütter, von dem, was sie glaubten, reichlich mitteilen. Was die Gespenstergeschichten angeht – die gab es ja nun einmal, darunter so großartige wie E. T. A. Hoffmanns *Majorat*, unmöglich, sie uns zu entziehen. Wir besaßen da eine Sammlung deutscher Sagen, reich illustriert. Das grausigste Bild stellte eine alte Frau in der Kirche dar, umgeben von in weiße Tücher gehüllten Totengerippen. Es handelte sich um die Geschichte vom *Alten Mütterlein in der Mitternachtskirche*. Das fromme Weib pflegte jeden Morgen zur Frühmesse zu gehen. So auch diesmal; und sie glaubte spät daran zu sein, denn schon war es heller Tag draußen. Sie geht zur Kirche, in der Stadt war es sonderbar still, sie eilt zu ihrem gewohnten Platz. Erst nach einem Weilchen sieht sie sich um, und was muß sie erblicken? Es war der Vollmond, nicht die Sonne, welcher die Nacht zum Tag gemacht hatte, es waren die Toten des Städtchens, die um Mitternacht sich in der Kirche ein Stelldichein gaben. Und es war ihr »seliger« Mann, der, zufällig in ihrer Nähe sitzend, ihr zuraunt: »Fliehe, sonst bist du ein Kind des Todes!« Das alte Mütterlein, dem Ausgang zustürzend, hört noch, wie die Geister sich klappernd erheben, um sie zu erhaschen. Aber sie gelangt zur Türe, und es scheint, daß ihre Verfolger draußen keine Macht über sie haben. So gelangt sie nach Hause zurück, gebrochen an Leib und Seele. »Als die Leute sie am Morgen fanden, lag sie schon in den letzten Zügen.« Was ich nicht verstand: wie kam sie denn nun in eine Eisenbahn, oder gar in mehrere Eisenbahnen? Es gab andere Schauergeschichten in dem Buch, *Das Trompetenschlößchen zu Dresden, Der Weinkeller zu Salurn, Der letzte Bieburger*, welcher sich dem Teufel verkauft hatte, und andere mehr. Das alte Mütterlein hatte es mir angetan, und ich konnte keine Kirche betreten, ohne an sie zu denken. Die Illustration sehe ich heute noch vor mir.

Furcht vor Gespenstern – ein neun-, gar ein zwölfjähriger Junge gibt sie nicht zu. Sie ist kindisch, sie ist unvernünftig. Besser also, man behauptet, sich vor bösen, jedoch lebenden Personen zu fürchten, Mördern, Einbrechern. Noch besser, man behält alles für sich. Meine Mutter spottete darüber, daß ich, wenn ich allein im zweiten Stock schlief, nachts die Kette auf der Toilette nicht zog, in der Sorge, durch das Geräusch einen Einbrecher herbeizulocken, und ich ließ sie dabei. Der wahre Grund war ein anderer: die Angst, durch das Rauschen des Wassers die Stille der Nacht zu durchschneiden und Kräfte zu wecken, die besser ungeweckt blieben. Dann gab es lokalisierte Gefahren. In der »unteren Garderobe«, gleich neben der Haustür, lauerte eine Urgroßmutter auf mich, Hedwig Dohm. Ich kannte das Porträt der Greisin, welches im Wohnzimmer meiner Großmutter in der Arcisstraße hing, die großen durchbohrenden Märchenaugen, so wie sie waren oder wie Lenbach sie hatte sehen wollen. Sie war unlängst gestorben. Von ihren Urenkeln – diesen Urenkeln – hatte sie drei gekannt, Erika, Klaus, Monika waren bei ihr in Berlin gewesen, nur ich nicht. Was Wunder, daß die tote Ahnfrau mich jetzt noch kennenzulernen wünschte? Daß, wenn sie schon auf mich lauerte, sie es regelmäßig im gleichen Raume tat? Im zweiten Stock wohnten, nachdem die jüngsten Geschwister erschienen waren, Erika, Klaus und ich, in drei Zimmern. Die beiden Großen waren nun öfters abends aus, in der Oper, für die sie durch Bruno Walter Karten geschenkt bekamen; während des Sommersemesters 1922 lebten sie im Internat, der »Bergschule Hochwaldhausen«, worüber man bei meinem Bruder nachlesen mag. Seine erste druckreife Geschichte, für mich eine der schönsten, *Die Jungen*, entstand dort. Ich war nun also allein da oben. Es gab, auf gleicher Höhe, den »Speicher« mit allerlei abgestelltem Kram, darunter unheimlichem: Ein Bild von Kubin, der Tod, der einen Jüngling frißt, das Porträt eines mir unbekannten vollbärtigen Greises. Um in mein Zimmer zu gelangen, mußte ich das meines Bruders durchschreiten, in dem eine alte Wanduhr mit Pendel hing:

»... und die Uhr hetzt mit stichelndem Ticken«, wie es in Franz Werfels Gedicht über die *Unbegrabenen Toten* heißt. Es galt, den Weg ganz im Hellen zu machen, wofür ich mir ein System ausgedacht hatte, denn natürlich durfte ich keine Lampe brennen lassen. Licht auf der Treppe an, Licht auf dem Korridor an, Licht auf der Treppe aus und so weiter bis ich am Ziel war, mich auszog, das Licht löschte und ins offene Bett sprang, um die Decke über den Kopf zu ziehen. So noch mit zwölf, ich fürchte, sogar noch mit dreizehn

Jahren. Auch dergleichen beruhigt sich nicht mit einem Schlag.

Das Haus in der Arcisstraße war unheimlicher als die Villa im Herzogpark; alt und verbraucht, mit längst unbewohnten Zimmern, schweren samtenen Portieren, dunkeln Winkeln und Stufen. Hielten wir uns sonntagnachmittags dort auf, während die Erwachsenen Siesta hielten, so kam es vor, daß ich oben im »roten Zimmer« etwas las, dann zum Tee hinunterging und dann, winters im Dunkeln, noch einmal hinauf mußte, um das vergessene Buch zu holen. Mit Widerwillen, denn dort mochte der Onkel Erik auf mich lauern. Onkel Erik, der älteste Bruder meiner Mutter, der, nachdem er, flotter Pseudo-Aristokrat, die fürchterlichsten Schulden gemacht hatte, von seinem Vater nach Argentinien verbannt worden war – in seinen Erinnerungen *Der Wendepunkt* handelt mein Bruder davon und auch von dem traurigen Ende: wie der unfreiwillige Farmer von dem Buhlen seiner Frau, Majordomus des Hauses, ermordet wurde. Uns Kindern machte man weis, er sei »vom Pferd gefallen«, weil im Zimmer meiner Mutter ein Reiterbild von ihm hing. Dieser Tote also, den ich im Leben nie gesehen hatte, gehörte für mich zu den langen, düsteren Korridoren, den knarrenden Dielen des Pringsheimschen Hauses. Auch scheint es, daß meiner Großmutter diese Furcht so fremd nicht war, vielleicht, weil sie dem Sohn gegenüber kein schuldfreies Gewissen hatte. Es geschah uns Kindern einmal, daß uns auf der Föhringer Allee ein Herr ansprach mit den Worten: »Ich bin euer Onkel Erik.« Warum er das tat, blieb mir ein Rätsel; ein Gespenst war der sehr gewöhnlich aussehende Mensch am hellen Tag nun gewiß nicht. Als wir der Mutter davon berichteten, antwortete sie: »Erzählt das ja nicht der Großmutter!« Und diese selbst hörte ich einmal sagen, vielmehr mit starker Stimme

ausrufen: »*Ich* habe keine Angst vor Erik!« Wozu ich
dachte: ein klein wenig wohl doch.

Auch die Gespensterfurcht klang, im Reiferwerden, allmählich ab. Das letzte Mal, daß ich sie stark empfand, war
im Sommer 1927 nach dem Selbstmord meiner Tante Julia, »Lula«. An einem Spätnachmittag wurde ich in ihre
Wohnung an der Münchner Leopoldstraße geschickt, um
irgend etwas zu holen. Der Leichnam war schon verschwunden, vielleicht die Beerdigung schon gewesen. Aber
wie ungern ich die Treppen hinaufging, wie ungern ich die
Wohnungstür aufsperrte, wie rasch ich mich wieder entfernte. Auf dem Rückweg dann, durch den dämmernden
Englischen Garten, sah ich mich um, ob die Tote mir nicht
nachfolgte.

Völlig verschwinden solche Gefühle nie. Sie verflüchtigen
sich, richten sich auf nichts Bestimmtes mehr. Während
der letzten Jahrzehnte geschah es mir häufig, daß ich im
Schloß oder in der schönen Wohnsiedlung meiner Freundin Prinzessin Margaret von Hessen alleine im »Großen
Haus« schlief, dem eigentlichen Schloß, einem Jagd-
schlößchen ursprünglich, nach außen einem bescheidenen
preußischen Herrensitz ähnlich, innen mit all den Herr-
lichkeiten geschmückt, welche der hessischen Familie geblieben waren. Oft schlief ich im Parterre, im »Zarenzim-
mer«, einem für den letzten Zaren und seine Gattin,
Schwester des Großherzogs Ernst Ludwig, eingerichteten
Raum: ein gewaltiges Himmelbett, ein Schrank vergleich-
barer Dimension, eine als Truhe verkleidete Badewanne,
vermutlich die erste, die es im Schloß gab, das Ganze zugleich prunk- und geschmackvoll. Am Bett noch die
Glocke, mit der der Zar seinem Kammerdiener läutete, der
einen Stock höher schlief. In einem solchen Zimmer zu
wohnen konnte auf einen historisch Gesinnten wie mich

nicht anders als erstaunlich, ja traumhaft wirken. Aber in das Behagen mischte sich, zumal anfangs, eine andere Stimme. Das Haus, sah man es mit vernünftigen Augen, war von guten Geistern oder, im Singular, von einem guten Geiste bewohnt. Viele, nicht nur hierarchisch, auch geistig und moralisch hochstehende Menschen hatten es ehedem belebt. Aber wie schwer von Erinnerungen war es; wieviel Unheil hatte die Familie heimgesucht – zum Beispiel den Zaren. Nicht, daß ich fürchtete, seine Gestalt würde mir erscheinen, darüber war ich nun längst hinaus. Aber so ganz allein innerhalb eines so schicksalbeladenen Gemäuers zu sein! Als ich das erste Mal dort zu Bett ging, geschah mir, am Waschtisch stehend, was so oft in Geschichten geschieht, so selten in der Wirklichkeit; daß mich ein »Schauder« erfaßte, daß es mir »eiskalt den Rücken herunterlief«. Das gibt es, ebenso wie es das Phänomen der »gesträubten Haare« gibt. Letzteres dürfte die Funktion haben, welche der Buckel der Katze hat: man will dem Feinde gegenüber größer erscheinen als man ist. Beim »Schauder« sehe ich einen solchen Nutzen nicht. Auch das Erlebnis, welches man ein »Gerinnen des Blutes in den Adern« nennt, gibt es: zweimal erfuhr ich es in Augenblicken höchster Erregung oder tiefster Erschütterung: ein mit nichts Anderem zu verwechselndes heißes »Kribbeln« im ganzen Körper.
Im Deutschen haben wir den Unterschied zwischen Angst und Furcht, den es auch in anderen Sprachen gibt, im Englischen, im Spanischen. Furcht richtet sich auf einen Gegenstand, wie das transitive Zeitwort fürchten deutlich macht. Zur Angst gehört »sich ängstigen«, sie ist intransitiv. Sie richtet sich auf etwas Unbestimmtes, »das Ganze« oder gar nichts, oder auf eben den, der sich ängstigt. Darum ist Angst einsam wie das Weinen; die Anderen, wenn solche zugegen sind, verstehen sie nicht, weder kann

noch will man sie ihnen erklären. Furcht verbindet, eben darum kann sie sich zur allgemeinen Panik steigern. Natürlich ist mir auch Furcht bekannt. Jedoch machte ich diese Beobachtung: Die Furcht der anderen beschwichtigt die meine. So erging es mir zum Beispiel in London im Jahre 1944, als die erste, dann die zweite »V-Waffe« sich dort lästig bemerkbar machte. Wenn ich in dem Hotel, in dem ich wohnte, würdige Damen und Herren am Abend mit Decken und Kissen in den Keller schreiten sah, wenn Kollegen mich baten, bei ihnen zu übernachten, weil meine Anwesenheit beruhigend auf sie wirkte, so konnte ich mich nicht enthalten, darüber zu lachen; wer lacht, fürchtet sich nicht.

Angst – oder eine Verbindung von Angst und Furcht – war eine der Plagen, die ich mir in der Kindheit selber bereitete. Es hatte mir niemand von der kalten Hand erzählt, die innerhalb des Klosettbeckens auf mich lauerte, vielleicht mich gar herunterziehen würde; sie war ein Produkt ausschließlich der eigensten Phantasie des Drei- oder Vierjährigen, und schon der würde sich geschämt haben, irgend jemandem seinen Kummer einzugestehen. Etwas anderes sind die Gespenstergeschichten, die ich las oder hörte; sie gaben meiner Phantasie Nahrung.

Gute Gespenstergeschichten gibt es sehr wenige. Es genügt nicht, zu erfinden, zu behaupten; man muß überzeugen, glaubhaft machen, Stimmung produzieren. So ist Charles Dickens, diesem gewaltigen Erzähler, nur eine einzige gute Gespenstergeschichte gelungen: *Der Bahnwärter*, nicht das herrliche *Weihnachtslied in Prosa*, welches trotz der Erscheinung des toten Marley am Anfang keine echte ist; H. G. Wells nur eine, *Das rote Zimmer*, Maupassant nur eine, *La petite Rocque*, nicht *Der Horla*, den man in allen Anthologien findet, der aber von psychischem Verfall und Wahnsinn handelt, was etwas ganz anderes ist; Mérimée nur eine, *Die Seelen des Fegefeuers*, nicht *Die Vision Karls XI.*, die man wieder in den meisten Sammlungen findet, Theodor Storm eine einzige, *Der Schimmelreiter*; von unserem »Gespenster-Hoffmann« lange nicht so viele, wie man glaubt, zumal er eine Routine daraus machte und zu viel bot von dem, was man von ihm erwartete. Seine Märchen, an der Spitze *Klein Zaches*, sind weit besser als seine Geistergeschichten, mit Ausnahme des *Majorat*. Die Erzählungen Edgar Allan Poes, den man, als er in Europa bekannt wurde, den amerikanischen Hoffmann nannte, sind stark überwiegend psychische Horrorgeschichten, auch da, wo es wie in *The Telltale Heart* um einen Ermordeten geht. Übrigens sind die Amerikaner bessere Erzähler von Gespenstergeschichten, als man von ihrer jungen, vitalen Zivilisation erwarten sollte – worüber der unsagbar witzige Einfall Oscar Wildes, *Das Gespenst von Canterville*. Es mag der englische Einschlag in ihrem Blut sein, der noch immer nachwirkt; auch gibt es auf ihrem Boden alte, mitunter grauenerregende Häuser genug. Dagegen ist die Gespensterwelt der Hispano-Amerikaner ganz ihre eigene, in ihrer Erde gewachsen. Das für den europäischen Leser so stark wie befremdend Wirkende ist das Ineinanderverschwimmen von lebendiger und Gespensterwirklichkeit, so daß man bis zu einem bestimmten Moment nicht weiß, mit was von beidem man es zu tun hat. Die Literaturwissenschaft spricht dann von »magischem Realismus« – denn ein Name muß sein, obgleich nicht für mich.

Die stärkste mir bekannte Geistergeschichte ist Knut Hamsuns *Ein Gespenst*. Nicht nur weil Hamsun sehr gut erzählen konnte; was er da erzählt, ist ohne Zweifel wahr, auf einem authentischen Kindheitserlebnis beruhend. Er mag es, zumal gegen Ende, ein wenig ausgeschmückt haben. Aber der Moment, in dem der landfremde Mann, der da im Dunkeln draußen am Fenster erscheint und auf den einsamen Knaben in der Küche starrt, der Moment, in dem er anfängt zu lachen und so seine Zähne zeigt, denen einer fehlt, der Zahn eben, den der junge Knut am Nachmittag auf dem Kirchhof gefunden und mit nach Hause genommen hatte – so etwas erfindet man nicht. »Da fängt der Mann an zu lachen...« Da Hamsun von Beruf Schriftsteller war, hat er aus dem Erlebnis eine Kunst-Erzählung gemacht.

Vom »zweiten Gesicht« handelt schön Annette von Droste in ihrem Gedicht, das überschrieben ist *Vorgeschichte (Second Sight)*. Ich bin überzeugt, daß es *Vorgesichte* heißen müßte, womit die Dichterin das zu ihrer Zeit noch nicht übersetzte »Second Sight« wiedergab; der erste Drucker machte einen Fehler, der seither sich von Ausgabe zu Ausgabe schleppte. Von dem westfälischen Freifräulein, dieser frommen Seherin, stammen auch zwei überzeugende Gespensterballaden: *Der Fundator* und *Der Graue*; man glaubt, was man liest. Im *Fundator* ist das Ende so charakteristisch wie die ganze Erzählung: der alte Diener Sigismund mit dem Babysohn der Familie allein im nächtlichen Schloß, der den längst verstorbenen Gründer des Adelsgeschlechts im erhellten Turmzimmer erschaut, der dann hören muß, wie das Gespenst beginnt, durch das Haus zu schleichen, sich ihm zu nähern: »Und immer härter, Tapp an Tapp, Wie mit Sandalen, auf und ab, Es kömmt – es naht – er hört es keuchen...« Der alte Diener wird erlöst durch die Rückkehr der Herrschaft, die den Abend auswärts verbracht hatte – »O, Gott sei Dank! ein Licht im Gang, Die Kutsche rasselt auf die Brücke!« In diesem Moment ist der Geist gebannt. Er kann *einen* lebenden Menschen heimsuchen – das Kind zählte nicht –, aber nicht zwei oder drei.

Selber kann ich nicht behaupten, daß mir je dergleichen zugestoßen wäre. Vermutlich bin ich nicht »medial« veranlagt, eher das Gegenteil davon. Ich kann mir nicht vorstellen, was in meinem Gesprächspartner vor sich geht; oder weiß es nur, wenn es starke äußere Zeichen dafür gibt, zum Beispiel von Eitelkeit, wie sie unter Schriftstellern und Professoren vorkommen soll. Dann schmeichle ich, immer bereit, mich gefällig zu erweisen, und was ich mir dabei denke, erkennt der Partner ebensowenig. Bei meinem spanischen Lieblingsdichter Antonio Machado heißt es:

> Ich glaube an meine Freunde
> In der Einsamkeit.
> Bin ich aber mit ihnen,
> Wie fern sind sie dann.

Ungefähr so. Der Austausch im Gespräch ist ein sachlicher, rationaler; kein sentimentaler. Das ist die Regel, Ausnahmen läßt sie zu. Ein edler Wein, zumal abends, mag die Schranken des Ich erweitern oder lockern. So auch eine gemeinsame, erfreuliche Anstrengung, zum Beispiel eine Bergwanderung. Dagegen bin ich für Rauschgift keineswegs gemacht. Ein paarmal versuchte ich es mit Marihuana in mir lieber Gesellschaft; nachher wurde mir gesagt, ich sei ganz ein Fremdkörper und Spielverderber gewesen. Die anderen fühlten sich wohl bis zur Seligkeit; ich nicht im mindesten.

Tod, zum ersten Mal

Im Herbst 1922 wohnte die Großmutter, die »Frau Senator«, ein paar Monate bei uns, und zwar neben mir im zweiten Stock, im Zimmer meines Bruders, der sich damals in der Odenwaldschule aufhielt. Sie war schön gewesen, so erzählten die Leute, begabt auch, zumal musikalisch, sie hatte Schumannlieder gesungen, sich selber auf dem Piano begleitend, auch ihre brasilianische Kindheit hübsch beschrieben. Aber gar zu gescheit war sie nicht, keine Intellektuelle; die Atmosphäre unseres, wie auch des Pringsheimschen Hauses mußte sie befremden. In einem Brief an den Bruder Heinrich spricht TM einmal von der »armen, törichten Mama«. Und nun war sie alt geworden, oder war es längst, ihr Scheitern am Altern, ihr unstetes Herumziehen und sich auf dem Land Verbergen hat Viktor Mann in seinen Erinnerungen *Wir waren fünf* gut beschrieben; es sind die geglücktesten Seiten des Buches, das auch allerlei Verschönerungen und frohe Erfindungen enthält. Nun zerstörte die Inflation, die mit immer wachsender Wut umging, das Vermögen der alten Dame, jene 400 000 von dem Senator geerbten Goldmark, die wirkliches Gold nie gewesen waren und nun sich in Nichts auflösten. Noch war der Höhepunkt der Entwertung nicht erreicht; ob aber die Mark noch ein Zwanzigstel ihrer alten Kaufkraft hatte, wie momentan, oder ein Billionstel, wie im folgenden Jahr, machte einen so großen Unterschied nicht mehr. Die alte Frau verstand nicht. Die Krankheit, von der sie sich bei uns erholen sollte, war im Grunde ein Schwächezustand, verursacht durch Hunger und Kälte. Noch legte sie Wert darauf, für ihre Mahlzeiten zu bezahlen, aber mit Scheinen, über die meine Mutter und Erika sich lustig machten. Die Großmutter tat mir leid. Da sie das geistige Niveau des Hauses nicht hatte, so war sie meinem immerhin näher; dessen Dasein schwierig zu werden begann, da ich mit dreizehn Jahren kein Kind mehr war, etwas anders zu Benennendes aber auch nicht. Ich unterhielt mich gern mit ihr und ihrer Pflegerin. Ich fragte sie nach Erinnerungen, die für mich historisch waren, nach dem, was sie vom Hofe Napoleons III. noch wußte oder wie sie sich fühlte, als ihre heimatliche Republik plötzlich zum »Deutschen Reich« gekommen war. Soweit wir wußten, hatte sie, etwas älter als die 1855 geborene Großmutter Pringsheim, das Licht der Welt im Jahre 1853 erblickt, in Wahrheit lag ihre Geburt um zwei Jahre zurück, wie solches im 19. Jahrhundert üblich war. Sie erzählte mir gern. Auch tauschten wir unheimliche Geschichten aus. Eine Irre, so erzählte die Pflegerin, die sie im Krankenhaus zu betreuen hatte, war immer in die Ecke eines Zimmers gegangen und hatte dort unruhig nach etwas gesucht, und in dieser Ecke war vor wenigen Tagen noch das Sterbebett einer anderen Patientin gestanden, und da war etwas, was die Geisteskranke spürte. Ich weiß nicht mehr, mit welcher Gegengeschichte ich aufwartete... Wiederhergestellt, oder scheinbar, zog die Großmutter sich noch einmal aufs Land zurück, diesmal nach Weßling, einem Dorfe, etwas zu nahe an München, um echtes Land zu sein, an einem kleinen See gelegen. Dort wohnte sie in einem Gasthof, dort besuchten wir sie im Winter einmal, die Mutter, Monika und ich. Erfahrenere Augen als die meinen hätten sehen müssen, daß sie schwächer und schwächer wurde. Es kam der Tag, an dem sie auch in ihrem Gasthof einer Pflegerin bedurfte. Es kam der Tag, an dem in der Früh aus Weßling telefoniert wurde, die Frau Senator werde die Nacht kaum überleben. Damals hielt mein Vater sich am Starnberger See im Haus eines Bekannten auf, Dr. Richter hieß er, ein Kunstgelehrter, dem er auf die kleine Villa Geld geliehen hatte; daher sein Wohnrecht dort. Es wurde ihm bedeutet, er müsse so schnell wie möglich zurück in die Stadt; sein Bruder Heinrich, dank dem *Untertan* jetzt der viel Reichere, würde am Nachmittag mit ihm im Auto nach Weßling fahren. Mir wurde die Aufgabe, ihn abzuholen am Hauptbahnhof und ihm seinen Koffer tragen zu helfen. Den langen Weg zum Bahnhof machte ich wie gewöhnlich zu Fuß durch den Englischen Garten, sehr traurig berührt von dem, was da bevorstand. Es kam mir ein Gedanke. Wie, wenn ich den Weltlauf unterbräche, indem ich etwas von ihm keineswegs Vorgesehenes täte, ihm also widerspräche, ihn widerlegte? Ich verließ den Weg, warf mich auf die Wiese, die noch mit Schnee bedeckt war, stand wieder auf und setzte meine Wanderung fort.

Es war, wie ich viel später begriff, eine sonderbar philosophische Idee. Alles hängt mit allem zusammen. Der Riß einer einzigen Masche in dem ungeheuern Netz verändert das Ganze. So ungefähr meinte es ja wohl Hegel. Stimmen tut es nicht. Das Zahnweh, das einer in Brasilien verspürt, hat auf den Flug der Amsel in der Steiermark nicht den allermindesten Einfluß. Wenn aber, zweitens, der Weltlauf wirklich ein all-einer, überall prädeterminierter wäre, so könnte man ihm auch durch die verrückteste Handlung nichts anhaben; einem prädeterminierten Weltlauf entzieht sich keiner, er mag es anstellen, wie er wolle. So sah ich es später, im Nachdenken. Momentan fühlte ich mich erleichtert im Gefühl, für die Sterbende getan zu haben, was ich konnte.

Den Vater traf ich auf dem Perron, tief verstimmt; wegen der Nachricht, die er am Morgen erhalten, und weil er seine friedlich schöpferische Arbeit so plötzlich unterbrechen mußte. Es wurde während der Trambahnfahrt, während des Umsteigens am Max-Monument, kein Wort gesprochen. Das letzte Wegstück, die Föhringer Allee am Fluß entlang, hatten wir zu Fuß zu gehen. Erst hier erfüllte sich meine Aufgabe: TMs Spazierstock wurde durch den mittleren Griff des Koffers geführt, und jeder trug an seinem Ende des Stockes seinen gerechten Teil, falls nicht der Koffer nach einer Seite glitt, was die Nervosität des Vaters steigerte. Trübes Mittagessen. Danach konnte ich nicht umhin, ein paar Brocken des Gesprächs zwischen den Eltern zu überhören: daß wohl leider nichts mehr zu hoffen sei. Und wenn es trotzdem noch einmal eine flüchtige Erholung gäbe? TM, traurig, »Ja, und wo sollte denn die Rekonvaleszenz dann stattfinden?« Die Mutter, die Gelegenheit ergreifend: »Ich meine, de facto...« Nach vier Jahren Latein weiß man, was de facto heißt. Ich wünschte, ich hätte es nicht gewußt und hätte das Fragment des Satzes, welches unausgesprochen blieb, nicht erraten.

In später Nacht kam TM aus Weßling zurück, erschüttert, wie die Mutter am Morgen erzählte. Am Vormittag wurde Erika hinausgeschickt, um eine Decke für die Aufbahrung zu bringen; der Wirt hatte für solchen Zweck keine ausleihen wollen. Erika durfte, oder mußte, dann auch als die einzige von uns der Beerdigung auf dem Münchner Waldfriedhof beiwohnen. Zurückgekehrt, machte sie sich über den Pfarrer lustig, der die ihm in aller Hast zuteil gewordenen Informationen in gestelztem Ton wiedergegeben hatte: »Auch im Klavierspiel ragte die Verstorbene hervor.« Von den drei Brüdern, Heinrich, Thomas und Viktor, erzählte Erika nicht ohne Stolz, sie habe alle drei weinen sehen, jeden für sich, in einem anderen Moment. Sie war damals in jenem Alter zweiter Unschuld, die an gar nichts glaubt und sich über alles lustig macht; eine Neigung, die bei begabten, klugen, lebensfrohen Achtzehnjährigen besonders kräftig zur Geltung kommt.

Der Tod der Großmutter blieb mir. Da war eine Familien-Institution, mir seit meinem zweiten Lebensjahr gewohnt, dauerhaft, wie ich glaubte, aber nun für immer verschwunden. Es kam Mitleid hinzu: daß man gegen die alte Frau, während sie bei uns wohnte, nicht so nett gewesen war, wie sie es doch verdiente. Ich sah sie vor mir, ich sehe sie noch, das dunkle, vermutlich gefärbte und dichte Haar, die schwarzen Pünktchen des Schleiers, den sie unter dem Hut trug, ihr Gesicht damit schützend, ich hörte ihr Lachen, die lübischen Akzente ihrer Sprache und ihr »alter Junge«, mit dem sie mich anredete. Die frühen Toten der Familie, der »vom Pferd gefallene« Onkel Erik, die Tante Carla, die, ich wußte es schon, Selbstmord verübt hatte, sogar noch die Urgroßmutter in Berlin – sie waren Abstracta. Diesmal nicht. Übrigens konnte von Gespensterfurcht keine Rede sein; dazu war die Großmutter zu gütig, zu naiv, zu harmlos gewesen. Warum sollte sie mir nun beweisen, daß es Geister gibt?

Ein Ausbruchsversuch

Im Frühjahr 1921 schloß ich mich den Pfadfindern an; genauer, der Vereinigung »Jungbayern«, einer Nachfolgerin der nun verbotenen »Wehrkraft« der Königszeit. Der Schulkamerad, der mich anwarb oder dem ich mich anbot, denn von allein wäre er nicht auf mich verfallen, gestand mir später: er habe seinem Vorgesetzten berichtet, es sei da einer da, namens GM , aber ob er der geeignete sei, daran müsse er selber zweifeln. Geeignet war ich wohl wirklich nicht, recht war nur der Instinkt, zur Familie und zur Schule einen dritten, grundverschiedenen Lebenskreis zu fügen. Da gab es »Übungen«, am Samstag nachmittag beginnend an irgendeiner Endstation der Straßenbahn, besonders beliebt war die Boschetsrieder Straße; dann Übungen Samstag–Sonntag mit Übernachten im Zelt; im Sommer die »Fahrt«, eine über mehrere Wochen ausgedehnte Wanderung. Dem entsprachen die »Ausrüstungen«: c) sehr leicht, b) schon mit Rucksack, Zeltbahn und Feldkessel und a), die machte den Sack gewaltig schwer, denn es war alles für die große Fahrt Notwendige darin.
Zur ersten Übung ging ich mit meinem Anwerber, Wolf-Dietrich von Loeffelholz, zugleich schüchtern und stolz, neugierig und aufgeregt, nun zwölf Jahre alt. Wolf-Dietrich stellte mich dem Anführer des Zuges 11 b vor, zu meiner eher unangenehmen Überraschung ein Herr mit grauem Schnurrbart, Hut, Breeches und Stock: Georg Götz, Ingenieur seines Zeichens. Er glaubte offenbar an diese Form milder paramilitärischer Erziehung und opferte seine Zeit

97

dafür. Unter ihm der »Cornett-Feldmeister«, Ernst R., ein junger Mann mit Brille, sanfter geartet, Sohn eines Theologen, Student der Forstwirtschaft. Der Zug war unterteilt in »Fähnlein«, jedes aus etwa zehn Jungen bestehend, unter einem »Cornett«. Der meine, Albert J., dunkelhaarig und auch schon erwachsen, begrüßte mich herzhaft; er arbeitete, wie ich hörte, als Lehrling in einer Bank. Und dann die Jungen, etwa sechzig an der Zahl, in jedem Alter von meinem, welches ungefähr das jüngste war, bis zu dem der Primaner oder Studenten, Lehrlinge und Praktikanten. Es wurde marschiert und dabei gesungen. Nach etwa anderthalb Stunden ließ der Ingenieur, der »Feldmeister«, Halt machen. Es sollte Gelegenheit gegeben werden, unser Bedürfnis zu verrichten, wofür der Alte selber das Beispiel gab. Mir mißfiel das; dergleichen sollte ein Erwachsener vor Kindern nicht tun. Nach weiterem Marschieren Lagern an irgendeinem Waldrand, häufig die »Aubinger Lohe«; und die eigentlichen Übungen. Wie man Holz sammelt, wie man Feuer macht, ohne Beihilfe von Papier. Wie man den Kompaß liest und, ihm folgend, ein Ziel im Wald erreicht. Wie man eine Sonnenuhr in den Sand zeichnet. Und dann das Morse-Alphabet, um bei Kriegs-Spielen mit der Fahne Informationen zu geben. In alledem erwies ich mich als schwach. Auch im Grüßen. Zu der dritten oder vierten Übung kam ich um ein paar Trambahnen zu spät und traf im Wagen den gleichfalls verspäteten alten »Feldmeister«. An der Endstation gab er mir auf, zu laufen, den Zug zu erreichen und dem Cornett-Feldmeister zu melden, sie sollten den Marsch verlangsamen, er käme nach. Ich lief, was ich konnte, überholte unterwegs einen Kameraden, der gleichfalls verspätet war. Gemeinsam trafen wir den Zug an. Wie der andere strammstand vor dem zweiten Anführer, wie er sein »Melde mich zur Stelle« heraus-

schmetterte! Ich versuchte, ganz vergeblich, es ihm gleich-
zutun. Der Cornett-Feldmeister, milde: »Hast du den F.
gesehen?« »Ja, und er läßt sagen…« Schon wußte ich, daß
ich nie ein guter Soldat werden würde. Der amerikanische
General Pershing dekretierte einmal: »Den Soldaten erkennt man daran, wie er grüßt« – worin er ganz recht hatte.
Jener Kamerad mit seinem »Melde mich zur Stelle!«, der
war gewiß ein guter Soldat, und wenn er nicht im zweiten
Krieg gefallen ist, dann kehrte er als Oberstleutnant zurück. Gefallen ist leider, schon in Polen 1939, mein Freund
Wolf-Dietrich von Loeffelholz; spät und nach langen Forschungen brachte ich es heraus. Er ging nach dem Gymnasium zur Reichswehr wie jener Otto Marcks, dem er weit
überlegen war. Zuletzt hatte ich im Jahre 32 von ihm gehört; da war er Leutnant in Ingolstadt und neben dem, daß
er Soldat war mit Leidenschaft, sang er Schubert-Lieder
für die Offiziere der Garnison – der Traum-Leutnant, Disziplin und Führerqualitäten und alles das, aber musische
Kultur auch, so wie ihn Anton von Werner malte im Krieg
von 1870 und wie russische Offiziere heute gemalt werden.
Wolf-Dietrich, er war der erste ernsthafte Freund, den ich
hatte, frisch und von starker Intelligenz, gut aussehend
auch, bei dürftiger Kleidung ein Aristokrat. Als es 1919 bis
20 im Gymnasium die »Quäkerspeisung« gab, eine von
amerikanischen Quäkern gestiftete Nahrungsbeihilfe aus
Kakao und feinem Weißbrot, er aber, weil zu Hause leidlich ernährt, davon ausgeschlossen blieb, zitierte er mir lachend aus Schillers *Teilung der Erde*: »Der König sperrt die
Brücken und die Straßen und sprach: ›Der Zehente ist
mein.‹« Sollte heißen: er hielt die Beschenkten auf und bat
oder erzwang sich seinen Teil. Seine Eltern schienen in be-
engten Verhältnissen zu leben, obgleich sie, so erzählte er
mir, in Nürnberg, Kiebitzenhofstraße 172, ein »Schlössla«

besaßen; nach Nürnberg verzog die Familie auch im Jahre 1922. Damals, in der Dunkelheit eines Wintermorgens, wanderte ich zum Hauptbahnhof, um Abschied zu nehmen. Er hat mich noch einmal, etwa anno 24, in München besucht. Dann sah ich ihn nie wieder, wie es so geht. Aber in Zeiten trauriger Einsamkeit träumte ich noch lange von ihm. Seiner Mutter, sagte er mir einmal, täte ich leid. Und ich verstand warum. Die Baronin mißbilligte das Milieu, aus dem ich kam und von dem ich mich ja doch nie würde trennen können, wie ich es auch anstellte.

Stark war das Erlebnis einer ersten dreitägigen Übung in einem großen Wald nahe Fürstenfeldbruck, zu welcher mehrere »Züge« sich vereinigten. Stark der Tag, noch stärker Abend und Nacht. Die vielen dunklen Gestalten um die Feuer, an denen gekocht wurde und später gesungen, Landsknechtlieder, echte und falsche und auch lustige Dinge; »Es war ein alter König, des Freude war gar wenig...« oder die Soldaten-Lorelei, eine Parodie der Heineschen: »Und mit ihrem Eisenkamm kämmts die roten Borsten zamm...« Und dann das Schlafen im Zelt zwischen Tannen auf moosigem Boden. Je enger, dürftiger, unsicherer der Schutz vor der Nacht, desto reizvoller ist er, zumal wenn er bei Regen dicht hält.

Zu Weihnachten war ich schon so weit, daß ich mir als Geschenk wünschte: eine graue Pfadfinder-Joppe, wie die anderen sie besaßen, einen Speer und die Werke von Theodor Körner. Mein Bruder spottete überlegen: »So ein reaktionärer Aufbau!« Körner liebte ich damals, Patriot, der ich war: die vaterländischen Lieder, die Balladen, die Lustspiele – eines von ihnen hatten wir unter meiner Anleitung vor Weihnachten in der dritten Klasse des Wilhelmsgymnasiums aufgeführt – und die Dramen – besonders *Zriny*. Daß es schwache Nachahmung Schillers war, wie seine Gespensterballade *Wallhaide*, die es mir angetan hatte, eine schlechte Nachahmung Bürgers oder Goethes, daß der junge Dichter dem Irrtum erlegen war, mit zwanzig als Klassiker zu beginnen, und sein Werk kurzum nicht taugte, von den Kriegsliedern allenfalls abgesehen, das merkte ich nicht; man muß mit den *Räubern* beginnen, um beim *Wallenstein* zu enden. Der Sinn für Qualität und ihre Unterschiede wird einem aufgeweckten Kind kommen, allmählich und von allein, kaum dank der Lehrer; am Anfang gibt es ihn überhaupt nicht. Freiligraths *Die Trompete von Vionville*, ein Hurragedicht von 1870 mit klapperndem Jammerende gefiel mir so sehr wie Lenaus *Postillon*.

Juli-August die »Frankenfahrt«. Treffpunkt im Hauptbahnhof, Perron Nr. soundso, am frühesten Morgen. Den Weg machte ich wiederum zu Fuß, es ging noch keine Trambahn; ein matter Streifen Licht im Osten, während ich den Fluß überquerte. Einer meiner Mitpfadfinder, ein Altersgenosse, den ich, zu meinem Vergnügen, noch vor ein paar Jahren in München wieder traf, behauptete, ich sei erschienen mit einem »Dienstmädchen«, welches mir den Rucksack trug; woran kein wahres Wort ist. Aber er glaubte es bona fide, hatte sich's schon bald nach dem Ereignis eingeredet; ein verwöhntes »Herrschaftskind« trug sein Sach nicht selber. Als ob ich es nicht während der vieltägigen Fahrt, in Wahrheit zum großen Teil ein Marsch, hätte tragen müssen! Schwer war es allerdings. TM in seinem Tagebuch, 25. Juli 1921: »G. trat mit erschreckend schwerem Rucksack eine Pfadfinder-Tour von 10–14 Tagen an.« Es wurden bedeutend mehr als 14 Tage.

Am ersten nichts als Bahnfahrt, im langsamsten, billigsten Zug, den es gab. Wir müssen aber eine Station vor Nördlingen ausgestiegen sein, denn ich sehe uns durch ein Tor in die damals wie heute von hohen Mauern im Kreise umgebene Stadt einziehen, und sehe am Tor mich so schwach werden, daß ein Kamerad mich stützen mußte, denn für den ersten Tag war Selbstverpflegung vorgeschrieben und ich hatte nichts als etwas trockenes Brot bei mir gehabt. Es war wie in der Schule: die Söhne von Lokomotiv-Führern, Polizisten, Laden-Inhabern brachten viel bessere Nahrung mit als die Professoren- oder Dichterkinder. – Es war das erste Mal, daß ich über München und sein Oberland hinauskam. Als besonders aufregend empfand ich es, auf württembergischem Boden zu sein, wie einer mir versicherte. Daß es nicht stimmte und Nördlingen nur hart an der Grenze Bayerns lag, erfuhr ich erst, als ich anno 1984 einen Vortrag über die Schlacht bei Nördlingen ebendort zu halten hatte. In Nördlingen begannen die Wanderungen oder Märsche auf Überlandstraßen, ungepflastert damals, hin und wieder ein Auto, das Staub aufwirbelte, durch das Frankenland. Die alten Städtchen, die in der Ferne schimmernden Schlösser gefielen mir; die Freude an der Landschaft wollte noch nicht erwachen, die Bedingungen waren kaum günstig dafür. Wir, die Kleineren, waren zu sehr mit der Mühe unserer Füße beschäftigt. Auch war es ein außergewöhnlich heißer und trockener Sommer – nicht umsonst gewann der »Einundzwanziger« sich seinen Ruhm. Die Dorfbrunnen flossen nicht, wir kamen an ausgetrockneten Bachbetten vorbei, der Main selber, als wir ihn bei Marktbreit erreichten, gab sich langsam und spärlich. Einer der Cornette hatte mit seinem Fähnlein die Retroguardia zu nehmen und dafür zu sorgen, daß niemand zurückblieb. Meist oblag Rudi Schallmayer diese Aufgabe, Sohn von Münchens erstem Juwelier, später übernahm er selber das Geschäft in der Maximilianstraße, damals Oberprimaner, ein lustiger, witziger Bursche. Wurde unser Gang gar zu müde, tröstete er uns: Jetzt ist es noch so weit wie von Nymphenburg bis zum Marienplatz, jetzt ist es noch so weit wie von der Feldherrnhalle bis – etc. Auch sang er uns fidele Schauerballaden vor, eine, die ich damals hörte, vergaß ich bis heute nicht, was mir gefiel, das blieb mir, aber mit mir soll es auch untergehen, nicht darf ich die Nachwelt damit belästigen. Jede Zeit hat ihren eigenen Humor. Dieser stammte aus den Jahren vor 1914, wie nahe damals noch die Münchner »Brettllieder«, die Gesänge Hanns von Gumppenbergs. Zwei Tage lang blieben wir in Rothenburg, einem einsamen Nest, von Tourismus keine Spur. Dort kaufte ich eine elektrische Taschenlampe, wie sie in der Ausrüstung vorgeschrieben war. Der Junge, der mich bediente, ließ das Ding fallen, so daß die Birne zerbrach, und die Mutter rief: »Jetzt ist der ganze Gewinn wieder verloren!« Wie leid Sohn und Mutter mir taten. Auch schienen die Bürger der berühmten Stadt wenig Unterhaltung zu haben; denn als der Sohn unseres Feldmeisters, mit Namen Moritz, vor einem der Stadttore, wo es Bäume und Bänke gab, eines Sommerabends Lieder zur Klampfe sang:

> Es dunkelt schon auf der Heide
> Nach Hause laßt uns gehen.
> Wir haben das Korn geschnitten
> Mit unserem blanken Schwert…

sammelte sich alsbald eine Schar dankbarer Zuhörer aus der Stadt um ihn. Den Bayerischen Rundfunk gab es noch nicht, das kam, ich weiß nicht wie viele Jahre später; und selbst wenn Rothenburg ein Kino besessen hätte, auch die großen Zeiten des stummen Films würden erst noch kommen. Und so war dieser »Zupfgeigenhansel« eine willkommene Abwechslung… Durch die mittelalterlichen Befestigungswerke führte uns ein ehemaliger Offizier: »Ihr als

Wehrkraftjungen werdet verstehen…« Auch die Marien-
burg, hoch oberhalb von Würzburg, erklärte uns ein Herr
von ähnlichem Typus. Auf den Fluß weisend bemerkte er
plötzlich: »Dort unten könnt ihr Zweibrücken und Wiesba-
den sehen.« Wie, einen so weiten Blick hatten wir? Es war
ein Scherz; er meinte die zwei Brücken über den Main und
eine Badeanstalt… Unsere Fahrt verlief im Zickzack, und
wir müssen auch noch einmal die Eisenbahn benutzt haben; von Würzburg ging es wieder nach Osten, zum Staffelstein und nach Vierzehnheiligen, von wo man herüber
sah nach Schloß Banz und den weiten Blick hatte, von dem
Victor von Scheffel singt:

> Von Bamberg bis zum Grabfeldgau
> Umrahmen Berg und Hügel
> Die weite stromumglänzte Au,
> Ich wollt, mir wüchsen Flügel…

Natürlich sangen wir dies Lied auf dem Staffelstein, ich
liebte es damals, liebe es heute noch, die Verse, die Melodie. Überhaupt waren Lieder einer der Gewinne, die ich
aus meinem Pfadfindersein mitnahm. Es gefielen mir die
alten, die echten Landsknechtlieder:

> Unser lieben Fraue
> vom kalten Bronnen
> bescher uns armen Landsknecht
> ein warme Sunnen,
> daß wir nit erfrieren!

wie auch die später gemachten oder nachgemachten:

> Wir sind des Geyers schwarzer Haufen,
> heia, hoho!
> Und woll'n mit Tyrannen raufen,
> heia, hoho!

mit dem Refrain:

> Spieß voran, drauf und dran,
> setzt aufs Klosterdach den roten Hahn!

Daß in solchen Liedern, ihres Zaubers ungeachtet oder gerade wegen ihm, im Verborgenen auch ein mörderisches Element steckte, wie in so vielen rein männlichen Zusammenschlüssen, ihren Riten und Ausdrucksformen – wie sollte ich es ahnen. Reifer, wäre es wohl zu erkennen gewesen in den Liedern, die aus unserem Jahrhundert kamen.

> Es blühen die Rosen, die Nachtigall singt.
> Mein Herz ist voll Freude, voll Freude es springt.
> Ein Reiter zu Pferde, so reit ich durchs Land,
> Für Kaiser und König und Vaterland...
> Und ist sie geschlagen, die blutige Schlacht
> Und haben mit Frankreich wir Frieden gemacht...

Dies stammt, vermute ich, von Hermann Löns, der die Natur liebte, die Heide, die Tiere, die Blumen und den Krieg. Immer war der erträumte Gegner Frankreich, was auf 1870 zurückging, allenfalls, aber das war nur nachträglich und künstlich, auf 1813; vorher gab es diese feindliche Zuneigung bei den Deutschen nicht, am wenigsten in Preußen.

Anderen Liedern fehlte ein solcher Akzent durchaus. Zum Beispiel:

> Kein schöner Land in dieser Zeit
> Als wie das unsre weit und breit,
> Wo wir uns finden
> Wohl unter Linden
> Zur Abendzeit.

Es ist das Lied der vertriebenen Deutschböhmen geworden, obgleich es gar nicht aus Böhmen stammt; ihre Vorväter müssen es sich assimiliert haben. Auch hier ist nur von »Brüdern« – nicht von Schwestern die Rede; aber mörderisch ist es gewiß nicht. Vielmehr hat es die freundliche Sentimentalität des frühen 19.Jahrhunderts, aus dem es stammt. Schlicht wie es ist – wie unvergleichlich dagegen das Abendlied von Claudius! – liebe ich es auch, und wie kann ich die Stimmung begreifen, die es in meinen böhmischen Freunden wachruft.

In Bamberg trennten drei Fähnlein, darunter meines, sich von den übrigen, die nach Hause zurückkehrten, während wir, ich weiß nicht mehr auf welchem Weg, uns in die Gegend von Wunsiedel im Fichtelgebirge, nahe der böhmischen Grenze, begaben. Damit hatte es folgende Bewandtnis. Innerhalb des Zuges 11b hatte sich ein Sonderbund gebildet, der sich »Drei Flammen« nannte und mit dem auch der Cornett-Feldmeister, Ernst R., sympathisierte. Hier wollte man fort von der »Wehrkraft«-Tradition, von Befehlen wie »Zum Essenfassen antreten«, von den militärischen Akzenten, verbunden mit einer gewissen Mißachtung des Musischen, Literarischen. Hier also war man der »Jugendbewegung« der Vorkriegszeit näher, wenn auch nicht so nahe, daß man die Mädchen zugelassen hätte, wie in der klassischen Jugendbewegung sich von selbst verstand. Und da gab es die Neupfadfinderschaft, eine Nachkriegsgründung, glaube ich, welche im Fichtelgebirge ein gesamtdeutsches Treffen veranstaltete. Ohne Zweifel hatten die drei Cornette, zusamt Ernst R., damals schon die verräterische Absicht, mit ihren Truppen in dies Lager überzugehen, wovon freilich der brave Ingenieur Götz nichts ahnte, denn er verabschiedete uns herzhaft mit den Worten: »Laßt euch von den Preußen nichts vormachen!« – was dann doch geschah.

Das Zeltlager im Fichtelgebirge war festlicher und freier

als die seither von mir erlebten Pfadfindertreffen. Auch die Hierarchie klang anders. An der Spitze Deutschlands stand ein »Herzog«, an der Spitze Bayerns ein »Gaugraf«, Münchens ein »Burggraf«. Wie die Anführer der Züge hießen, die es auch hier gab, weiß ich nicht mehr. Für den Herzog und seine Grafen wurde ein Festmahl bereitet, zu dem jeder Gau etwas beitragen mußte: den Braten, das Gemüse, die Kartoffeln, den Nachtisch, welcher aus hier üppig wuchernden Blaubeeren bestand. Es gab Theaterspiel; es gab sportliche Wettkämpfe. Ernähren taten wir uns nach wie vor aus dem, was wir mitgeschleppt hatten; und zwar mußten die Zugehörigen der »Drei Flammen« in weiser Voraussicht mehr bringen als die anderen, soundso viel Reis, Grieß, Zucker. Eines Tages wurde ich zum Herzog befohlen, offenbar hatte er gehört, daß in dem und dem Zug ein Sohn von dem und dem sei. Der Eindruck war nur mittelmäßig: ein junger Mann mit einem Schnurrbärtchen, derart, wie es später abscheuliche Berühmtheit erlangte, und einem nichts weniger als herzoglich klingenden Namen: Martin Völkel. Auch dauerte die Audienz nicht lange: »Seit wann bist du in der Pfadfinderschaft?« Seit Frühling 21. »Gefällt es dir?« Ja.

Nach der Rückkehr von alledem – ich trug noch einen Feldkessel voll Kakaoreis mit nach Hause, er kam aber verschimmelt an – und nach dem Ende der Sommerferien blieb nicht länger verborgen, warum die »Drei Flammen« sich dort oben unter die Neupfadfinder gemischt hatten. Mein Cornett, Albert J., sprach mit mir darüber. Wie immer spielte mein erster Instinkt zugunsten der Obrigkeit. Unser Feldmeister, der Ingenieur, hatte seine Sache doch immer nur gut und wohlwollend gemacht; und etwas Disziplin mußte doch sein... »Nun, mit langen Haaren und halbnackt werden wir ja auch nicht gerade herumlaufen.«

Warum dann die beiden Speerkämpfer bei Wunsiedel ihr Spiel ganz nackt vorgeführt hätten? Der Cornett, begütigend: »Das hat manchem nicht gefallen.« Natürlich gab ich nach, wie es meine Art war und blieb; wie hätte ich mich auch von Wolf-Dietrich und den anderen trennen sollen?

Mein zweites Pfadfinderjahr war anders als das erste. Es wurde ein »Heim« geschaffen, eine ruinierte, steinerne Hütte irgendwo im Isartal, die wir restaurierten. Jeder hatte Ziegel oder sonst geeignetes Gestein herbeizuschaffen, so auch ich; wie ächzte ich während des langen Weges mit zwei schweren Gebilden, an beiden Seiten der Lenkstange meines Rades hängend. Man lobte mich, irrtümlicherweise, die Steine erwiesen sich als untauglich. Im Heim, einigermaßen wetterdicht gemacht, gab es Abende, während derer diskutiert, gesungen, vorgelesen wurde. Vor dem Essen bildeten wir einen Kreis und jeder gab seinen Nachbarn die Hand.

Wobei mir eine Geschichte in den Sinn kommt, die mein verstorbener Freund Manuel Gasser, der hochbegabte Schweizer Publizist, erfolgreicher Mitgründer der Zürcher *Weltwoche* mir erzählte. Auch er war Pfadfinder gewesen, in den Jahren nach dem Weltkrieg, als die Schweiz zwar unermeßlich reich war verglichen mit Deutschland, aber ärmer als vor dem Krieg doch. Auch seine Gruppe besaß ein »Heim« in den Wäldern des Zürcher Oberlandes. Eines winterlichen Regentags wandert sie dorthin und langt an, durchnäßt und durchfroren. Manuel und ein Kamerad erhalten den Auftrag, Feuer im Ofen zu machen und darauf die damals gängige Erbswurstsuppe zu bereiten. Das Gros bleibt draußen auf der Terrasse, singend, so gut es die Laune, die hungrige, frierende Erwartung erlaubt. Die Blechteller, gefüllt mit der heißen Suppe, stehen auf dem

Tisch. Einen kurzen Moment ist Manuel allein, der andere war gegangen, um Brennholz zu holen. Er entdeckt einen Sack voll riesiger Saccharinwürfel, jeder ausreichend, Kakao für zwölf zu süßen. Nun reitet ihn ein Teufelchen. Rasch wirft er einen Würfel in jeden Teller und hat noch Zeit zum Umrühren, ehe die Gruppe hereinkommt. Man nimmt Platz, es wird ein Tischgebet gesprochen, man beginnt zu löffeln. Bittere, widerliche, unbegreifliche Enttäuschung! Manuel, so erschüttert, so vergeblich nach des Rätsels Lösung suchend wie die anderen. Er war ein wunderbarer Erzähler, und die Atmosphäre, wie er sie schilderte, der rauchende Eisenofen, der Geruch nach nassem Loden, die brüderlichen Gesinnungen, die verbogenen Blechteller und -löffel – es erinnerte mich so sehr an eigene frühe Erfahrungen. Übrigens charakterisiert es den Elfjährigen, daß er die freche Tat wagte, danach das Gesicht der Katze, die den Kanarienvogel gefressen hat, mit überzeugender Leichtigkeit durchhielt. Neben spezifischeren Talenten war es sein Wagemut, seine unbekümmerte Selbständigkeit, was sein Leben zu einem so geglückten machte.

Zurück zu unserem Heim im Isartal. Unter uns hatten wir einen ausgezeichneten Vorleser, einen der Cornette, Paul Riedy mit Namen; der geborene Theatermann, der er später wurde. Ungelernt, las er schon wie ein Theatraliker, was ich niemals tat, meine Art, vorzutragen, blieb zurückhaltend, eher unter- als übertreibend. Aber ich bewunderte, was ich selbst nie können oder erstreben würde. Noch höre ich die schneidende Stimme, mit der er uns die Erzählung von Jens Peter Jacobsen *Ein Schuß in den Nebel* zu lesen begann: »Die kleine grüne Stube auf Stavnede…« Diese Geschichte endet auch gespensterhaft mit geisterhaft sich bildenden Fuß-Spuren im Sande, und endet sehr übel. Auch Balladen trug Riedy vor, zum Beispiel *Der fehlende*

Schöppe von Rückert. Wie er da den Ton zu steigern verstand bis zum Fortissimo des Schlusses:

> Da wird es unter der Erde laut
> von furchtbarem Getos.
> Der Bot nicht vor- noch rückwärts schaut,
> Sondern springt auf sein Roß;
> Und muß schnell fort sich machen,
> Sonst verschlingt ihn der Erde Rachen.

Einmal kam die Aufforderung an mich, ein Gedicht aufzusagen – es hatte sich herumgesprochen, kaum ohne meine Beihilfe, daß ich ein Gedichtfreund sei. Ich wählte Heines *Es ragt ins Meer der Runenstein*. Daß es aus nur zwei Vierzeilern bestand, enttäuschte die Kameraden. Aber es war zu der Zeit mein Liebling und blieb es eine Weile, dies aus tiefstem Grunde sentimentale Meeres-Rauschen; obwohl ich noch nie das Meer gesehen, auch noch nie ein schönes Kind, einen guten Gesellen gewonnen, viel weniger verloren hatte.

Die große Fahrt, Sommer 1922, ging nach Süden, die »Südfahrt«, der Germanen uralter Drang nach Italia, auf den sich zu berufen Ernst R. in einer Ansprache nicht verfehlte. Ich denke, daß wir am Tegernsee begannen; jedenfalls wanderten wir über Bad Kreuth zum Achensee, von dort herunter in das Inntal. Übernachten in Schwaz, in Hall, in Innsbruck. Dort, nachdem wir meist in ferienleeren Schulen geschlafen hatten, zum ersten Mal Quartier in einer Jugendherberge außerhalb der Stadt, ein Ding von geringer und etwas unappetitlicher Gastlichkeit. Wir blieben einige Tage dort, und zwar weil in Innsbruck wieder ein Haupttreffen der Neupfadfinder stattfand, zu nächtlicher Stunde auf dem Berge Isel. Die große Rede hielt der Anführer eines anderen Zuges, welcher, so hörte ich, »Zukker-Emil« genannt wurde, aus zwei Gründen: sein Vater war Konditor, und er selber neigte in seinen Ansprachen zum Süßlichen. Diesmal jedoch nicht; es war die gekonnteste und am stärksten pathetische Rede, die ich noch gehört hatte, und zwar donnerte er vor allem anderen von *Not*, der kalten, kahlen, erbarmungslosen Not, welche unser Gastvolk, die Österreicher, heimsuchte. Und da war ja nun etwas daran, es ging ihnen in ihrem neuen Rest-Österreich noch schlechter als den Deutschen. Aber offenbar liebte der Zucker-Emil Wort und Klang, wie seine Landsleute ehedem getan hatten – »Der Nibelungen Not« – und jetzt auch wieder taten.

Von Innsbruck nahmen wir noch einmal die Eisenbahn gen Süden, bis zu einem Marktflecken namens Matrei. Von dort aus wieder Wandern, dem Brenner zu. Einmal schloß sich uns ein Tiroler an, der uns, unaufgefordert, von seinen Kriegserfahrungen in Italien erzählte; wie sie Gefangene gemacht hatten, wie diese sich näherten, die Hände flehend zusammengetan und etwas gebeugt – »so sind's ankommen« – und wie man ihnen die Bajonette in den Leib gerannt hatte. Mir grauste bei dieser Erzählung und grauste vor dem Erzähler; meinen Kameraden offenbar nicht. So war es mir schon einmal ergangen, als einer der drei Cornette vom Schicksal des Sozialphilosophen und Sozialisten Gustav Landauer sprach, der, leider, bei dem Unsinn der Münchner Räterepublik mitgewirkt hatte. Nach deren Niederwerfung kam auch er um. Er habe, so erzählte der Cornett beifällig, noch auf dem Weg zum Gefängnis die ihn begleitenden Soldaten gegen ihre legitime Regierung aufzuhetzen versucht, und da traf ihn allerdings harte Strafe: sie schlugen ihn tot mit den Kolben ihrer Gewehre. Ich sah den zarten Schädel des Gelehrten, mit spärlichem weißen Haar. Und ich dachte: Wie kannst du so reden? Wie kann dir das gefallen? So auch die stumme Frage an den Tiroler, der seine Erinnerungen mit der Bemerkung endete, jetzt komme man ja mit den Italienern ganz gut aus...

Auf dem Wege zum Brenner wichen wir von unserer Bahn ab und unternahmen eine eigentliche Bergtour: auf die Serles-Spitze, 2700 Meter hoch, während mein bisher höchster Berg, der Zwiesel bei Tölz, nur 1350 gewesen war. Die ersten Stunden, Schluchten und baumbesetzte Hänge, gefielen mir; auf den kahlen Höhen dann, mit weiteren und immer weiteren Sichten, fühlte ich mich zusehends unwohl, ja bis zu Tränen geängstigt, ohne zu wissen, warum. Albert, der Cornett, nahm sich meiner an: da sei doch keinerlei Gefahr, nirgends ein Abgrund oder eine Spalte oder was noch. Was half es, es war Angst, nicht Furcht, Jahrzehnte vergingen, bis ich das gelehrte Wort dafür kannte. Einmal, rasch, beugte sich Albert über mich, und ich fühlte für eine Sekunde etwas Feuchtes auf meiner Stirn. Dafür gab es ja eigentlich nur eine Erklärung, aber die schloß ich aus; das war doch unmöglich.

Und dann kamen wir zum Brennerpaß und zu der, seit drei Jahren nun, italienischen Grenze, scharf überwacht von Zöllnern und pfauenhaften Offizieren. Ernst R. verhandelte mit ihnen, völlig hoffnungsloserweise. Der Plan war gewesen, wenigstens bis Brixen vorzudringen, erst dort, wo die Etsch schon kraftvoll strömte – »Von der Etsch bis an den Belt« –, begann doch eigentlich der Süden. Aber wir hatten nicht einmal Pässe, nur dürftige Ausweise, viel weniger die befristeten Visen, wie sie damals für die ehemaligen Feindländer benötigt wurden. Hochmütig abgewiesen, schwang unser Anführer die Fahne und sprang über den Straßengraben auf die Wiese, noch österreichischer Boden, wir folgten und sangen so kräftig wir nur konnten das Andreas-Hofer-Lied: »Zu Mantua in Banden, der treue Hofer war…«, womit wir hofften, die feindlichen Verweigerer dort oben zu ärgern. Aber die kannten das Lied gewiß nicht; und wenn sie es gekannt hätten und obendrein historisch gebildet gewesen wären, so konnten sie sich nicht betroffen fühlen; es war ja ein Napoleonisches Kriegsgericht und kein italienisches, das Andreas Hofer erschießen ließ.

Ich weiß nicht mehr, auf welchem Weg, einem langen jedenfalls, wir wieder nach Hause kamen. Variationen müssen gewesen sein, denn die letzte Nacht verbrachten wir in dem bayerischen Grenzort Mittenwald, wo in einer Kirche ein Cruzifixus mit langem echtem Menschenhaar mich befremdete. Die Sonne des Südens, damals verfehlt, sollte ich erst im Jahre des Heils 1933 leuchten sehen.

Nach jener »Südfahrt« begann mein Interesse an der Pfadfinderei ein wenig zu erlahmen, derart, daß ich wohl jedes zweite Treffen versäumte. Zur bloßen Abnutzung, der Wiederholung nun vertrauter Erlebnisse, kam eine besondere Lästigkeit. Mein Cornett, Albert, hatte mir damals, am hohen Berge, wirklich einen Kuß gegeben. Was ich als unmöglich verwarf, erwies sich nur zu bald als wahr; er führte mich beiseite und bedeckte mein Gesicht mit Küssen, wann immer Gelegenheit war oder mit List sich herbeiführen ließ. Die heimliche Beziehung wurde mir peinlich. Ein Erwachsener, er dürfte etwa zwanzig Jahre alt gewesen sein, war kein Freund für mich; nach Küssen sehnte ich mich übrigens nicht im allermindesten auch unter Kameraden, die mir gefielen und die ich ein wenig bewunderte. Da war zum Beispiel ein gewisser Sepp Ruf, ein paar Jahre älter als ich, nachmals ein berühmter Architekt, ebenso begabt für seinen schönen Beruf wie auch für die allgemeinere Kunst, sich im Leben vorwärts zu bringen.

Ich mochte seine bedächtig selbstsichere Erscheinung und Gestalt, seine dunklen Augen und Haare. Aber küssen, aber geküßt werden? Nachdem ich mir das Unwesen etwa ein halbes Jahr lang hatte gefallen lassen, fand ich endlich den Mut, dem Verfolger zu sagen: eigentlich wäre es mir lieber, wenn er mich nicht anders behandelte als meine Kameraden. Er, so überrascht wie bekümmert: »Das hättest du mir aber früher sagen sollen«, womit er wohl recht hatte. Es geschah dann weiter nichts mehr.

Jedoch will ich, zu meiner Schande, eine Episode erzählen, weil sie mit zu dieser gehört; und weil sie zeigen mag, wie viel in einem Dreizehnjährigen schon ist, was sich fortentwickeln wird, was immer bleiben wird, während gleichzeitig – ein Wort, hier mit ernstem Sinn – noch eine infantile Ruchlosigkeit in ihm sein kann, welche für die Zukunft gar nichts beweist. Einmal, noch auf der »Frankenfahrt«, hatte ich mir von Albert Geld geliehen, ich glaube, um damals jene vorschriftsmäßige Taschenlampe zu kaufen. Kaum wieder in München, gab ich ihm das Sümmchen zurück. Er: »Das wäre doch nicht notwendig gewesen.« Nun reagierte ich, wie die beiden kleinen Buben in Wilhelm Buschs *Plisch und Plum*, die, anfangs, mit ihrem neuen Lehrer umspringen zu dürfen glauben, wie es ihnen beliebt – »Alter Junge, bist du so?« Sie werden dann prompt eines Schlechteren belehrt; aber solches geschah mir nicht. Denn ich fing nun an, mir häufig bei Albert Geld zu leihen, indem ich nach der Schule an seiner Bank vorbeiradelte, ihn herausbat und ihm irgendeine Geschichte erzählte oder auch zu erzählen mich geheimnisschwer weigerte, deren Folge aber war, daß ich dringend Geld brauchte, tausend Mark oder eine Million oder was immer es war. Er seufzte und gab und erhielt nie etwas zurück. So nützte ich denn seine Gefühle für mich, die ich keineswegs teilte, schmählich aus, ohne etwas dabei zu finden, und fuhr sogar noch darin fort, nachdem das Küssen schon aufgehört hatte. Die Beute legte ich teils in Süßigkeiten an, teils in einem Buch, das ein älterer Freund meiner Geschwister besaß und mir zu verkaufen bereit war und nach dem ich recht eigentlich dürstete: Die Memoiren von Napoleons Polizeiminister Fouché, in deutscher Übersetzung. In meinem Tagebuch, als ich es endlich in meinen Händen hielt: »Damit beginnt für mich ein neues Leben.« – Erkläre sich der Leser diesen dunklen Fleck in meiner Kindheit, wie er will; ich finde keine andere als die oben gegebene.

Die letzte Pfadfinder-Übung, an der ich teilnahm, fand während der Osterferien 1923 statt, im Osten von München, nahe dem Ort Hohenlinden, mir aus der Geschichte bekannt – der Sieg des General Moreau über die Österreicher. Ich kam auf dem Rad, mehr, um mich zu verabschieden als mitzumachen. Nach einer Stunde radelte ich zurück zum Herzogpark, mit dem Wind im Rücken und voll freudiger Erwartung. Denn am frühen Nachmittag würde ich die Reise nach Schloß Salem, nahe dem Bodensee, antreten.

Salem

Das erste Kapitel dieses Buchs ist »Vorspiele« überschrieben, denn das Kind, hier die Kindheit, muß einen Namen haben. Ein Buch, normalerweise, muß eingeteilt sein in Kapitel und Paragraphen. Aber das wirkliche Leben ist es ja nicht; was wir »Allgemeine Geschichte« nennen, ebenso wenig. Nicht einmal das Gleichnis vom Netz mit dicht gewobenen Maschen taugt hier. Das vom strömenden Fluß, der um keine Begriffsnetze sich kümmert, schon eher. Wann also hörten die »Vorspiele« auf? Zu meiner Zeit gab es da noch eine menschengemachte und eben darum präzise Grenze: das Ende der Schulzeit, das Abitur, welche Einteilung freilich nur für die Kinder der Bourgeoisie galt, nicht für jene der »unteren Stände«, die mit vierzehn oder fünfzehn zu arbeiten begannen. Man war Kind gewesen bis zum neunzehnten Lebensjahr, noch nicht für sich selber verantwortlich, abhängig von Eltern und Lehrern; nun, mit einem Schlag trat man ins Leben, wie der gängige Ausdruck war. Nun lebte man nicht mehr im Elternhaus, meistens, man hatte den Lauf des Tages und des Jahres alleine zu steuern. So müßten denn die vier Salemer Jahre noch zu den »Vorspielen« zählen. Aber im Grunde könnten es die Studentenjahre ebenso gut, je nach den Maßstäben, die man anlegt. Mit wieder anderen Argumenten mag man in den »Vorspielen« das Eigentliche sehen, in allem Späteren nur Nachspiel, womit das Wort »Vorspiel« seinen Sinn verlöre. Antonio Machado – er mag auf diesen Seiten noch öfters vorkommen – war eben dieser Ansicht, dieses Gefühls: die Kindheit ist des Menschen wahre Wahrheit und alles Spätere ein Verfall, ein Abfallen von ihr. Da meinte er nun vor allem das Physische: die Leichtigkeit, Gewandtheit, Sorglosigkeit des Körpers, der drei Stufen der Treppe auf einmal nimmt, der spielt, zusamt dem Geiste, der in ihm ist. Der sorgt sich nicht um die Zukunft, der kennt die Tücken der Welt noch nicht, der lebt ganz in seiner Gegenwart. Für den ist jeder Eindruck neu und stark. Wirklich, was könnte ich nicht alles aus der Kindheit erzählen, das unauslöschlich in mir eingegraben, nicht etwa vergraben. Die und die Situation, was der und der in dem und dem Ton sagte, tat, und wie er dreinschaute, dies Gewitter, diese Radfahrt, und die frühen Lehrer, jeder mit Namen, Gestalt, Sprache, Marotten, und die Mitschüler, ach die Mitschüler... Immer die Sinne des jungen Hundes. Und nie war ich mutiger mit meinem Körper als mit neun Jahren. Wie sauste ich auf dem Schlitten die steile, vereiste Bahn hinunter und hörte im Vorüberfliegen jemanden rufen: »Wie der Blitz kommt er herunter!« Mit vierzehn schon war das anders; Kniescheiben, Patellae, zu lose an ihren Sehnen hängend, machten den Körper ängstlich, den Verstand vorsichtig. Nur: reif war der Geist des Neunjährigen nun gewiß nicht und der des Zwanzigjährigen auch nicht und der des Dreißigjährigen mit knapper Not. Wäre Antonio Machado als Kind gestorben, besäßen wir seine Gedichte, seine Prosa? Mein Vorschlag zur Einigung: das ganze Leben ist ein Vorspiel zum Tode; innerhalb des Vorspiels wiegt jede Epoche gleich schwer, wenn wir absehen von der Existenz des Säuglings, der noch kein Mensch ist, nur ein Menschlein, und des Uralten, in der Demenz. Sonst: Im Alter ist noch Jugend, in der Jugend schon Alter, alle Periodisierungen sind Kunst, nicht Natur, und jene Autoren meiner Zeit, die ihre Romane ohne Kapitel, ohne

Überschriften, ohne Abschnitte, ja, über Seiten und Seiten ohne Punkte und ohne Komma schrieben, versuchten, der Wirklichkeit immerhin ein wenig näher zu kommen, als einem konservativen Schriftsteller gegeben ist.

Im Dezember 1922 taten die Mutter und ich die Reise nach Salem zum ersten Mal; sie hatte verstanden, und dafür bin ich ihr dankbar, daß ich für eine Zeit aus dem Hause müßte, in dem ich nicht guttat, mich auch nicht mehr wohlfühlte. Die erste Fahrt hatte vorbereitenden Zweck. Tatsächlich war die Mutter im vergangenen Sommer schon einmal dort gewesen, um meinen älteren Bruder anzumelden; der wollte in die Bergschule »Hochwaldhausen«, in welcher er ein kurzfristiges Sommertrimester verbracht hatte, nicht zurück. Damals zog der Leiter von Salem, Kurt Hahn, sich aus der Affäre als der Diplomat, der er war, neben anderem. Nach einem langen Gespräch mit Klaus erklärte er sich: wäre er ein freier Mann, so würde er gern und ausschließlich sich der Erziehung oder Nach-Erziehung dieses hochbegabten Jünglings widmen. Aber in die von ihm und seinem Gönner, Prinz Max von Baden, vor kaum zwei Jahren gegründete Schule paßte er doch nicht so recht. Daß es Hahn war, der zur Odenwaldschule riet, ist mir unbekannt, aber wahrscheinlich; denn ungern entließ er seine Gäste ohne einen Rat, meist einen nützlichen. Übrigens kannten die Mutter und der um drei Jahre jüngere Pädagoge sich von ihrer Kindheit in Wannsee her. Nun war es also ich, an Bruders statt.

Die Fahrt, die ich später so oft machen sollte: Umsteigen in Ulm, Umsteigen in Friedrichshafen, Aussteigen in dem Dorf Mimmenhausen, wo wir besser noch einmal umgestiegen wären, es gab da die »Salemer Talbahn«, was wir

nicht wußten. Gang durch das Dorf, Gang über tief verschneite Wiesen, durch die ein unsicherer, zuletzt ver-
schwindender Pfad führte. In der trüben Ferne des Winter-
nachmittags erschien ein Gebäude, zehn- oder zwanzig
Mal länger als hoch. »Dort hinten, glaube ich, liegt es.«
Indem wir uns vom Schnee lösend wieder auf den festen
Grund eines Weges gerieten, näherte sich von links eine
kleine Gruppe: zwei Damen und zwischen ihnen ein hoch-
gewachsener, etwas schwerer Herr mit schlenkernden
Armen. Begrüßung. Der Herr, etwas verlegen und wie zer-
streut: »Wie ist es, sehe ich Sie?« (Offenbar eine Übertra-
gung ins Deutsche des »Shall I see you?«) »Ja, Herr Hahn,
zu einem anderen Zweck bin ich allerdings nicht herge-
kommen.« Sehr gut, aber momentan könne er leider nicht,
er müsse im Dorf eine Kuh für die Schule kaufen, ein le-
benswichtiges Geschäft. Wir möchten uns einstweilen im
»Schwan« einquartieren, dort sei ein Doppelzimmer für
uns bestellt. Der »Schwan«, der alte Klostergasthof, lag
außerhalb des »Unteren Tores«, war aber ganz im Stil des
Schlosses gebaut und schön genug anzusehen. Daß er neu-
zeitlichen Komforts noch ganz entbehrte, in den Zimmern
nichts als Schüssel und Krug und ein von außen zu heizen-
der Kachelofen, fiel mir nicht weiter auf. Aus einem Gespräch wurde an diesem Tag nichts mehr. Zum Ersatz lud
man uns ein, nach dem Abendessen im »Wohnzimmer«
des Internats einer musikalischen Veranstaltung beizu-
wohnen. Ein stattlicher Raum, elegant möbliert, eine
Dame am Klavier. Was sie bot, interessierte mich nicht
weiter. Die »Kinder« interessierten mich, Mädchen und
Jungen, von den letzteren aber bedeutend mehr, im Alter
etwa zwischen elf und achtzehn. Kinder, ihrer Sprache
nach aus allen Gegenden Deutschlands, da ich bisher doch
nur Münchner gewohnt gewesen war, sogar ein kleiner

Engländer, der »must« statt »muß« sagte, wie sie mir gefielen! Ein Langer sagte zu einem Hübschen, der den Arm in der Binde trug, es hatte ihn beim Sport ein Mißgeschick ereilt: »Eingehüllt in feuchte Tücher...« Dies Zitat kannte ich und hätte das Gedicht weiter sagen können: »prüft er die Gesetzesbücher« – das Gedicht von Christian Morgenstern, berühmt durch sein Ende:

> »Weil«, so schließt er messerscharf,
> »nicht sein *kann*, was nicht sein *darf*.«

So also waren die Schüler hier; so gebildet, von so zivilisierter Nettigkeit zueinander! Von diesem Abend an fühlte ich den brennenden Wunsch, einer von ihnen zu sein. Aber damit schien es Weile zu haben. Am folgenden Tag wurde mehrmals im »Schwan« angerufen: Herr Hahn gebe Latein-Unterricht, Herr Hahn arbeite mit dem Prinzen Max, Herr Hahn müsse sich um einen kranken Schüler kümmern etc.; ich sah, wie die Mutter ärgerlich wurde. Am Abend endlich kam er, unterhielt sich ein paar Minuten mit mir, dann, nachdem er mich hinausgeschickt hatte, mit der Mutter. Das Ergebnis war enttäuschend. Seine Mitarbeiterin, Fräulein Ewald, sei zur Zeit in den Vereinigten Staaten – ich glaube, um Geld für die Schule zu sammeln – und ohne sie könnte er keine Entscheidung treffen. Die Mutter zu mir, auf der Rückreise: »Wenn es nicht wegen dir wäre, dann würde ich ihm eine Karte schreiben: ›Nach einem so wenig entgegenkommenden Empfang möchte ich den Plan lieber aufgeben...‹« Im Laufe des Winters traf dann aber doch der ersehnte Bescheid ein: man erwarte mich für das Sommersemester. Von da an blickte ich auf die Mitschüler und Lehrer mit den hochmütigen Augen eines, der Abschied nimmt und ihn nicht bedauert.

Im Zug traf ich zwei zukünftige Mitschüler; der eine von ihnen, Hans Jaffé, Sohn eines sozialistisch gesinnten Nationalökonomen, der andere mag ungenannt bleiben. Aber wie nett das Sich-Kennenlernen, unter Vierzehnjährigen so leicht; wie eindrucksreich der Aufenthalt in Friedrichshafen, der Spaziergang am großen See, der von der Landkarte her mich schon lange fasziniert hatte und sein Versprechen hielt mit seinen schwarzen Wellen, seiner Länge und Breite, wir konnten weder Lindau noch Konstanz ausmachen, nur gegenüber, im Dunst kaum erkennbar, das fremde, reiche, glückliche Land, die Schweiz ... An die Ankunft in Salem, das Eingeführt-Werden, das Zimmer, dem ich zugeteilt war, und die Kameraden dort, an den ersten Morgen, Frühstück, Unterricht, kann ich mich nicht erinnern; wo die Eindrücke sich so überstürzen, verschwimmen sie im Gedächtnis, um sich erst wieder zu formen, wenn aus dem zur Gewohnheit Gewordenen einzelne Gestalten und Erlebnisse herausragen.

Es gab große Zimmer, mit sieben oder acht Schläfern, kleine mit dreien oder vier. Jedes hatte seinen »Zimmerführer«, der verantwortlich war für Ordnung und Sauberkeit, besonders dafür, daß auf dem uralten Boden keine Wasserlachen entstanden. Die »Kleinen« hatten um halb neun ins Bett zu gehen, die »Mittleren«, zu denen ich gehörte, um neun, die »Großen« um halb zehn. Um halb sieben wurde geweckt, durch einen Hausburschen, einen jungen Badener. Er weckte mit den heiser und alemannisch gesprochenen Worten: »Aufstehen, Dauerlauf, ausgenommen für die Huster (›Huschter‹)!« Die Toilette am Morgen bestand im Waschen des Gesichts und einem Krug kalten Wassers, mit dem man sich in einer Stehwanne »abzugießen« hatte; bald gab es Duschen dafür. Um sieben Uhr erklangen die Glocken der Kloster-, jetzt

Schloßkirche, die vier Schläge, welche die volle Stunde, dann die Schläge, welche die Stundenzahl anzeigten; zweimal, zuerst mit zwei Klängen unterschiedlich harmonischen Tones, dann noch einmal sieben Schläge mit einem einzigen dunklen, lange nachhallenden. Sie gaben Zeit, den »Prinzengarten« zu erreichen, einen Ziergarten vor dem Teil des Schlosses nach Osten hin, in dem die fürstliche Familie wohnte; hier ein scharfer Dauerlauf, je zwei und zwei, rings um den großen Garten in etwa sechs Minuten. Dann Anziehen, das Zimmer Ordnen, Frühstück. Porridge oder warmer Haferbrei mit Milch. Um acht begann der Unterricht und dauerte bis eins, unterbrochen durch eine dreiviertelstündige »Trainingspause«, bei gutem Wetter im Freien, bei schlechtem in einem weitläufigen Speicher auf der anderen Seite des Schloßbezirkes, welcher ehedem der Landwirtschaft der Zisterzienser gedient haben mochte: Hochsprung, Weitsprung, Hundertmeterlauf. Um ein Uhr das Mittagessen, welches anfangs in einem der weiten hohen Gänge eingenommen wurde; mager, wie die Zeiten waren. Dem Essen folgte das »Liegen«. Man lag flach auf dem Boden eines der Zimmer und hörte, wenn man nicht schlief, einer Lesung zu, einem Roman von Walter Scott, C. F. Meyers *Jürg Jenatsch* oder was es gerade war, es las einer der »Großen«. Nachmittags gab es Sport, meist war es Hockey, danach Zeit, um Schulaufgaben zu machen. Vor dem Abendessen hatte man heiß zu duschen, danach Wäsche und Kleidung zu wechseln, letzteres der »Schulanzug«, nichts als ein graues Flanellhemd und ebensolche Shorts. Eine wohltuende Regel, nach so tätig besetzten Tagen. Jetzt erst lernte ich, wie sehr Sauberkeit – »oft gewechselte Kleider und warme Bäder und Ruhe« heißt es bei Homer – zum Wohlbefinden beiträgt. Nach dem Abendessen war man, endlich, frei, aber die Zeit nicht mehr lang. Sie verbrachte ich mit Lesen oder, ungern zwar, Briefen nach Hause. Die Fülle der neuen Eindrücke mitzuteilen, spürte ich keinen Drang.

Die Schulklassen waren klein, etwa zwischen sieben und zehn Teilnehmern; die Lehrer jung, frei der Umgang mit ihnen; nichts mehr von dem Ducken vor dem energischen, dem grausamen Quälen der alten und hilflosen Studienräte, wie es in München der Brauch gewesen war. Den Lateinunterricht gab Kurt Hahn selber der »Untersekunda« in seinem Zimmer, und nie habe ich einen besseren Lehrer gehabt. Ließ er Übersetzungen ins Lateinische anfertigen, so entwarf er Texte, die von dem Leben der Schule handelten und in denen wir selber das Wort nahmen. Zum Beispiel G. über ein bevorstehendes Hockey-Wettspiel: »Ich kann nicht mitspielen, weil ich beim Spiel nichts als den einzigen zu tötenden Gegner sehe...« Die Lektüren begannen mit dem *Gallischen Krieg* und da, aus dem Abschnitt des Fünften Buches, der Vernichtung von anderthalb Legionen unter ihren Anführern, dem verblendeten Quintus Titurius und dem tapferen, klugen, leider überstimmten Lucius Cotta, durch den verräterischen Gallierführer Ambiorix, schrieb Hahn ein Drama in Latein, in dem er sich oft an den Wortlaut Caesars hielt. Mir fiel die Rolle des Bösen, des Ambiorix zu, was mir gefiel. Und natürlich weiß ich heute noch den tückischen Beginn, das triumphierende Ende. Ambiorix erscheint vor den beiden Legaten in ihrem wohlbefestigten, gar nicht zu erobernden Winterlager, um sie unter allerlei freundlichen Vorwänden zusamt ihren Truppen ins Freie zu lokken. »Legati. Inermis venio ad vos. Caesar fidem salvare solet. Quintum Titurium et Lucium Cottam idem facturos esse spero« (Meine Herren Legaten. Unbewaffnet trete ich vor euch. Caesar pflegt sein Wort zu halten. Ich hoffe, daß Quintus Titurius und Lucius Cotta ein Gleiches tun werden). Und dann das Ende: »Mortuus est Quintus Titurius! Ubi est Cotta?« Wir führten dies Stück im »Scheuerbuch«, direkt über dem Schlosse auf. Nach den letzten Worten hatte ich eine steile Anhöhe herabzulaufen, um nun auch dem schwerverwundeten Cotta den Garaus zu machen; stürzte unterwegs, raffte mich wieder auf. Ein stolzer Moment. Der Unterrichtsleiter, der alte Geheimrat Reinhart, improvisierte eine lateinische Dankesansprache, endend mit der Frage, wer denn das Stück in so klassischer Sprache gedichtet habe? Ich antwortete: Gallus. Er: »Sed quis Gallus?« Er verstand, ich hätte einen Gallier gemeint, während ich den Namen »Hahn« ins Lateinische hatte übersetzen wollen. Unter den Zuschauern oder Zuhörern befand sich auch Prinz Max. Und der sagte zu mir: »Das hat mir alles gut gefallen; am besten aber, wie du den Berg hinuntergelaufen bist.« Der Prinz legte hohen Wert auf Mut, wie auch auf Abhärtung, derart, daß er zum Beispiel nicht wünschte, daß sein Sohn im Winter Handschuhe trüge.

Der war unser Mitschüler, sogar als »Wächter«, der mit den höchsten Verantwortungen Betraute. Und war es doch nicht, denn er wohnte bei seinen Eltern und teilte deren Mahlzeiten, nicht unsere. Er war sehr hoch gewachsen, mit feinen, sogar schönen Gesichtszügen. Sein Deutsch war zart, mit hoher Stimme gesprochen, völlig akzentfrei, Letzteres wohl das einzige, was wir gemeinsam hatten. Die Lehrer adressierten ihn mit seinem Vornamen, Berthold, aber, nur ihn, mit »Sie«. Wo es zu reden galt, sprach er selten, kurz und schlicht, was er sagte hatte Hand und Fuß. Wie sehr er in zwei grundverschiedenen Sphären lebte, beobachtete ich schon im ersten Sommer, indem ich aus dem Fenster des »Nordflügels« hinunter auf den gepflegten, durch zwei uralte Sequoiabäume veredelten Hof sah, an dem die Wohnung der Familie lag. Während eine Limousine einfuhr, erschienen die beiden Prinzen, Vater und Sohn, in langen schwarzen Gehröcken an der Türe, um vor der dem Wagen entsteigenden Dame sich tief zu verneigen. Es war, so wurde mir erklärt, die alte Königin von Schweden, eine nahe Verwandte; eine Souveränin war anders nicht zu empfangen. Das imponierte mir gewaltig. Selber kam ich in der Schule Prinz Berthold nie näher, weil ich gar zu viel Respekt vor ihm hatte, auch war er ein paar Jahre älter als ich. Jahrzehnte später stellte eine nicht freundschaftliche, aber doch freundliche Beziehung sich zwischen uns her. Damals, in den fünfziger Jahren, sagte mir der Gründer der Zürcher *Weltwoche*, Karl von Schumacher, ein kluger Menschenbeobachter, nach einem Besuch in Salem: »So wie es einen Typus gibt, der von Natur Nazi ist, von Gestalt und Wesen Nazi gewesen wäre, auch wenn es Hitler nie gegeben hätte, so gibt es einen viel selteneren Typ, der von Natur Prinz ist und es wäre, auch wenn er Rang und Namen nicht hätte. So einer ist der Markgraf von Baden.«

»Wächter« – manchmal gab es zwei von ihnen – war das höchste Amt in der von Kurt Hahn kreierten Schüler-Mitbestimmung, richtiger gesagt, Schüler-Mitverantwortung. Danach die »Helfer«, jeder mit seinem Ressort; der Unterrichtshelfer hatte sich um schwache Schüler zu kümmern, der Außen-Helfer um die externen, aus den umliegenden Dörfern kommenden Schüler, der Flügelhelfer um die Ordnung im Nord- resp. Südflügel, der Helfer für »geistige Angelegenheiten« um die Schulzeitschrift, Debatten, Lektüren – eine Art von Zensor. Zu diesen Ämtern ernannte der

126

Internatsleiter durch knappe Dekrete, die im Speisesaal angeschlagen wurden.

Dagegen geschah die Wahl in die »Farbentragende Versammlung« durch Cooption. Hatte einer sich ein paar Jahre lang in der Schule bewährt, so erhielt er durch Beschluß der schon Initiierten deren Farbe, einen Lila-Streifen, den man am Schulanzug trug. Die Farbentragenden versammelten sich periodisch, um die »öffentliche Sache« zu besprechen, neue Regeln zu beschließen oder alte zu verändern. Nach etwa einem Jahr wurde es mein stetig wachsender Ehrgeiz, dazuzugehören, es dauerte aber noch eine gute Weile, so wie ich bei den Pfadfindern nach der Verleihung des Abzeichens, der Lilie, auch »Kompaßnadel« genannt, lange vergeblich gegiert hatte. Eine meiner vielen unreifen Neigungen. Ich mußte sie wohl erleben, um sie dann für immer loszuwerden. Als ich später, selten, in bescheidenen »leitenden« Stellungen war, machte ich wenig genug, und machte mir selber gar nichts daraus; Ratschläge gab ich, Kritik mußte ich manchmal üben, wenn irgend möglich durch Humor gemildert; nie hätte ich Befehle gegeben. Wenn ich noch Ehrgeiz hatte, so ging er in meinen Unterricht, die Kollegs und Seminare, dann in meine Schriftstellerei; sie so gut zu besorgen, wie mir gegeben war. Dazu bemerkte jemand, daß solches doch eigentlich »Sachgeiz« sei, nicht Ehrgeiz. Da käme nun wieder alles auf die Definition an. Zudem glaube ich, daß unsere Sprache gerade die wesentlichsten Vorgänge, Gefühle, Neigungen im menschlichen Geist gar nicht benennen kann. Sie kann ja nicht einmal einen Wein beschreiben; lächerlich ungenügend sind doch die immer wiederholten Adjektive, lieblich, fruchtig, vollmundig, erdig etc. Wie dann erst die Motive der menschlichen Seele. So könnte man die Genauigkeit, mit der ich alle meine Aufgaben vorzubereiten oder auszuführen pflegte, erklären mit Ehrgeiz, Gewissen, Gründlichkeit, Furcht, was noch; unmöglich, sich für einen dieser Begriffe zu entscheiden, ebenso unmöglich, sie zu addieren in dem Sinn, daß sie ein Ganzes ergäben.

Es herrschte ein netter Ton unter uns, nur selten war Streit. Ging er zu weit, führte er zu Beleidigungen, so konnte der Insultierte den anderen zu einem Boxkampf fordern, der dann, regelgerecht mit Boxhandschuhen und mit Sekundanten, in Kurt Hahns Zimmer ausgeführt wurde. Ihn gab es auch strafweise, von Herrn Hahn befohlen, was mir schon im ersten, dem Sommersemester, geschah. Es hatte am Samstag nachmittag eine Art von Kriegsspiel gegeben, ich hatte einen Gefangenen gemacht zusammen mit Michael Lichnowsky, eine Klasse über mir. Wir hatten, so lautete der Vorwurf, den Gefangenen an einen Baum gebunden und obendrein verspottet. Am gleichen Abend konnte man im Speisesaal eine Kundmachung lesen: »Wegen Rohheit und Feigheit boxen Michael und G. mit...« etc. Mein Sekundant, ein Abiturient, mußte mir in aller Eile die primitivsten Regeln des Kampfes beibringen, die ich im Feuer des Gefechts prompt vergaß; mein Gegner hieß Konrad Finckh, Sohn eines Dichter-Arztes in Gaienhofen am Untersee, dem Gaienhofen des jungen Hermann Hesse, und ehedem befreundet mit ihm. Der Kampf fand allen Ernstes statt, das Zimmer selbst gab ihm Weihe. Wir hatten zwei Runden zu kämpfen. In der Pause sah ich mit Staunen, daß Konrad stark aus der Nase blutete, ein Ärgernis, das mit Watte gestillt werden mußte, bevor es weiterging. Nach mir kam Michael an die Reihe, ich hatte den Eindruck, daß er es besser machte als ich. Zum Schluß wurden wir herausgeschickt, während Hahn mit den Sekundanten das Urteil beriet, welches den Wiederhereingebetenen mitgeteilt wurde: wir hatten beide verloren, aber immerhin Mut gezeigt.

Es könnte sein, daß dies gemeinsame Erlebnis den Anfang meiner Freundschaft mit Michael bedeutete. Er war ein paar Tage nach mir angekommen, und zwar mit auffallender Energie. Er fragte mich nach meinem Namen. Nein, der Vorname sage ihm gar nichts, den Nachnamen wollte er wissen. – »Ah, ist dein Vater Dichter?« Ja. »Meine Mutter ist auch Dichterin.« Danach fragte er, ob in Salem geraucht werden dürfe. – Um Gottes willen, nein! – »Nun, wenn ich Herrn Hahn eine Zigarette anbiete, wird er sich schon erweichen lassen« – was das Gelächter der älteren Schüler erregte. Michael verstand rasch und paßte sich an. Im Lauf des Sommers besuchten ihn seine Eltern, denen er mich als Freund erwähnt haben mußte, denn sie luden mich zum Tee in den »Schwan« ein. Daß Fürst Lichnowsky vor dem Krieg deutscher Botschafter in London gewesen war und sich zuletzt verzweifelt für die Erhaltung des Friedens eingesetzt hatte, wußte ich schon, dank Michael; auch daß er ein Neffe jenes Lichnowsky war, den ein grausamer Pöbel im Jahre 1848 nahe Frankfurt grausam ermordet hatte. Also trat ich zum ersten Mal einer recht eigentlich historischen Persönlichkeit gegenüber. Das Zimmer war dasselbe, in dem meine Mutter und ich im vergangenen Dezember während zwei Tagen gewohnt hatten; nun gepflegt von einem Diener, den das Ehepaar mitgebracht hatte und der mit einem Tablett hereinkam. Lichnowsky enttäuschte mich nicht, denn er war durchaus anders als gewöhnliche Leute in Gestalt, Sprache, Manieren; ein Hinterkopf auffallend lang, die Gestalt leicht gebückt, die Stimme etwas belegt, die Sprachmelodie eine mir völlig unbekannte, nicht sehr ausgeprägte, aber doch erkennbar für den, der Bescheid wußte; weder bayerisch noch österreichisch, und norddeutsch auch nicht. Es war etwas vom Böhmischen oder richtiger Nordost-Mährischen, jedoch nur ein zartester Schatten davon. Am stärksten beeindruckte mich sein Monokel, das er an einer Schnur trug und häufig ein- und absetzte. Seine Gattin stellte mich ihm vor: »Das ist... ein Sohn von...« »Ah, den wir kennenlernten?« Eine Vermutung, die korrigiert wurde. Er meinte Heinrich Mann, dem er während des Krieges in Berlin begegnet war. Die halbe Stunde, mit Fragen und Antworten, ging glimpflich vorüber. Am folgenden Nachmittag setzte ich mich auf eine Bank nahe dem »Schwan« und dem Hockeyplatz und las in Fouchés Memoiren, die ich schon kannte. Es geschah genau, was ich wollte. Der Fürst kam vorüber, vermutlich um die Sport-Anlagen zu inspizieren, und redete mich an: »Was lesen Sie denn da so eifrig?« Die Memoiren von Joseph Fouché. Er nahm das Buch, warf einen Blick hinein, gab es mir zurück, ich glaube, etwas enttäuscht, weil es eine deutsche Übersetzung war.

Mit Michael politisierte und historisierte ich viel, wobei er meist das Wort führte und die Ansichten seines Vaters wiedergab. Daß »wir« uns nie mit einem »Kadaver«, Österreich-Ungarn, hätten verbünden dürfen, viel eher auf die jungen slawischen Völker, vor allem aber auf England hätten setzen müssen, daß das Deutsche Reich die Hauptschuld am Kriege trage, wenn nicht durch bösen Willen, dann mindestens durch Dummheit – weiter in diesem Sinn. Es mag unter Michaels Einfluß gewesen sein, daß ich anfing, ähnlich zu urteilen oder zu fragen. Ein Verehrer Theodor Körners und des alten Blücher war ich schon im letzten Münchner Jahr nicht mehr gewesen, hatte auch angefangen, mich über den Kaiser Wilhelm lustig zu machen.

Michael war kein großer Spaziergänger. Zu Hause, erzählte

er mir, pflegte er auszureiten, und zwar in der Begleitung eines Stallmeisters. Selber wurde ich in Salem bald zum Wanderer. Nun erst ging mir die Schönheit des Landes auf, dargeboten durch das Salemer Tal. Als später ein Chauffeur meiner Eltern es sah, meinte er: »Da könnte man glauben, man sei in einer anderen Welt, ganz für sich.« Nach beiden Seiten, wie nach oben hin, war es von bewaldeten Höhen umgeben, die, von Salem aus gesehen, rechte oder östliche Höhe gekrönt von einem Schloß, Heiligenberg genannt. Wenn es unter blauem Himmel leuchtete, kam es mir vor, als müßte es zwischen lauter Rosen liegen oder gar, als schickte es sich an, seinen Ort zu verlassen und jubelnd den Berg hinunterzukommen. Das Tal selbst, durchzogen von einem Flüßchen, der Aach, Felder, Wiesen und Obstbäume, ein paar kleine Dörfer, einzelne Gehöfte, alles alt und im gleichen Stil, uralt kultivierte Landschaft, das Werk der Mönche, die hier durch Jahrhunderte geherrscht, gelehrt und gearbeitet hatten. Am oberen Ende wieder Wald. Dort lag der »Hermannsberg«, der übriggebliebene Flügel eines Gebäudes, von dem ich nie erfahren konnte, wozu es in Vorzeiten gedient hatte. Nun gehörte er Herrn Hahn persönlich, er besaß dort im zweiten Stock eine Wohnung mit Ausblick so recht nach seinem Geschmack, auch nach dem meinen. Auf der Höhe nach rechts ein weißer Turm, Hohenbodmann, auch Römerturm genannt, in der Mitte nach unten Wald, dann das weite Tal, bei klarem Wetter in der Ferne das Gebirge, aufsteigend zum Säntis. Die Aach mündete im Bodensee, ein anderes Ziel unserer Sonntagswanderungen, so wie Heiligenberg oder Hermannsberg. Da gab es den »Prälatenweg«, so genannt, glaube ich, weil das Kloster Birnau, hoch über dem Überlingersee, die Sommerresidenz des Abtes von Salem gewesen war. Der Weg führte vom

»Scheuerbuch«, vorbei an einigen Teichen und Bauernhöfen, dann immer Wald, bis hin zur Birnau, damals noch nicht durch eine Autostraße abgetrennt, noch nicht vom Tourismus überflutet, Stille draußen, Stille drinnen, in der freudig prunkenden Barock-Kirche; zu höherer Heiterkeit hat christlicher Glaube es in Marmor oder Stuck nirgendwo gebracht – es wäre denn in Spanisch-Amerika. Eine Landschaft, die nach allen Seiten zu den schönsten Gängen einlud in der Nähe und im Weiten, nordwärts hinauf und wieder hinunter zur Donau, im Osten nach Oberschwaben. Eine Landschaft verwöhnend bis zum Gefährlichen. Deutschland war damals noch groß und weit mit viel eigentlichem Land darin. Darum war der Gegensatz zwischen Land und Stadt ein unvergleichlich tieferer als heute, da es ihn kaum noch gibt, so daß der plötzlich von Salem in eine große Stadt Versetzte sich arg fremd vorkommen mußte, zumal wenn er mit einer etwas zarten Seele, einem empfindlichen Schönheitssinn belastet war. Die Heranwachsenden der Groß-Stadt für eine Weile zu entziehen, war ja der Grundgedanke der Landerziehungsheime, welchen sie mit der Jugendbewegung vor 1914 gemeinsam hatten.

Wenn ich nun von Kurt Hahn spreche, so muß ich, so gut es gelingt, unterscheiden zwischen dem Eindruck, den der noch jugendliche auf den Knaben, den drei oder vier Jahrzehnte später der alte auf den alternden machte, und der historischen, einer im Ursprung versunkenen Zeit angehörenden Person, die heute jener ist, der gerade sechsunddreißig Jahre alt war, als ich ihn zum ersten Mal sah und reden hörte.

Um damit anzufangen: das Wort »faszinierend«, so verbraucht es ist, kann hier nicht vermieden werden. Keineswegs wollte er faszinieren. Er war so, konnte es nicht hindern. Ob er zu einem einzelnen Schüler sprach, zu einer Gruppe, zu einer Versammlung, immer schwieg man zuletzt, bewundernd, betreten und überzeugt. Einige Zweifel mochten wohl sich melden, aber später, nicht im Moment. Das war so im Jahre 25 und war noch so im Jahre 70, wenn wir, Mitglieder des Salemer »Internatsrates«, nun alles Leute von Gewicht an Jahren und Leistung, eine improvisierte Rede des alten Herrn angehört hatten, der von seinem Hermannsberg heruntergekommen war. Läßt solch Effekt sich analysieren? Er besaß hohe Intelligenz, Ideenreichtum, auch Humor, leidenschaftliche Überzeugung; um was immer es ging. So überzeugte er, so fand er ergebene Mitarbeiter, so trieb er Geld auf, traf immer und überall Leute, die bereit waren, ihm zu helfen. Selber wohlhabend von Haus, arbeitete er ohne Lohn, steuerte auch noch bei, schenkte, so daß er sich oft in Verlegenheit befand. Ein bedeutender Theoretiker war er wohl nicht eigentlich, seine Schriftstellerei gering – er war ein Tuer. Wenn heute noch ein Rest von dem, was er wollte, in den zahllosen von ihm in den unterschiedlichsten Ländern und Kontinenten gegründeten oder inspirierten Schulen nachwirkt, so ist es ein fernes Echo seiner Persönlichkeit, auf dem Umweg über jene, die noch mit ihm umgegangen waren. Er kümmerte sich um jeden Schüler, kannte sie alle, damals, als wir vielleicht fünfzig, auch ein paar Jahre später, als wir schon einhundertundfünfzig waren. Einmal sagte er mir: »Ich irre mich nicht im Menschen«, was er nicht hätte sagen sollen, überhaupt nicht, und weil es nicht zutraf. Er konnte recht wohl irren, wie denn nicht, manchmal überschätzte er, was den Überschätzten schaden tat, weil sie nun zu sein prätendierten, was sie nicht waren, wodurch etwas peinlich Aufgeblähtes in ihr Wesen kam. Meistens hatte er dennoch recht, zum Beispiel mir gegenüber; nach ein paar Wochen kannte er meine Albernheiten und verstand, sie mir auszutreiben. Es war die Zeit, in der ich die großen Bösewichter bewunderte und selber einer zu werden hoffte, etwas wie Napoleons schlimmer, reicher und höchst praktischer Polizeiminister. Da erwiderte Hahn mit verstecktem Spott, welchem die Neigung nicht sehr lange standhielt. Auch hielt er dafür, daß ich reale, gute Erlebnisse und neben der »geistigen« körperliche Arbeit brauchte. So ließ er mich einmal, bald, zusammen mit einem Kameraden, einen Leiterwagen voller Hühner von Heiligenberg nach Hermannsberg bringen, wo ein Bauer ihm eine kleine Landwirtschaft führte; harte Arbeit allerdings, der lange holperige Pfad bergauf und bergab, wenn man einen gewaltigen Umweg vermeiden wollte. »Da nehmen wir zwei Ich-Anbeter!« rief er, in meiner Gegenwart. Am Abend meldete ich mich bei ihm mit den Worten: »Die Herren von der Ich-Anbetung sind zurück« – worüber wir beide lachten. Ich hatte seine Pädagogik verstanden und gebilligt – ungefähr; jedenfalls fühlte ich mich wohl.

Dann das erste schöne Erlebnis: eine Radtour während der Pfingstferien. Ein Englisch-Lehrer und drei oder vier Schüler. Die erste Nacht in Sigmaringen – Entzücken an der kleinen Residenzstadt –, dann die Donau hinunter, vorbei an Schlössern und alten Städtchen bis Riedlingen, dort die zweite Nacht, und von da aus in die Alb, um die Kirche von Zwiefalten zu bewundern, Barock, schwerer, ernster als Birnau. Dann nach Süden, über Ravensburg nach Ottobeuren im Allgäu. Schönes Land, schönes Barock, und Fahren, Fahren. In der Salemer Zeit habe ich viele Radtouren gemacht, nach allen Himmelsrichtungen, und bedaure, es später aufgegeben zu haben. In weiten Tälern, in der Ebene, ist das Rad die ideale Art sich fortzubewegen.

Das Wandern ist für Wald und Berg, im flachen Land taugt es nicht, weil der Wechsel dessen, was man sieht, doch gar zu langsam stattfindet. Im Auto dagegen gleitet alles zu schnell, wird das Bild matt, fast irreal, wie im Film; kaum spürt man die Luft, erarbeitet nichts, passiv, bald abgestumpft. Und immer mit etwas schlechtem Gewissen. Die zwölf bis fünfzehn Kilometer in der Stunde auf dem Rad, bei leichter Arbeit, zumal wenn es, wie in einem Stromtal, bergab geht – die sind ideal. Nur regnen sollte es nicht… Als wir zurückkamen, begrüßte Herr Hahn mich mit den Worten: »Und, bist du deine Vorurteile los?« Ich mag recht glücklich dreingeschaut haben.

Er glaubte an das Gute im Menschen als etwas, was befreit, was mobilisiert werden konnte durch geeignete, aktive Erfahrungen; das Böse, und da war er ja nun Sokratiker, hielt er für bloße Verstockung, Unwissenheit, Irrtum. Sein ganzes Erziehungs-System, alle die Programme, welche die Zeit teilten und sie füllten, die Leichtathletik am Vormittag, die den Körper sicherer, leichter, glücklicher machen sollte, Kampfsport an mehreren Nachmittagen, Hockey, nämlich Zusammenspiel, berechnender Wagemut, rasche Reaktion, Fairness und wieder Fairness, die »Innungen«, von denen man einer anzugehören hatte, Techniker-Innung, Naturforscher-Innung, Landwirtschafts-Innung, da wurde nun eine Hütte im Wald gebaut, wurden Pilze studiert, Frösche seziert, wurde gedüngt, gemäht und geheut, der Handwerks-Unterricht im Winter, der vierstimmige Chor, das Theaterspielen, die Radtouren, die Bergtouren, die »Dienste«, allen voran die von der Schule gestellte Feuerwehr, in den Gebäuden mit viel uraltem Holz nicht nur pädagogisch gemeint und bei wirklichen Gelegenheiten rettend in der Tat, das »Führerprinzip«, welches Verantwortung verteilte und Ältere für Jüngere sorgen ließ und zwar ohne einen Schatten von Brutalität – es fügte sich Alles zu Einem, wogegen ich im Rückblick nicht sein kann. Es ist auch vieles davon längst Gemeingut der Pädagogik in den öffentlichen Schulen geworden; so Handwerk, so Kunst, so Diskussion, so der freie Essay und was noch. Damals war es neu.

Dazu kamen die Praktiken der Selbstkontrolle und Ehrlichkeit. Nach ein paar Monaten erhielt man Recht und Pflicht, einen »Trainingsplan« zu führen, für den Tag oder die Woche die Erfüllung verlangter Aufgaben einzutragen: den Dauerlauf, soundso viele Hochsprünge, Weitsprünge, Seilsprünge, Waldläufe, nicht mehr als drei Glas Wasser am Tag, »keine Zwischenmahlzeiten«, und anderes mehr. Hatte man etwas verfehlt, so hatte man ein »minus« einzutragen. Ich glaube, daß die allermeisten es ehrlich taten, zum Beispiel ich selber. Für Alkohol und Rauchen, durchaus verpönt, war die Versuchung gering, weil die wenigsten von uns das Geld dafür hatten. Aber wie wir uns daran hielten! Nur ein Beispiel: Wir befanden uns wieder auf einer Radtour, etwa sieben oder acht, dem Alter nach sechzehn oder siebzehn Jahre, nun ohne erwachsene Führung. Am Abend, in der Stadt Ravensburg, gerieten wir in ein Lokal, um Limonade zu trinken, es herrschte jedoch, wie wir erst bemerkten, als wir schon um den runden Tisch saßen, »Weinzwang« – ein hübscher Ausdruck. Was tuen? Da wir uns genierten, unverrichteter Dinge wieder wegzugehen, bestellten wir den billigsten, vermutlich abscheulichen Süßwein, der zu haben war, erhielten unsere Gläser gefüllt, saßen eine Weile, verlegen stumm, riefen der Kellnerin noch einmal, bezahlten und gingen, ohne den »Taragona« berührt zu haben. Szene, geeignet für einen Groteskfilm.

So weit, so gut; sehr gut sogar. Und um so besser, weil Kurt

Hahn das von ihm erdachte System in seinem Funktionieren, seinen Effekten ständig beobachtete und auf Abhilfe sann, wenn eines der Elemente, aus denen sein großer Plan sich zusammensetzte, ihm übermächtig zu werden schien. Waren die Tage zu dicht gefüllt, gab es zu viel Sensationen? Dann mußte ein Studien-Nachmittag eingeführt werden, vier, fünf Stunden, während derer man für sich allein über den Büchern saß, im »Kapitelsaal«, in dem ein Schweigegesetz herrschte, oder sonstwo. Spürte er, daß seine Gewalt über einen Schüler, zum Beispiel über mich, gefährlich wurde, so ging er auf schroffe Distanz, wie er denn ein vollkommen verantwortungsbewußter Mensch war. Und obgleich er beim Sport gern mithielt, beim Hockey zum Beispiel, im Sommer von einem weißen Tropenhelm geschützt, mitunter auch bei so jugendlichen Spielen wie dem »Barlauf«, wußte er seine Autorität stets zu wahren. Als er während einer »Debatte« mich unterbrach und ich wie ein Parlamentarier reagierte: »Ich glaube nicht, daß der Vorsitzende das Recht hat...«, kam prompt die zweite Unterbrechung: »Die Rechte des Vorsitzenden gehen dich nichts an. Die bestimmt er selber« – Roma locuta, causa finita.

Das Motiv, das zur Gründung der Schule geführt hatte und das Ganze in seiner charakteristischen Bewegung hielt, verstand ich nur allmählich, hörend und lesend. Kurt Hahn war, man darf nicht sagen, ein gescheiterter Politiker, denn nie wünschte er, Politik zu seinem Beruf zu machen; wohl aber hatte er, im Verborgenen, oder halb Verborgenen, politisch wirken wollen. Nun, seit dem unglücklichen Verlauf und Ende des Weltkrieges sollte die Pädagogik ihm die Politik ersetzen oder sollte die menschlichen Voraussetzungen für eine neue und bessere deutsche Politik schaffen.

Aus einer reichen jüdischen Familie stammend, hatte er

mehrere Jahre in England gelebt, in Oxford sich klassischen, nebenher auch historisch-politischen Studien gewidmet. Manches, was er in England erlebte, bewunderte er von Herzen, hielt auch für möglich, es in seiner Heimat abwandelnd nachzuahmen. Gerne zitierte er die klassischen britischen Staatsmänner, Palmerston, Gladstone, wie er überhaupt einen reichen Vorrat von Zitaten besaß, englische, altgriechische oder anonyme. Eines seiner Lieblingszitate: Als im britischen Unterhaus der Redner einem Kollegen vorwarf, vor Jahren habe er doch das und das und völlig anders gesprochen, erklang von unten der Ruf: »That's not cricket!« Zu deutsch: »Das ist nicht fair, wie jeder Kampfsport sein sollte.« Daher die Rolle, die Hockey in Salem einnahm. Und wie die – in ihren Reden, nicht allezeit in ihrem Wirken – moralisierenden englischen Staatsmänner liebte er den Plato, zumal den *Staat*. (Ich übrigens nicht, nie konnte ich begreifen, warum das ein so herrliches Buch sein soll; manche der in der *Politeia* geltenden Gesetze oder Regeln fand ich geradezu abscheulich.) Kurz vor Ausbruch des Krieges kehrte Hahn mit profunden England-Kenntnissen nach Berlin zurück. Achtundzwanzigjährig, in der militärischen Hierarchie nichts als ein »Landsturm«-Mann, wegen schwacher Gesundheit freigestellt für vaterländisch-zivile Zwecke, geriet er in die »Zentralstelle für Auslandsdienst«, eine Kriegsimprovisation, dem Auswärtigen Amt beigeordnet. Ihre Mitglieder hatten die feindliche Presse zu studieren, über die Stimmungen auf der anderen Seite Referate zu verfassen; eine Aufgabe, die Hahn für England mit Glanz bewältigte. Seine, wieder sokratische Überzeugung: der Krieg war keine Naturkatastrophe, er war das Werk törichter Menschen freien Willens; erwiesen sich die führenden Politiker der »Entente« als nicht ansprechbar – sie waren es wirklich nicht und je länger der Krieg dauerte, um so weniger –, so mußte man sich über ihre Köpfe hinweg an die öffentliche Meinung ihrer Länder wenden, an jene, die ansprechbar waren, wenn man ihnen sagte, was man wollte und was man nicht wollte, zum Beispiel nicht unrechte oder unnütze Eroberungen machen. Ferner mußte die deutsche Kriegsführung eine »christliche« bleiben, sich an die Regeln halten, Frauen und Kinder schonen, die Kriegsgefangenen mit Ritterlichkeit behandeln, so daß die Schwerverwundeten, die man über das Rote Kreuz und durch die Schweiz nach Hause schickte, darüber berichten würden. Politik, kurzum, ist im Krieg noch viel notwendiger als im Frieden. Sie muß öffentlich sein, nicht Geheimdiplomatie. Sie muß Ehrlichkeit, Präzision, Klarheit über das, was sie will, mit einem an die wechselnden Situationen sich anpassenden Realismus verbinden. Dieser wieder muß auf der Kenntnis der feindlichen Psychologie beruhen, von den großen Parteien und Interessen bis zu den Eigenheiten führender Individuen; auch mit ihnen muß man zu spielen wissen. Ohne solche Politik, ohne solchen Realismus nützen alle Siege nichts.

Hahn, in einem Bericht an den Prinzen Max von Baden, Anfang 1917: »Die Gründe liegen tief: in einer Verkennung der menschlichen Natur. Die Herren wissen nicht, daß von der ›Moral‹ der Völker der Ausgang des Krieges abhängt. Es fehlt das Feingefühl für die öffentlichen Strömungen, das unschätzbare diagnostische Material der feindlichen Presse wird nicht genügend bewertet, dagegen die Bedeutung von Agenten und ›Vertrauensmännern‹ überschätzt. Je geheimnisvoller die Nachrichten, um so besser.« Ein Jahr später: »Verhandlungen werden vorbereitet durch eine öffentliche Aussprache, die gewissermaßen die Basis für eine Verständigung schon findet und sie den Völkern so

deutlich macht, daß die öffentliche Meinung in den kriegführenden Ländern auf den Versuch hindrängt, die noch
bestehenden Differenzen durch diplomatische Verhandlungen zu überbrücken.« Hilfreiche Weisheiten, wenn man
sich an sie gehalten hätte.

Anfangs 1917 war Hahn ein leidenschaftlicher Gegner des
unbeschränkten U-Bootkrieges, der den versprochenen
Zweck nicht erreichen, wohl aber die Vereinigten Staaten
in den Krieg bringen würde; was in Berlin viele wußten,
ohne doch ihrem Wissen Geltung zu verschaffen. Im Jahr
darauf wünschte er sich eine »Friedensoffensive«, vor der
gewaltigen Offensive im Westen, welche der General Ludendorff, nun man den russischen Gegner losgeworden
war, im Schilde führte; nachher, und wenn auch sie den
erträumten Erfolg nicht brachte, wäre es zu spät. Wieder
waren viele seiner Ansicht, Leute in ganz anderen Stellungen als der junge Landsturm-Mann jüdischer Herkunft;
wieder machten sie keinen Gebrauch von dem Einfluß, den
sie, vielleicht, hätten ausüben können. Auch der Gedanke,
den Prinzen Max von Baden zum Reichskanzler zu machen, stammte anfangs von jenem Landsturm-Mann,
wurde von ihm an andere klingenderen Namens weiterge-
geben, zuletzt sogar verwirklicht; leider zu spät. Der Prinz,
anstatt Verhandlungen von gleich zu gleich einzuleiten,
wie er im Vorjahr gewünscht hatte, fand nun von Ludendorff sich zur Kapitulation gezwungen. Während die Verhandlungen um einen Waffenstillstand sich hinschleppten,
Woche für Woche, zerfielen die Fronten der Bundesgenossen, Österreicher, Bulgaren, und gaben schließlich die
Nerven der Deutschen selber nach – »Umsturz«, »Revolution«. Wäre Prinz Max ein Jahr früher ernannt worden,
anstelle des greisen Philosophie-Professors Hertling – ja,
wie es dann ausgegangen wäre, darüber mag man spekulie-

ren, etwas besser vielleicht doch. Das Curiosum bleibt: immer aus dem Hintergrund, immer sich verbergend, hatte Hahn das beinahe Unmögliche wirklich gemacht. Eine Geschichte, die zeigt, was er konnte.

Und nun der Entschluß, Pädagoge zu werden, realisiert mit Hilfe des Prinzen, welcher die für eine Internatsgründung nötige große Summe stiftete; sie ging dann in der Inflation wieder verloren, und alles, was ich als Schulgeld für das erste Trimester mitbrachte, waren zehn Dollar, ein anderer Neuer brachte eine silberne Schale. Die Idee der beiden Gründer war, Bürger zu erziehen, anders geartet, als die deutschen Diplomaten, Parlamentarier, politisierenden Professoren es während des Krieges gewesen waren. »Fähigkeit zur präzisen Tatbestands-Aufnahme«, »Fähigkeit, das als recht Erkannte in die Tat umzusetzen« – das waren die zu erwerbenden Eigenschaften und oft – ich glaube zu oft – gehörten Schlagworte. Auch der Kampfsport gehörte dazu, weil er zugleich Fairness, Eignung zu führen, kalkulierende Entschlossenheit lehrte. Tugenden, die im Frieden dienlich sein würden; im Krieg auch. In den frühen zwanziger Jahren war Kurt Hahn nicht unbedingt gegen einen zweiten Krieg – wenn er gegen ein isoliertes Frankreich zu führen wäre. Jedenfalls gehörte zu seinem Zitatenschatz auch das goldene Wort des Herzogs von Wellington: die Schlacht bei Waterloo sei auf den Spielfeldern von Harrow gewonnen worden. Der Besitzer des Zitatenschatzes dachte national – wie dies an der Zeit, noch mit knapper Not an der Zeit war; später, als ich ihn nach langer, arger Pause wiedersah, nicht mehr.

Es ist hier auf einen schwierigen, sogar heiklen Punkt zu kommen. Der Vergleich zwischen Kurt Hahn und A. Hitler drängt sich auf, so ungern man ihn vollzieht. Verehrer Hahns – es gibt ja heute noch viele, die den alten Herrn kannten und ihm etwas zu verdanken haben, solche, die ihm schon 1923 begegneten, freilich nur noch wenige –, sie bitte ich, nicht zornig zu werden, vielmehr abzuwarten. Hat nicht Thomas Mann das Scheusal A. H. in einem meisterlichen Versuch als »Bruder« angeredet, womit er den Tunichtgut, den »Künstler« meinte, der nach langer »Verpuppung« doch noch zu dem Einzigen wurde, was er werden konnte, zum Politiker, und da sogar ein wenig Genie zeigte, solange »Genie« etwas ist, was mit Moral, Güte, menschlichem Anstand rein gar nichts zu tun hatte? Jener Artikel ist höchst ironisch und voll Vertrauen an die Klugen gerichtet. Nun, für Kluge schreiben wir ja alle. Und für sie gilt das Folgende: im Moralischen, im schieren Menschlichen stehen die beiden, Kurt Hahn und A. H. auf zwei Polen, unendlich weit voneinander entfernt. Dieser Unterschied entscheidet; schließt aber, zeitgeschichtlich bedingt, eben darum interessante Vergleichbarkeiten nicht aus. Für beide war der Weltkrieg das fundamentale, auch ihre eigenste Zukunft bestimmende Erlebnis. Beide waren sie während jener vier Jahre zugleich mitten drinnen und auch draußen; der eine, bloßer Soldat und obendrein Österreicher, konnte auf das, was er beobachtete, sich nur seine Gedanken machen, der andere, kränkelnder Landsturm-Mann und obendrein Jude, konnte mit seinem erfindungsreichen Denken und Wissen sogar Einfluß gewinnen, in manchen Reden oder Schriften so manchen deutschen Politikers ist Hahns mir so sehr bekannter Stil bis zum Wortlaut zu erkennen, aber rettenden Einfluß doch nicht. Als alles zu Ende war, beschloß der eine Politiker zu werden, der andere Pädagoge – damit das nächste Mal alles ganz anders sein würde. Hier nun wird der Unterschied abgrundtief. Hahn wollte freie, mutige Bürger erziehen, christliche Gentlemen, Parlamentarier etwa, die in fairem

142

Kampf ihre bessere Ansicht durchsetzten gegenüber einer verderblichen. Demokratie sollte sein; obgleich mit elitärem Beisatz. A. H. wollte alle Macht in einer einzigen Hand vereinigen, der seinen, jede Freiheit der Meinung oder Kritik zum Schweigen bringen und eine Masse zu jedem Verbrechen bereiter Totschläger erziehen. Hahn wünschte, man hätte im Ersten Krieg kein anderes Ziel gehabt als die Erhaltung der deutschen Grenzen, so wie sie im Jahre 14 gewesen waren, wobei er über die Unehrlichkeit der deutschen Politik, die im Grunde ja doch allerlei gewinnen, das Ziel aber nicht zugeben wollte, sich gerne täuschte. A. H. verhöhnte die Kriegszieldiskussion, verachtete den »philosophierenden Schwächling« Bethmann Hollweg und forderte für seinen, den kommenden Krieg Ziele, die allein das Opfer lohnten: die Eroberung von »Lebensraum«, bei Vertilgung jener, die dort schon wohnten. Und so fort – es wäre leicht, diesen Katalog der Gegensätze weiterzuschreiben.

Aber – die Extreme berühren sich. Beide, Kurt Hahn und A. H., waren von der Macht der Propaganda überzeugt, Propaganda, wirkend auf die Psychologie des Feindes. Wenn der Prinz Max einmal daran dachte, sich an die Spitze eines in Berlin zu schaffenden »Propaganda-Ministeriums« stellen zu lassen, so dürfen wir Hahn hinter dieser Idee vermuten. Es hätte eine Propaganda der Wahrheit sein sollen: man mußte die öffentliche Meinung in England, Frankreich, Amerika davon überzeugen, daß die Deutschen keine »Hunnen« waren, daß erst die russische Generalmobilmachung den Krieg unvermeidlich gemacht hatte – woran etwas Wahres ist – und daß die Kriegführung der Entente nicht überall so ganz den alten Ritterregeln folgte, wie ihre Leute zu Hause glaubten.

Daß Ziele und Methoden der Hitlerschen Propaganda

dem diametral entgegengesetzt waren, bedarf keiner Ausführung; noch einmal finden sich hier die beiden auf unendlich weit voneinander entfernten Polen. Was wieder nicht hindert, daß es Vergleichbarkeiten auch in der Politik des einen, in der Pädagogik des anderen gibt. Beide liebten sie das ästhetisierende Element; jeder in seinem Bereich; die Reichspartei-Tage mit ihren ungeheuren Aufmärschen, Exerzitien, »Licht-Domen«, Meistersinger-Ouvertüren, wie sie in jenen Filmen festgehalten sind; die festlichen Wettspiele, die uniformierten, recht eigentlich für Zuschauer geeigneten Veranstaltungen in Salem, auch wenn es gar keine Zuschauer gab. Wozu kommt, daß beide an den Willen glaubten, an die Möglichkeit und Wünschbarkeit, ihn erzieherisch zu entwickeln und zu stärken.

So viel über die Vergleichbarkeiten, lehrreich im Zeitgeschichtlichen wie auch bezeichnend für die menschliche Situation: daß zwei einander so total entgegengesetzte Charaktere in dem einen und anderen trotz allem sich auch ähnlich sein können. Um den Gegensatz noch einmal und anders zu formulieren: A. H. war entschlossen, jeden zu »vernichten« – dies Wort liebte er bekanntlich zu allermeist –, der sich ihm entgegenstellte, der auch nur um einen Schatten von seinen eigenen Zielen abwich. Herr Hahn glaubte an etwas, was man mit Leibniz »prästabilierte Harmonie« nennen könnte; auch in der Politik. Die großen Parteien, Interessen, Willensgruppierungen konnten, ging es mit rechten Dingen zu, zusammenspielen, bewußt oder unbewußt. So sah er während des Ersten Krieges die in allen Himmelsrichtungen nach unrechtem Landgewinn gierende Vaterlandspartei als nützlich an, obgleich sie das Schicksal nicht bestimmen durfte – was sie zeitweise leider tat; die »zornigen Patrioten«, wie er sie nannte, obgleich unvernünftig, waren brauchbar für die Vernünftigen, damit Deutschland nicht zu schwach erschiene. Diesen Gedanken wiederholte er in der Krise der frühen dreißiger Jahre; A. H. war vielleicht, oder hoffentlich, so bös nicht, wenn man ihn von einer bösen Umgebung befreite; böse oder nicht, war er im Außenpolitischen gegenüber den Westmächten zu gebrauchen, nur zur Macht, geschweige denn Allmacht, durfte man ihn nicht kommen lassen. Eine Art von klugem und immer wieder sokratischem Optimismus, der hier scheiterte, nicht zum ersten, nicht zum letzten Mal.

Für mich bleibt Kurt Hahn die Persönlichkeit, die mich in früher Jugend bei weitem am stärksten und nachhaltigsten beeinflußt hat; derart, daß ich noch ein wenig aufgeregt war, als ich ihn im Sommer 1955, nach 22 Jahren, wieder traf. Und ich stimme für ihn. Eben darauf kommt es an. Radikale Ablehnung mag stark sein, aber interessant ist sie nicht. Lohnend wird Kritik erst, wenn es sich um einen Kreis, eine Doktrin, eine Persönlichkeit handelt, die man im Grundsatz bejaht; um Irrtümer, denen abgeholfen werden könnte – wie in den Hahnschen Schulen später geschah, ohne daß die von ihm gegründete Tradition im Wesentlichsten verraten worden wäre.

Hier folgen meine kritischen Argumente, wie sie viel später Form annahmen. Hahns Pädagogik fehlte es an Diskretion. Zu oft, zu deutlich ließ er uns wissen, was er von uns erhoffte: daß wir Deutschland eine Generation von »Führern« stellen sollten, besser als jene des Kaiserreichs gewesen waren; ferner auch, daß wir den moralischen Verfall, wie er ihn sah, aufhalten oder den üblen Gang der Dinge umzukehren bestimmt waren. Darin lag eine Anmaßung, eine Überschätzung dessen, was eine Schule, wäre sie auch ein System von dreien oder vieren, im glücklichsten Fall leisten konnte. Die Wirkung ins Breite der Hahnschen

Schulen, als es deren Dutzende in den unterschiedlichsten Ländern gab, läßt sich nicht messen; gut, im Sinne des Friedlich-Tätigen, war sie allemal. Während der dreißiger, frühen vierziger Jahre gab es nur einige hundert »Altsalemer«; unter sechzig resp. achtzig Millionen Deutschen ein paar Körner im Sand. Am Widerstand gegen Hitler, dem aktiven, am 20. Juli 1944 gescheiterten, nahmen mehr von ihnen teil, als im Durchschnitt wahrscheinlich gewesen wäre; sie gingen dabei zugrunde oder konnten mit knapper Not sich retten. Ein Factum, das für sich spricht. Natürlich fehlte es auch nicht an Opportunisten, auch unter solchen Schülern, auf die Hahn besonders gesetzt hatte. Wieder bezeichnet es den Salemer Geist, daß jene, die in der Streberei zu weit gegangen waren, Schule und Schloß nicht mehr besuchen durften, als alles vorüber war; eine stumme Bestrafung, über die nicht Kurt Hahn entschied – der wäre wohl bereit gewesen zu verzeihen –, sondern der Markgraf Berthold als oberster Hüter der Tradition.

Ein anderer Irrtum der Hahnschen Pädagogik war, daß er allzusehr an den Willen und die Möglichkeit seiner systematischen Stärkung glaubte. Dafür ein Beispiel: Es hatten kleine Diebstähle stattgefunden; Krawatten, Taschentücher, andere Bagatellwaren verschwanden auf rätselhafte Weise. Das Rätsel wurde gelöst, der Dieb entlarvt, was schon an sich auf eine sportlich-grausame Weise geschah. Der Internatsleiter verhängte die schlimmste Strafe, die es in einer Schule überhaupt geben konnte: den Boykott. Während eines langen Tages, von morgens halb sieben bis abends halb zehn, durfte niemand mit dem Überführten sprechen, der gleichwohl zum Unterricht und zu den Mahlzeiten erschien. Wie nur konnte Hahn an den Nutzen einer solchen Grausamkeit glauben? Ohne jeden Zweifel war der Junge kleptoman; hier half keine Strafjustiz, sondern, allenfalls, der Psychiater. Es ging dann auch der Verurteilte einige Jahre später elend zugrunde. Ein anderes Beispiel, aus einer Zeit, da ich schon erwachsen war. Ein Schüler, vor kurzem aus Salem entlassen, beging Selbstmord. Darüber Hahn zu mir: »Und er hat mir sein Ehrenwort gegeben, es nicht zu tun!« Muß ich hinzufügen, daß der Selbstmord eine viel zu traurige, viel zu verzweifelte Sache ist, als daß der Wille, hier formuliert in einem Ehrenwort, gegen ihn ankäme? Wer mit allen und allem bricht, weil er muß – was kann ein bloßes Versprechen dagegen?

Ein dritter Irrtum wiegt am schwersten. Kurt Hahn hatte von Sexualität und sexueller Erziehung nahezu keine Ahnung. Es lag dies daran, daß er die Neigung, die in ihm war, die homoerotische, moralisch mißbilligte und mit einer mir unvorstellbaren Anstrengung des Willens in sich selber erstickt hatte. Die Folge war, daß er, was er in sich zum Schweigen zwang, überall witterte, fürchtete und mit wahrhaft inquisitorischen Mitteln dagegen vorging, ungefähr so, wie solches ehemals in Jesuiten-Schulen geschah. Einer der ersten Schlachtrufe, die ich in Salem hörte, war: »Kleberei«, natürlich kam er im Ursprung aus der Internatsleitung. Kleberei war, wenn ein Junge dem anderen die Hand auf die Schulter legte, wenn zwei Jungen zusammen auf dem Fahrrad saßen, wenn beim »Liegen« der Zwischenraum zwischen ihnen nicht weit genug war und so fort. Jedes obszöne Wort, jeden unanständigen Witz, auch wenn wir unter uns waren, zu vermeiden, verstand sich von selber, es lag in der Atmosphäre. Hahns klügste und weiseste Mitarbeiterin, Marina Ewald, ein guter Geist der Schule noch, als sie, eine uralte Dame, zurückgezogen in zwei Zimmern des Schlosses wohnte, sagte mir einmal eben damals, zu Beginn der siebziger Jahre: Kurt Hahn habe geglaubt, »die Pubertät überspringen« zu können.

Gut formuliert. Sie war etwas wie eine leider unvermeidliche Krankheit, die es zu ignorieren, die es mit emsiger Tätigkeit, gesunden Freuden und Anstrengungen, allenfalls mit kalten Duschen beiseite zu schaffen galt. Hierdurch kam ein Zug von Unwahrhaftigkeit in das Leben der Schule, deren Grundgesetz doch gerade die Wahrhaftigkeit sein sollte, aber auf diesem, ja nun nicht gerade unwichtigen Gebiet nicht sein konnte. Hier zwang er uns, ohne es zu ahnen, recht eigentlich zur Unwahrhaftigkeit, ihm gegenüber wie auch untereinander. Mein Bruder Klaus, jung schon ein erfahrener Erotiker, meinte später einmal, Kurt Hahn habe mir eben darum großen Schaden getan. Das glaube ich nicht einmal. Es waren, meine ich, die leichteren Fälle, denen die Hahnsche Sexualerziehung oder Nicht-Erziehung vermeidbaren Kummer bereitete. Was die Mädchen betrifft, so war ihre Rolle in Salem, solange Hahn die Leitung innehatte, keine ganz glückliche; die Rolle einer Minderheit. Dafür ist bezeichnend, daß es eine eigene »Mädchen-Helferin« gab, so wie etwa einen »Helfer« für die externen Schüler. Und dann gab es Damen, die für sie zu sorgen hatten. Wenn der Internatsleiter einen Satz begann mit den Worten: »Alle Jungen...« so war das nachfolgende »und alle Mädchen« etwas wie eine zögernde Hinzufügung. Daß in Salem überhaupt Coedukation war – unter allen Landerziehungsheimen von Ruf eine Ausnahme, abgesehen von der Odenwaldschule, wo nun freilich die Atmosphäre eine ganz andere, matriarchalische war –, diese Einrichtung verfolgte meines Erachtens zwei Ziele: die Jungen sollten Ritterlichkeit erlernen und sollten gegen homoerotische Anwandlungen desto besser gesichert bleiben. Natürlich redete auch ich mir ein, verliebt zu sein, ging sonntags mit der Auserwählten spazieren und flirtete ein wenig, so gut es mir gelang.

Hier endet der Katalog der Hahnschen Irrtümer. Später wurden sie ausgeräumt, was so schwer nicht war, wenn nicht schon in den dreißiger Jahren, dann gewiß nach der Wiedereröffnung der Schule 1946. Über Hahns Haltung während des Dritten Reiches und des Krieges an ihrem Platz vielleicht noch ein paar Beobachtungen, höchst positiver Art. Nach dem Krieg war er sofort wieder da, obwohl er in seiner schottischen Schule die Hände voll zu tun hatte, hilfreich, ideenreich, generös wie eh und je. Und wohlgemerkt, er war immer, noch im hohen Alter, fähig und willens, umzudenken, dazuzulernen.

Wenn ich, indem ich dies schreibe, die jüngst vergangenen vier Jahre zu überblicken versuche, erscheinen sie mir als ein recht kurzer Zeitraum; so lang etwa, wenn ein Vergleich überhaupt sinnvoll ist, wie ein einziges Jahr in Salem. Die Flüchtigkeit der Eindrücke im Alter; im Geist des Erlebenden ändern sie nicht mehr viel. Aber zwischen vierzehn und achtzehn gibt es Wandel, so tief wie schnell, eine schwere, obgleich von Tag zu Tag unbewußte Arbeit. Das Altwerden ist überwiegend passiv, wie das Herunterkommen von einem Berg; der Reifeprozeß überwiegend aktiv. Natürlich ging er weiter, nach der Schule, und hörte nicht auf, unbewußt harte Arbeit zu sein, etwa bis zum dreißigsten Jahr, jedoch allmählich verlangsamt; zwischen vierzehn und achtzehn ist das Tempo rasant. Schon der Fünfzehnjährige hätte dem Cornett Albert J. kein Geld mehr aus der Tasche gelockt, schon der schämte sich der Vergangenheit und beging dafür andere Torheiten, deren dann der Siebzehnjährige sich schämte. Das Ich ist identisch mit der Zeit, mit diesem Augenblick; und weil es diesen Augenblick gar nicht gibt, mit dieser Stunde, diesem Tag, diesem Jahr; und verwandelt seine Identität, indes es sie bewahrt. Mit der Zeit, in der Zeit, wird das Bleibende dauerhafter oder die Substanz verhärteter, ohne doch den Wandel in der Zeit, ob Aufstieg oder Verfall oder beides zusammen, völlig aussperren zu können. Von dem siebzehnjährigen Salemschüler bin ich immerhin mehr als von dem zwölfjährigen Pfadfinder, das Gedächtnis sorgt dafür, daß ich es bin; und bin doch völlig getrennt von ihm, weil seitdem so viel dazu kam, so viel abgeworfen wurde; weil das Ich, identisch mit dem Augenblick, auch mit seiner ganzen langen Geschichte identisch ist. Durchaus unidentisch ist es mit der ihm nicht zugeteilten Zeit, mit dem, was vor ihm war; daher Spekulationen über die Frage, in welchem Jahrhundert einer lieber gelebt hätte als in dem seinen, ein nettes Spiel sein kann, aber jedes ernsten Sinnes entbehrt.

Zum Reifeprozeß gehörte zwischen vierzehn und achtzehn, wie vorher schon, das Lernen in der Schule, was der offiziellen oder ministeriellen Ansicht nach sogar die Hauptsache war; es gipfelte in der Reifeprüfung und in dem Reifezeugnis, welches freilich nicht über die Reife so im allgemeinen, sondern über eine Reihe von Kenntnissen und Fähigkeiten in Worten, dem Rang und Klang nach zwischen »hervorragend« und »völlig ungenügend« normierte Auskunft gab. Als Hauptsache sah auch die Unterrichtsleitung und sahen ihre Mitarbeiter den Unterricht zusamt seinem »hohen Ziel«, dem Abitur an; worüber es mit der Internatsleitung, der an der Formung des Charakters mehr gelegen war, zu einem Dauerkampf um Zeit und Energie der zu Bildenden, Auszubildenden kommen mußte. Was war für mich die Hauptsache? Ich weiß es nicht. Sicher lernte ich eine Menge im Unterricht, und auch was ich unabhängig von ihm trieb, Lektüren und Ferien-Schreibereien, stand mit ihm in einem wenigstens indirekten Zusammenhang. Unvermeidlich waren mir im Unterricht das bei weitem Liebste, was ich, nicht anfangs, aber bald, auch ohne ihn betrieben hätte, die Fächer Deutsch und Geschichte. Dann kam Latein.

Wenn wir schon von humanistischer Bildung reden, jener uralten Bildungstradition, die ja nun so gut wie untergegangen ist: ich glaube, daß es da lateinische und griechische Temperamente gibt und daß ich ein lateinisches bin. Mit dem Griechischen konnte ich nie viel anfangen, brachte es im Abitur mit knapper Not nur zu einem »Entsprechend« und vergaß, was ich während fünf Jahren gelernt hatte, in den folgenden fünfzig so völlig, daß ich heute kaum die Schrift noch lesen kann. Zum Latein kehrte ich immer wieder zurück, und wenn ich im Ruhestand wäre, was ja nun ein Schriftsteller nie sein kann, so würde ich ein Jahr lang nichts als Cicero lesen, seine Reden, Briefe, philosophischen Abhandlungen – und würde auch dann nicht weit kommen, denn das Lebenswerk dieses Mannes als Anwalt, Politiker, Philosoph, Briefeschreiber, sogar Militär, ist ein in der Geschichte unserer Zivilisation beispielloses, es greift noch weiter als das von Voltaire, mit dem man ihn immerhin vergleichen mag. Der Vergleich wäre sinnvoll auch darum, weil die Kultur der gebildeten Römer jener Epoche der Kultur unseres achtzehnten Jahrhunderts in mancher Beziehung ähnlich ist; darum hat Wieland die Briefe Ciceros – wie auch die rhythmisierten *Episteln* und *Satiren* des Horaz – so wunderbar übersetzt, wie es heute niemand mehr könnte. Es war eben die Modernität Ciceros, seine Kultur, ähnlich jener höchsten, die unser Europa – im Gegensatz zur Wissenschaft – je erreichte, die mich so stark berührte. Das erste, was wir unter Kurt Hahns Anleitung von Cicero lasen, war die Jungfern-Rede des Verteidigers *Pro Sexto Roscio Amerino*; eine Rede, die er selber später als jugendlich tadelte, er war, als er sie hielt, gerade siebenundzwanzig Jahre alt. Mir gefiel sie: die einschmeichelnde

Eleganz des Stils, die bohrende Kriminalistik des Advokaten, die Kühnheit des schon politisch denkenden Jünglings. Denn die gegen Roscius gerichtete Anklage auf Vatermord hatte einen hochpolitischen Hintergrund; in der Kleinstadt, in welcher der junge Mensch lebte, reflektierten sich die Machtverhältnisse Roms. Es gab da Nutznießer von Sullas Diktatur wie auch angebliche Gegner, zu denen der alte Roscius gehört haben sollte. Den Sohn zu verteidigen, dessen Besitz die Kläger sich anzueignen hofften, hieß, mit wie taktvollen Worten der Verteidiger es auch zu vermeiden schien, den allmächtigen Sulla angreifen. Solche Mischung von Kriminalistik und Psychologie und Politik entzückte mich, wie sie die römische Gesellschaft entzückte und die Freisprechung des Roscius erreichte; der Beginn von Ciceros großer und vielfältiger Laufbahn.

Ähnlich ging es mir mit Sallusts *Verschwörung des Catilina*. Über Sallust schreibt Nietzsche in seinem späten Essay *Was ich den Alten verdanke*: »Mein Sinn für Stil, für das Epigramm als Stil erwachte fast augenblicklich bei der Berührung mit Sallust... ich war mit Einem Schlage fertig. Gedrängt, streng, mit so viel Substanz als möglich auf dem Grunde, eine kalte Bosheit gegen das ›schöne Wort‹, auch das ›schöne Gefühl‹ – daran erriet ich mich.« Daß ich mich in Sallust selber erriet, kann ich nicht behaupten, viel weniger, daß ich nach der Lektüre »mit Einem Schlage fertig« gewesen wäre; aber mit tiefem Vergnügen las ich ihn, so wie im Jahre danach den Tacitus. Was ich am meisten bewunderte, ist das Epigrammatische seiner Sprache. Über den besten der drei unseligen Soldatenkaiser, welche dem Nero nachfolgten, Galba: capax imperii nisi imperasset. Wie soll man diese vier Worte in eine moderne Sprache übertragen? Wir brauchten zehn oder zwölf dafür. Und wie schwach müßte ein solches Satzungetüm wirken: »Zu herrschen wäre er wohl fähig gewesen, wenn er nur niemals geherrscht hätte.« Wunderschön beginnt das erste Werk des Tacitus, die Biographie seines Schwiegervaters, des Generals Agricola. Hier wird die Stimmung der Römer nach dem Tod des tyrannischen Caesar Domitian beschrieben, die Stimmung des Autors selber, der nicht leugnet, gewesen zu sein, was er gewesen war, ein Opportunist, so wie die Allermeisten: »Des Menschen schwache Natur macht, daß Heilmittel zögernder wirken als Krankheiten; wie unsere Körper langsam wachsen, rasch zerstört werden, so erstickt man des Geistes freie Bestrebungen leichter, als man sie wieder erweckt; wer sich an ein träges, dumpfes Leben gewöhnte, dem wird das Verhaßte selbst allmählich angenehm. Fünfzehn Jahre lang, im Leben sterblicher Menschen ein Hauptstück, sahen wir jene, die wir kannten, aus unserer Mitte gerissen werden durch Zufall oder, und die waren die Besten, durch des Fürsten Mordlust. Wir Wenigen, die übrigblieben, haben nicht nur die Anderen, auch uns selbst überlebt, da man uns so viele Jahre nahm, Jünglinge zu Alten, Alte zu Greisen wurden auf des Schweigens langer Strecke. Trotzdem, mit noch ungeübter, wie heiserer Stimme bin ich bereit, zu zeugen von der Sklaverei, aus der wir kommen, den glücklichen Zeiten, in die wir gehen.« Die Sklaverei, aus der wir kommen: »Für die Fähigkeit, zu dulden, haben wir ein gewaltiges Beispiel gegeben; wenn ehedem erfahren wurde, zu welch Äußerstem die Freiheit gehen kann, so geschah ein Gleiches mit der Knechtschaft, deren geheime Späher uns die Möglichkeit selbst der privatesten Gespräche nahmen. Noch das Gedächtnis hätten wir verloren, wäre es in unserer Macht gelegen, zu vergessen, ebenso wie wir schwiegen…« Welcher Deutsche hätte, nach Hitlers Ende, das in zwölf Jahren Erfahrene so beschreiben können? Und hätte er es getan, dann würde er nicht »wir« gesagt haben, er hätte nur von den Anderen gesprochen, nicht von sich. Überhaupt finden wir bei den römischen Schriftstellern oft eine schöne, auch glücklich formulierte Humanität, sogar bei dem pessimistischen, säuerlich konservativen Tacitus, um wieviel mehr aber bei Cicero. Um dafür ein Beispiel unter Tausenden zu geben: im ersten Abschnitt seiner Rede *Pro Archia poeta*, einen Griechen, dem eine wiederum im Verborgenen politische Intrige sein römisches Bürgerrecht abzustreiten suchte, fragte Cicero, wie er über die Verdienste eines Dichters überhaupt reden dürfte. Und antwortete: »Alle Künste, welche die Menschheit angehen, gehören letztlich doch zusammen kraft eines verborgenen Bandes, einer Art von Verwandtschaft.« Heute würden wir sagen, alle Wissenschaften und alle Künste. Aber welcher Advokat würde heute so sein Plädoyer beginnen?

In dem eben zitierten Essay Nietzsches gibt es auch einige Sätze über Horaz – die besten, die je über den Dichter geschrieben wurden, ein Höhepunkt von Nietzsches Charakterisierungskunst, wie seine Beschreibung der Meistersinger-Ouvertüre einer ist. Davon später. Mit siebzehn ist man für die horazischen Oden noch nicht reif, und ich studierte einige wenige von ihnen, nur weil ich mußte. Zum Trost wurde mir ihr heiterer Stoizismus – sonderbare Wortverbindung! – zum ersten Mal im Jahre 1933. Alt geworden, liebte ich Horaz sehr und übertrug meine Lieblingsgedichte ins Deutsche.

Den Geschichtsunterricht hätte ich entbehren können, denn ich las nun so viel, auch wissenschaftlich zu nennende Bücher, daß ich die Lehrer an Kenntnissen, zum Beispiel der Napoleonischen Zeit, schon zu übertreffen glaubte. Auch fing ich allmählich an, kritisch zu lesen. Zu Weihnachten 1924 wünschte ich mir Emil Ludwigs *Napoleon*, damals ein Bestseller. Der Stil dieses geschickten und fleißigen Vielschreibers imponierte mir nicht, wie er es ein Jahr vorher noch getan hätte. Die Frage, welche der sterbende Kaiser sich stellt: »Können wir abreiten?« erschien mir geradezu lächerlich. (Nebenbei bemerkt: Emil Ludwigs Buch über den Ausbruch des Weltkrieges, *Juli 14*, war entschieden besser, eine journalistische Glanzleistung, dabei nach einem gerechten Urteil suchend.) Unser bester Geschichtslehrer war Otto Baumann, aus guter Mannheimer Familie, mit den Bassermanns nahe verwandt, er starb 1982 hochbetagt, wir haben uns noch oft und gern getroffen. In der Klasse ließ er Vorträge halten und gönnte mir solche Freiheit, daß mein Vortrag über den Peloponnesischen Krieg sich über mehrere Wochen erstreckte, ich also praktisch den Unterricht übernahm und der Lehrer am Ende der Stunde nur Kritik übte oder ein paar Fragen stellte. Dafür las ich den ganzen Thukydides, über die letzten Kriegsjahre, die bei ihm fehlen, irgendeine moderne Griechische Geschichte. Wie viel mehr lernt man, wenn man das Gelesene verarbeitet und verkürzt in freier Rede wiedergeben muß. Das Studium dieser höchst kompliziert sich kreuzenden, vereinigenden, wieder trennenden Konfliktketten, der Verbindung von staatlicher Machtpolitik und innerem Klassenkampf, der Einmischung der fernen Großmacht, Persien, in die Streitereien der hellenischen Kleinstaaten, dieses Europa in Miniatur mit seinen beiden Bündnissystemen, der immer wieder geschlossenen und gebrochenen Friedensverträge oder schnöden Abweisungen von Friedensmöglichkeiten, Aufstieg, Hybris, Verfall und Katastrophe der athenischen Demokratie, die einzelnen Figuren, Perikles, nun schon alt und bald verschwunden, Alkibiades, der verräterische Götterjüngling im Auf und Ab und wieder Auf seiner Karriere, der abscheuliche Demagoge Kleon, der weise, friedenswillige Aristokrat Nikias, den die Strafe trifft für genau das, was er nicht gewollt hatte, die Tragödie der »Sizilischen Expedition« – das Studium solcher Ereignisse und Gestalten, dazu die Aufgabe, das Erlernte so vorzutragen, daß meine Mitschüler nicht einschliefen: etwas Besseres hätte mir in keiner Schule blühen können. Als Professor habe ich nie so frei gesprochen wie damals.

In der Mathematik war ich bis zur drittletzten Klasse, »Obersekunda«, miserabel, indem ich behauptete, ich verstünde die vorgetragenen oder an der Tafel gezeigten Rechnungen und Figuren nicht. Unser Mathematiklehrer, der alte Geheimrat Schmiedle, zugleich als Nachfolger Reinharts der Unterrichtsleiter, ein echter Freiburger, schon mit leicht elsässisch-französischem wie auch helvetischem Einschlag – war er schlechter Laune, so pflegte er für eine Woche in Bad Ragaz zu verschwinden –, dieser vorzügliche, von Kurt Hahn entdeckte und gewonnene Gelehrte wandte dagegen ein: mathematische Gedankengänge seien etwas, was jeder durchschnittlich intelligente Mensch verstehen könne, unter der einen Bedingung, daß er sie von Anfang mitvollziehe, einfacher gesagt, aufpasse. Natürlich hatte er recht, ich war faul gewesen, nichts weiter. Nun, angesichts des bedrohlich näherkommenden »hohen Zieles«, begann ich mir ernsthaft Mühe zu geben, und es ging dann auch, leidlich. Einiges, wie unendliche Reihen oder »komplexe Zahlen«, machte mir sogar einen gewissen Spaß; ebenso, wenn eine »externe« Mitschülerin, ein Mädchen vom Lande, an der Tafel eine Differential-Rechnung vorzuführen hatte und im badischen Dialekt uns wissen ließ: »Ich lasse x unendlich klein werden und wir erhalten...« Da dachte ich dann doch: leichter gesagt, als getan.

Im Deutsch-Unterricht tat ich mit, *Hamlet* und *Egmont* und *Maria Stuart*, tat aber mehr für mich allein. Heine, dessen Werke ich Weihnachten 1925 geschenkt bekam – diese Ausgabe besitze ich heute noch –, kam nun im Ernst daran, nicht mehr das *Buch der Lieder*, sondern *Romanzero*. Es waren aber immer noch die vergleichsweise leicht gemachten Dinge, zumal die politisch-sozialen, noch nicht jene, die Heine zu einem der größten deutschen Lyriker machen. Langsam, langsam reift der Geschmack. Ein paar Gedichte von Nietzsche gefielen mir, besonders, und wie könnte es anders sein:

> Die Krähen schrein
> und ziehen schwirren Flugs zur Stadt:
> bald wird es schnein, –
> weh dem, der keine Heimat hat!

Da ich Heimat hatte, in der Münchner Poschingerstraße und, zur Zeit, in Salem eine mir liebere, so ging solches Winter-Einsamkeits-Grauen mir ein wie Honig. Zwei weitere Lyriker, die ich in der Salemer Zeit entdeckte, waren Conrad Ferdinand Meyer und Detlev von Liliencron. Im Werke Meyers liebte ich die Balladen, noch einmal eine Geschmacksverirrung, denn sie sind schlecht; *Die Füße im Feuer* geradezu abscheulich, auch *Die Ketzerin* peinlich und sadistisch, *Der Daxelhofen* so deutsch-national, wie es einem Schweizer Dichter des vorgerückten 19. Jahrhunderts schon nicht mehr hätte passieren dürfen. Da warb er um seine deutschen Leser. Gut, sehr gut ist seine Landschafts- und Erlebnislyrik, meist beides in einem, aber darauf kam ich erst später. Von seinen Novellen beeindruckten mich *Gustav Adolfs Page* und *Die Leiden eines Knaben* am stärksten – zwei Meistererzählungen in der Tat. Liliencron ist heute wohl so gut wie vergessen, was er nicht verdient. Daß er ein kreuzbraver Mensch war, würde keineswegs genügen; er war weit mehr als nur dies, seine Stimmungslyrik oft rein, wahr und traurig, sein Balladenwerk stark, so *Pidder Lüng, Trutz, Blanke Hans* und andere mehr. Von Liliencron war ich so begeistert, daß ich ihm einmal einen Vortragsabend widmete, von den Kameraden freilich mehr Spott als Lob dafür erntete. Was das »kreuzbrav« betrifft: Es ist eine leidige Tatsache, daß auch bösen Menschen einige schöne Gedichte gelingen können. Da blühte zu Liliencrons Zeiten zum Beispiel ein Dichter, der sich Lagarde nannte, in Wirklichkeit hieß er anders; ein abscheulicher Antisemit, ein Mensch mit höchst fatalen, auf die Dauer verhängnisvollen politischen Ansichten oder Träumen. Aber eine Strophe wie diese:

> Du weißt, daß nur in einem reichren Du
> Zerlechzend ich gewinnen mag die Ruh.
> Doch gibt die Welt uns, statt des Du, nur Dinge,
> Statt eines Du uns Menschen immer immer zu.

Sie enthält Wahrheit in schöne Form gebracht. Nun könnte man einwenden, wenn einer viele Gedichte schreibe, dann wären unvermeidlich auch ein paar gute darunter, auch eine blinde Henne finde mal ein Korn. Dies Argument kann ich nicht gelten lassen. Inmitten von Lagardes schwarzer Seele muß trotz allem auch ein reines Licht gebrannt haben, wenn nicht, dann hätte er solche Strophen, es gibt eine ganze Reihe davon, nicht hingebracht.

Theater. In Salem wurde ich zum Schauspieler; so sehr, daß Kurt Hahn zu einem »Erwachsenen«, der es mir weitergab, die Bemerkung machte: »Noch weiß ich nicht, ob G. im Grunde nicht doch nur ein Schauspieler ist.« Ein in der Schwebe gehaltenes Urteil, was er später wohl fallenließ. Daß ich nicht Schauspieler von Beruf wurde, lag meines Erachtens nicht an mangelndem Talent, sondern an anderen Gründen – wenn es denn überhaupt »Gründe« hatte. Bei Spinoza heißt es: Omnis determinatio est negatio – jede Entscheidung ist Verneinung. Verneinung alles dessen, wogegen, besser gesagt, wofür man sich *nicht* entscheidet, die Ausschließung aller anderen Möglichkeiten. Wir verwirklichen etwas von dem, was potentiell in uns war, auch mehrerlei, aber nie alles, weil die Umstände dagegen waren oder das Eine das Andere erstickte. Dagegen stehen nun die oft zitierten Verse Goethes:

> Bist alsobald und fort und fort gediehen
> Nach dem Gesetz, wonach du angetreten.
> So mußt du sein, dir kannst du nicht entfliehen…

Auch hier ist Wahrheit, oder doch Sinn, dem anderen Sinn, der anderen Wahrheit entgegengesetzt. Dem kann ich nicht abhelfen. Wenn die menschliche Situation, la condition humaine, so ist, daß keine Wahrheit, oder Ansicht, sie ganz erfaßt, so mögen wohl Wahrheiten gegeneinander stehen und mag der »Satz vom ausgeschlossenen Dritten« nicht gelten.

Zurück zum Theaterspielen in Salem. Vierzehnjährig fing ich an mit dem Soldatenschulmeister in *Wallensteins Lager*, der nur eine Zeile: »Fort in die Feldschule! Marsch, ihr Buben!« zu sprechen hat. Es folgte mit fünfzehn der Antonio in Shakespeares *Was ihr wollt*, noch eine zweit- bis drittklassige Rolle, mit sechzehn jener verhängnisvolle Hirte im sophokleischen *Oedipus*, dessen Bericht, ohne daß er es ahnte, zur Enthüllung des furchtbaren Geheimnisses den entscheidenden Anstoß gibt; mit siebzehn dann der König oder Tyrann Kreon in der *Antigone*, und ein halbes Jahr später der Dorfrichter Adam im *Zerbrochenen Krug*. Kreon spricht die starken, stolzen, strengen Worte des Herrschers, trägt dessen Maske, bis er zusammenbricht: »Nicht mehr König, Mörder meiner Kinder...« Den Zusammenbruch liebte ich darzustellen, was vorher ging, war etwas eintönig. Dagegen verlangte der Dorfrichter Adam ebensoviel Mienenspiel wie Zungenspiel, ebensoviel Einfühlung wie Erfindung; das Agieren und Reagieren, die wachsende quälende Verlegenheit, die einander jagenden und widersprechenden Notlügen, die Genüßlichkeit beim Essen und Trinken mit dem unwillkommenen Gast, um diesen zu beschwichtigen – das war meine Glanzrolle. Den Prinzen Max hörte ich nachher zu unserem Regisseur, dem Altphilologen W. Kuchenmüller sagen: »G. ist ein hinreißender Schauspieler!« Danach war Müdigkeit, Leere sogar. Ich gab mich völlig aus, weil ich mich völlig mit meiner Rolle identifizierte. Ob es den Schauspielern von Beruf ebenso geht, weiß ich nicht, zumal ich keiner wurde, überhaupt nach der Salemer Zeit nie wieder spielte. An den deutschen Universitäten gab es damals keine Theaterclubs, jedenfalls habe ich weder in München, noch in Berlin, noch in Heidelberg von einem solchen gehört; derart, daß ich, eben achtzehnjährig, zur Verwirklichung meines Talents, die beglückend und befreiend sein kann, keine Gelegenheit mehr fand.

Heute nimmt, zu meinem Vergnügen, das Theaterspielen auf den deutschen Schulen einen wesentlichen Platz ein. In unterschiedlichen Städten oder Siedlungen wie Icking im Isartal sah ich Aufführungen, die mich stärker anrührten, als was die Bühnen der Professionellen zu bieten haben. Es liegt so viel Reiz im Dilettantismus früher Jugend, zu deutsch Liebhaberei, in der Freude, in der langen Arbeit, deren Ernte nur einmal, allenfalls drei-, viermal reproduziert wird. In Salem spielten wir im Grundsatz nur einmal, zweimal nur die *Antigone*. Die wiederholten wir in Arosa,

Graubünden. Wie wir dahin und ins »Kurtheater« kamen, tut nichts zur Sache. Jeder der Mitwirkenden wurde ohne Bezahlung in einem der vielen Hotels untergebracht, ich im »Waldsanatorium«, heute »Waldhotel«, weil meine Eltern dort öfters zur Kur gewesen waren, ich hatte sie während der Pfingstferien desselben Jahres in Arosa besucht. Es waren meine beiden ersten Fahrten in das Nachbarland, das nachmals das Land meiner Sehnsucht, der spät erfüllten, mein Schutz und Hort werden sollte.

Die beiden Tragödien des Sophokles übertrugen unsere Altphilologen, Kuchenmüller und sein Kollege, Dr. Eugen Glassen, für uns ins Deutsche, und ich bilde mir ein, ihr Werk war besser als alles, was es da schon gab. Kuchenmüller war ein Grieche von Leidenschaft, ein Dichter auch, und ein Nationalsozialist obendrein. Anhänger des jungen Münchner Demagogen, der nun von sich reden machte. Wie das zusammenging? In der Wirklichkeit geht manches zusammen, was die Lehrbücher trennen. Er war Nazi, als es ihm nur Nachteile brachte, einer zu sein. Als es ihm Vorteile gebracht hätte, seit 1933, war er keiner mehr und beschützte in dem Schwarzwälder Landerziehungsheim, das er leitete, junge Juden oder Halbjuden, solange er irgend durfte. Eine solche Haltung mag wundernehmen, verachten kann ich sie nicht.

Womit wir denn bei A. H. sind. Vom »Hitlerputsch«, November 1923, erfuhren wir aus den Zeitungen. Ein wenig stolz war ich darauf, daß meine Heimatstadt, über welche Mitschüler aus Berlin sich mir gegenüber gern lustig machten – »Gehst du in den Ferien ins Dorf?« – daß sie während ein paar Tagen im Brennpunkt des Interesses stand. Während der folgenden Weihnachtsferien in München drängte sich mir die Propaganda auf, die für A. H. betrieben wurde, die Dreistigkeit, mit welcher der lächerlich Gescheiterte sich preisen ließ. In Papiergeschäften und Kiosken wurden seine Porträtkarten verkauft, darunter solche, die im Dunkeln leuchteten – wie sie das machten, weiß ich nicht – und mit seiner Unterschrift: »Ich trage die Verantwortung für meine Tat allein.«

Nach Salem zurückgekehrt schrieb ich einen kritischen Bericht über das, was ich während der Ferien beobachtet hatte, für die Schulzeitschrift, die einmal im Monat erschien. »Erschien« – zwei handgeschriebene Exemplare lagen im Speisesaal auf für solche, die sich dafür interessierten. Marina Ewald las meinen Aufsatz, bevor er »publiziert« wurde, und bat mich zu einem Gespräch. In der Salemer Gemeinschaft gebe es die verschiedensten politischen Überzeugungen, unter den Schülern, noch mehr aber unter den Lehrern. Ein solcher, doch wohl einseitiger, obendrein »so geschickt geschriebener« Bericht – das mit dem »geschickt« gefiel mir – könnte da leicht Unfrieden stiften. Wäre es nicht besser, das Ding unveröffentlicht zu lassen? Wir einigten uns auf einen Kompromiß: es sollte, an Stelle meines Aufsatzes, eine »Debatte« sein, in der jeder, der wollte, zu Worte käme.

Die Debatte, eine Schulversammlung zusamt der Lehrer, fand statt. Sie drehte sich mehr um den Antisemitismus als um A. H. und seinen Putsch. Kuchenmüller begann seine Rede mit einem Gedicht, dessen erste Zeile lautete: »Ich bin geboren, deutsch zu fühlen...« Danach, als Gegenbeweis, das Gedicht eines gewissen Mayer, der angeblich Jude war – ein entschieden albernes und unanständiges Machwerk. Und er sprach von den deutschen Soldaten, wie sie geschanzt hatten und geblutet und gelitten und wie sie Achtung verdienten – was niemand bestritt. Ein junger Mathematik-Lehrer, ärgerer und unsympathischerer Nazi als Kuchenmüller, der selber an der Front gewesen war, wußte zu berichten, deutsche Juden in Uniform seien meistens in Schreibstuben verschwunden und hätten nicht kämpfen wollen. Meine eigene Intervention war schwach und aufgeregt; zum ersten Mal erfuhr ich, daß ich besser schreiben als reden, einen geschriebenen Vortrag besser sprechen konnte, als während einer öffentlichen Diskussion improvisieren; was immer so blieb. Der »Wächter«, Prinz Berthold, traf in zögernd-schlichten Worten den Nagel auf den Kopf: er verstehe nicht, wie man Menschen nach ihrer Rasse oder ihrer Religion beurteilen könne; gute Menschen gebe es doch wohl in allen Religionen oder Rassen, und weniger gute auch… Kurt Hahn, der diesmal den Vorsitz nicht führen wollte, sprach als vorletzter, beginnend wie eine Flöte und endend wie eine Orgel. Die Behauptung, die deutschen Juden seien schlechte Soldaten gewesen, widerlegte er statistisch: es waren mehr von ihnen gefallen, als ihrer Zahl in Deutschland nach ihre Quote gewesen wäre. Über Hitler sprach er nicht ohne eine gewisse Achtung, ein Patriot sei er unbestreitbar, um dann seine Haltung vor dem Putsch und während und danach zu durchleuchten: wie er seine Bundesgenossen hinters Licht führte, wie sein Egoismus, seine Arroganz hervortraten: »… werde die Regierung im Reich ich übernehmen.« Während des Krieges besuchte Hahn in Berlin eine jüdische Freundin, deren einziger Sohn vor kurzem in Frankreich gefallen war. Ja, sie habe ihn geben müssen, wie so manche andere deutsche Mutter; aber: »Nach dem Krieg darf die Judenhatz nicht wieder losgehen.« Eine geringfügige Geschichte; aber wie Hahn sie vortrug, machte sie uns den tiefsten Eindruck. Er endete mit bohrenden Fragen; an Kuchenmüller: »Ich frage Herrn K., wie er dieser Freundin von mir statt meiner begegnet wäre. Ich frage Herrn K., wie er die Zahlen, die ich gab, widerlegen will.« Die

Antwort fiel schwach aus: Wir sollten nicht alles glauben, was gerade Herr Hahn zu diesem dunklen Komplex zu sagen hatte – eine Anspielung auf des Internatsleiters Judentum. Ein Taktfehler, der unser aller lauten Zorn erregte; Hahn beschwichtigte ihn mit einem donnernden »Ruhe hier!«

Was er über jene jüdisch-deutsche Soldatenmutter erzählt hatte – ja, natürlich gab es das und oft. So in unserer unmittelbaren Münchner Nähe, in der Pienzenauerstraße, die alte Frau Landauer. Das heißt, so alt war sie gar nicht; die Nachricht vom Tode ihres Sohnes Fritz, der, eben achtzehnjährig, sich freiwillig gemeldet hatte und prompt gefallen war, hatte die Mutter alt gemacht, im besonderen einen Nervenschock von solcher Schwere zur Folge gehabt, daß ihr Kopf bis zu ihrem Lebensende ständig zitterte oder eigentlich hin- und herwackelte. Sie war eine wohlhabende und sehr wohltätige Frau; hatte gleich bei Kriegsbeginn einen riesigen Vorrat Schokolade eingekauft, um damit hungernden Kindern helfen zu können. So auch uns, bei Gelegenheit; ein-, zweimal im Jahr vor ihrem Lager zu stehen und eine Tafel wählen zu dürfen, war wie ein Märchentraum. Ich kann nur hoffen, daß sie vor 1933 gestorben ist, oder wenigstens vor 1938. Aber wer kann wissen. Sie mag auch zuletzt noch Gift genommen haben wie die Witwe Max Liebermanns. Von der Gattin des berühmten Malers weiß man es; von wie vielen anderen nicht. In einem Fernsehgespräch gelegentlich seines achtzigsten Geburtstags erzählte Karl Jaspers: in seiner Heidelberger Straße, der »Plöck«, habe eine wegen ihrer Generosität allgemein beliebte jüdische Dame gewohnt. Auch sie nahm Gift, ein paar Stunden, ehe SS-Männer kamen, um sie abzuholen – Ziel Auschwitz. Sie mußten nun die Tote heraustragen. Zu den draußen schweigend Wartenden sagte einer von ihnen, leicht verschämt: »Wir haben das nicht gewollt.«

Ein halbes Jahr nach jener ersten Debatte, Sommer 1924, fuhr ich in der Eisenbahn nach einem Ort an der Ostsee, wo ich Eltern und Geschwister zu einem Ferienaufenthalt treffen sollte. Bis Berlin war eine Menge Salemer Jugend im Waggon. Ein Herr gegenüber, dem solches aufgefallen war, verwickelte mich in ein Gespräch. »Gibt es in Ihrem Salem auch jüdische Schüler?« »Ja. Wir würden es für ein großes Unrecht halten, sie auszuschließen.« Der gegenüber zuckte verächtlich die Schultern und sprach einige Sätze über das Unheil, welches die Juden über Deutschland gebracht hätten. Seinethalben könnten sie ihre eigenen Schulen haben, in deutsche gehörten sie nicht. »Und solche jüdischen Patrioten wie Walther Rathenau, der so scharf Ludendorffs Bitte um einen Waffenstillstand kritisierte und statt der Kapitulation eine levée en masse forderte, das ganze Volk bewaffnet gegen die Feinde? Und wenn Sie nach England sehen, der Jude Disraeli als Gründer des britischen Weltreiches?« »Der Gründer war er nicht… Aber das muß ich sagen, unter Ihren Kameraden sah ich ganz tadellose Schädel.« Vermutlich meinte er die Brüder von Nostitz, Oswalt und Herbert, die im Nebenabteil saßen. Dann, mit einem schrägen Blick auf mich: »Sie selber scheinen sich mehr für die Theorie zu interessieren?« Klar, er wollte deutsche Jungen, »hart wie Kruppstahl«, nicht solche, die von Gerechtigkeit und Walther Rathenau und Disraeli schwatzten. Es war das erste Mal, daß ich mit einem waschechten Nazi sprach; und beinahe schon das letzte, darum hat das Gespräch sich mir nahezu im Wortlaut eingeprägt.

Von Judenhaß hatte ich während des Krieges kaum jemals reden hören; ich wußte auch nicht, daß meine Mutter aus einem jüdischen Haus stammte, später erzählte sie mir, daß sie es als Kind auch nicht gewußt habe. Rückblickend glaube ich nicht, daß im Wilheminischen Deutschland der Antisemitismus stärker war als in den westeuropäischen Ländern; sehr wohl ließe sich die These verteidigen, wonach er virulenter war in Frankreich. Dort fand der kalte Bürgerkrieg um den Hauptmann Dreyfus statt; den Schlachtruf der Anti-Dreyfusianer »Vive l'armée, à bas les Juifs!« habe ich noch im Jahre 28 auf den Straßen von Paris gehört. Nichts dergleichen in den letzten Jahrzehnten des Hohenzollern-Reiches. In keinem anderen Land gab es so viele hochangesehene jüdische Persönlichkeiten in allen Bereichen von Wissenschaft und Kunst, juristischer Praxis, Handel und Wandel, preußische Minister sogar und Reichsstaatssekretäre jüdischen Ursprungs. Häufig waren die Heiraten zwischen Mitgliedern des Adels und jüdischen Mädchen, wobei die Braut freilich ihre Herkunft durch eine stattliche Mitgift zu vergolden pflegte. In den letzten Kriegsjahren gab es dann zwei Parteien, die einander erbittert befehdeten: jene, die den »Siegfrieden« forderte, mit allerlei verrückten Eroberungen, und jene, die auf einen »vernünftigen« Frieden ohne Gewinn, auch ohne Verlust, herauswollten; ihr fähigster, entschlossenster Vertreter war der Sozialdemokrat Philipp Scheidemann, von Haus aus ein gelernter Drucker. Natürlich fanden sich deutsche Juden in beiden Parteiungen; daß es an nationalistisch verblendeten Juden gefehlt hätte, kann man wahrlich nicht sagen. Ging damals ein allgemeiner Haß um, abgesehen von Obrigkeits wegen aufgepeitschtem gegen die »Entente«, zumal gegen England, wo gegen die »Hunnen« genau dasselbe geschah, so richtete er sich gegen die »Kriegsgewinnler«; ein neuer, in der Sache selber begründeter Begriff, der mit Judentum gar nichts zu tun hatte. Der Kronprinz von Bayern an den bayerischen Ministerpräsidenten, im Jahre 17: »Alles tanzte nach dem goldenen Kalb. Wie ein fressendes Gift hatte der Mammonismus sich von Berlin aus verbreitet und eine entsetzliche Verflachung des Denkens bewirkt. Man sprach nur von Geschäft und Vergnügen (in Berlin wenigstens). In rücksichtslosester Weise die Kriegsnot ausnutzend, haben die Berliner Geschäftsleute es verstanden, durch die Schaffung all der verschiedenen, in Berlin errichteten Zentralstellen das ganze Wirtschaftsleben unter ihre Kontrolle und Gewalt zu bringen...« Von Juden in diesem erzgescheiten Brief kein Wort. An Folgendes erinnere ich mich. Es muß 1915 gewesen sein, daß mein Bruder Klaus in der Volksschule einen Kameraden mit »Judenzipfel« anredete. Der so Gekränkte, namens Baum, wehrte sich, es entstand ein Streit, in dem die Mitschüler für Baum Partei nahmen und der durch den Klassensprecher aus bester Münchner Familie (Pixis) mit den Worten entschieden wurde: »Mann, das hättest du nicht sagen sollen.«

Diese kleine Anekdote halte ich für durchaus charakteristisch. Es war die fürchterliche Verwirrung der Geister nach dem plötzlichen, völlig unerwarteten militärisch-moralischen Zusammenbruch vom November 1918, welche den Judenhaß mit einem Schlag zu einem so starken wie giftigen Leben erweckte, dem potentiell immer vorhandenen, aus uralten Zeiten stammenden zur Wirklichkeit verhalf. Der Regen schafft die Regenwürmer nicht, aber er brütet sie aus, und ohne ihn würde man sie nicht zu sehen bekommen. Wirklich war dies Ende des Krieges, nach all den Siegen, nach dem karthagischen, den Russen nur ein halbes Jahr zuvor diktierten Vertrag von Brest-Litowsk und als deutsche Truppen noch überall in Feindesland standen, aber kein einziger Feind auf deutschem Boden, überaus schwierig zu durchschauen. Man mag die militärische Lage Deutschlands im Herbst 1918 mit der im Sommer 1944 vergleichen. Wie es damals noch dreiviertel Jahre weiter ging, so hätte es im Jahre 18 weitergehen können, wäre die Bitte um Waffenstillstand nicht erfolgt oder hätten die Alliierten ihn verweigert; dann wären ihre Truppen irgendwann im Jahre 19 in Berlin und vorher schon, von Italien aus, in München einmarschiert. Mit welchen Folgen? Es wäre für alle, auf die Dauer gesehen, die glücklichere Lösung gewesen. Nun hätten die Deutschen gewußt, daß es bei ihrer Niederlage mit rechten Dingen zuging, die Legende vom Dolchstoß in den Rücken des kämpfenden Heeres, vom Sieg, um den man betrogen worden war, hätte nicht entstehen können. Und dann, so wahrscheinlich wie dergleichen Spekulationen sein mögen, hätte es keinen Hitler und keinen Zweiten Weltkrieg gegeben. Es war das Unbegreifliche der Niederlage, was all die folgenschwere Verwirrung, die Legenden, Verdrehungen, Beschuldigungen und Lügen hervorbrachte. Natürlich konnte man begreifen, wenn man sich die Mühe dafür nahm. Aber das verlangte Kenntnisse, verlangte Nachdenken. Die Massen besaßen herzlich wenig Kenntnisse, der breite »kleine« Mittelstand weit weniger davon als die von der SPD und den Gewerkschaften erzogenen Arbeiter; und die Intelligenz, sagt Schopenhauer, ist die Magd des Willens. Es mußte jemand an »unserem Unglück« schuld sein. Also waren es die »Roten«, also waren es die Juden, diese in Verbindung mit jenen. Daß die Mehrzahl der deutschen Juden nicht nur national, sondern auch entschieden konservativ dachte, kümmerte die nicht, die es nicht wissen wollten.

Der mit weitem Abstand schuldigste unter den politisierenden Generalen, Ludendorff, der Mann, der auf die

Frage, was denn geschähe, wenn seine letzte große Offensive im Westen abermals scheiterte, keine andere Antwort wußte als: »Dann muß Deutschland eben zugrunde gehen«, der nach dem Scheitern die Bitte um Waffenstillstand gegen den Willen der zivilen Regierung auf das brutalste erzwang, ohne auch nur zu sehen, daß es sich hier um eine Kapitualtion auf Gnade und Ungnade handelte – er wies nun in einer scheingelehrten Broschüre nach, daß drei »überstaatliche« Mächte das Deutsche Reich ins Verderben geführt haben: Die Jesuiten, die Freimaurer, die Juden. Solcher Unsinn wurde gierig eingesogen.

Die Inflation der Jahre 22, 23 mußte die moralische Verwirrung noch weiter steigern. Selber habe ich nie eine überzeugende Begründung dieses tollen Vorgangs zu lesen bekommen. Natürlich war das Deutsche Reich 1919 ärmer, viel ärmer, als es 1914 gewesen war. Zunächst hatte es alles Gold, was es besaß, ausliefern müssen, dazu allerlei nützliche Sachen, Kühe, Kohlen, rollendes Material, was noch. Und alle Investitionen in Westeuropa und Übersee waren verloren. Aber die Anlagen der Industrie blieben intakt, so wie Bergwerke, Landwirtschaft, Land- und Hausbesitz, vom Können nicht zu reden. Nun vernichtet die Inflation durchaus keine realen Werte. Papierenes Geld ist Anspruch auf wirklichen Besitz; geht dieser Anspruch verloren, so muß jemand anderes ihn gewinnen, was denn auch überdeutlich geschah. Riesige Industrie-Imperien entstanden damals aus beinahe nichts. Dazu kam, daß auf dem Höhepunkt der Inflation nicht nur die Städte, auch die großen Unternehmen eigenes Geld druckten, um damit ihre Arbeiter zu bezahlen. Als ich im Sommer 1928 in einem Braunkohlen-Bergwerk in der Lausitz arbeitete, erklärte mir der Obersteiger: »Unser Werk taugt im Grunde nicht viel. Aber da wir es in der Inflation, praktisch umsonst, bauten, rentiert es trotzdem.« Ich will nicht sagen, daß diese Folgen bewußter Zweck der Geldzerstörung waren. Der dürfte gewesen sein, durch Vernichtung der Währung die an Frankreich und Belgien zu zahlenden Reparationen loszuwerden; ein Ziel, das vorläufig nicht erreicht wurde. Übrigens war das Jahr 23 auch das vergnüglichste Nachkriegsjahr, die Zeit, in der am freudigsten verjubelt wurde, was geschickte Spekulationen einbrachten; ein Schauspiel, das gegen den Ruin der vielen Hilflosen besonders widerlich abstach. Daß auch die alten jüdischen Vermögen verlorengingen bis zum letzten Rest, zum Beispiel das meines Großvaters, versteht sich von selbst, wurde aber nicht zur Kenntnis genommen. Was die Sozialdemokraten betrifft, so waren sie nun überhaupt nicht an der Macht, geschweige denn, daß sie auf das Gehaben der Reichsbank den mindesten Einfluß gehabt hätten. Was nicht hinderte, daß sie später an alledem schuld gewesen sein sollten.

Dank meiner Lektüren und historischer Vorträge, die Kurt Hahn uns hielt, wußte ich ungefähr, warum der Krieg so geendet hatte, wie er endete; daß er an sich hätte vermieden werden können, davon überzeugte mich Michael Lichnowsky, der es von seinem Vater übernahm. Beide Erkenntnisse – sie hatten ja wohl etwas von Erkenntnissen – verbanden sich allmählich mit einer dritten: ein nächster Krieg durfte nicht sein, weil er, zum mindesten, das Ende der europäischen, mithin auch der deutschen Zivilisation bedeuten würde. Über den nächsten Krieg gab es Artikel und Pamphlete genug; sie waren nicht, wie jene vor 1914, fröhlich, vielmehr apokalyptisch, und ich glaubte ihnen. Natürlich wußten sie nicht und wußten wir nicht das allermindeste über die Möglichkeit der Spaltung des Atoms. Chemische Waffen würden es tun, Verbreitung von Pest und schwarzem Tod, und Flugzeuge, beladen mit

Brandbomben. Während einiger Monate war »Pazifismus« die Idee, die ich in Gesprächen mit Leidenschaft verteidigte, und die Gabe besaß ich immerhin, andere an dem Interesse, das mir gerade am Herzen lag, teilnehmen zu lassen, ob sie nun für mich waren oder gegen mich. Seinerseits war ein österreichischer Freund und Mitschüler momentan begeistert von dem berühmten Werk des Karl Kraus *Die letzten Tage der Menschheit* und ließ mich an seiner Entdeckung teilnehmen. Ein Sechzehnjähriger wird von solchem Reiz überwältigt; nicht sieht er, daß so manche dieser Szenen auf billigeren Effekt hin gearbeitet sind, als einem so strengen Sprachmeister angestanden hätte.

Wir waren zwei Parteien bei der Pazifismus-Debatte im Sommertrimester 1925; die, wie im Parlament, getrennt voneinander saßen, mit der Bedingung, daß jeder, der während der Debatte anderen Sinnes wurde, zur anderen Seite hinüberwechseln sollte; und zwei Hauptredner, von denen ich der eine war. Meine These war schlicht: »Deutschtum« könne man nur verteidigen, solange es zivilisierte Deutsche gab. Blieben aber nur ein paar hunderttausend Wilde übrig, die gegeneinander mit Pfeil und Bogen um ihre Nahrung kämpften, dann gab es kein Deutsches Reich mehr, folglich war ein Krieg zur Rückgewinnung der alten Grenzen oder Tilgung der angeblichen Schmach von Versailles völlig sinnlos. Wieder machte ich meine Sache schlecht, weil unpsychologisch. Der Hauptredner der Gegenseite, der mit den Worten »Wir wollen keinen Krieg« begann, erwies sich als der geschicktere. Als ich mich gar zu der Erklärung hinreißen ließ, ein Soldat, der seine Kameraden zum Streik gegen den Krieg aufhetzte, sei mir lieber als einer, der angeblich seine Pflicht täte, erhob sich wohl ein Dutzend meiner Anhänger und wechselte zur anderen Seite. Woraus ich hätte lernen können, daß ein Redner Konzessionen machen und Wahrheiten, welche vielen zuwider sind, hinter Girlanden verstecken muß, um zu gewinnen – eine Kunst, die ich später manchmal praktizierte, manchmal auch nicht. Kurt Hahn sprach ein Schlußwort, versöhnlich, jedoch kritisch mir gegenüber: ich hätte zu sehr nur das Negative betont, die Greuel des Krieges, die niemand abstritt, also bloßen Nicht-Krieg, anstatt einen schöpferischen, gerechten Frieden gefordert und auch jene guten Kräfte übersehen, welche der Krieg, trotz aller seiner Barbareien, entband. Es war dies letztere ein Gedanke, der ihm sehr am Herzen lag: wie man die Tugenden des guten Kriegers, Kameradschaft, Mut, Bereitschaft zum Opfer, Samaritertum im Frieden und für ihn mobilisieren könnte. Darüber hatte er einen Essay von William James gelesen, des einzigen Psychologen, glaube ich, den er ernsthaft studierte. Sogar mag man sagen, daß es der Grundgedanke seiner Schule, später seiner vielen Schulen war; daher die Rettung aus Seenot, wie sie in Gordonstonn geübt wurde. Seine Rede endete er, indem er uns zur Vaterlandsliebe aufrief, und zwar mit der folgenden Geschichte. Eine Mutterbuche, umgeben von jungen Buchen, hört, daß ein Holzfäller sich nähert. Sie fragt ihre weiter entfernten Jungen, an welchem Holz die Axt wohl befestigt sei? Ist es Tannenholz? Nein. Ist es Birkenholz? Nein. Ist es denn Buchenholz? Ja. »Dann sind wir verloren«, sagte die Mutterbuche. Wieder saßen wir da, wie so oft nach einer Hahnschen Rede, stumm und bewegt, nach passender Pause erhoben wir uns still.

Bei meinem Pazifismus blieb ich bis 1933, wohl auch noch darüber hinaus, obgleich mit wachsenden Zweifeln. Heute halte ich den Begriff Pazifismus für veraltet, weil es zum Frieden, dem zwischen den eigentlichen, den neuen Weltmächten, keine Alternative mehr gibt. Es ist aber ein böser

Friede, nicht auf moralischer Reife, ausschließlich auf der totalen Mordmacht beider Seiten beruhend. In diesem wieder nur negativen Sinn sind wir alle Pazifisten oder behaupten doch, es zu sein, das Wort greift nicht mehr. Wie anders aber hatten wir kindlichen Jünglinge es uns vorgestellt! Damals, im historischen Augenblick und nur von unserem Europa wissend als dem Zentrum der Welt, erschien uns noch im gleichen Jahr Viertels-Erfüllung: Der Vertrag von Locarno, der »Sicherheitspakt«, der »Geist von Locarno«, die befreundeten Außenminister Briand und Stresemann, die deutsch-französische Annäherung, die ich in meinen politischen »Bulletins« herzlich begrüßte. Die Bulletins: ich hatte mir die Aufgabe erdacht und übernommen, täglich im Speisesaal ein Blatt mit den wichtigsten politischen Nachrichten anzuschlagen. Dafür durfte ich die Zeitungen lesen, die im »Archiv« des Prinzen Max reichlich auflagen: *Berliner Tageblatt, Vossische, Frankfurter, Norddeutsche Allgemeine,* bis hinab zum *Boten vom Salemertal.* Daß ich damals und bis 1929 glaubte, die Dinge seien auf gutem Weg, zumal zwischen Deutschland und Frankreich – ich will den Knaben GM deswegen nicht verurteilen. Frühe Jugend muß hoffen, wo käme sie sonst hin. Auch ist für jede Gegenwart die Zukunft offen: sie *muß* es sein. Ob sie es ist, philosophisch gesehen, hängt von den Launen der Philosophen ab und hat für das Handeln keine Bedeutung.

Weil es sich hier um eine Art von Roman früher Entwicklung handelt, mag auch von Reisen die Rede sein, die ja nun zum Entwicklungsroman gehören. Die erste, gleich nach Weihnachten 1923, war ein gewaltiges, in meinem Gedächtnis tief eingegrabenes Abenteuer. Die Eltern Michael Lichnowskys hatten mich, auf ihres Sohnes dringende Bitte hin, zu einem Aufenthalt in ihrem Schloß Kuchelna, im Nordosten von Mähren eingeladen. Damals besaß ich an Kleidern kaum mehr als bayerische Tracht, Joppe und Lederhose, für die Woche und einen dunkelblauen Anzug mit Breeches für den Sonntag, dazu einen alten Wintermantel meines Vaters, für mich zurechtgeschnitten – für Kuchelna eine ungenügende Ausstattung. Auch mit Geld konnte mich die Mutter nur spärlich versehen, ein paar Billionen in bayerischen Scheinen, zusamt den teuren Eisenbahnbilletts bis Ratibor, nicht für die Rückreise. Dazu kamen fünf »Rentenmark« der vor kurzem eingeführten neuen Währung, die mein Patenonkel Viktor mir zu Weihnachten geschenkt hatte. »Wenn du vor Nürnberg in den Speisewagen gehst, wird schon die Hälfte davon weg sein.«

Es war ein ungewöhnlich kalter und schneereicher Winter, die erste Nacht im Zug fror ich erbärmlich; und anstatt daß wir am Morgen in Dresden ankamen, wie vorgesehen, wurde es infolge der Schneewehen und der immer wieder erzwungenen langen Verweilungen später Abend. Also mußte ich in einem kleinen Hotel in der Prager Straße in Dresden übernachten – drei Mark fünfzig; da ich nicht wußte, ob der Preis das Frühstück mit einschloß, eilte ich am frühen Morgen ungefrühstückt davon, sandte, für mein letztes Geld, ein Telegramm nach Kuchelna, um meine Verspätung anzuzeigen, und gelangte an diesem Tag, sehr hungrig, über Breslau glücklich nach Ratibor. Dort sollte ein Auto mich abholen. Statt dessen sprach als Schloß Kuchelnas Abgesandter ein junger Diener mich an: wegen des Schnees habe der Wagen nicht durchkommen können, ich möchte doch in Ratibor übernachten und am nächsten Morgen mit der Bahn bis zur Grenze fahren, »Kranowitz Haltepunkt«; dort werde für mich gesorgt sein. Ich, tief verlegen: »Nimmt man hier bayerisches Geld an?« Er glaube nicht; aber, und er zog die Börse, natürlich könne er mir etwas leihen. Ich nahm, im kläglichen Bewußtsein, nichts zurückgeben zu können. Im Hotel bestellte ich mir ein paar Rühreier, die erste Mahlzeit nach achtundvierzig Stunden. Die Reise am Morgen verlief planmäßig; ein Chauffeur begrüßte mich, im Wagen draußen saßen Michael und seine Mutter. An der Grenze kaum Formalitäten, der deutsche Beamte trat heraus, um militärisch zu grüßen, der tschechische tat das nicht, er kontrollierte auch nicht, die Herrschaften waren gar zu bekannt.

Kuchelna: das Dorf, kahl, verglichen mit bayerischen Dörfern, das Schloß mit weitläufigen Nebengebäuden und einem Turm, der zum Ganzen nicht recht paßte, er stammte, wie ich erfuhr, aus dem vorigen Jahrhundert. Am Parktor ein Häuschen mit einem Wärter, der öffnete. Indes wir einfuhren, erschien schon ein livrierter Diener auf der Freitreppe, welcher der Fürstin den Pelz abnahm und uns hereinführte, mir mein Zimmer anwies. Er packte auch mein Köfferchen aus, beurteilte den Inhalt, um mir dann mit trockener Höflichkeit zu sagen: »Der dunkle Anzug nur am Abend.« Den Fürsten trafen wir am Vormittag im Garten; nachher lobte Michael meine Begrüßung, sie war etwas freier, etwas weniger ungeschickt ausgefallen, als er befürchtet hatte. An Ungeschicklichkeiten sollte es danach nicht fehlen. Das erste Mittagessen. Man versammelte sich in einem weitläufigen Salon: die Eltern, Michaels Schwester, Leonore, und sein älterer Bruder, der Felix hätte heißen sollen, nun aber Wilhelm hieß, weil der Kaiser sich ungebeten als Pate gemeldet hatte, und der Wulli genannt wurde, weil die Mutter das »Willi« nicht ausstehen konnte. Dazu der Fürstin alte Erzieherin, Fräulein Lang, deren Arbeitsfeld ein unbestimmtes war, und ein Hauslehrer, Dr. Bürckmann, welcher auch nicht viel zu tun hatte, zumal die

175

beiden Söhne in Internaten zur Schule gingen, der ältere in Zuoz. Anders früher. Einmal, als der Lehrer den zehnjährigen Michael wegen schlechter Vorbereitung getadelt hatte, rief der Zögling: »Hier arbeite ich wie ein Knecht, und das ist dann der Lohn!« Auch rief er dem Lehrer, als dieser an der Tafel sich reichlich versorgt hatte, freundlich zu: »Mundet's, Herr Doktor?« – Aussprüche, deren Sage noch im Hause umging. Nach kurzem Geplauder öffneten sich die Flügeltüren zum Speisesaal, und man hielt Einzug. Die Eltern nahmen an den Enden des Tisches Platz. Zwei Kammerdiener hielten sich hinter ihren Stühlen, bedienten nur sie und sahen, während gespeist wurde, mit unbeweglichen Gesichtern in die Luft.Ein dritter versorgte die übrigen. Neben dem Gedeck des Fürsten lag eine auf der Maschine geschriebene Menukarte, die er, das Monokel einklemmend, überflog. Nur er trank Wein und ließ sein Glas mehrmals füllen; zu essen schien er mir sehr wenig. Selber aß ich so viel, wie die Gelegenheit ergab, wobei ich erst lernen mußte, mich selber zu bedienen; zu Hause wie in Salem war mir immer nur aufgetan worden, in der Regel weniger, als ich wünschte. Daß die Mahlzeit, mit Vorgericht, Braten und Dessert mir überaus elegant schien, versteht sich von selbst. Vom ersten bis zum letzten Tag kann ich mich an keine Tischgespräche erinnern, würde es aber gewiß, wenn sie interessant gewesen wären. Auch beim Kaffee, der wieder im Salon genommen wurde, blieb die Unterhaltung müde. Übrigens versicherte mir Michael, an sich werde bei Tisch französisch gesprochen, welches die Diener nicht verstanden, deutsch nur in Rücksicht auf mich.

Nach dem Abendessen wurde ein Kaminfeuer gezündet; mit einer gewissen Spannung sah Lichnowsky zu, wie das kleine Licht übersprang, sich erweiterte, zur prasselnden

Flamme wurde. Er war nun zur Unterhaltung aufgelegt, ging mehr aus sich heraus; vielleicht unter dem Einfluß des Weines oder weil der Abend natürlicherweise die Zeit des Gespräches ist. Oft erzählte er von der Vergangenheit, vor allem von der Krise des Jahres 14, vom Krieg und von den Schuldigen daran. Das war noch keine zehn Jahre her, für mich graue Vorzeit, für einen Herrn von dreiundsechzig aber noch nahe, noch frisch genug; zumal es sich um Erlebnisse handelte, über die hinwegzukommen ihm bis zuletzt völlig unmöglich war. Er sagte: »Wenn Deutschland diesen Krieg gewonnen hätte, dann gäbe es keine Gerechtigkeit auf Erden.« (Vielleicht gibt es keine?) Oder, als Michael eine im Hause entdeckte illustrierte Zeitschrift aus dem Jahre 12 brachte, die einen Bildbericht über seine Familie enthielt, unter der Photographie des Fürsten die Anmerkung: »...der von vielen als der ›kommende Mann‹ angesehen wird«: »Der kommende Mann. Das ist anders gekommen. Diese Hunde...« Sie hätten ihm seine Erfolge in London nicht gegönnt und, indem sie ihm sein Lebenswerk verdarben, das Deutsche Reich in den Abgrund gerissen. Sein brennender Haß galt dem Reichskanzler Bethmann Hollweg. Ein »Kleber« sei er gewesen, einer, der nichts dachte, als wie er sich im Amte halten könnte, und ihn, Lichnowsky, einmal gefragt hatte, ob er etwa selber Reichskanzler zu werden wünschte? Ich glaubte damals, wie sollte ich nicht, und glaube auch heute noch, daß Lichnowsky ein gutes Recht auf den unauslöschlichen Gram hatte, der in ihm nagte. Ein Telegramm wie dieses, vom 26. Juli 1914, endend mit dem Satz: »Ich möchte dringend davor warnen, an die Möglichkeit der Lokalisierung auch fernerhin zu glauben und die gehorsamste Bitte aussprechen, unsere Haltung einzig und allein von der Notwendigkeit leiten zu lassen, dem deutschen Volke einen Kampf zu ersparen, bei dem es nichts zu gewinnen und alles zu verlieren hat«– das ist der Erinnerung wahrlich wert. Unter den deutschen Diplomaten der Vorkriegsjahre und der Krise war er eine strahlende Ausnahme gewesen. Daß man gerade ihm die schwerste Schuld an der Katastrophe beimaß, bleibt eine zum Himmel schreiende Verdrehung, die heute allenfalls vergessen ist, aber nie recht zurückgenommen wurde. In den USA sind zwei gute Bücher über Lichnowsky erschienen; in Deutschland nicht einmal ein würdiger Essay, abgesehen von den Kleinigkeiten, die ich für sein Gedächtnis tun konnte. Ein amerikanischer Historiker schrieb, er sei wohl ein vorzüglicher Diplomat gewesen, habe aber nach dem Krieg leider eine Art von »Kohlhaas-Komplex« entwickelt. Mag sein. Aber er hatte weit mehr Grund dazu als Kleistens tragische Gestalt. Bei Kohlhaas handelt es sich um eine persönliche Kränkung; bei Lichnowsky um ein fürchterliches Weltgeschehen, um die Mutterkatastrophe unseres Jahrhunderts, die er für vermeidbar und für unsinnig gehalten hatte. Das bleibt auch meine Überzeugung. Auch ich halte nichts von mythologischen Erklärungen, »schicksalhaften Kataklysmen« etc., und von Lenins Imperialismus-Theorie erst recht nichts. Über Bismarck urteilte Lichnoswky scharf: »Er hat Fehler gemacht, an denen wir zugrunde gegangen sind.« Damit, soviel verstand ich, meinte er das Bündnis-System, welches Deutschland an Österreich fesselte und ein Gegenbündnis provozierte. War er gut gelaunt, so erzählte er auch von Erinnerungen, die nichts mit Politik zu tun hatten. Im Münchner Hoftheater, irgendwann in den späten siebziger Jahren, hatte er den König Ludwig II. gesehen. Der König, der wieder einmal monatelang unsichtbar gewesen war, zeigte sich in seiner Loge; das Publikum bereitete ihm eine Ovation. Das sei doch ein Erlebnis gewesen, den legendenumwobenen Monarchen, den Erbauer der Bergschlösser und Retter Richard Wagners so aus der Nähe beobachten zu können. Manchmal auch las er nach dem Abendessen, zu meiner Zeit die Aufzeichnungen des Grafen Zedlitz-Trützschler, Hofmarschall Wilhelms II. Kam er zu einer Stelle, die ihn besonders beeindruckte, so gab er sie uns zum besten. Ihrerseits versuchte die Fürstin, ihn einmal zur Lektüre von Heinrich Manns Roman *Der Untertan* zu bewegen. Lichnowsky, der offenbar von dem Werk noch nie gehört hatte: »Ach, gib doch mal.« Sie holte den Band, er las etwa zehn Minuten darin und gab ihn dann zurück: »Scheint etwas schwierig geschrieben zu sein.« Als Leonore L. ihrem Bruder Michael ein Weltalter später meinen *Wallenstein* nach Rio geschickt hatte, kam nach einiger Zeit die Reaktion: die Sprache des Buches scheine etwas altertümlich zu sein. Ich mußte an jenen kargen Dialog über den *Untertan* denken.

Wenn das Reden Lichnowskys nicht Monolog war, so richtete er es zumeist an die alte Gouvernante, vermutlich weil die Fürstin das traurige Lied schon allzugut kannte und weil die Ehe – von ihrer Seite – freudloser nicht hätte sein können, eine Lebensbedingung, in die ihren vierzehnjährigen Gast einzuweihen Frau Mechtilde den Freimut besaß: »*Hier* sage ich gar nichts.« Zu ihrem Sohn Michael stand sie damals entschieden kritisch, während dem Vater auch Michaels lustige, von Selbstsicherheit zeugende kleine Frechheiten gefielen; seine Tochter aber liebte er auf das zärtlichste. Selber kam ich ihr damals nicht näher, zumal sie mir an Reife weit überlegen war; was machen in diesem Alter zwei Jahre nicht aus. Später, als wir zusammen in Heidelberg studierten, wurde sie mir eine gute Freundin und blieb es über die jahrzehntelangen, von den Zeitläufen erzwungenen Trennungen hinweg bis zu dem Tag, an dem ich dies niederschreibe.

Über dem ganzen Anwesen lag etwas Melancholisches. Der Fürst wirkte älter, als er war, grau und gebeugt. Niemals kamen Gäste. So daß die ganze Repräsentanz, die vielen Frauen, die wuschen und putzten, die fünf oder sechs Diener, die gerne und mit Stolz zu dienen schienen – »Das ist ein fürstliches Haus, kein Neureich oder Raffke«, erklärte uns einer, der uns den Prunk des Silberzeugs vorführte –, das Zeremonielle der Mahlzeiten, kurz, daß all der Glanz oder was mir, dem Kinde, als solcher erschien, eigentlich nur für sich selber da war. Es sah niemand zu. Lichnowsky, lernte ich später, war bei den Leuten in der weiten Umgegend sehr beliebt wegen seiner schöpferischen und vielfältigen Wohltätigkeit; gelegentlich seiner Totenfeier mußte eine Reihe Extrazüge eingesetzt werden. Dagegen mochten seine Standesgenossen ihn nicht, weil sie wußten, daß er sie mißachtete, und er auch kaum einen Hehl daraus machte. Sie, in ihrer großen Mehrheit – es gab Ausnahmen –, dachten noch immer alt-österreichisch. Nicht nur war Lichnowsky ein Deutscher, er haßte das habsburgische Österreich geradezu, eine Gemütsverfassung, die er von seinem Vater geerbt hatte. Dieser war eigentlich der erste seiner Familie, der sich ganz als preußischer Deutscher fühlte, womit er die alte österreichische Tradition seiner Familie preisgab. Wie auch sollten des Sohnes Gutsnachbarn es schätzen, daß er im sozialdemokratischen *Vorwärts* Artikel veröffentlichte und gelobt wurde von der Berliner roten *Weltbühne?* Im Grunde war Lichnowsky wohl ein einsamer Mann, in seiner Heimat wie in Berlin, wo das Auswärtige Amt seinen langjährigen und lange Zeit führenden Mitarbeiter völlig ignorierte, wie auch die Reichsregierungen taten; Walther Rathenau, im

Vorjahr ermordet, war als Außenminister der einzige, der den Mut hatte, ihn zu seinen Empfängen zu bitten. Auch hatte Lichnowsky schwere Sorgen wirtschaftlicher Art: ich merkte wohl, daß im Haushalt, in aller Diskretion, gespart wurde. Bis 1919 hatte ein Großteil des riesigen Landbesitzes, insgesamt etwa 50 000 Morgen, auf deutschem Boden gelegen, dies seit der Annexion Schlesiens durch Preußen. Nun war er dreigeteilt auf Deutschland, Polen und die neue Tschechoslowakische Republik, unter deren Jurisdiktion der größere Teil zu liegen kam. Die in Prag dekretierte Landreform fiel in Böhmen vergleichsweise milde aus, der grundbesitzende Adel dort konnte, bei ärgerlichen Verlusten, doch ohne Sorgen bestehen, bis auf weiteres. Dagegen war sie in jener nord-östlichen, durchaus slawischen Ecke Mährens sehr scharf und, schlimmer, ohne ein abzusehendes Ende. Der Schlaganfall, dem Lichnowsky fünf Jahre nach meinem Besuch erlag, traf ihn, nachdem ihm wieder ein Wald, in seinen Augen der schönste, genommen worden war.

Einmal nahm er mich und Michael auf eine Inspektionstour mit. Fahrt mit dem Auto, er am Hinweg zu mir, genauestens höflich: »Setzen Sie sich neben mich«, auf dem Rückweg aber: »Michael, setz dich zu mir.« Wir schritten dann durch tief verschneite Wälder, um einen Oberförster zu treffen, der Fürst rüstig voran. Es war bitterkalt, besonders für mich, in meinem abgeschabten Mäntelchen, darunter nackte Beine. »Sie frieren doch nicht?« Nein, überhaupt nicht. Das Gespräch mit dem Förster schien ungut zu verlaufen, Lichnowsky war mit irgend etwas unzufrieden, mit dem Ergebnis eines winterlichen Holzschlages oder was es war, und immer hörte ich den Förster sagen: »Ich bitte aber Euer Durchlaucht zu bedenken…« Michael zu mir, flüsternd: »Mein Vater braucht solche Informationen ab und an.« Ein anderes Mal, und das war sehr nett von ihm, schickte uns der Fürst nach Schloß Grätz, welches ehedem der Hauptsitz der Familie, bis 1914 auch noch dieser Generation gewesen war. Es stand auch nach dem Siebenjährigen Krieg auf österreichischem, folglich seit 1919 tschechischem Boden. Zwar hatte es die Familie erst spät im 18. Jahrhundert erworben, wie ich glaube, um auch nach dem Übergang Schlesiens in preußischen Besitz im Reiche der Habsburger zu residieren. Meine Freundin Leonore L. würde das bestreiten, ich bleibe aber dabei. In Grätz waren vor 1914 Freunde Frau Mechtildes wie Hofmannsthal und der von ihr so sehr verehrte Karl Kraus zu Gast gewesen. In Grätz auch Beethoven als Gast seines Freundes und Protektors Karl Lichnowsky, dem der Komponist, neben anderem, auch seine finanzielle Sicherung verdankte. Von dort war er in einer Regennacht des Jahres 1806 entflohen, weil der Fürst ihm zugemutet hatte, den im Schloß einquartierten französischen Offizieren ein kleines Konzert am Piano zu geben, wie jene, offenbar gebildete Soldaten es von dem berühmten Musiker wünschten. Der weigerte sich, verschwand und legte den langen Weg nach Troppau zu Fuß zurück, um bei einem befreundeten Arzt Asyl zu finden. Aus Troppau soll er an seinen Gönner einen so stolzen wie groben Brief geschrieben haben: Fürst Karl verdanke seinen Rang Zufall und Geburt, der Schreibende den seinen nur sich selbst. Fürsten werde es noch Tausende geben, Beethoven nur einen.

Nun, uns führte ein Kutscher im Schlitten durch die weite Schneelandschaft. Grätz wirkte ungleich imposanter als Kuchelna, der Palast und die Stallungsgebäude, die sich wie ein Konkurrenzschloß ausnahmen. Drinnen hauste nur ein einsamer alter Kastellan, der uns zu essen gab, eine Flasche alten, schweren, sehr süßen Weißwein für uns aus dem Keller holte. »Mich nicht verraten!« Die Möbel, Bilder, Ornamente, in einer Flucht von Sälen, waren alle unter Schutzstoff verborgen, das Tote des Ganzen, nach so charaktervoller Vergangenheit, hatte etwas Trauriges. Aber wie viele böhmische Schlösser sah ich in den sechziger Jahren, die sich in dem gleichen, wenn nicht in einem schlimmeren Zustande befanden.

An einem der nächsten Tage trübte sich das Verhältnis zwischen meinem Gastgeber und mir, und zwar folgendermaßen. Eigentlich hatte ich, was Formen betrifft, nie eine Erziehung erfahren: meine Eltern meinten wohl, so etwas fliege von selber an. Daß man Erwachsenen bei der Tür den Vortritt zu lassen hatte, wußte ich. In Salem lernte ich ein zweites: wenn wir Prinz Max und Kurt Hahn unterhalb des »Nordflügels« auf einem Weg, der kaum mehr als hundert Meter lang war, auf und ab promenieren sahen, sprang Hahn, sooft das Paar kehrtmachte, auf die andere Seite, um links von dem Prinzen zu bleiben, eine Pantomime, welcher dieser sich gefallen ließ. Etwas anderes, mindestens ebenso Wichtiges war mir unbekannt. Ich saß beim Frühstück mit der Fürstin, Michael, Fräulein Lang. Lichnowsky kam herein, ich erhob mich nicht. Er ging wieder hinaus, indem er seine Frau bat, ihm zu folgen. Das Gespräch, welches draußen stattfand, mußte ich hören. Er: »Das gehört sich doch nicht, man steht doch auf, wenn ich hereinkomme.« »Ja.« Er weiter in diesem Sinn, sie wieder nur mit einem trockenen »ja« antwortend. Hätte sie statt dessen begütigt: der Junge weiß das offenbar noch nicht, ich werde ihm einen strengen Verweis geben, es wird sich gewiß nicht wiederholen – das wäre wohl besser gewesen. Ihr monotones »ja« ließ merken, daß sie sich für den Unglücksfall ganz und gar nicht interessierte. Ich krümmte mich vor Peinlichkeit; den Mut, mich zu entschuldigen, fand ich nicht. Die Lektion jedoch habe ich gelernt. Seitdem erhebe ich mich, wenn eine Wirtin mir am Tisch Guten Tag sagt, und erhebe mich, wenn ein Kind hereinkommt: *Das* sollte mir nie wieder passieren! Jedenfalls richtete Lichnowsky seitdem nie wieder das Wort an mich. Glaubte er wirklich, ich hätte ihn insultieren wollen?

Etwa zwei Wochen danach zog die Familie nach Berlin um, wo sie in einer Nebenstraße des alten Westens ein Haus besaß. Die guten Jahreszeiten auf dem Land, den Winter in der Hauptstadt zu verbringen, ein uralter Brauch, die längste Zeit in Wien, nun in Berlin geübt. Sogar wurde bei Tisch gesprochen, welche Zierstücke für die wenigen Berliner Monate mitzunehmen wären. Die Reise tat ich zusammen mit Michael und Frau Mechtilde, wobei Kammerdiener Paul die Fürstin in ein Abteil zweiter Klasse führte, um dann uns zu meiner Enttäuschung zu sagen: »Die jungen Herrschaften kommen mit mir in die dritte.« Auch aßen wir nicht im Speisewagen, sondern Kaltes, Mitgebrachtes, zu welchem Zweck wir uns in das Coupé Frau Mechtildes verfügten. Berlin dann sah ich mit den Augen eines Kindes. Die Lichtreklamen, etwas Neues, was es in München noch kaum gab, die breiten, von dichtem Verkehr gefüllten Straßen, die zweistöckigen Omnibusse, die Untergrundbahn interessierten mich weit mehr als die Museen, von denen wir nur ein einziges besuchten, das Zeughaus, das mir gefiel mit seinen historischen Uniformen und Waffen. Auch sah ich mit Michael und Dr. Bürckmann in der »Volksbühne« eine Aufführung des *Don Carlos;* der Doktor spielte mit seinen geflüsterten Erklärungen des Hauslehrers klassische Rolle. Der Berliner Aufenthalt dauerte nicht lang, nach ein paar Tagen schon mußten wir zusammen die Rückreise nach Salem antreten. Der Abschied. Ich wußte, daß ich zu danken hatte. Aber wie? Ein paar Jahre später schon hätte ich es korrekt hingebracht: »Darf ich Ihnen für Ihre generöse Gastfreundschaft, für all die unvergeßlichen Erlebnisse...« usw. Damals konnte ich es noch nicht und litt darunter. So, mich verbeugend und dem Fürsten die Hand bietend, sprach ich, mit so ernsthaftem Ausdruck, wie ich in sie legen konnte, die zwei Worte: *vielen Dank.* Die Antwort kam prompt und kalt, und zwar lautete sie: »Bitte sehr.« Natürlich, »vielen Dank« sagt man für irgendeine Winzigkeit, und dann ist die Antwort: bitte sehr, you are welcome, de rien; in den Vereinigten Staaten heutzutage meist nur ein »mhm«, bei geschlossenen Lippen, wobei die zweite Silbe höher gesprochen wird als die erste. Aber um eine solche Winzigkeit ging es hier ja nicht. Was der Fürst tat, war, mich meine Ungeschicklichkeit grausam fühlen zu lassen. Dagegen gab die Fürstin mir einen Kuß zum Abschied, weil sie mich mochte, oder um ihren Gatten zu ärgern.

Ich sah Lichnowsky nur einmal wieder, als er, diesmal alleine, seinen Sohn in Salem besuchte. Da verhielt ich mich genauestens, wie die guten Manieren es geboten, aber er schien mich nicht zu bemerken. Seine Frau, nun Witwe eines in zweiter Ehe ihr verbundenen englischen Jugendfreundes und British Subject, besuchte ich in London in den fünfziger Jahren. Keine Menschenseele mehr zu ihrer Bedienung. Aber der Stolz ihrer großschauenden Augen ungebrochen. Damals schrieb sie ihr letztes Buch, was zu ihren schönsten gehört: *Heute und Vorgestern.* Sie hat darin auch ihrem ersten Gatten späten Dank abgestattet. »...und endlich sei nebenbei darauf hingewiesen, daß ich dreiundzwanzig Jahre lang mit einem vorbildlich denkenden, mit einem geborenen Politiker gelebt hatte, dem zuzuhören Bereicherung in jeder Weise bedeutete, seiner Weisheit wegen, seiner logischen Folgerungen, seiner geschichtlichen Kenntnisse. Im Gegensatz zu den meisten Deutschen, die in Dingen der Politik unbegabt sind, war ihm Verständnis für andere Völker und Nationen gegeben; ihre Denkungsart und Sprache waren ihm so geläufig wie die seiner eigenen Heimat, wo er das Gute und das Nicht-Gute sah und erkannte.« Oder, als sie ihm einmal ein lustig-merkwürdiges Erlebnis erzählt hatte: »Er lachte schon, bevor ich zur Pointe, d. h. an Ort und Stelle gelangt war; kein Detail durfte ich auslassen, denn ein jedes entsprach sowohl dem Ort wie der Stelle. Ihm war das wunderbare Lachen gegeben, das nur dem Menschen eignet, der das Leben ernst nimmt.« Selber habe ich die beiden freilich nie zusammen lachen gesehen.

Das schönste Porträt Karl Max Lichnowskys findet sich in den Erinnerungen von Heinrich Mann, *Ein Zeitalter wird besichtigt*. So gut wie er kann ich es nicht machen, weil meine Erinnerungen sich in das Gedächtnis eines schier noch wesenlosen Kindes eingruben, nicht in das eines reifen, in der Beobachtung der Menschen geübten Schriftstellers.

Der Familie bin ich immer treu geblieben. Jene Reise nach Kuchelna bedeutete die Reise in ein historisches Märchenland, ein Märchen, schon halb gebrochen, so daß eine härtere Wirklichkeit hindurchschimmerte, aber ein Märchen doch. Und wenn ich ahnte, ohne zu wissen, daß es nicht mehr sehr lange andauern würde, so konnte dies den Zauber nur erhöhen. Der Gegensatz zwischen der hohen, zugleich deutschen und europäischen Kultur im Schloß und der Welt außerhalb des Parkes war gar zu groß; die Sprache der Menschen draußen, ein Gemisch aus tschechisch und polnisch, in dem deutsche Brocken schwammen. Der englische Historiker Lord Acton, in den fünfziger Jahren mir der liebste Geschichtsphilosoph, später nicht mehr, schrieb von sich einmal: »I am afraid I am a partisan of sinking ships.« So wohl auch ich – eine Grundneigung des konservativen Temperaments. Übrigens war es nicht nur das »Märchen«. In jeder ihrer späteren Generationen hat die Familie Lichnowsky hochbegabte und originelle Persönlichkeiten hervorgebracht, so auch in jener, welche der meinen entsprach. Die beiden jüngeren Kinder, die Nicht-Erben, ich glaube zu ihrem Glück, hatten die Physis ihres Vaters, ihre Begabungen von beiden Eltern, sogar mehr von der Mutter, obgleich sie im Streit der beiden entschieden zum Vater hielten. Zum hundertsten Geburtstag Mechtilde Lichnowskys hielt ich einen Vortrag, in dem ich bewundern konnte, ohne doch zu beschönigen: den starken, ungezähmten Charakter dieser Schriftstellerin, der sie nicht daran hinderte, Mutter zu sein, das hatte sie werden wollen, ich glaube sogar, daß sie im Alter ihren fernen Kindern näherstand als in der Frühzeit den nahen, zur »Ehefrau« im deutschen Sinn des Wortes, überhaupt zu festen Bindungen sie jedoch ungeeignet machte. Auch, und obgleich sie dank ihrer vielseitigen künstlerischen Interessen Verbindungen zur höchsten Bohème, zu Dichtern, Literaten, Malern, Theatern unterhielt, liebte sie zuletzt die Tiere wohl mehr als die Menschen; das Buch über ihren im höchsten Greisenalter verstorbenen Dackel Lurch, *An der Leine,* gehört zum Gelungensten, was sie geschrieben hat – nicht, daß es »das beste« wäre, so etwas gibt es nicht. Sie kannte alle Vögel nach Namen und Art. Sogar mit Kröten hielt sie es: sie brauchte nur »Kröti!« zu rufen, so kam »wie eine lebendig gewordene chinesische Bronze Schritt für Schritt, bedächtig und zuversichtlich aus einem Zinniabeet der erwartete Gast... Bildlich gesehen ist jede Kröte in ihrer grotesken, nur scheinbaren Unförmigkeit vollendet schön; und daß sie Hände hat und Handbewegungen vollführt wie unsereiner, kann nicht geleugnet werden.« Die Liebe zur Natur, die mit ihr verbundenen profunden Beobachtungen und Kenntnisse gehörten zum Wesen Mechtilde Lichnowskys; ebensosehr die pflegliche Kunst, mit welcher sie die deutsche Sprache behandelte; wofür sie denn, ich muß es leider glauben, nicht ohne Gewinn in die Schule von Karl Kraus gegangen war. Ihre Romane liegen mir wenig; *An der Leine, Kindheit,* die tief belustigende Satire *Der Kampf mit dem Fachmann* leben.

Meine Freundschaft mit Michael bestand wohl weiter, war aber nicht mehr, was sie vor jener Reise gewesen war. Solche Logierbesuche haben unter Kindern oder Heranwachsenden auch ihre Gefahren. Man ist zusammen, Tag für Tag, Stunde für Stunde, weiß nicht recht, was anfangen, geht spazieren und streitet sich ohne viel Sinn. Vermutlich wußte mein Freund auch, daß ich bei seinem Vater in Ungnade gefallen war. Selber erlebte ich Vergleichbares, sogar tiefer Einschneidendes, zweieinhalb Jahre später. Im Frühjahr 1925 kam in unsere Klasse, Unterprima, die vorletzte, ein Neuer, ein Heidelberger, Roland H. Er brachte etwas Frisches und Oppositionelles in unsere Gruppe von einander längst Gewöhnten; und da er obendrein nett anzusehen war, so verliebte ich mich ein wenig in ihn. Nicht sehr. Mit sechzehn Jahren braucht man etwas, woran das Herz hängt. Natürlich mutmaßte der Internatsleiter alsbald das Schlimmste und verbot uns zum Beispiel, über Pfingsten eine Radtour zu machen – so töricht war er in dieser Beziehung. Es machte mir Vergnügen, mit Roland zusammen zu sein und ernsthafte Gespräche zu führen. Auch Gedichte waren mit von der Partie. Bei jener Debatte über den Pazifismus wirkte er als mein Assistent, machte aber seine Sache noch schlechter als ich, weil prätentiös und sentimental – etwas, was die Salemer Jugend keineswegs leiden konnte. Überhaupt entdeckte ich mit der Zeit, ungern zwar, Eigenschaften in ihm, die mir mißfallen mußten: Egozentrizität, Narzißmus – ohne noch das Wort zu kennen; Kurt Hahn gebrauchte ein anderes dafür, »melodramatisch«. Seine Eltern hatten ihn nach Salem geschickt, weil Streit zwischen ihnen gewesen war. Glaubte man ihm, so war dieser Konflikt die Hauptsorge auch des Internatsleiters und seiner Mitarbeiter, derart, daß er selber, Roland, es kaum noch aushielt, Mittelpunkt einer permanenten Staatskrise zu sein. Darüber sprach Kurt Hahn einmal mit mir, wohl um mir den neuen Freund madig zu machen. Meine Antwort kam mit einem gewissen Ernst: »Es ist ja nicht so, daß ich diese Dinge nicht sähe, aber ich mag ihn eben trotzdem.« Das ging so an die fünfzehn Monate. Im Sommer 26 wurde mein Herzenswunsch erfüllt: ich durfte Roland für einige Tage nach München einladen, und zwar in Abwesenheit meiner Eltern; so daß wir das Haus und Wagen und Chauffeur und Grammophon und alles für uns hatten. Das Glück dauerte nur wenige Stunden. Plötzlich bewegte sich alles in mir, was sich im Lauf des Jahres gegen sein falsches Wesen, seine Primadonna-Natur in mir angesammelt hatte, und ich konnte ihn nicht mehr ausstehen. Ihn vor der Zeit loszuwerden, schien unmöglich; wenigstens gelang es mir, einen anderen Salemer Kameraden, der in München wohnte, beizuziehen, um nicht mit dem unwillkommenen Gast allein zu bleiben. Er reiste wieder ab, wie er gekommen, und als wir uns in Salem wiedersahen, war alles aus. Schon stand ein Nachfolger bereit, deutschen und spanischen Geblüts, Julio oder Polo; die Freundschaft mit ihm dauerte nicht ein Jahr, sondern sechzig, bis zum heutigen Tag; wir sind etwas wie uralte Brüder. TM hatte ihn in Salem beobachtet und Fotos von ihm erbeten, die dann mit List hergestellt wurden. Er

brauchte sie für sein Porträt des *Jungen Joseph*. Eine der Ent-
täuschungen, welche die kurzfristige Freundschaft mit Roland mir einbrachte, war die folgende. Ich hatte einen Vortrag über die jüngste Geschichte der Finnen zu halten,
nicht nur vor der Schule, sondern vor Gästen, die aus-
nahmsweise sogar Eintritt zu bezahlen hatten. Nachher
fragte ich ihn, ob man mich verstanden habe? Seine Antwort war bündig: »Ich war gar nicht dabei.« So etwas
schluckt man, aber vergißt es nicht.

Der Vortrag ging zurück auf eine Reise, die wir, etwa zwanzig Salemer, im Sommer 1925 nach Finnland unternommen hatten. Die Idee stammte von Marina Ewald, die, als
einzige Frau, mit dabei war, zusammen mit dem Deutsch-
lehrer Otto Baumann. Eine gewaltige Tour in Booten, in
Kähnen sollte es sein, den Saimaasee hinauf, von Lappeenranta bis Kuopio, dann mit einem Lastwagen hinüber zum
Päiyännesee und ihn wieder hinunter nach Süden bis
Lahti; eine Fahrt von insgesamt etwa vier Wochen. Kurt
Hahn hatte Bedenken, was mich betraf, wegen meiner bekannten körperlichen Ungeschicklichkeit: »Wenn du auf
dem Grunde des Päiyännesees liegst, dann ist das Unternehmen für alle verdorben.« Es ging dann aber gut genug.
Trug ich auch zum Fischen, das uns wichtige Zusatznah-
rung bot, nicht bei, so war für Regentage im Zelt meine
kleine Reisebibliothek, Erzählungen und Balladen, auch
den anderen nützlich. Die Reise nach Helsinki von Stettin
aus mit dem Dampfer »Rügen«; wir im Zwischendeck, was
hieß, entweder auf Deck oder in einer Art von Kellerge-
wölbe zu nächtigen. Die finnische Hauptstadt beeindruckte mich durch eine Art sozialdemokratischer Modernität, es schien hier mehr Gleichheit zu herrschen als im
Deutschen Reich; viele Restaurants, wo Bürger jeden Typs
sitzend oder stehend gutes und preiswertes Essen einnah-

190

men. Gegen die neue, die blanke, praktische, sehr moderne Stadt stach die alte russische sonderbar ab; ein riesiger imperialer Platz mit dem Palast des Gouverneurs und Regierungsgebäuden im Stil des 19. Jahrhunderts. Zusammen mit einem Oberprimaner fiel mir die Aufgabe zu, in einem dieser Gebäude um Preisermäßigung auf der Eisenbahn einzukommen; es empfing uns kein geringerer als der Staatssekretär Loimaranta. Er war stark beeindruckt von unserem Plan: »Mit Booten durch unsere größten Seen? Das ist deutscher Wagemut!« Dann: »Wie geht es in Deutschland? Haben die Väter wieder Geld?« Er sprach perfekt deutsch, wie viele Finnen damals. Die Deutschen waren enorm beliebt im Land.

Bekanntlich hat die deutsche Politik ein bis zum heutigen Tage nachwirkendes Verbrechen begangen, indem sie während des Krieges den bolschewistischen oder Mehrheitsflügel der sozialistischen Partei Rußlands finanzierte, im Jahre 17 ihrem Führer Lenin die Reise durch Deutschland nach Skandinavien und Petersburg ermöglichte, wohin er von Zürich aus schlechterdings auf keine andere Weise hätte gelangen können. Lenin, und ausschließlich er, war der Mann, Frieden um jeden Preis zu machen, damit er die Hände für den Bürgerkrieg, die Sicherung seiner Revolution freibekäme. Den Friedensvertrag las er nicht einmal: das würde nicht dauern und dauerte nicht. Wie die Dinge in Petersburg ohne Lenin gelaufen wären, kann man nicht bestimmen: anders, ganz anders gewiß. Deutschland hat den Triumph der bolschewistischen Revolution gewünscht und möglich gemacht. Auch in Finnland kam es im Jahre 18 zu einem Bürgerkrieg, der von den Anhängern Lenins mit schrecklicher Grausamkeit geführt wurde; wir hörten so manches darüber. Hier nun kamen deutsche Truppen den Finnen unter ihrem General Mannerheim zu

Hilfe, so daß sie den inneren Feind zu bändigen vermochten. Die Folge war nicht etwa eine Militärdiktatur, wie man hätte befürchten können, Mannerheim kein Ludendorff; vielmehr eine rasch eingewurzelte soziale Demokratie, die über alle Fährnisse, Siege und Niederlagen hinweg ohne Unterbrechung bis zum heutigen Tag bestens funktioniert. Ihre Hilfe vergaßen die Finnen den Deutschen so bald nicht. Es war eine Leistung ganz im Sinn Kurt Hahns. In einer Schrift, die er zusammen mit Max von Baden während des Krieges verfaßte und die den ungeschickten Titel *Der ethische Imperialismus* trug, wurde genau dies gefordert: eine Macht wie die deutsche dürfe sich nicht nur auf sich selber prahlerisch verlassen; sie müsse, um ihren Nachbarn erträglich zu sein, über ihre Grenzen hinaus zum Guten wirken, wo immer ihre Hilfe gewünscht werde. In Finnland geschah es.

Die Boote, vier oder fünf, kauften wir in Lappeenranta und verkauften sie wieder in Lahti. Wir verbanden sie mit Stricken, das vorderste hatte einen Außenbord-Motor, der aber den vielen Ruderern nur geringe Erleichterung brachte. Zum Übernachten gab es zahllose Inseln, größere mit ein paar Gehöften, wo Milch zu erhalten war, kleinere, unbewohnte, die man in ein paar Stunden zu Fuß umrundete. Mitunter blieben wir ein oder zwei Tage in solchem bewaldeten Asyl, um auszuruhen, zu fischen oder, wie ich, herumzuwandern. Spät nachts zog dann ein hell erleuchtetes Schiff vorüber, das Jyväskylä am späten Nachmittag verließ, um am nächsten Morgen in Lahti anzukommen. Es weckte in uns die Vorstellung von Luxus und Gemütlichkeit, ein verlockender Eindruck, den erleuchtete Schiffe von draußen gesehen immer machen. Wohnt man aber selber im Inneren, so ist es ganz anders. Im Sommer 1932 machte ich die Dampferfahrt durch den langen Päiyännesee selber und fand sie ganz hübsch, aber auch nicht mehr; denn nach Einbruch der Dunkelheit sah man rein gar nichts, und die Kabinen waren nicht interessanter als die im Schlafwagen. Die finnischen Seen haben durch Pfosten in weiten Abständen bezeichnete Fahrtlinien; an sie hielten wir uns, um uns nicht in den weiten Gewässern zu verirren. Einmal durfte sogar ich »navigieren«, das hieß, im vordersten Boot die Richtung halten. Ein Erfolg, für den später mir Kurt Hahn seine Anerkennung aussprach.

Dies große Gemeinschaftserlebnis hatte einen wohltuenden Einfluß auf mein Gemüt wie ehedem schon, in geringerem Maße, jene bayerischen Pfadfinder-Fahrten. Es machte sich diese Wirkung auch im Internat bemerkbar, zu dem ich mich bisher überwiegend kritisch und spöttisch verhalten hatte, um mich wichtig zu machen. Aus dieser Erfahrung zog ich die Lehre, daß Mittuen im Grundsatz besser ist als Negieren. So wurde ich, reifer, zum Kritiker der Nur-Kritik; zum Gegner jener deutschen Intellektuellen, die nichts konnten, als die Republik zu verhöhnen, ohne zu wissen, was denn an ihre Stelle treten sollte. Um es anders zu sagen: Die Salemer Lehren nahmen eigentlich erst Gestalt in mir an, als ich der Schule schon fern war. Ich war glücklich dort, einigermaßen, aber wußte es nicht; ich sah in der Schule eine Art von provisorischer oder beinahe endgültiger Heimat, wer glaubt im Ernst mit fünfzehn, daß die folgenden drei Jahre einmal ein Ende haben werden. Immerhin wurde ich im letzten Jahr zum »Flügelhelfer« ernannt und hatte jenen Spanier zum Kollegen in einem anderen Helferamt und nahm meine Verantwortung ernst.

Glücklich – mit Einschränkungen. Es gilt nun, mit Vorsicht, von einer Erschütterung zu berichten, die mir zu Beginn des Jahres 25, kurz vor der Vollendung meines sechzehnten Lebensjahres, geschah. Alexis de Tocqueville schreibt an eine Freundin: »Ich weiß nicht, ob ich Ihnen je von einem Ereignis in meiner Jugend erzählt habe, das in meinem ganzen Leben eine tiefe Spur hinterlassen hat: wie ich nämlich, als ich während der Jahre, die unmittelbar auf die Kindheit folgen, in eine Art Einsamkeit verschlossen und einer unersättlichen Neugier hingegeben, welche für ihre Befriedigung nur die Bücher einer großen Bibliothek vorfand, kunterbunt allerlei Begriffe und Gedanken in meinen Kopf gestopft habe, die sonst zu einem anderen Alter gehören. Mein Leben war bis dahin in seinem Inneren voller Glauben verlaufen, der nicht einmal den Zweifel in mein Herz hatte dringen lassen. Damals trat der Zweifel ein, oder richtiger, brach mit unerhörter Gewalt ein, nicht nur der Zweifel an diesem oder jenem, sondern der universale Zweifel. Ich erfuhr plötzlich die Empfindung, von der die Leute sprechen, die ein Erdbeben erlebt haben, wenn der Boden unter ihren Füßen sich heftig bewegt, die Wände um sie herum, die Decke über ihrem Kopfe, die Sachen in ihren Händen, die ganze Natur vor ihren Augen. Ich wurde von der schwärzesten Melancholie ergriffen, faßte den äußersten Widerwillen gegen das Leben, ohne es zu kennen, und war wie zerschmettert von Angst und Schrecken beim Anblick des Weges, den ich noch auf der Welt zu gehen hatte… Das ist eine traurige und schreckliche Krankheit, gnädige Frau.« Ich könnte es nicht besser sagen als Tocqueville, der unter meinen historisierenden, soziologisierenden, philosophierenden und memorialisierenden Freunden mir einer der liebsten wurde.

Jeder hat irgendein Kreuz durch das Leben zu schleppen; eines oder mehrere. Ein körperlich-mechanisches meldete sich mir zum ersten Mal im Herbst 1923: beim Hochspringen im Salemer Trainings-Speicher luxierte meine linke

Kniescheibe aus dem Gelenk. Arg war der Schmerz, nach ein paar Stunden das Knie durch einen Bluterguß angeschwollen wie ein Ballon. Zu dieser Zeit geschah nichts als beruhigende Umschläge. Während der Weihnachtsferien des folgenden Jahres, 1924/25, gab es eine Operation, eine Straffung der Sehnen, an denen die Patella hängt, die erste von sieben solchen oder ähnlichen Eingriffen, welche das Übel nicht aus der Welt schaffen, aber es doch wieder für einige Jahre an dem einen oder anderen Knie unter Kontrolle bringen sollten, damit ich tun könnte, was der Born meiner physischen und, so weit sie eben reichte, seelischen Gesundheit war: Wanderungen in den Bergen. Nun also das erste Mal. Die Narkotisierung geschah noch direkt durch die Äthermaske, ohne vorhergegangenes Einschläfern. Wann ich einen Alptraum im schlimmsten Sinn des Wortes hatte, ob vor dem völligen Schwinden des Bewußtseins oder aber nahe am Erwachen, weiß ich nicht. Die Rekonvaleszenz war langwierig und schwächend; als ich das erste Mal allein aus dem Badezimmer kam, wurde mir auf dem Korridor schwarz vor den Augen, buchstäblich, ich tastete nach der Tür zu meinem Zimmer und konnte gerade noch auf das Bett fallen, anstatt zu Boden. Natürlich las ich viel, als ich es wieder konnte: Tolstois *Krieg und Frieden,* das war gut, Edgar Dacqués *Urwelt, Sage und Menschheit,* das war nicht gut.

Das Werk des Geologen, der nach dessen Erscheinen seinen Lehrstuhl aufgeben mußte, weil es gar zu phantastisch war – so streng ging es noch auf deutschen Universitäten zu –, es hat stark auf TM gewirkt; man erfährt es in dem »Vorspiel« zu *Joseph und seine Brüder,* das mit den Ouvertüren-Tönen beginnt: »Tief ist der Brunnen der Vergangenheit. Sollte man ihn nicht unergründlich nennen?« Was »die Wissenschaft heute für wahr hält«, stammt von Dacqué:

»daß nämlich der Mensch in seiner Eigenschaft als Tier das älteste aller Säugetiere sei und schon in Zeiten späterer Lebensfrühe, vor aller Großhirn-Entfaltung in verschiedenen zoologischen Modetrachten, amphibischen und reptilischen, auf Erden sein Wesen getrieben habe... Und wirklich wird immer gewisser, daß des Menschen Traumerinnerung, formlos, aber immer aufs neue sagenhaft nachgeformt, hinreicht bis zu Katastrophen ungeheuren Alters, deren Überlieferung, gespeist durch spätere und kleinere Vorkommnisse ähnlicher Art, von verschiedenen Völkern bei sich zu Hause angesiedelt wurde.« So die Sintflut, so jener untergegangene Kontinent, so die verheerende Feuersbrunst auf Erden, verursacht durch eine Abweichung gewisser Himmelskörper aus ihrer gewohnten Bahn, von der ein Tempelweiser zu Saïs dem Solon berichtete. Dieses Buch also las ich, und es taten sich wirklich »unergründliche« Schlünde vor mir auf, so daß es mir schwindelte. Nach Salem zurückgekehrt, noch immer blaß und hohläugig, wie man mir sagte, geriet ich bei Gelegenheit in sehr qualvolle Angstzustände, nicht alleine, übrigens, sondern in Gegenwart von anderen, die mir plötzlich fremd, ja gar nicht existent erschienen. Auf die »Welt«, den Sternenhimmel, mein eigenes Dasein, konnte ich mir keinen Reim mehr machen. Nicht, daß ich, wie Tocqueville, »meinen Glauben« plötzlich verloren hätte. Atheismus ist, unter Protestanten, Sache der frühesten Jugend, wenn man an die in eine kindliche Katechismus-Sprache übersetzte Mythologie von »Genesis« nicht mehr glauben will und stolz darauf ist. Jetzt, im Gegenteil, spürte ich schärfstens den Mangel an Religion und ein Bedürfnis nach ihr. Woher nehmen? Unsere Religionslehrer, in München wie in Salem, waren die letzten, welche mir helfen konnten. Eine Neigung zu Grübeleien gab es in mir

196

von Anfang an; ich war höchstens acht Jahre alt, als ich bei einem Spaziergang zu meinem Vater sagte, ich würde so gerne wissen, was wäre, wenn nichts wäre – worüber er lachte. Schuldgefühle unbelehrter Pubertät mochten dazukommen, in mir Schlummerndes zutage fördernd, wie jener Alptraum in der Narkose, jene Lektüren. Kurt Hahn hielt sich damals in Wannsee auf, um an den Memoiren des Prinzen Max zu arbeiten. Mein »Mentor«, Herr Baumann, redete mit mir und half mir ein wenig, weil er ein durch seine Güte und Reinheit überzeugender Mensch war. Nach ein paar Wochen trat eine gewisse Beruhigung ein; es blieb monatelang die Angst vor der Angst. Auch geriet ich in Verzweiflung, wenn ein Gespräch irgendwie das Philosophische, Religiöse oder Probleme der Astronomie streifte; ich mußte dann hinausgehen. Als ich für die Osterferien nach München fuhr und mir ein Kamerad Glück für jene Wochen wünschte, antwortete ich so traurig wie ehrlich: »Für mich nicht, für dich um so mehr.«

Und hatte diese Erschütterung zwei Seiten: die metaphysische, um dem Ding einen Namen zu geben, und die historische oder zeitgeschichtliche. Plötzlich ging mir auf, daß ich verurteilt sei, in einer Epoche zu leben, die von allen anderen Epochen der Geschichte sich bösartig unterschied. Also aufs Haar genau wie bei Tocqueville, der, indem sein Glaube, alle seine bisherigen kindlichen Ansichten von Welt und Mensch in ihm zusammenbrachen, sich zugleich vor dem Lebensweg fürchtete, den er würde zu durchwandern haben, wie durch eine Wüste. Ich weiß nicht, ob ich damals schon Oswald Spengler gelesen hatte, jedenfalls tat ich es bald darauf, aber Spengler machte einen so gewaltigen Eindruck nicht. Die Falschheit seiner Konstruktion war gar zu leicht zu durchschauen, zumal ich TMs kurzen, brillanten und vernichtenden Essay über ihn schon kannte.

Das Ungeheure, das Fremde, das radikal Neue faßte ich unter dem Namen »die Technik« zusammen; ungefähr wie Friedrich Georg Jünger es ein knappes Vierteljahrhundert später in seinem Buch *Die Perfektion der Technik* tat: das autonome, durch nichts zu bändigende Monstrum, welches nicht aufhören kann, zu zerstören, bis es alle Humanität, alle Natur aufgefressen hat. Dies Gefühl blieb mir lange Zeit, manchmal quälend, manchmal im Untergrund; zur Ruhe kam es nur vorübergehend, in den Jahren des europäischen Wiederaufbaus nach 1948. Da freute man sich über jeden Fortschritt; nicht ahnend, wie rasch das Ganze über jeden Wiederaufbau hinaus ins noch gar nicht vorstellbare Neue und immer Neuere rasen würde. Ich erinnere mich an ein Gespräch, das ich im Sommer 25 während jener Eisenbahnfahrt nach Norden, Stettin und dem Dampfer »Rügen« zu, mit Marina Ewald auf der Plattform unseres Waggons führte. »Die Technik«. Ich, kummervoll: »Man könnte es als eine Enderscheinung ansehen.« Die kluge Frau, freundlich tröstend: Vielleicht, im Augenblick. Aber es kämen dann immer geistige Veränderungen, kämen schöpferische Persönlichkeiten, welche der Sache einen Sinn gäben, der jetzt noch nicht deutlich sei. Dies Gespräch fand im Sächsischen statt. Wir kamen an Orten vorbei, deren Anblick etwas tief Deprimierendes hatte, zumal die Stadt Plauen, die trostlosen Häuser, die man dort nahe dem Bahnhof sehen konnte. Dort zu wohnen! Wenn ich jetzt gelegentlich durch die DDR fahre und an Plauen vorbeikomme, sehe ich noch dieselben Gebäude, nur eben fünf oder sechs Jahrzehnte älter geworden.

Daß ich, sieben, acht Monate nach jener Krise, das Finnland-Abenteuer glücklich bestand und guter Laune zurückkehrte, spricht für die Elastizität der menschlichen Natur, in diesem Fall der meinen; eine Gabe, die ich oft

habe brauchen können. In einem pädagogischen Forums-
gespräch der siebziger Jahre erzählte ich einmal, optima
fide: in Salem hätte ich gelernt, mich am eigenen Schopf
aus dem Sumpf zu ziehen.

Das letzte Jahr. Die Aufführung der *Antigone,* sommers in
Salem, im Spätherbst in Arosa. Meine Verantwortungen
als »Helfer«. Pauken für das Abitur; vor allem an meiner
schwächsten Stelle, der Mathematik – Physik war hoffnungslos – und im Griechischen; vor Geschichte, Deutsch,
Latein, Englisch brauchte ich mich kaum zu fürchten. Die
Erlaubnis, in der Nacht beliebig lang zu arbeiten. Dazu
noch die Proben für *Wallensteins Tod.* Zu dieser großen Aufgabe hatte ich Wilhelm Kuchenmüller nicht ohne Mühe
überredet; der hervorragende Regisseur übernahm die Leitung. Es sollte mein Schönstes werden, mein Abschied.
Immer wenn ich von etwas begeistert war, gelang es mir
irgendwie, es durchzusetzen. Zum Beispiel liebte ich neuerdings Verdi, dank des Grammophons zu Hause: Das
Miserere im *Troubadour,* das Duett der beiden Freunde in
der *Macht des Schicksals,* den »Liebestod« in *Aida* und, über
allem anderen, das Quartett im letzten Akt des *Rigoletto*
»Bella figlia dell' amore«. Das sangen wir nicht zu viert,
sondern zu acht, jede Stimme von zweien gesungen, ich
den Tenor, obgleich ich eine Baritonstimme hatte. Es ein-
zustudieren war schwierig genug; der Beifall dann so stürmisch, daß wir den Segen unserer Mühe zweimal wiederholen mußten. Freilich sagte mir danach jemand: »Auf der
Platte – mit Enrico Caruso – ist's aber noch schöner.«

Nun *Wallenstein.* Die Aufführung sollte nach dem Abitur
stattfinden. Es kam heran und ging vorüber; in seinen zwei,
durch ein paar Wochen getrennten Perioden, dem »Schriftlichen«, dem »Mündlichen« am humanistischen Gymnasium der Stadt Konstanz. Während des ersten Aktes Woh-

199

nen in einer Pension, in der Eiseskälte obwaltete, während des zweiten im alten, ehrwürdigen Hotel Barbarossa; jeder Akt fünf oder sechs Tage lang, am Tag ein Fach oder auch zwei, dann vor-und nachmittags, jeweils etwa vier Stunden. Für den deutschen Aufsatz durften wir wählen zwischen: »Die Entsühnung des Orestes durch Iphigenie«, »Die Stein- und Hardenbergischen Reformen, ihre Wurzeln und ihre Ausführung«, »Die Bedeutung der Presse«. Natürlich wählte ich das historische Thema und bewältigte es glanzvoll trotz meiner ans Unglaubliche grenzenden Orthographie; anstatt »Revolution« schrieb ich »Revouloution«, obgleich das Wort mir schon ungezählte Male vorgekommen war. Daß der Lehrer mir angesichts dieses ernsthaften Mangels die Note Eins gab, war so liberal wie vernünftig. Beherrscht man mit eben achtzehn die Orthographie noch nicht, infolge irgendeiner leichten Blockierung, dann wird das nächstens schon besser gehen.

Das deutsche »Mündliche« hatte ein junger Assessor, Doktor Brecht, ehrgeiziger und gebildeter Mensch, wie eine Kurzgeschichte der ganzen deutschen Literatur und Philosophie sorgsam geplant. Mich fragte er nach dem »Entwicklungsroman«, und ich wußte bald, worauf er hinauswollte: Von Wolfram von Eschenbach: *Parzival*. Von Goethe: *Wilhelm Meister*. Von Gottfried Keller: *Der Grüne Heinrich*. Von Carl Hauptmann – wußte ich nicht – *Einhart der Lächler*. Und von Thomas Mann? *Der Zauberberg*. Folgten allerlei hübsche Fragen über Personen und Sinngebilde des Romans. Der das Ganze kontrollierende Referent aus Karlsruhe, nachdem die Prüfung beendet war: »Sie waren ein guter Patronus Patris.« Es gab noch einen anderen Externen, der nicht zu uns gehörte; er wußte rein gar nichts. In »Geschichte« wurde er nach dem großen Staatsmann gefragt, der anno 1859 und im Jahre darauf die Einigung Italiens zustande gebracht hatte. Der Prüfer: »Denken Sie nach! Das *müssen* Sie doch wissen. Graf Camillo – nun?« Der Bursche endlich: »Ah, Mussolini!« Wozu der Referent: »Sie scheinen mir in der Tat reif für Italien!« Ob und wie dieser treffliche Mann das »Dritte Reich« überstand, weiß ich nicht.

Nach dem Abitur fuhr ich mit meinem Freund Julio für eine Woche nach München, um den Lohn für die hinter uns liegende Anstrengung zu genießen. Ein gelungener Logierbesuch, diesmal. Die Mutter gab mir fünfzig Mark dafür, viel Geld. Wir sahen und hörten im Nationaltheater Pfitzners *Palestrina* und *Hoffmanns Erzählungen* von Offenbach, im Residenztheater ein überflüssiges Kaspar-Hauser-Drama von Erich Ebermayer, Freund meines Bruders, im »Odeon« ein Beethovenkonzert, im »Kolosseum« Karl Valentin, ihn zusammen mit Erika, einer geschiedenen Baronin Hatvany und der jungen Schauspielerin Therese Giehse. Die Baronin war, unter ihrem Mädchennamen Christa Winsloe, die Verfasserin eines erfolgreichen Romans, der auch verfilmt wurde, *Mädchen in Uniform*. Im Jahre 1944 wurde sie in Frankreich, wo sie gelebt hatte, von Kommunisten summarisch zum Tode verurteilt und ermordet wie Abertausende mit ihr. Vermutlich hatte sie als eine Deutsche bekannten Namens den Umgang mit Offizieren der Besatzungsarmee nicht ganz vermeiden können.

Meine erste Begegnung mit Karl Valentin. Er gewann Julio und mich augenblicklich. Es gab einen urkomischen Dialog im Rundfunk, *Der Antennendraht,* den *Spritzbrunnenaufdreher,* ihn in einer viel längeren Fassung als jene, die man auf der Platte hören kann, zum Schluß das *Christbaumbrettl.* Da rief einmal ein Herr: »Wir lassen uns unser deutsches Weihnachten nicht verhöhnen!«, gottlob aber nicht an diesem Abend. Danach besuchten wir Valentin im Künstlerzimmer, immer dank Frau Giehse. Der Lange pfiff auf zwei Fingern nach seiner kongenialen Mitarbeiterin Lisl Karlstadt, damit wir auch sie begrüßen könnten. An seiner Darbietung übte er Manöverkritik. »Der Dicke ist figürlich ganz gut. Aber als Kommerzienrat hätte er viel verblüffter und aufgeregter sein müssen, mit einer Steigerung. Wer sind Sie denn eigentlich? Wie kommen Sie überhaupt hierher???« (Nur der erste Satz wörtlich wiedergegeben.) Als diese reiche Woche vorüber war, noch einmal nach Salem, zur Abschiedsvorstellung.

Müßte ich eine Dichtung nennen, die mir unter allen deutschen die vertrauteste, liebste war, ist, immer bleiben wird, so würde ich nicht zögern: Schillers *Wallenstein*. Ein Wunderwerk. Auch ein »Gesamtkunstwerk«. Es bietet alles, was ein *Dramatisches Gedicht* nur bieten kann: von der Idee, der eigentlichen Philosophie, über philosophische Psychologie, über das Hochpolitische, das Militärische bis hin zum Allerrealsten: den kraftvoll, saftig gezeichneten, gewöhnlichen Charakteren, Isolani, Illo oder, ganz unten, den beiden Mördern; darüber den vornehm-selbstsüchtigen Vertretern der legitimen Macht, Octavio, Questenberg; bis hin zu profunden administrativen und finanziellen Kenntnissen; das Ganze erhöht von einem trauernden Idealismus; von Erotik – die Dreierbeziehung Wallenstein, Max, Thekla –, von Lyrik. Das Wesen des Schillerschen Helden hat Hegel in einem kleinen Aufsatz definiert als eine »erhabene und darum charakterlose Seele«, charakterlos, weil über den Dingen stehend und darum unentschieden. Es ist sein Spielen, welches ihm, zur eigenen schaudernden Überraschung, die Entscheidung aufzwingt, so daß er die Tat tun muß, weil er sie gedacht hat. Philosophie hat hier historische Wahrheit erraten, ungefähr; in Wahrheit kommt Wallenstein zuletzt der Tat nur näher, aber tun kann er immer noch nicht. Im Gegenteil, seine Feinde waren es, die etwas taten. Erraten hat die Philosophie auch die Argumente, mit denen des Helden minderwertige Freunde ihn zur Tat antreiben; minderwertig außer der Gräfin Terzky. Was sie, Erster Akt, siebenter Auftritt des *Trauerspiels,* ihm zu denken gibt, stammt, wie ich in meiner Biographie zeigte, alles aus einer Denkschrift, welche der französische Diplomat Feuquières zuhanden Wallensteins verfaßte und von der Schiller natürlich nicht die blasseste Ahnung hatte. Das nenne ich historische Intuition. Was das lyrische Element betrifft: wie schön beginnt doch Wallensteins letztes Nachtgespräch mit der Gräfin:

> Am Himmel ist geschäftige Bewegung,
> Des Turmes Fahne jagt der Wind, schnell geht
> Der Wolken Zug, die Mondessichel wankt,
> Und durch die Nacht zuckt ungewisse Helle.
> Kein Sternbild ist zu sehn! Der matte Schein dort,
> Der einzelne, ist aus der Kassiopeia,
> Und dahin steht der Jupiter – Doch jetzt
> Deckt ihn die Schwärze des Gewitterhimmels!

Dann, an den toten Max denkend, was die Gräfin noch nicht begriffen hat:

> Er ist der Glückliche. Er hat vollendet.
> Für ihn ist keine Zukunft mehr, ihm spinnt
> Das Schicksal keine Tücke mehr – sein Leben
> liegt faltenlos und leuchtend ausgebreitet,
> Kein dunkler Flecken blieb darin zurück,
> Und unglückbringend pocht ihm keine Stunde.
> Weg ist er über Wunsch und Furcht, gehört
> Nicht mehr den trüglich schwankenden Planeten –
> O, ihm ist wohl! Wer aber weiß, was uns
> Die nächste Stunde schwarz verschleiert bringt!

In der Figur Wallensteins ist wenig von Schillers eigenem Wesen, weit weniger jedenfalls als in Carlos und Posa. Man kann aber keine bedeutende und überzeugende Gestalt schaffen, ohne ihr etwas vom eigenen Blut zu spenden. Manche Weisheit, die sein Held zum besten gibt, ist die Meinung Schillers, des Aristokraten, Realisten, Pessimisten, im Gegensatz zu Schiller dem Idealisten, dem Volks- und Freiheitsverherrlicher. Es ist nicht seine Ansicht; es ist eine von seinen Ansichten.

> Ließ ich mir's so viel kosten, in die Höh
> Zu kommen, über die gemeinen Häupter
> Der Menschen weg zu ragen, um zuletzt
> Die große Lebensrolle mit gemeiner
> Verwandtschaft zu beschließen?...

Es besteht für mich kein Zweifel daran, daß Schiller hier an sich selber dachte, an seinen eigenen schweren Aufstieg, heraus aus der Menge der »gemeinen Häupter«. Der Dichter war Menschheitsgläubiger und sehr, aber Menschheitsverächter auch, und diese Seite seines Wesens lieh er seinem Helden:

> Nicht, was lebendig kraftvoll sich verkündigt,
> Ist das gefährlich Furchtbare. Das ganz
> Gemeine ist's, das ewig Gestrige,
> Was immer war und immer wiederkehrt
> Und morgen gilt, weil's heute hat gegolten!
> Denn aus Gemeinem ist der Mensch gemacht,
> Und die Gewohnheit nennt er seine Amme.
> ...
> Sei im Besitze, und du wohnst im Recht,
> Und heilig wird's die Menge dir bewahren.

Weil die Liebe alles erleichtert, was nur mit ihr zusammen-
hängt, so erlernte ich die gewaltige Rolle ohne Mühe: die
großen Monologe, die gedankenschweren Dialoge mit
Max und der Gräfin:

> Leicht bei einander wohnen die Gedanken,
> Doch hart im Raume stoßen sich die Sachen…

wie die Gespräche, bei denen es hart auf hart geht und die
Unglücksbotschaften einander jagen. Wir kürzten beinahe
gar nichts, die Aufführung dauerte dann auch zwischen vier
und fünf Stunden. Heutzutage wird das Werk durch
schmähliche Streichungen geradezu ermordet; meist gibt
man die drei Teile an einem einzigen Abend, und mehr als
drei Stunden erlauben die »Umstände« keinesfalls; selbst
wenn man zwei Abende daran wendet, wie ich es in den letzten Jahrzehnten nur einmal erlebte, in München, selbst
dann entfällt ein gutes Drittel meiner Lieblingsstellen.
Nachher sagte man mir, der erste Akt sei etwas schleppend
gewesen, was ich wohl glaube. Mit der Exposition und den
etwas redefreudigen Verzögerungen zieht er sich wirklich
in die Länge. Übrigens erfuhr ich, ach, leider zum letzten
Mal, wie der Schauspieler in der Premiere sich erst einspie-
len muß, um allmählich auf die Höhe seiner Sicherheit,
seines Könnens, seiner leidenschaftlichen Teilnahme zu
gelangen. Zuletzt sind alle traurig, das Trauerspiel endet in
der Tat als trauriges Spiel. Traurig war auch ich, der schon
Tote hinter den Kulissen, traurig und wie ausgeleert. Un-
froh reiste ich zwei Tage später von dannen; getrennt nun
von den dünnen Wurzeln, die ich in Salem geschlagen,
noch jämmerlich unreif, mit eben achtzehn Jahren, bei
einiger Intelligenz ein Später eher als ein Früher, durchaus
unfähig noch, mein Schiff ohne Rat zu steuern; weit und
breit niemand, der mir dabei würde helfen können.

Deutsche Studienjahre

Wenn heutzutage Abiturienten mich fragen, was sie nach ihrem Examen anfangen sollten, ist meine Antwort: Sofort irgendwas. Nicht zögern, nicht herumsitzen und die neue Freiheit enttäuschend finden. Weiß man von vornherein, was man will, fühlt man den unbedingten Drang nach einem bestimmten Wissen und der ihm folgenden Praxis, desto besser; wer ihn besitzt und sich einsetzt, wird sich durchsetzen, wird irgendwo Arbeit finden, wie schwierig die Umstände auch seien. Wer ihn nicht verspürt, muß willkürlich wählen; wechseln kann er immer noch. Und dann: Sprachen lernen. Englisch muß heute jeder können, aber es genügt nicht. Zwei Fremdsprachen sollten es wenigstens sein; darunter eine, die nicht jeder kann, mit der man folglich etwas Seltenes lernt. Spanisch-Kastilisch eröffnet die ganze weite hispanische Welt; Russisch die slawische, Arabisch die nordafrikanisch-nahöstliche und so fort. Wohin das führen wird, weiß man nicht und braucht es nicht zu wissen; zu etwas Nützlichem gewiß. Sprachen bedeuten nicht nur Bildung, wie schön reimt Friedrich Rückert:

> Mit jeder Sprache mehr
> die du erlernst, befreist
> du einen bis daher
> in dir gefangenen Geist.

Sprachen erhöhen die Selbstsicherheit, befreien von Provinzialitäten; indem man sie erlernt, weiß man, daß und wie man vorwärts kommt; was man beim Studium der sogenannten Geisteswissenschaften, heute sagt man wohl Humanwissenschaften, leider nur selten weiß. Bei den Naturwissenschaften ist es etwas anderes. Dafür sorgten schon zu meiner Zeit die zahlreichen Zwischenexamen, während es bei den Geisteswissenschaften nichts dergleichen gab von Anfang bis zur Promotion oder dem Staatsexamen. Rückblickend glaube ich, daß ich Romanistik hätte studieren sollen. Dahin wies meine Liebe zum Latein, in dem ich im Nebenfach promovierte. Aber niemand gab mir den guten Rat, und mir selber fehlte es ganz und gar an Initiative. Als ich dann, vierundzwanzigjährig, in Frankreich zu leben Grund erhielt, lernte ich Französisch so gut, daß ich zuletzt, nach drei Jahren, für einen Franzosen gehalten wurde, wenn auch für einen aus dem Osten, aus Lothringen. Einmal kam ich im Zug zwischen Rennes und Paris mit einem Offizier ins Gespräch, der zu einem Wiederholungskurs reiste. Er wetterte auf die Deutschen: »On ne sait jamais avec ces Boches...« Er ahnte nicht, daß er »un Boche« vor sich hatte. Später verdrängte das Englische oder Amerikanische mein Französisch einigermaßen. Mit siebzig fing ich an, Spanisch zu lernen, mit demselben Vergnügen wie Französisch fünfundvierzig Jahre früher. Freilich, was Hänschen nicht lernt, lernt Hans nimmermehr – eine der vielen Spruch-Weisheiten, wahr, weil in gedrängter, schlichter Sprache die Summe kollektiver Erfahrungen enthaltend. Wie ein Spanier werde ich niemals reden können, es wäre denn, ich lebte wenigstens ein volles Jahr im Land, woran allerlei Pflichten und Bindungen mich hindern. Auch habe ich ja das schwer lastende Glück, ein deutscher Schriftsteller zu sein; die Muttersprache bleibt mein Handwerkszeug, die Fremdsprache Spiel und Luxus.

Übrigens glaube ich, daß zwischen dem Abitur und der

Universität ein Jahr neuer, wirklicher oder praktischer Erfahrung sein sollte – und wäre es nur der Militär- oder Ersatzdienst. Fünfzehn, gar zwanzig Jahre ohne Unterbrechung auf der Schulbank sitzen, das ist falsch. Das falscheste: von der Schulbank dann direkt zum Katheder hinüberwechseln als Assistent, Dozent etc.; man kommt dann sein Leben lang nie aus dem flauen Schutz der akademischen Sphäre heraus. Mit Vergnügen höre ich, daß heutzutage viele junge Leute nach dem Abitur eine Weltreise unternehmen; mit wenig Geld und leichtem Gepäck, einen anderen Kontinent er-fahren, auf dem Motorrad, als Autostopper, oder sonstwie. In den zwanziger Jahren des Jahrhunderts taten solches nur sehr Wenige, sehr Mutige, oder die Kinder sehr reicher Eltern. Mir schaudert, wenn ich an die Unkenntnis der weiten Welt denke, in welcher wir in Deutschland damals lebten und ohne die das fatale Abenteuer des »Dritten Reiches«, samt aller seiner Folgen, überhaupt nicht denkbar gewesen wäre.

Was sogar für das Studium der Geschichte galt. Auch dieses war germano-zentrisch über alle Beschreibung. Im Mittelpunkt standen »die Wilhelmstraße« – das deutsche Auswärtige Amt – und der Wiener »Ballhaus-Platz«. Das übrige war, wenn nicht Feindesland, so doch fremdes, mehr oder weniger feindliches Land, mit der linken Hand abzutun. Darin gab es zwischen den liberalen Historikern, Friedrich Meinecke, Hermann Oncken und den als deutsch-national bekannten nur Gradunterschiede. Nationalismus verstand sich so von selber, daß er eigentlich gar nicht unterschied, nur eine geringe Zahl von Lehrern zu verachteten Außenseitern machte. Der Jurist, Professor Kisch, bei dem ich im Sommersemester 1927 ein Kolleg »Einführung in die Rechtswissenschaft« hörte, als die

Mehrheit seiner Studenten wegen irgendeiner Festlichkeit eine Kollegstunde versäumt hatte: »Merken Sie denn nicht, daß es wieder losgeht? Daß man uns nicht hochkommen lassen will? Wie können Sie dann Ihr Studium so wenig ernst nehmen?« Indem wir eine Stunde schwänzten, hatten wir uns gegen die Nation und ihren Freiheitskampf vergangen.

Zu Wilhelm Kisch, einem witzigen und leicht dämonischen Lehrer mit Klumpfuß, kam ich auf folgende Weise. Ich hatte mir vorgenommen, während des ersten Semesters nur einmal so herumzuhören, ohne mich festzulegen. Nun hatten damals die Beginner in der Aula dem Rektor in die Hand zu geloben, sich stets der Universität würdig zu erweisen. Man zog an der Magnifizenz vorüber, es war der berühmte Romanist Karl Vossler, einige Hundert Neu-Kommilitonen – Vossler wird sich nachher die Hände gründlich gewaschen haben. Neben ihm saß der Administrator, ich habe vergessen, welchen Titels, bei dem man sich einzuschreiben hatte. »Was studieren Sie?« Das weiß ich noch nicht. »Das *müssen* Sie doch wissen!« Hunderte standen wartend hinter mir. Äh, äh, Jura. So war ich zunächst einmal Jurist. Nebenher hörte ich eine Vorlesung des Historikers Hermann Oncken über die napoleonische Zeit. Über die wußte ich nun nicht gar so viel weniger als der Professor; sogar von den Zitaten, die er bot, waren mir viele bekannt, zum Beispiel das Wort des Kaisers: »Ich habe der Welt den Frieden bringen wollen, und sie haben mich zum Dämon des Krieges gemacht.« Dies goldene Wort wiederholte er sogar. Mir schien es auf die Dauer nutzlos, solche mir wohlbekannten Dinge zu hören oder mitzuschreiben, was TM tadelte; er selber hatte die literargeschichtlichen und historischen Kollegs an der Technischen Hochschule in München recht wohl mitgeschrieben, wir besitzen ja seine Aufzeichnungen. Aber seine Situation war wohl eine andere gewesen. Im allgemeinen sind mir geisteswissenschaftliche Kollegs immer sinnlos erschienen – seit Erfindung der Buchdruckerkunst. Man konnte ja doch lesen, mit besserer Ruhe und Konzentration; die Bücher, welche die Herren selber aus ihren Kollegs zu machen pflegten, oder Anderes, Besseres. Als Student habe ich kaum je ein Kolleg zu Ende gehört, außer wenn ich es aus rein opportunistischen Gründen mußte; als akademischer Lehrer litt ich unter der Sinnlosigkeit dieses Wortbetriebes, weswegen ich denn auch meine deutsche Professur bald wieder aufgab. Seminare sind etwas ganz anderes, die haben guten Sinn. Aber sie gab es für Anfänger nicht; mein Versuch, in Onckens Seminar einzudringen, scheiterte kläglich.

In Seminaren kann man auch Bekanntschaften machen; in den großen Hörsälen war es, jedenfalls für mich, den noch Scheuen, Kontaktschwierigen, durchaus nicht möglich. Verglichen mit Salem erschien mir die Universität als eine ungeheure, kalte, anonyme Maschinerie. Die meisten Studenten waren städtisch gekleidet, so auch ich; unter einem dem Hemd angeknöpften weißen Kragen die Krawatte. Sie redeten einander mit »Sie« und »Herr« an; »Glauben Sie an die Dialektik?« hörte ich einen den anderen fragen. Kurzum, der tägliche Gang zur Universität wurde mir zur Qual; ich ging der bloßen Form halber, woraus wieder, wie anno 25, große Not entstand. Einsamkeit draußen, Einsamkeit auch zu Hause. Den Eltern hatte ich mich während der Salemer Zeit mehr und mehr entfremdet; nie hatten wir einander so wenig zu sagen wie während jenes ersten Semesters. Die geistvolle, lustige Schwester Erika, die immer gute Laune verbreitete, lebte mit Gustaf Gründgens verheiratet in Hamburg. Der Bruder Klaus war meist auf Reisen, in Berlin, in Nizza oder sonstwo; nur gelegentlich und für kurze Zeit tauchte er auf.

Ein wenig Hilfe kam mir damals von meiner Großmutter, Hedwig Pringsheim. Unmöglich zu entscheiden, wer die bedeutendere war; sie oder ihre Tochter. Diese besaß die starke, immer präsente, aber nicht gar zu tief schürfende Intelligenz der Pringsheims. TM einmal zu ihr, gereizt: »Du hättest Juristin werden können, du hättest Mathematikerin werden können, aber eine Philosophin bist du nicht.« An einen höchst peinlichen Silvesterabend in der Arcisstraße erinnere ich mich, ungern. Der Geheimrat wie auch sein Sohn Peter, Physiker, sprachen mit Verachtung von Arthur Schopenhauer: es sei nichts als unbeweisbare Träumerei und Geschwätz. Alfred Pringsheim war ein leidenschaftlicher Wagnerianer, hatte in der Jugend im Hause Wahnfried verkehrt und den Bau des Bayreuther Festspielhauses großzügig unterstützt. Nur der wachsende Antisemitismus des Wagnerkreises trennte ihn von dem Meister. Frau Cosima in ihrem Tagebuch: »Drei Pringsheims ausgetreten!« Es waren die Eltern des Mathematikers und er selber. Was ihn nicht hinderte, die Musik Wagners auch fürderhin herzlich zu lieben; er hat alle Opern Wagners in Auszügen für zwei Klaviere gesetzt. Von Schopenhauers Einfluß auf Wagner wußte er vermutlich überhaupt nichts; er verstand das Werk nicht wie TM vom »Geiste«, sondern nur und ohne Umwege vom Musikalischen her. Nun schätzte Schopenhauer bekanntlich die Musik sehr hoch, einer der wenigen Philosophen, der ihr metaphysischen Rang verlieh, die Mathematik aber rein gar nicht. Dagegen protestierte Alfred Pringsheim in seiner Münchner Antrittsvorlesung; sie trug den Titel »Über den Wert und angeblichen Unwert der Mathematik«. Das mit dem angeblichen Unwert ging gegen Schopenhauer. Daher der schlechte Ruf, den der Philosoph im Hause Pringsheim genoß. TM, beim Anhören solcher Reden, wurde blaß vor Zorn; er hielt sie für eine gezielte Beleidigung. Sie mußten doch wissen, was Schopenhauer für ihn bedeutete – ich denke freilich, sie wußten es keineswegs. Mit bebender Stimme zitierte er Nietzsche:

> Was er lehrte, ist abgetan,
> was er lebte, wird bleiben stahn:
> seht ihn nur an –
> Niemandem war er untertan!

Danach verstummte das Gespräch; nach ein paar für mich fürchterlichen Minuten trennte man sich. Es war das letzte Silvesterfest im Hause Pringsheim. Am nächsten Mittag hörte ich von der unteren Diele her aus einem Gespräch, welches meine Eltern in der oberen führten, den scharf und laut gesprochenen Satz TMs: »Sie haben mich nie gemocht, und ich sie auch nicht.« Soviel über die Pringsheims.

Die Großmutter war anders; weniger schnell in ihrem Urteil, gesetzt, würdig, als alte Dame noch immer schön mit ihren weißen Ohrlocken, eine hervorragende Hausfrau und unfehlbare Konversationistin; sehr altberlinisch, obgleich sie nun ein halbes Jahrhundert lang in München gelebt hatte. Sie war das Kind zweier bedeutender Eltern; des 1819 geborenen politischen Publizisten und Satirikers Ernst Dohm, vom Gründungsjahr 1848 bis zu seinem Tod Redakteur des *Kladderadatsch*. Er hatte in seiner Jugend Theologie studiert, den Beruf sogar in einem Ort nahe Halle einige Monate lang ausgeübt, dann aber aufgegeben. Sein Talent zog ihn anderswohin. Dohm hatte sich schon sein Vater David Marcus Levy, Kaufmann und Pfandleiher in Breslau, genannt, als er 1827 mit seiner Familie zur lutherischen

213

Religion übergetreten war; zu Ehren jenes Christian Dohm, eines friderizianischen Bürokraten, der ein Buch über die notwendige Emanzipation der preußischen Juden geschrieben hatte. Über dies Werk unterhielt sich König Friedrich mit dem Grafen Mirabeau, eines seiner letzten Gespräche. Mirabeau, starker, generöser Freigeist, sprach dafür, der alte, starr gewordene König dagegen. Viele preußische Juden nannten damals sich Lessing, Dohm wohl nur diese eine Familie. Von Ernst Dohm habe ich nie ein Bild gesehen, besitze auch keine seiner Schriften. Dreimal kam er mit Bismarck in direkten Kontakt. Das erste Mal in der Frühzeit, im Jahre 1849, als die Zeitschrift die militärische Tradition der Bismarckschen Familie in Zweifel gezogen hatte – wo habe denn einer dieses Namens in diesem Jahrhundert das Vaterland verteidigen helfen? –, antwortete der Beleidigte ausführlich: »Weniger Wert für Ew Wohlgeboren hat vielleicht die Notiz, daß von den 7 Mitgliedern dieser Familie, die an dem französischen Kriege teilnahmen, 3 auf dem Schlachtfeld blieben und die anderen mit dem eisernen Kreuz heimkehrten... Was aber Veröffentlichungen in Ihrem Blatte betrifft, so verhülle ich mich, soweit *meine* Person dabei beteiligt ist, weder mit der zweiten Kammer in den Mantel stillschweigender Verachtung, noch würde ich jemals zu anderen Mitteln der Abwehr greifen, als zu denen, welche die Presse gewähren kann; was aber Kränkungen meiner *Familie* anbelangt, so nehme ich bis zum Beweise des Gegenteils an, daß Ew Wohlgeboren Denkungsweise von meiner eigenen nicht so weit abweicht, daß Sie es als einen Zopf vorsündflutlichen Junkertums ansehen würden, wenn ich in bezug auf dergleichen von Ihnen diejenige Genugtuung erwarte, welche nach meiner Ansicht ein Gentleman dem anderen unter

214

Umständen nicht verweigern kann... Ew. Wohlgeboren ergebener Diener, von B...« Dohm berichtigte, wofür Bismarck auf das höflichste dankte. »Ich freue mich, daß ich mich in der Vorstellung nicht getäuscht habe, daß neben einer politischen Gesinnung, die sich auch unter veränderten Umständen gleich bleibt, auch das Vorhandensein einer ehrenhaften Auffassung von Privatverhältnissen anzunehmen sei.« Zehn Jahre später war er Preußischer Gesandter in Petersburg, wo er die Nummern des *Kladderadatsch* verspätet und bündelweise erhielt. Sich wieder einmal ungerecht verspottet glaubend, schrieb er an Dohm: was da von einem Toast geredet werde, den er bei einem für ihn gegebenen Abschiedsdiner in Frankfurt gesprochen haben sollte, und zwar zu Ehren einer zukünftigen preußisch-französischen Allianz, so sei diese Nachricht aus der Luft gegriffen oder »nach dem technischen Ausdruck verfrüht«. »Diese Berichtigung hat nicht den Zweck, Sie zur Rehabilitierung eines in seinem Patriotismus und seiner Nüchternheit verkannten Staatsbeamten zu bewegen, sondern ist lediglich bestimmt, mich vor dem Forum eines Blattes, dem ich so viele angenehme Momente verdanke, von dem Verdacht einer so groben Geschmacklosigkeit zu reinigen.« Auch sei es in des Schreibenden Interesse, »sobald ich einmal mit mehr Recht als jetzt Ihrer Satire anheimfallen sollte, Sie zu erinnern, daß ich aus No. 14–15 auf ein Guthaben bei Ihnen Anspruch habe«. Ohne Zweifel hat Dohm wieder berichtigt. Das Datum des letzten Briefes kann ich im Faksimile nicht entziffern; irgendwann in den siebziger oder frühen achtziger Jahren – Dohm starb im Februar 1883, ein halbes Jahr vor der Geburt seiner Enkelin Katia. Er war wegen Beleidigung einer Verwandten des König-Kaisers, einer Prinzessin, von der ich sonst rein gar nichts weiß, zu fünf Wochen Gefängnis verurteilt worden; Bismarck setzte nach einer unbekannten Zahl von Tagen seine Begnadigung durch, wovon er dem Verbrecher wieder in seiner eigenen Handschrift Mitteilung machte: »Ew. Wohlgeboren benachrichtige ich *Privatim,* dass S. M. der König soeben den Nachlass der noch nicht abgelaufenen 5 Wochen vollzogen hat... Darf ich eine persönliche Bitte an diese Mitteilung knüpfen, so ist es die, die arme Caroline nun ruhen zu lassen. Mit vorzüglicher Hochachtung Ew Wohlgeboren ergebenster v.B.« Auch die Adresse ist von Bismarcks Hand: Sr. Wohlgeboren dem Redakteur Herrn Dohm, Hausvogtei – links daneben von anderer Hand: Sofort an den Herrn Adressaten zu bestellen – Der Minister des Inneren, Gr. Eulenburg... Zeiten, in denen Europas berühmtester Staatsmann, der allmächtige Regierungschef, solche Briefe an einen kleinen Redakteur im Gefängnis schrieb, müssen, was sonst immer an ihnen zu tadeln sein mag, doch auch eine ihnen eigene Kultur besessen haben.

Im Jahre 1852 heiratete Dohm in Berlin die neunzehnjährige Hedwig Schleh, ursprünglich Schlesinger. Ein entfernter Verwandter von mir, abstammend von einem der siebzehn Geschwister Frau Hedwigs, hat mir unlängst Fotos von Porträts der Eltern geschickt, wie auch ein Jugendbildnis der Tochter. Die beiden Schlehs blicken drein wie wohlhabende, mit sich selbst zufriedene deutsche Juden der Biedermeierzeit; ungefähr so mögen die Eltern von Karl Marx ausgesehen haben. Köpfe von Intellektuellen sind es nicht. Dagegen zeigt schon ein frühes Jugendbildnis Hedwigs ihre erstaunliche Feinheit und Schönheit. So später das Porträt der jungen Frau; so das der Greisin, welches von Lenbach stammt; besonders die schönen, großen, ich bin versucht zu sagen, wahren Augen frappieren. Es ist, was man ein vergeistigtes Gesicht nennt, zugleich zart, gescheit, edel und voller Energie. Sie war wirklich eine bedeutende Frau; klein von Gestalt übrigens, was aber im 19. Jahrhundert weiblicher Schönheit nicht Abbruch tat. Wie ihr Gatte, erst recht nach dessen Tod, lebte sie von ihrer Feder: Ein Werk über die *Spanische Nationallitteratur in ihrer geschichtlichen Entwickelung* (1865–67), Romane, Lustspiele, die Theodor Fontane lobte, vor allem aber frauenrechtlerische und pazifistische Schriften. Aus ihrem Buch *Die wissenschaftliche Emancipation der Frau* (1874) gebe ich ein Zitat, charakteristisch für die Kraft ihrer Polemik. Das Wort »wissenschaftlich« bedeutet hier nicht, daß die Gleichstellung auf wissenschaftlichem Wege zu geschehen habe, etwa im Sinn von Marxens »wissenschaftlichem Sozialismus«, sondern daß die Frauen ebenso gut wie die Männer für die Wissenschaften taugten. Zum Beispiel für den Ärzteberuf. Eben dies hatte ein bekannter Berliner Arzt, Professor von Bischoff, bestritten: schon ihrer Schädelbildung, ihres geringeren Großhirns wegen sei die Frau für diesen Männerberuf nicht geeignet, übrigens zu weich, zu unsicher hin und her schwankend und viel zu zart. Dagegen Frau Hedwig: »Und warum dürfen denn die Hebammen ihr Zartgefühl abstumpfen, und die Köchinnen und die Schlächterfrauen mit ihrem blutigen Fleisch und jene Weiber, die an missduftenden Orten struppige Besen handhaben? Ich bin überzeugt, wenn das tägliche Honorar für eine Krankenwärterin zehn Goldstücke betrüge, so würde kein Beruf der Welt weniger für eine Frau geeignet sein, als dieser; keiner würde die Schamhaftigkeit mehr verletzen... Hand aufs Herz, Herr von Bischoff, was würden Sie mit Ihrer Köchin tun, die den Aal, den Sie so gern essen, abzuschlachten sich weigerte, und sich bei Ihnen mit ihrem Zartgefühl entschuldigte? Wenn die Köchin, Herr von Bischoff, von ihrem zappelnden Huhn oder Fisch keinen Ohnmachtsanwandlungen sich zu unterziehen braucht, um ihre Weiblichkeit zu beweisen, wenn Sie Hebammen, Schlächterfrauen, Krankenwärterinnen u.s.w. ruhig gewähren lassen; ohne gegen sie zu polemisieren – so verdammen Sie auch die Ärztin nicht, weil sie gesunde Nerven hat... Sie verwechseln nämlich zweierlei: schwache Nerven oder Zartgefühl für ›die elegante Welt‹ mit dem wahren Zartgefühl, das allein auf der Gesinnung beruht und nicht im Auf- und Niederzucken von einem paar Nerven besteht.« Ob und wie der Professor darauf antwortete, weiß ich nicht; leicht dürfte es ihm nicht gefallen sein. Ihren letzten Aufsatz schrieb Hedwig Dohm, Juni 1919, auf dem Sterbebett und genau so, *Auf dem Sterbebett,* nannte sie ihn. Er beginnt: »Die Sterbende lag und grübelte über das Leben nach, das sie im Begriff war, zu verlassen... Nichts haßte die Sterbende in der Welt als einzig und allein den Krieg. Sie sah ihn wie den Ausbruch des Vesuvs, der mit seiner glühenden Lava das Land versengt, oder wie ein Vampyr, der sich einsaugt in die Menschenbrüste und sich wollüstig mit ihrem Blut mästet. Und dem lieben unschuldigen Gott wurde die Hauptrolle in dem blutigen Ringen zugewiesen.« Dies letzte Bekenntnis erschien gleich nach ihrem Tod in der *Vossischen Zeitung.* Heute erlebt im Zeichen der neuen Emanzipationswelle Hedwig Dohm eine kleine Renaissance. Dem habe ich die Kenntnis der hier zitierten Schriften zu danken.

Von ihr hatte meine Großmutter die Schönheit geerbt. Der alte Prinzregent Luitpold von Bayern zu dem neuernannten Ordinarius Pringsheim, der zur Audienz befohlen worden war: »Ich habe gesehen, daß Frau Gemahlin eine sehr schöne Frau ist« – im »Glaspalast« war ein Porträt von ihr ausgestellt. Eine Frauenrechtlerin war sie nicht, überhaupt nicht sehr politisch gesinnt. Es genügte ihr, in einem gastlichen Hause zu herrschen und bedeutende Freunde zu haben. Auch politische Freunde: in der Frühzeit Ludwig Bamberger, einen alten Achtzehnhundertachtundvierziger, der lange im Exil hatte leben müssen, später aber Mitarbeiter Bismarcks in finanzpolitischen Fragen wurde; in der Kaiserzeit Harden und Rathenau. Und sie besaß Charakter. Als sie von Rathenaus Ermordung erfahren hatte und in der Stadt eine Münchner Freundin traf, welch letztere sie freudig begrüßte: »Nun, was sagst du dazu? Jetzt haben sie auch den Rathenau erschossen!« war die Antwort: »Solche Reden kann ich nicht hören. Rathenau war ein naher Freund von mir. Mir zittern die Knie.« Es folgte ein Austausch geliehener Bücher, mit »höflichen Empfehlungen«, und eine uralte Freundschaft war für immer zu Ende. So hat die Großmutter mir erzählt.

Seit sie, das waren nun bald fünfzig Jahre, in der Arcisstraße wohnte, hielt sie zur Teestunde offenes Haus. Zwischen fünf und halb sieben durfte kommen, wer wollte, englischen Kuchen verspeisen und konversieren. Davon hatten ehedem viele Gebrauch gemacht, aber sie waren nun tot; wer jetzt noch kam, selten genug, nicht besonders interessant. Erschien ich um fünf Uhr, so saß die alte Dame am Schreibtisch, eine unermüdliche Briefschreiberin in ihrer schönen, wie gestochenen Schrift aus dem vorigen Jahrhundert. Der Geheimrat kam erst gegen sechs. Denn er lebte seit Jahrzehnten in einer Art von Doppelehe; den Nachmittag verbrachte er bei einer Frau Professor von X. Dazu die Großmutter zu mir: »Eine Person, die mir viel Böses getan hat.« Saßen wir allein, so suchte sie ein wenig meine Stimmung zu ergründen. »Ich glaube, deine Familie bedrückt dich.« Da könnte was dran sein. »Mein Gott, mit achtzehn Jahren muß man doch *leben*, leben, leben und Spaß daran haben!« Ja. Doch. Gewiß. Ihre Teilnahme, ihr

219

Verständnis tat mir wohl, und ich mochte sie sehr gern. Auch gefiel mir die Pracht des Hauses, eine Art von Schutz, von rückwärtiger Sicherung, die dann, sechs Jahre später, sich als völlig irreal erweisen sollte. Das Pringsheimsche Vermögen hatte schon damals sich in beinahe nichts aufgelöst, aber der Großvater bezog sein Gehalt als Emeritus; auch waren ihm seine Kunstschätze geblieben, von denen er ab und an ein Stück verkaufte, scherzend, er lebe »von der Wand in den Mund«. Einige Schlafzimmer waren an Studentinnen vermietet. Auch schrieb die Großmutter Erinnerungen, die fragmentweise in der *Vossischen* erschienen. Die sollten einmal gesammelt werden, denn sie konnte gut schreiben und hatte viel erlebt. Zum Beispiel die Uraufführung des *Parsifal*. Da traf sie – sie hatte sich irgendwie verirrt – am Rand einer Hintertreppe des Festspielhauses den Komponisten, der völlig benommen schien, sie anredete, seinen *Siegfried* zitierend: »Was hast du gar für 'nen großen Hut?«

Durch den Selbstmord meiner Tante Julia wurde dies Sommersemester 1927 noch trübseliger gemacht. Daß die Alternde an Liebeskummer litt, wußte ich schon im Jahr vorher. In Seeshaupt am Starnberger See, wo ich im Juli-August 1926 ein paar Wochen verbrachte, um mich ganz auf das bevorstehende Abitur zu konzentrieren, traf ich ein paarmal ihren Freund, mit einer Anderen. Die Tante, die von dieser Begegnung gehört hatte, zu mir: »War Herr D. alleine in Seeshaupt?« Der Primaner verstand schon genug, um zu antworten: »Ich habe ihn immer nur allein getroffen.« Aber seine Treulosigkeit wurde allzu offenbar und gab der Todessüchtigen den Grund, oder die Gelegenheit. TM war tief erschüttert davon; nicht, weil der Tod der längst peinlich gewordenen Verwandten einen Verlust bedeutet hätte, sondern, so hörte ich ihn zu meiner Mutter sagen, weil er ihn als einen Blitz empfand, der dicht neben ihm niedergegangen war. Im Roman *Lotte in Weimar,* in jenem »Siebenten Kapitel«, läßt er Goethe von seiner Schwester als von »meinem weiblichen Neben-Ich« sprechen. Da dachte er ganz sicher an Julia. Wenn im inneren Monolog Goethes die Schwester Cornelia an »Gattenekel« leidet, so litt Julia auch daran, und wer den Hofrat Löhr kannte, mag es begreifen. Ihre Neigung zum Morphium, so gestand sie ihrem Bruder, kam von daher; was der Bankier nur zu oft von ihr wollte, konnte sie ohne das erlösende Gift nicht prästieren. Kurzum, sein weibliches Neben-Ich war jammervoll gescheitert, und damit ein selbständig gewordener Splitter seiner eigenen Seele. Er schrieb eine Rede, bei der Totenfeier zu halten. Daß er es mußte, nicht sein älterer Bruder, verstand sich von selbst. Er war stumm und bleich, als wir zum Waldfriedhof fuhren. An der Kirchenpforte traf man sich: Heinrich Mann mit Frau, Geheimrat Pringsheim mit Frau, Freunde und Freundinnen der Verstorbenen; auch der treulose Liebhaber, dem Münchner Herrenvolk verständnisvoll die Hand schüttelte. Gespräche am Portal. Heinrich Mann zu Alfred Pringsheim: »Meine Schwester war die inkarnierte Konvention. Daran lag ihr mehr als an allem anderen: nicht aufzufallen; zu erscheinen, wie man muß. Daran ging sie zugrunde.« Eine interessante Beobachtung; für die Erklärung dessen, was wir nun traurig feierten, mir aber nicht genügend. Der schauerliche Kontrast lag zwischen ihrem superbourgeoisen öffentlichen und ihrem heimlichen Dasein. Indem in der Kirche TM sich anschickte, hervorzutreten und seine Rede abzulesen, erschien, ungebeten, ein Pfarrer. Er fühlte leises Gemurmel unter den intimeren Trauergästen, die nicht sehr pfarrerfreundlich gesinnt waren. Würdig trat er an meine Eltern heran: »Ich habe die Kinder von Frau Hofrat getauft, ich…« »Bitte, wir sind Ihnen nur dankbar.« Er machte dann seine Sache herzlich und taktvoll. Wahrscheinlich war TM ihm wirklich dankbar dafür, sein eigenes gequältes Gedicht nicht vortragen zu müssen. Danach ging er für ein paar Wochen alleine nach Wildbad Kreuth.

So viel über diesen ersten, verunglückten akademischen Sommer. Es folgten zwei Wintersemester in Berlin, dazwischen einige Monate in Paris.

»Paneuropa«

Hier füge ich eine Erinnerung aus jenen Sommermonaten des Jahres 1927 ein, das mir ein wenig Hoffnung und Freude machte. Damals hörte ich den Grafen Richard Nikolaus Coudenhove-Kalergi, Gründer der Paneuropa-Bewegung. Er war, mit dreiunddreißig Jahren, seit seiner Schrift *Pan-Europa,* erschienen 1923, schon berühmt; ein auf den ersten Blick blendend aussehender junger Mann. Was er zu sagen hatte, las er aus einem Manuskript, seine Argumente numerierend, mit sonderbar eintöniger Stimme leicht österreichischen Akzents. Seine Thesen waren so schlicht wie klar. Die europäischen Mächte genügten sich selber nicht mehr, um in einer tief veränderten Welt sich voneinander getrennt oder einander feindlich behaupten zu können. Es galt, sich frei zu halten von zwei Ketten: der goldenen – das war die nordamerikanische –, der roten, das war die russische. Ein europäischer Bundesstaat konnte das: Frankreich, Deutschland, Italien, jedes für sich allein, konnten es nicht, von den geringeren Staaten zu schweigen. Um Europas Freiheit zu erhalten, innere und äußere, mußte ein Bundesstaat sein. Man konnte doch, erstens, ein guter Bayer sein, zweitens, guter Deutscher; warum nicht, drittens, ein guter Europäer? Zumal für Deutschland galt, daß nur unter dem Schutz europäischer Einigung das dem Reich durch den Vertrag von Versailles angetane Unrecht allmählich aus der Welt geschafft werden könnte.
Der Gedanke war an sich nicht neu. Walther Rathenau –

aber das wußte ich damals nicht – hatte ihn schon 1913 formuliert; er, als Industrieller, nicht so sehr mit politisch-moralischen, sondern mit ökonomischen Argumenten. »Es bleibt eine letzte Möglichkeit, die Erstrebung eines mittel-europäischen Zollvereins, dem sich wohl oder übel, über lang oder kurz, die westlichen Staaten anschließen wür-den... Die industrielle Zukunft gehört der schöpferischen Technik, und schöpferisch kann sie nur da sich betätigen, wo sie unter frischem Zuströmen menschlicher und wirt-schaftlicher Kräfte sich dauernd im Wachstum erneuert... Die Aufgabe, den Ländern unserer europäischen Zone die wirtschaftliche Freizügigkeit zu schaffen, ist schwer; unlös-bar ist sie nicht... Das Ziel würde eine wirtschaftliche Ein-heit schaffen, die der amerikanischen ebenbürtig, vielleicht überlegen wäre, und innerhalb des Landes würde es zu-rückgebliebene, stockende und unproduktive Landesteile nicht mehr geben. Gleichzeitig aber wäre dem nationalisti-schen Haß der Nationen der schärfste Stachel genom-men... Verschmilzt die Wirtschaft Europas zur Gemein-schaft, und dies wird früher geschehen als wir denken, so verschmilzt auch die Politik. Das ist nicht der Weltfriede, nicht die Abrüstung und nicht die Erschlaffung, aber es ist die Milderung der Konflikte, Kräfteersparnis und solida-rische Zivilisation.« Ein Jahr später dann kam der völlig sinnlose, anachronistische, verrückte Weltkrieg, der, zu-sammen mit anderen Hoffnungen, auch diese zerstörte; und nun bewährte Rathenau sich, zumal im ersten Jahr des Krieges, als ein überaus nützlicher, nur heimlich trauriger Patriot. Wenn ich aber jene Zeilen wieder lese, so gefallen sie mir heute besser als alles, was Coudenhove geschrieben hat. Rathenau war der zugleich tiefere und praxisnähere Denker; Coudenhove nur der glattere. Er haßte die USA, wie er Rußland haßte; Rathenau war kein Hasser. Er verstand Amerika, wie er Europas Lebensnotwendigkeiten verstand; der alte Kontinent sollte von dem neuen lernen, mit ihm produktiv wetteifern, nicht in Abwehr sich gegen ihn stellen.

Von Coudenhove hörte ich zwei Vorträge, einen in dem Haus der wohlhabenden Hallgartens, unseren Nachbarn, den anderen in einem Münchner Hotel, da wurde er von der »Politischen Gesellschaft«, einer akademischen Studentenvereinigung, dargeboten. Bei der ersten Veranstaltung mißfiel mir, daß Coudenhoves Gattin, die Schauspielerin Ida Roland, nachher im Saale umhereilte und den Gästen das Paneuropa-Abzeichen an die Brust heftete, ob sie darum ersucht hatten oder nicht. Natürlich waren sie alle dem Unternehmen mehr oder weniger günstig gesinnt. So auch im »Bayerischen Hof«, dort aber gab es auch Gegner, denn es durfte jeder kommen. Coudenhove schien sich dieses zusammengesetzten Charakters seines Publikums bewußt zu sein. Er sprach »deutscher« als in jenem Privathaus. Die Menschheit bedurfte des Heldentums; wären die Frauen keine Heldinnen, dann müßte sie aussterben, gäbe es keine Helden unter den Männern, dann stürbe die Freiheit aus. (Hier ein »sehr richtig!« aus den Reihen der Opposition.) Alle Kämpfe auf Erden waren um der Freiheit willen geführt worden; in Rom zwischen Patriziern und Plebejern, im Mittelalter zwischen den Kaisern und den Päpsten, in den Befreiungskriegen zwischen Napoleon und den von ihm unterdrückten Völkern; um Freiheit und Gerechtigkeit ging es auch heute. Und dergleichen mehr. Danach gab es Diskussion. Der erste Gegenredner, Edgar Jung mit Namen, war dem Grafen an Gescheitheit und an historischen Kenntnissen entschieden überlegen. Aber nie bis dahin hatte ich einen so bösen, schadenfrohen Menschen reden hören. Er machte sich über Coudenhoves Geschichtsinterpretation lustig: »Ich möchte wohl wissen, wer da um Freiheit kämpfte, der Kaiser oder der Papst.« (Coudenhoves schlichte Antwort: »Der Papst wollte vom Kaiser frei sein und der Kaiser vom Papst.«) Er fragte, wie wohl Deutsche und Franzosen, so wie diese sich verhielten, wie Deutsche und Slawen, die Regierungen der österreichischen und russischen Nachfolgestaaten, bei ihrer doch zur Genüge bekannten deutsch-feindlichen Gesinnung einen einzigen Staat bilden sollten? *Wenn* sie es aber trotzdem eines Tages täten, wenn Europa wirklich zur dritten Weltmacht würde, dann, ja dann werde es Kriege geben, von Ausmaßen, die noch den Weltkrieg zum Kinderspiel machen würden! Welche Prophezeiung er mit wahrer Wollust aussprach. Er redete lange, und weil das Publikum überwiegend doch dem so boshaft Angegriffenen günstig gesinnt war, so wurde es unruhig, und der junge Vorsitzende, Graf Clemens Podewils, mußte eingreifen: »Ich bitte doch, die Ruhe zu bewahren und den Redner seine Ausführungen in Bälde beenden zu lassen!« Podewils, ein Lyriker von Rang nebenher, gehörte dem nationalkonservativen Flügel der »Politischen Gesellschaft« an, die auch einen linken besaß; ihr Sprecher war Wolfgang, später George W. Hallgarten, Bruder eines nahen Freundes meiner Geschwister. Er war ein angeregter Kopf, ein tüchtiger Quellenforscher, seiner Gesinnung nach ein etwas sublimierter Marxist, aber eitel, prahlerisch, taktlos über alle Beschreibung, derart, daß er der Sache, für die er sich jeweils einsetzte, nur Schaden tun konnte. Versöhnlich war, allenfalls, sein Humor. Er operierte mit wirtschaftlichen Argumenten, er mochte jene Schrift Rathenaus gelesen haben: wirtschaftliche Notwendigkeit werde Paneuropa erzwingen, nicht mit Wahrscheinlichkeit, sondern mit »mathematischer Sicherheit« – mit welchen eindrucksvollen Worten er endete. Ein

Professor der Anglistik, sehr national gesinnt natürlich, und als solcher ein Gegner Coudenhoves, tadelte ihn, weil er England aus seinem Paneuropa ausschließen wollte, sehr stichhaltiger Gründe wegen, glaubte ich damals und glaube es auch heute noch. Wie konnte man aber ein Land ausschließen, das, »ich will mal nur sagen, Shakespeare hervorgebracht hat«! Während ich diesem Gelehrten lauschte, fiel mir der sehr deutsche Ausdruck »jemandem was am Zeug flicken« ein. Ganz offenbar wollte er Paneuropa so oder so nicht; sein pro-englisches Argument war nur ein im Dienst der Verneinung hergeholtes.

Die ganze Diskussion, die erste dieser Art, die ich erlebte, schien mir unnütz bis widerwärtig. Ein begeisterter Paneuropäer war ich nun und bin es im Grunde immer geblieben, wenn auch im Alter, und nach so viel Enttäuschung, die Begeisterung nachläßt. Es wurde eine Münchner Sektion gegründet und mein Vater zu ihrem Ehrenvorsitzenden erwählt; in ein paar Konferenzen durfte ich ihn vertreten, bescheiden zuhören, einmal mit Naivität zur Eile drängen: es müsse bald etwas geschehen, etwa ein Memorandum verfaßt und an alle Fraktionen des Reichstags verschickt werden. Worüber man zur Tagesordnung überging.

Ein oder zwei Jahre später traf ich Coudenhove wieder im Haus von Kurt Hahns Mutter am Wannsee. Da gefiel er mir schon weniger gut. Es war etwas sonderbar Flaches nicht nur in seiner Stimme, auch in seinem Gespräch. Zum Beispiel bemerkte er, trocken und apodiktisch: »Daß der Mensch nun fliegen kann, das ist das größte Ereignis der Weltgeschichte, das ist das eigentlich Neue.« Gewiß doch; aber es gab ja andere Innovationen genug, zum Beispiel den Rundfunk; von der Möglichkeit des Fernsehens wurde schon gesprochen. Warum gerade das Fliegen so in Isolierung hervorheben? Übrigens hatte ich Ungutes über Coudenhoves Lebensführung vernommen. Dem Genfer Völkerbund war ein »Comité pour la Collaboration Intellectuelle« angeschlossen, ein blasser Vorläufer der UNESCO; mein Vater gehörte ihm an. Es fand ein Treffen in Genf statt, am Rande einer Völkerbunds-Sitzung. Nicht nur wohnten meine Eltern, selbstverständlich, im Hotel; auch die Regierungschefs oder Außenminister taten so. Dagegen hatten die Coudenhoves eine Villa inmitten eines großen Parks gemietet, wo sie prunkvolle Empfänge und Sommernachtsfeste veranstalteten. In Wien hatte er seine Büros in der Hofburg. Es sagte mir einmal ein Österreicher: »Schauen Sie, dies Österreich war eben für ihn zu klein. Und so hat er sich gleich zum Präsidenten von Europa ernannt.« Zum letzten Mal sah ich ihn in den siebziger Jahren bei einem Mittagessen im Haus meiner Mutter. Damals hatte er sich schon von seiner Europa-Union getrennt, vermutlich weil Europa längst begonnen hatte, Wirklichkeit oder Wirklichkeiten anzunehmen, von denen er nichts verstand. Während des Essens hielt er höchst sonderbare Reden. »Ich glaube, daß im 21. Jahrhundert die Welt untergehen wird.« Und gab die Gründe: »Erstens, die Übervölkerung des Planeten. Zweitens, weil der Mensch nicht mehr an Gott glaubt. Drittens, die Nuklearwaffen. Viertens, fünftens, sechstens.« Darum, wiederholte er am Ende, glaube ich, daß die Welt im kommenden Jahrhundert untergehen wird. Bei dem Wort »untergehen« legte er den Akzent auf die erste Silbe und verschluckte die anderen: *Un*tergehen. Seine wiederum numerierte, monoton hergeleierte Apokalypse ging mir dermaßen auf die Nerven, daß ich gleich nach dem Dessert mit einer Entschuldigung verschwand. Nach einer Weile kam ich wieder herunter, um mitzuteilen, daß ich dem Gast ein Taxi bestellt hätte und leider auf der Straße warten müsse, die Fahrer fänden das Haus nie. Das Taxi kam, und er verabschiedete sich von mir fast bedrohlich: »Auf bald!« Ich habe ihn nie wiedergesehen; ein paar Monate später starb er.

Noch ein Wort über den Doktor Edgar Jung. In den dreißiger Jahren geriet er in den Kreis um den kurzfristigen Reichskanzler Franz von Papen. Der, nicht eben ein Genie, brauchte Leute, die ihm Ideen eingaben. Wortverbindungen wie »antikapitalistische Sehnsucht« oder »konservative Revolution«, mit denen Papen hausieren ging, mochten ihm von Jung gekommen sein. Auch schrieb Jung ihm die Rede, die er im Juni 1934 in Marburg hielt; eine Rede, in der er, der leeren Form nach noch immer Vizekanzler, sehr offen auf schwere Mißstände im Reiche zu sprechen kam und eine Rückkehr zum Rechtsstaat forderte. Eine mutige Rede, wie zu Ehren Papens und Jungs gesagt sei. Zwei Wochen später kam es dann zu dem Massenmord des 30. Juni, dem, neben anderen Mitarbeitern Papens, auch Edgar Jung zum Opfer fiel. Er hatte noch in der Weimarer Zeit ein Buch mit dem Titel *Herrschaft der Minderwertigen* veröffentlicht, womit die Politiker der Republik gemeint waren. So sehr imposant waren sie in der Tat nicht, aber doch viele Brave und Tüchtige darunter – besonders unter den Sozialdemokraten. Die wahren »Minderwertigen« kamen hinterdrein; und sie waren es, die den Dr. Jung umbringen ließen. Hatte er zuletzt sich noch eines Besseren besonnen? Bereut? War er am Ende doch so böse nicht, wie er mir an jenem Sommerabend des Jahres 27 erschienen war?

Berlin

Reisen will gelernt sein, Leben auch. Erst allmählich lernt man sich selber kennen; den Lebensstil, dessen man bedarf, um halbwegs zufrieden zu sein. So wußte ich anfangs nicht, daß ich kein Großstädter war, für mich nur die Städte taugten, aus denen man bequem in den Wald, noch besser in die Berge entweichen kann. Hierin war ich grundverschieden von meinem Bruder Klaus, der eigentlich nur in den größten Städten, Berlin, Paris, New York wohnen mochte. Wir waren uns in manchem ähnlich, wie konnte es anders sein, in manchem einander auch polar entgegengesetzt; die Extreme, die sich berühren.

Jedenfalls wollte ich nun ganz woanders hin, weit fort vom Hause der Eltern. Berlin war etwas wie ein Reich für sich und gleichzeitig des Reiches Hauptstadt, wie sie es vor 1871 nie, unter Wilhelm II. auch nur in Grenzen gewesen war; für letztere sorgte Bismarcks Föderalismus, sorgten die vielen Dynastien, von den größeren bis zu den geringsten. Jetzt aber zog Berlin Talente aus allen deutschen Gegenden an sich; Wissenschaft, Literatur, Musik, Kunst, Theater, Presse – Berlin war wirklich *die* Zeitungsstadt, die Zeitungen im Lande, mit Ausnahme der Frankfurter und Kölnischen, provinziell, allenfalls regional –, ebenso die Politik und Finanz. Auch hatte ich zahlreiche, wenn nicht Freunde, so doch Bekannte und Verwandte dort: drei Brüder und ein ganzes Rudel Cousinen meiner Mutter, der Dirigent Bruno Walter mit seinen Töchtern, der Verleger S. Fischer mit zwei Häusern im Grunewald, seinem eigenen und dem seiner Tochter und deren Gatten, Gottfried Bermann Fischer, und andere mehr, so daß es mir hier, im Gegensatz zu München, an Geselligkeit nicht fehlen würde. Auch studierten zahlreiche ehemalige Salemer in Berlin. Die erste Arbeit des Studenten ist die Zimmersuche, wofür es Vermittlungsbüros gab und gewiß noch gibt; kein angenehmes Geschäft. Man steigt vier Treppen hinauf, um dann, durch den Spalt der Wohnungstür, ein »schon vergeben« zu hören. Man wird eingeführt, ausgefragt, mit einem »Sie passen nicht hierher« entlassen. Man wird angenommen und freundlich informiert, merkt sofort, daß hier keines Bleibens ist, hört aber höflich zu, stellt einige Fragen und verabschiedet sich mit einem vagen Vorentscheid. Endlich fand ich etwas im Alten Westen, in der Keithstraße: gut bürgerliche, aber etwas heruntergekommene Leute, bedürftig der 80 Reichsmark, welche das mit schwellenden Plüschpolstern möblierte Zimmer zusamt dem Wasserkrug kostete; 80 Mark, immerhin ein Drittel meines Monatsgeldes. In solchen Zimmern habe ich später noch oft gewohnt, es muß mein Geschmack gewesen sein. Regelmäßig hatte man die ganze Wohnung zusamt dem Eßzimmer zu durchqueren, um zum Bad zu gelangen. Am Morgen nahm ich ein kaltes, der Salemer Duschen eingedenk, und mußte einen Zuschlag dafür bezahlen; an ein warmes war nicht zu denken. Den Weg zur Universität machte ich zu Fuß durch den Tiergarten seiner Länge nach, dann die »Linden« herunter; auf welche Weise ich immerhin einen nicht unangenehmen Spaziergang hin und zurück von etwa anderthalb Stunden hatte.

Anfang Dezember lernte ich einen neuen Freund kennen, Pierre Bertaux, Sohn des Germanisten Félix Bertaux, eines nahen Freundes von Heinrich Mann und auch zu TM angenehme Beziehungen unterhaltend; er hatte die Novelle

Tod in Venedig übersetzt. Die neue Bekanntschaft ging, nicht auf einen Befehl, aber doch auf einen Wunsch der beiderseitigen Eltern zurück, wie solches damals noch der Brauch war. Wir trafen uns am Eingang zu dem Restaurant Hahnen am Nollendorfplatz. Ich ging einmal an ihm vorbei, kehrte wieder um, er mußte es ja wohl sein und war es auch; ein hoch aufgeschossener junger Mensch, mit schönen und starken, damals aber noch zarten Zügen. Worüber wir während dieses ersten Mittagessens sprachen, weiß ich nicht mehr; nur, daß wir uns schnell näherkamen. Es folgte ein Besuch der Kroll-Oper, in der Busonis *Faust* gegeben wurde; die Freikarten erhielt ich von Bruno Walter. Kaum je hat eine Oper einen so tiefen Eindruck auf mich gemacht. Es mag zum Teil an der wunderbaren Inszenierung gelegen haben, auch an meinen eigenen Stimmungen. Zumal zwei Szenen taten es mir an. Es sind die drei schwarzgekleideten Studenten aus Krakau, die den jungen Doktor Faust im »Vorspiel I« besuchen und ihm drei Geschenke oder Leihgaben bringen, ein Buch, einen Schlüssel, eine Briefschaft. »Wie kommt ein solches Geschenk zu mir?« »Du bist der Meister!« ... »So saget, daß ich euch wiederseh.« »Vielleicht. Leb' wohl, Faust.« Sie singen dreistimmig, in wohltönenden, magischen Akkorden. Sie entschwinden, aber Famulus Wagner, im Vorzimmer, hat niemanden gehen sehen. Sie erscheinen wieder im letzten Akt, um ihre Pfänder zurückzunehmen, Faust hat sie nicht mehr, hat sie vernichtet. »Faust, deine Frist ist um. Zu dieser Mitternacht bist du vergangen.« »Was wollt ihr wissen? Ihr seid entlassen. Entfernt euch.« »Fahr hin, Faust...« Die drei Gespenster konnte ich nie vergessen, damals nicht, nicht heute, wo ich das Alter des Doktors im letzten Akt habe – ohne daß ich mir einbildete, ihm irgendwie ähnlich zu sein. Nach dem Opern-Erlebnis gönnten wir uns ein

Abendessen bei Kempinski, volle zehn Mark pro Person, mit reichlichem Wein. Und da, gelöst durch Musik und Alkohol, ging ich nun ganz aus mir heraus und erzählte manches von mir. Pierre bot mir das »Du« an, für mich nun eine ernste, ja feierliche Sache. »Ich werde Ihnen einen Vorschlag machen. Wir sind doch Studenten...« Eine andere Oper, die wir zusammen hörten, war *Der fliegende Holländer*. Da liebte ich vor allem die beiden gegeneinander und gegen den Sturm ankämpfenden Chöre im letzten Akt, den der lebenden und den der Geistermatrosen. Was mir an der Inszenierung auffiel, war das Kollektivistische, beinahe Russische, in der Darstellung der Schiffsmannschaft. Im allgemeinen glaube ich, daß bessere Oper als damals in Berlin nie gemacht wurde, es konnte bessere ganz einfach nicht geben.

Pierre war ein gewaltiger Erfolg, die Leute rissen sich geradezu um ihn; meist wurde er als »der einzige französische Student in Berlin« vorgestellt. Eine seiner bedeutendsten Gönnerinnen war Frau Antonina Vallentin, eine Dame von Welt und literarischen Talenten, von der es hieß, sie sei die Maitresse des Außenministers Stresemann wie auch des langjährigen Oberbefehlshabers der Reichswehr, General von Seeckt, gewesen. Auch gehörte zu seinen Protektoren der preußische Kultusminister Professor C. H. Bekker, der noch die Allüren eines königlich-preußischen Ministers besaß. So erteilte er einem antirepublikanischen oder gar zu »national gesinnten« Kollegen eine öffentliche Rüge: »Ich spreche Ihnen also mein Mißfallen aus.« Einmal im Winter gab er im Gebäude seines Ministeriums ein stattliches Diner für junge Leute seines Bekanntenkreises; Pierre saß dann neben ihm, ich in weiter Ferne. »Ein kleiner Flirt«, sagte er lachend zu mir. Der Romancier Joseph Roth träumte von einer Reise nach Krakau, einer Wanderung nach alter Art der fahrenden Scholaren, die er mit Pierre unternehmen wollte. Siegfried Kracauer, der Essayist, nannte ihn eine »Figur von Stendhal«; es ist nicht ganz unmöglich, daß dies Wort einen bleibenden Einfluß auf den so Charakterisierten behielt. Natürlich machte das alles mich ein wenig eifersüchtig; andererseits partizipierte ich an seiner Beliebtheit, weil ich durch ihn in Zirkel kam, die mir sonst, so wie ich einmal war, verschlossen geblieben wären. Kamen berühmte französische Gäste nach Berlin, André Gide, Jules Supervielle, dessen Tochter Pierre später heiratete, oder der junge Politiker Pierre Viénot, Verfasser des berühmt gewordenen Buches *Incertitudes Allemandes*, nach Berlin, so durfte er ihren Fremdenführer machen. Am liebsten aber war ich allein mit ihm; da konnten wir philosophieren und brauchten einander nichts zu verschweigen. Er hatte schon sein Hölderlin-Buch im Kopf, das erste von vieren oder fünfen, über den von ihm mit schöner Leidenschaft geliebten Dichter, und er erzählte mir, wie er es machen wollte. Er hielt nichts von so vagen, großmäuligen Begriffen wie »deutscher Geist« – eben hatte ein Berliner Romanist ein Werk mit dem Titel *Esprit und Geist* veröffentlicht. Aus seinem eigensten Stück Erde wollte er Hölderlin verstehen, der Familie, der Mutter, Maulbronn, dem Tübinger Stift, altwürttembergisch alles das und eben nicht »deutsch«. In seinem vorläufig letzten Buch über den Helden seines eigenen Lebens, *Hölderlin ou le Temps d'un Poète* (1983), hat er des Dichters Herkunft noch einmal so dargestellt, wie ein deutscher Germanist es heute nicht hinbrächte. Meinerseits trug ich mich schon mit dem Plan einer Wallenstein-Biographie, aber wie ich es machen würde, davon hatte ich noch keine Ahnung. Auch erschien seine »These« über Hölderlin, eine Doktor-Arbeit, aber ein dickes Buch, schon 1936; mein Werk fünfunddreißig Jahre danach. Mit den Figuren Stendhals hatte Pierre unter anderem gemeinsam, daß er durchaus keiner Religion bedurfte. Zu mir, als wir noch auf »Sie« standen: »Glauben Sie an Gott?« Ich gab eine unverbindliche Antwort. Er: »Moi pas du tout. Ich hasse es, wenn jemand sich bekehrt.« Er war einer der völlig konsequenten Atheisten, denen ich im Leben begegnet bin und die sich durchaus wohl dabei befanden. Die Marxisten sind bekanntlich keineswegs Atheisten. Bertrand Russell schrieb über Lenin: »Lenin hielt sich für einen Atheisten. Darin täuschte er sich aber. Er glaubte an den Gott ›Dialektik‹ und hielt sich für dessen erwähltes Instrument.« Pierre glaubte durchaus nicht an die Dialektik, ich denke, er hat den Hegel nie gelesen. Wie stand er zu Berlin? Weder positiv noch negativ; nur wissensbegierig, nur neugierig. Einmal traf ich ihn gegenüber der Gedächtniskirche, auf dem Trottoir. Zwei arme Betrunkene waren in einen schrecklichen Zweikampf geraten. Einige Leute schauten zu, unter ihnen Pierre, mit einem zarten Lächeln, interessiert und unbeteiligt. Sprach ich ihm von gewissen metaphysischen Ängsten, die mich noch immer überfallen konnten, so suchte er mir Mut zu machen.

Zum Beispiel erzählte ich ihm: »Bei Heine heißt es:

Und es ist das Brandenburger Tor
Noch immer so groß und so weit wie zuvor,
Und man könnt euch auf einmal zum Tor hinaus
schmeißen,
Euch alle, mitsamt dem Prinzen von Preußen –

Heute überfiel mich eine gewisse Angst, als ich durch das Brandenburger Tor ging. Es ist noch immer dasselbe Tor, durch das Heine ging. Versunkene Vergangenheit – und trotzdem meine Gegenwart. Das wollte mir einfach nicht in den Kopf.« Pierre: »Du mußt jetzt immer durch das Tor gehen und es ganz ruhig betrachten. Du wirst dann sehen, es ist nichts Unnatürliches dabei.«

Öfters ging ich mit ihm ins Theater, auch hier gab es Freikarten dank einem Freund meiner Geschwister, Hans Feist, der als einflußreicher Übersetzer französischer Erfolgsstücke die nötigen Beziehungen besaß. Zweimal in das »Theater am Nollendorfplatz«, in dem Erwin Piscator seine sozialistischen und radikal neu sein sollenden Inszenierungen darbot. Nur an eines der Dramen kann ich mich erinnern, weil es mich noch tiefer ärgerte als das andere: Es hieß *Zehn Tage, die die Welt erschütterten,* nach einem bekannten amerikanischen Buchtitel, und stellte Lenins Oktober-Revolution dar, zusamt dem Vorher und Nachher. Zu Beginn erschienen alle Zaren seit Paul I. auf dem rollenden Band – Piscators kühne, viel diskutierte Erfindung –, hielten in der Mitte der Bühne an und glotzten mit toten Augen ins Publikum. In den Händen trugen sie ein Schild, auf dem der Name und die Todesart zu lesen war: »Ermordet« oder »gestorben an der Trunksucht« – eine andere Art zu sterben kannten die gleich gar nicht. Auch der Kaiser Franz Joseph trat auf, dieser eine ganze Szene lang, welche während des Krieges spielte. Ein Minister spricht ihm von einem Todesurteil wegen Hochverrates. Der Kaiser, mit heiserer Stimme: »Aha, wahrscheinlich ein Tscheche. So, ein Ruthene?« Der Minister, sich über den Monarchen beugend: Ob nicht vielleicht, wegen der Jugend des Verurteilten, Begnadigung ratsam sei? Franz Joseph, die heisere Stimme nun sich überschlagend: »Begnadigung? Da ist ja gar nicht dran zu *denken!* Zum Tode durch – den – Strang.« Die letzten Worte, als ob er selber das Urteil genüßlich niederschriebe. »Mein Herr Minister! Es war mir ein Vergnügen.« Die beiden rollen davon. Und dann wird es Ernst, das

237

Band steht für längere Perioden still, Kerenskij, pathetisch-hysterischer Clown, sucht das hungernde Volk zu neuen Kriegsanstrengungen zu spornen, eine Republik hätte es ja nun, wenngleich eine kapitalistische. Nach ihm der Mann mit dem Kinnbart und der Schirmmütze, ruhig, überlegen, alldurchschauend und allwissend; und wie er Kerenskijs schmutziges Spiel durchkreuzt. Zuletzt wird das Winterpalais gestürmt, Kerenskij rollt für immer davon in Schmach und Schande, und alle Russen werden für immer frei, gleich und glücklich sein... Brausender Beifall der Zuschauer, welche danach zu einem guten Essen am Kurfürstendamm schritten, wenn sie es nicht schon im Magen hatten; »Proletarier« waren gewiß nicht anwesend, denn die Preise gepfeffert. Das ganze erschien mir als hohle Snobberei, an der Berliner Bourgeoisie sich delektierte, um darüber reden zu können.

In den siebziger Jahren kam es vor, daß amerikanische Studenten in der Zeitung annoncierten: »Steppenwolf sucht gleichgesinnte Freundin«, oder dergleichen. Zu meiner Berliner Zeit kannte ich Hesses Roman noch nicht; hätte ich ihn gekannt, so würde ich mich doch nie als »Steppenwolf« bezeichnet haben; obgleich – nun gut. Jedenfalls hatte ich mit Hesses Figur dies eine gemeinsam, daß die »Vergnügungen der Großstadt« mir nicht das allermindeste bedeuteten; die Cabarets und Bars, gleichgültig welchen erotischen Einschlags, waren mir nichts als öder Zeit- und Geldverderb. Immer blieb mir das »sich amüsieren« fremd; ging ich doch einmal Samstag abends aus mit einem reichen Salemer Schulkameraden, so konnte ich mich des Verdachtes nicht erwehren, daß viele, die am Kurfürstendamm oder nahebei ihr Geld verausgabten, keineswegs auf ihre Kosten kamen. Darüber gab es ein Gedicht von Tucholsky mit dem Refrain:

»Und dafür zieh'n Sie den Smoking an?« Nichts öder als Vergnügen, das keines ist.

Tucholsky publizierte in der wöchentlich erscheinenden *Weltbühne,* er war dort der Zweite nach dem Herausgeber, Carl von Ossietzky. Den bewunderte ich ehrlich; ein politischer Publizist von Instinkt, Ernst, Leidenschaft und hoher Integrität. Dankbar war ich ihm zum Beispiel für den Artikel, den er 1928 zum Hinscheiden des Fürsten Lichnowsky schrieb: Wäre die deutsche Republik das, was sie sein sollte, aber nicht war, weil sie es nicht sein wollte, so hätte sie den einzigen großen Warner unter Deutschlands Vorkriegs-Diplomaten verwendet, anstatt ihn zu ignorieren und zu verfemen. Auch in den letzten Jahren vor Hitler bewies Ossietzky Mut und Klarsicht, wofür er danach den bittersten Lohn erhielt. Tucholsky war im Grund kein Politiker, obgleich er sich für einen solchen hielt. Tief erheiternd war der politisch-literarische Parodist. Noch heute muß ich lachen, wenn ich seinen Bericht über die Einführung der Prügelstrafe in Deutschland – *Gesetz zur körperlichen Zwangserzüchtigung* – lese oder die Nachrichten über den Tod Wilhelms des Zweiten, der erst dreizehn Jahre danach erfolgen sollte. »Auch die sozialdemokratischen Minister nehmen am Trauerzug teil. Nur die Kommunisten haben sich ausgeschlossen. Ihre Verhaftung steht unmittelbar bevor.« An Humor fehlte es ihm nicht, nicht an Intelligenz, und schreiben konnte er großartig. Daß man ihn heute in Israel verachtet, will ich verstehen: den Antisemitismus des Juden, verwirklicht in Tucholskys Figur des »Herrn Wendriner«, die nun wieder unendlich komisch war, heute aber gar nicht mehr verstanden werden kann. Tucholskys wahre Schwäche war diese: er mochte seine Landsleute, die Deutschen, sehr wenig, und er glaubte an die Republik überhaupt nicht. Infolgedessen richtete sein hassender Spott sich nicht gegen die Feinde der Republik auf der Rechten, geschweige denn der Linken, gegen die Kommunisten ließ er nie ein böses Wort verlauten, sondern gegen die eigentlich staatstragende Partei, die Sozialdemokraten, denen er nicht verzieh, daß sie während des Krieges die Verteidigung des Vaterlandes bejaht und nach dem Krieg geholfen hatten, einen kommunistischen – »spartakistischen« – Aufstand niederzuschlagen. Auf die Frage: Wäre Ihnen denn ein Regime im Stil Lenins lieber gewesen, glauben Sie, daß die SPD ein solches Regime hätte stützen und aufrechterhalten sollen und können? – gab er keine Antwort. Auch verschwieg er, daß er während des Krieges selber »Durchhalte-Gedichte« veröffentlicht hatte, was ich ihm nicht weiter übelnahm, die Zeit war so, nur hätte er es nicht verschweigen sollen. Dieser hochbegabte Mensch konnte amüsieren, helfen nicht. Das Unglück war, daß es neben dem einen großen viele kleine Tucholskys gab, Nachahmer, die nie eine Fabrik betreten hatten, aber den »Proleten« besangen oder singen ließen und die Republik verspotteten, ohne zu wissen, was denn an ihre Stelle treten sollte. Ein Vierteljahrhundert später habe ich in meiner *Deutschen Geschichte* an den Intellektuellen der Weimarer Zeit wegen dieser Haltung, so wie ich sie in früher Jugend erlebte, Kritik geübt; zum Ärger der Überlebenden, aber nicht, so glaube ich, der nachfolgenden Generation, der Böll und Grass, die von den Fehlern ihrer Ahnen gelernt hatten, ganz abgesehen davon, daß sie stärkere Talente waren.

Talente – nicht daß es in Berlin damals an ihnen gefehlt hätte. Es war die Epoche zweier historischer Durchbrüche, vollzogen mit Alfred Döblins *Berlin Alexanderplatz* und Bertolt Brechts *Dreigroschenoper*. Den Roman las oder verschlang ich bald nach seinem Erscheinen, und obgleich ich seitdem nie wieder hineinsah, bin ich sicher, daß dies Werk noch heute lebt und noch weiter leben wird. *Die Dreigroschenoper* sah ich in der ersten Berliner Inszenierung und war hingerissen davon, wie sollte ich nicht. Heute ist dies Werk meines Erachtens veraltet, wie manches zu seiner Zeit gar zu Durchschlagende, gar zu Modische. Andere Dramen des Meisters haben sich erhalten, und ich kann wohl verstehen, warum; so *Mutter Courage,* so *Der gute Mensch von Sezuan.* Was mir an Brecht gefiel, ist sein Mitleid und sein Zorn; was ich an ihm auf den Tod nicht ausstehen kann, ist seine Schulmeisterei, woran der Marxismus schuld ist. Der hat noch keinem Dichter gut getan, wenn er zu viel davon verschluckte. In der Heidelberger »Sozialistischen Studentengruppe« las uns der Student Richard Löwenthal, nachmals der berühmte Professor und Berater der SPD, aus einem neuen Stück Brechts vor, das ihn entzückte; mich nicht. Löwenthal deklamierte:

> Habt ihr die Welt verbessert, so
> Verbessert die verbesserte Welt.
> Gebt sie auf!
> …
> Habt ihr die Welt verbessernd die Wahrheit
>   vervollständigt, so
> Vervollständigt die vervollständigte Wahrheit.
> Gebt sie auf!

Weiter in diesem Stil. Viele Jahre später fand ich das Stück, aus dem Löwenthal uns vorgelesen hatte, das *Badener Lehrstück vom Einverständnis.* Hier agieren »die Menge«, der »gelernte Chor« und die drei mit ihrem Flugzeug abgestürzten Monteure, die um Hilfe bitten, aber keine erhalten, denn:

Solange Gewalt herrscht, kann Hilfe verweigert werden.

Wenn keine Gewalt mehr herrscht, ist keine Hilfe mehr nötig.

Also sollt ihr nicht Hilfe verlangen, sondern die Gewalt abschaffen.

Alles, was recht ist, aber solche trockene, törichte Schulmeisterei kann mir nicht imponieren. Auch nicht die Routine, welche der Dramatiker sich im Lauf seines produktiven Lebens gewann. Ein Beispiel dafür ist eine nach einer Probeaufführung in Berlin geschriebene Einfügung in *Verhör des Lucullus*. Man erinnert sich: Lucullus wird vom Totengericht zum Versinken ins Nichts verurteilt – »Ah ja, ins Nichts mit ihm und ins Nichts mit Allen wie er!« –, weil er nur Krieger, Eroberer und Soldatenschinder war; daß er, immerhin, die Kirsche nach Rom brachte, kann ihm nicht helfen. Nun war diese Ansicht der Dinge in ihrer Einfachheit dem Ministerium für Volksbildung in Berlin-Ost unlieb. Nicht alle Feldherren können würdig des ewigen Nichts sein, denn es gibt eben kapitalistische Kriege, die sind schlecht, und sozialistische Kriege, die sind gut. Und so sah Brecht sich genötigt, zwei Einfügungen zu machen; die erste berichtet, warum der König das Verhör bestanden hat, das Lucullus nicht bestehen wird. Der König:

> Weil ich, das Land zu verteidigen, aufrief:
> Mann, Kind und Frau
> In Hecke und Wasserloch
> Mit Beil, Hacke und Pflugschar
> Am Tag, in der Nacht
> In der Rede, im Schweigen
> Frei oder gefangen
> Im Angesicht des Feinds
> Im Angesicht des Todes.

Der »Lehrer« schlägt dann vor

> ... daß wir
> Uns erheben vor diesem Zeugen
> Und zum Lobe derer
> Die ihre Städte verteidigten.
> *Die Schöffen erheben sich.*

Zu beweisen ist da nichts, aber den Verdacht habe ich, daß es den Dichter nur einen Vormittag kostete, diese von der Obrigkeit befohlene Szene nachzutragen. Denn nun beherrschte er die Kunst. Wie denn in seinem Riesenwerk überhaupt eine Menge routinemäßig Gemachtes zu finden ist. Nehmen wir das vielbewunderte Gedicht *Fragen eines lesenden Arbeiters*.

> Der junge Alexander eroberte Indien.
> Er allein?
> Cäsar schlug die Gallier.
> Hatte er nicht wenigstens einen Koch bei sich?
> ...
> Friedrich der Zweite siegte im Siebenjährigen Krieg.
> Wer siegte außer ihm?

Zum Erstaunen ist hier, wie wenig der Dichter vom »lesenden Arbeiter« wußte, um ihn so blöde Fragen stellen zu lassen. Und auch solch Gedicht ist unglaublich leicht zu machen. Zu meinem Vergnügen habe ich es dem Sinn nach einmal umgekehrt:

> Die französischen Soldaten drangen bis Moskau vor.
> Freiwillig?
> War da niemand, der die Peitsche über ihnen schwang?
> Aus Sümpfen schufen Muschiks die steinerne
> Zarenstadt.

Sie ganz allein?
Hatten sie denn gelernt, wie man Paläste baut?

...Selbst in dem sagenhaften Atlantis *
Brüllten in der Nacht, wo das Meer es verschlang, *
Die Ersaufenden nach ihren Sklaven.*
Und die Sklaven?
Brüllten sie nicht, ersoffen sie nicht?

Und so weiter. Ich denke, mein Gedicht war so gut wie seines, was nicht viel heißen will. Dem beeile ich mich hinzuzufügen, daß die *Legende von der Entstehung des Buches Taoteking* auf dem Weg des Laotse in die Emigration für mich zu den schönsten Balladen in deutscher Sprache gehört. Wie ich denn nicht so blind bin, den Dichter in Brecht zu verkennen. Das Leidige ist, oder war noch vor kurzem, daß man ihn geradezu vergottete und kaum noch andere Götter neben ihm dulden wollte.

Den Namen von Karl Korsch finde ich im *Großen Brockhaus* nicht. Dagegen wird er in der *Encyclopaedia Britannica* erwähnt als der »hervorragende marxistische Theoretiker«, der Brecht in den späten zwanziger Jahren in des Meisters Lehre einweihte. Da Korsch mit einer Cousine meiner Mutter verheiratet war, so besuchte ich ihn während meines ersten Berliner Winters ein paarmal. Die Familie wohnte in einem bescheidenen Reihenhaus in irgendeinem Berliner Vorort. Korsch, Jurist von Haus, in einer kurzlebigen sozialistisch-kommunistischen Regierung des neuen Landes Thüringen Justizminister, auch Professor in Jena, war damals noch Reichstagsabgeordneter, jedoch für sich allein; zwei Jahre vorher hatte die Kommunistische Partei ihn als einen zu selbständigen Denker ausgeschlossen, so

---

* Diese Zeilen von Brecht

daß er nach den Wahlen des Jahres 28 sein Mandat verlor. Es waren angenehme Leute, mit netten Kindern. »Ja«, sagte Korsch, »sie sind so gesund, wie richtig ernährte Proletarierkinder eben sind.« Er war ein schöner Mann und Herzensbrecher; in den dreißiger Jahren nahmen sich zwei deutsche Emigrantinnen in London seinetwegen das Leben; ein Ereignis, das zuerst politisch erklärt wurde, dann aber sich als durch Liebesschmerz verursacht herausstellte. Mich behandelte er als offenbar konservativ gesinnten Bourgeois-Sohn etwas von oben herab, aber gutmütig. Als ich von meinen politischen Interessen sprach: »Sie wollen wohl Minister werden? Die gibt's ja dann nicht mehr. Dann gibt's nur noch Volkskommissare, und das werden Sie nicht!« Aber er gab mir gute Ratschläge. Zum Beispiel: »Lesen Sie nie über…« Er meinte: Lesen Sie nur die großen Autoren selber, und nicht, was andere über sie geschrieben haben. Und er riet mir, was ich zunächst von Marx lesen sollte: ein paar frühe Schriften und *Grundrisse der Kritik der politischen Ökonomie* und die zeitgeschichtlichen Essays, besonders den *Achtzehnten Brumaire des Louis Napoleon*, dann Engels, der zur Einführung nützlich sei: *Ludwig Feuerbach und der Ausgang der klassischen deutschen Philosophie*, oder auch der *Anti-Dühring*. Woran ich im nächsten Jahr mich hielt. Es kam die Rede auf Mathematik, und er erzählte, daß er sich jetzt mit ihr befasse, zumal mit der Mengenlehre; ein moderner Marxist müsse das. Verstand ich ihn recht, so war, wie die Menge aller Mengen selber keine Menge war, die Ideologie aller Ideologien, die marxistische, selber keine Ideologie mehr… Am Hochmut des Doktrinärs fehlte es ihm auch nicht. Als ich vorschlug, er sollte sich doch einmal mit meinem Vater unterhalten, der ja nun als Mitglied der »Preußischen Akademie der Künste« öfters in Berlin sei: »Ich wüßte nicht, was mich weniger interessieren könnte.« Seine Gespräche unterhielten immer, belehrten manchmal, aber es war etwas Assoziatives und, ich finde kein anderes Bild, Breiiges darin. Als ich ihn später in Heidelberg einen Vortrag halten hörte, geriet er von einem ins andere und konnte gar nicht aufhören, so daß es gegen Ende einen kleinen Skandal gab. Im Alter, nun in den USA lebend, wurde er geisteskrank. Der Arme zu seiner Frau, vorwurfsvoll: »Wir haben doch immer zusammen für die Freiheit gekämpft, und nun läßt du mich einsperren!« Wirklich hatte er immer geglaubt, Freiheit mit seinem »Marxismus-Leninismus« verbinden zu können. Ein Irrtum. Aber er meinte es gut. Den Heidelberger Vortrag, als er sich genötigt sah, zum Schlusse zu kommen, beendete er mit der Erklärung, ein wechselseitiges Sich-Verstehen zwischen der bürgerlichen und der marxistischen Wissenschaft sei trotz allem möglich. Mir sagte er einmal, wirkliche Könner unter den deutschen Unternehmern würden auch unter einer kommunistischen Regierung Arbeit genug finden. Vermutlich waren es solche liberalen Ideen, die seinen Ausschluß aus der Partei zur Folge hatten. Wie weit sie auf Brecht wirkten, weiß ich nicht. Mir gegenüber hat Korsch den Dichter, mit dem er eng befreundet war, nie erwähnt.

Ein weiter Sprung ist es von Karl Korsch zu Ricarda Huch. Auch sie lernte ich in Berlin kennen und schloß Freundschaft mit ihr. Längst hatte ich aus der Ferne ihr Werk geliebt, mithin auch dessen Schöpferin. Die drei Bände *Der große Krieg in Deutschland, Wallenstein, eine Charakterstudie, Das Leben des Grafen Federigo Confalonieri,* die Freiherr-vom-Stein-Biographie. Unter allen mir bekannten historischen Schriften lagen sie mir am meisten. In meiner Besprechung ihres Werkes *Das Zeitalter der Glaubensspaltung* – Band 2 ihrer *Deutschen Geschichte* – zehn Jahre später: »Bei einer so wunderbar unmittelbaren Beziehung, wie Ricarda Huch sie durch das historische Dokument hindurch zur Vergangenheit besitzt, ist es schwer, von ›Philosophie‹ zu sprechen; man soll das nicht systematisieren wollen, was nicht intellektuell gedacht ist. Theorie muß oft Geschichtsgefühl und Gestaltungskraft ersetzen; Ricarda Huch bedarf ihrer nicht. Sie sucht nicht Gesetze, Ursachen, Kausalitäten; aber in wenigen geschichtlichen Darstellungen glaubt man so wie in der ihren das Fatum zu ergreifen. Ein auf den ersten Blick willkürlich scheinendes Herausnehmen einzelner Bereiche der Politik, der Philosophie oder Sitte, ein Wechseln zwischen dem Einzeln-Bestimmten und dem Allgemein-Beispielhaften, ein auftauchen, verschwinden, wiederkehren und endgültig versinken Lassen der Individuen, Freunde und Feinde, ein kunstvolles Ineinanderweben der Generationen, des Sterbens und Weiterlebens, mitleidende Psychologie des Seelenarztes und unbestechliches Beurteilen des um die objektiven Folgen wissenden Historikers, Bedachtsein auf den kleinen Zufall und das große Muß, die Schuld und Unschuld des Handelnden, der blind vorwärts schreitet, bis sein Fuß auf Feuer tritt – das sind einige Merkmale der Methode, die Ricarda Huch sich geschaffen hat, die vor ihr nicht da war und die, weil persönlich, weil bei aller Gelehrtheit poetisch, auch keine Nachfolge finden kann. Müßten wir ihr ein Kennwort zuweisen, so wählten wir: *Gerechtigkeit*. Ricarda Huch verhimmelt nicht, entlarvt nicht, klagt nicht an: sie ist gerecht. Man weiß, und erfährt auch hier, daß sie die Gestalt Luthers, des Mystikers, des Dichters und Volksführers, sehr liebt; aber nie wurde in einem protestantischen Buch über Luthers Wesen, seine satanische Herrschsucht und Rechthaberei, sein barbarisches Verhalten im Bauernkrieg, über die schlimmen Folgen seines Wirkens für Wissenschaft und

Humanität ... gleich furchtbar Gericht gehalten. So erscheint manchmal die Reformation als ein Unglück, die alte, ehrwürdige Kirche als das bei weitem Überlegene, Weisere, Skeptisch-Menschlichere – und dann doch wieder nicht... In Ricarda Huch war Gerechtigkeit immer mit einem Willen zur Wirklichkeit verbunden, der ebenso wie zur Liebe auch bis zur Grausamkeit ging, vor den Abgründen des kranken Geistes so wenig wie vor der Schilderung populärer Schändlichkeit und körperlicher Greuel zurückschreckte. Hier gibt sie in der nur zu wahren Darstellung des Hexenwahns in Deutschland und der Art, wie die Herrschenden sich seiner bedienten, eines der gräßlichsten Bilder menschlicher Verwirrung und Infamie. Es wäre, so meint sie, vollends unerträglich, wenn man nicht auch der tapferen Schriftsteller gedenken könnte, die sich gegen die Barbarei leidenschaftlich erhoben: ›Es ist unbegreiflich und sehr traurig, daß eine solche Anklage (die *Cautio Criminalis* Friedrich von Spees) so wirkungslos verhallte.‹ Den tierisch-rohen Mächten unterliegen die Helden nach altem Brauch. Zynismus, Menschen- und Geschichtsverachtung sind aber aus dieser Erkenntnis nicht die Folge. Dafür hat Ricarda Huch zuviel Liebe zum Vergangenen überhaupt, zuviel Naturnähe, zuviel Humor; genug menschlich Reizvolles, Jugendfreundschaften, Schönheit der Landschaft und Menschen, Behaglichkeit, Güte, Mäßigung, Mut, Witz stehen dem Gemeinen entgegen. Sie hält die Welt weder für schlecht noch für gut, noch denkt sie, daß sie je ganz schlecht oder ganz gut gewesen sei; aber sie würdigt doch den Kampf des Besseren gegen das Schlechtere. Indem sie das Prinzip, wonach Recht sei, was der Kirche nütze, als verderblich bezeichnet, meldet sie ihr Wissen um *bessere* Prinzipien an; sie glaubt an ›etwas Unvergängliches, Unersetzliches, etwas allen Menschen zu jeder Zeit Notwendiges, die Luft, in der der Geist atmet‹: an Freiheit.«

Daß der Geist des von mir besprochenen Buches sich mit hoher Kühnheit gegen den Staat richtete, in welchem die Historikerin damals leben mußte, liegt auf der Hand; es ließen sich noch schlagendere Zitate dafür geben.

In Salem hatte mir mein Lehrer Kuchenmüller einmal gesagt, eine Dichterin wie Ricarda Huch sei weder Weib noch Mann, sie sei geschlechtslos. Wobei mir einfällt, daß sie in ihrer Wallenstein-Studie eine Idee aus der mittelalterlichen Psychologie erwähnt, wonach einer zugleich Mann und Weib sein könne; so einer sei ihr Held gewesen. Damals glaubte ich dem Lehrer, später sah ich es anders. Ricarda Huch war Frau durchaus; wenn ich je eine Gestalt sah, für welche der Ausdruck »königliche Frau« zutraf, so war sie es: hochgewachsen, mit bewußt altmodischer Eleganz gekleidet, dunkel und bis zum Halse geschlossen, der Kopf vornehm und geistvoll. Lieben konnte sie sehr, wenngleich zumeist unglücklich; ihre Lyrik gibt Zeugnis davon. Zweimal war sie verheiratet, mit dem Zahnarzt Ceconi und mit ihrem Vetter Richard Huch; beide Ehen währten nicht lang. Ceconi, damals schon geschieden, war in der frühen Kindheit unser Zahnarzt; mein Vater mochte den mandeläugigen Italiener sehr, zumal er den auf dem Stuhl Gequälten mit peninsularen Anekdoten zu amüsieren wußte; wir mochten ihn auch, aber er verschwand bald aus unserem Gesichtskreis, vermutlich kehrte er wegen des Krieges in seine Heimat zurück. Es gab einen Sohn Frau Ricardas von ihm, Peter, den wir kannten, als ich fünf war, er war etwa elf, und der mir sehr gefiel, ebenso eine Tochter, die ich erst damals in Berlin kennenlernte.

Nun also mein erster Besuch. Frau Ricarda öffnete die Türe zur Wohnung: »Kommen Sie herein. Aber ich fühle mich heute nicht recht wohl; Sie müssen reden.« Ein Gesprächsthema hatte ich mir, unerfahren, nicht vorher ausgedacht und improvisierte wohl oder übel: Wie sehr ich ihren *Großen Krieg* liebte, während mir die Schwächen Wallensteins in der *Charakterstudie* doch etwas überzeichnet erschienen. »Ja, ich habe das damals geschrieben ...« – es sei etwas wie eine Nachschrift zum *Großen Krieg* gewesen. Wie grausam ihre Psychologie sein konnte, zeigte mir ein einziger Satz; als sie am dritten Band arbeitete, sei sie eigens nach Eger gefahren, »um Wallenstein stecken zu sehen« – die geborene Braunschweigerin sprach es »s-tecken« aus. Sie wollte ihren Helden in seiner Todesfalle beobachten. Im Lauf der Unterhaltung: Sie habe sich immer nur dem Leben von Persönlichkeiten gewidmet, von denen sie sich im ersten Moment angesprochen fühlte, die sie verstand, ja, mit denen sie sich einigermaßen selbst identifizieren konnte. Daß darunter so grundverschiedene Charaktere waren wie Luther, Federigo Confalonieri oder Michael Bakunin, widerlege dies Grunderlebnis durchaus nicht. (Eine Erfahrung, die ich später auch machte. Was haben Friedrich von Gentz und Bertrand Russell gemeinsam? Für mich nur dies, daß beide mich auf den ersten Blick interessierten, sogar faszinierten. Mehr braucht es nicht, aber das braucht es).

Nach einer Unterhaltung von ungefähr einer Stunde erschien, zu meiner Erleichterung, der Schwiegersohn, Dr. Franz Böhm. Er habe, so erzählte er, gerade einen Artikel über »den Stil der Huch« gelesen. Die Schwiegermutter: »Wenn ich so etwas höre wie ›die Huch‹, so wünschte ich, ich hätte nie etwas geschrieben.« Wirklich ist es eine üble Gewohnheit, bei schöpferischen Frauen dem Nachnamen ein »die« vorzusetzen. Zum Beispiel besaß ich damals eine Anthologie aus dem Werk Annette von Droste-Hülshoffs mit dem Titel *Die Droste*. Was soll das heißen? Sie war Annette von Droste, punktum. Will man schon das Geschlecht bezeichnen, so tut es der Vorname viel besser als das »die«. Übrigens zeigte mir Frau Ricardas Ärger, wie sehr sie Frau war, große Dame war.

Ich kam dann öfters, auch zum Abendessen. Ich will nicht sagen, daß die Unterhaltung meiner Gastgeberin sprudelnd gewesen wäre; dafür war sie zu spröde und, wenn nicht hochmütig, doch zurückhaltend und nicht ohne Stolz. Über die meisten deutschen Schriftsteller ihrer Zeit soll sie sich lustig gemacht haben; auch über TM, von dessen Werk sie wohl nur wenig kannte. Aber sie lachte gern; herzlich und spöttisch auch. Im folgenden Winter erzählte ich ihr von einem geschichtsphilosophischen Buch, das ich gerade las, von Heinrich Rickert *Die Grenzen der naturwissenschaftlichen Begriffsbildung*. Glaubte man dem Heidelberger Philosophen, so mußte der Historiker »wertbeziehend« vorgehen. Aus der unerschöpflichen, amorphen Masse, welche die Vergangenheit an sich ist, ohne den Historiker, muß er herantreten mit Wertvorstellungen in seinem eigenen Geist, um aufgrund ihrer auszuwählen und anzuordnen, wie zum Beispiel Kant vorschlug, Geschichte in »weltbürgerlicher Absicht« nur in Hinsicht auf die langsam fortschreitende »Aufklärung« zu schreiben, alles andere aber zu ignorieren. Was Rickert da bot, hätte man auf sechs Seiten sagen können, aber er brauchte sechshundert dafür, wie es die Gewohnheit ideenarmer Professoren ist. Stolz auf das eben Angelesene, machte ich Frau Ricarda Mitteilung davon. Sie lachte hell auf. »Mit so etwas will der Mann Geschichte schreiben?« Nichts hätte ihr fremder sein, nichts törichter erscheinen können. Vergangenheit *sieht* man durch ihre redenden Zeugnisse; und was davon Gewicht hat und was nicht, das sieht, das fühlt, das ver-

steht man auch. Was sollte da eine ausgeklügelte Wertbe-
zieherei?

Leider fielen Frau Ricardas Briefe an mich vor 1933 in
München der Gestapo zum Opfer. In ihnen war noch mehr
Freundschaft als in den häufig verschlüsselten, die ich
während der ersten Jahre der Emigration von ihr erhielt.

8. Oktober 1933

Lieber G., wenn auch Ihr Brief kein Freudenschrei sein
konnte, so hat er mich doch als Lebenszeichen sehr erfreut;
ich denke mir auch, daß es eine zeitlang hübsch sein muß,
der Familie zu leben und Horaz oder was man sonst schön
findet zu lesen, nur darf es nicht zu lange dauern. Darüber
läßt sich nichts prophezeien. Ich habe nie länger als ein
paar Monate vorausgedacht, also wird es mir nicht schwer
ohne Programm von Tag zu Tag leben. Ein melancholisches Dasein führe ich nicht, weil mir das nicht liegt, und
ein gewisses Untergang-des-Abendlandes-Gefühl habe ich
schon seit Jahren...

4. Februar 1934

Lieber G., ich freue mich, daß Sie ein ganz klein bißchen
Glück gehabt haben, vielleicht kommt mehr nach. Sie sehen es doch für ein Glück an, eine Beschäftigung zu haben?
Wenn Sie z. B. hier in Heidelberg wären, hätten Sie auch
mehr Ärger als Vergnügen, denn man ist doch nur selten
mit der Haltung der Menschen ganz einverstanden. Ich
würde Ihnen einen längeren Brief schreiben, wenn nicht
die Vorstellung eines schielenden oder triefenden Auges,
das unberufen diese Zeilen lesen könnte, meine Feder bor-
stig machte. Infolgedessen will ich Ihnen nur sagen, daß
ich herzlich Ihrer gedenke...

27. Juli 1934

Lieber G., noch sehe ich Sie, wie ich Ihnen zum ersten Mal in der Uhlandstraße die Tür öffnete: Klein, schüchtern, absonderlich und reizvoll; ich schloß Sie gleich ins Herz und behielt Sie seither darin, obwohl Sie jetzt vermutlich zum Manne herangereift, gefestigt und würdig sind...

Zum letzten Mal hatte ich Ricarda Huch in Heidelberg besucht, wo sie für eine Zeit bei ihrer Freundin Marie Baum wohnte, Herbst 1932. Dann, ach leider, sah ich sie nie wieder. Als ich mich 1946 in Frankfurt aufhielt, lebte sie in Jena. Dort besuchte sie 1947 mein Bruder Klaus, zufällig gerade im Moment, in dem ein russischer Kultur-Offizier bei ihr war. Es ging um einen »gesamtdeutschen« Schriftsteller-Kongreß in Berlin. Der Offizier: »Du weißt, was du zu sagen hast« – woran sie sich kaum gehalten haben dürfte. Von Berlin reiste sie Ende Oktober nach Frankfurt; fand vorläufige Wohnung im Gästehaus der Stadt draußen im Taunus, dankbar für ein schönes Zimmer, in welchem sie starb am siebzehnten Tag. Ergreifend ist ihr Sterbegedicht, nur zwei Strophen. Die zweite:

> Matt im Schoß liegt die Hand,
> Einst so tapfer am Schwert.
> War, wofür du entbrannt,
> Kampfes wert?
> Geh schlafen, mein Herz, es ist Zeit.
> Kühl weht die Ewigkeit.

Wirklich, Ricarda Huch war eine Kämpferin gewesen, unbeugsam, wenn es um etwas ging, was sie als »Kampfes wert« erlebte. Dafür bleibt das glorreichste Beispiel der Briefwechsel, den sie im März 1933 mit dem Präsidenten der Preußischen Akademie der Künste, Max von Schillings, führte. Die »Sektion für Dichtkunst«, vulgo »Preußische Dichter-Akademie« genannt, hatte beschlossen, ihren Mitgliedern eine Bekenntnis-Frage zur Beantwortung vorzulegen: »Eine Bejahung dieser Frage schließt die öffentliche politische Betätigung gegen die Regierung aus und verpflichtet Sie zu einer loyalen Mitarbeit an den satzungsgemäß der Akademie zufallenden nationalen kulturellen Aufgaben im Sinne der veränderten geschichtlichen Lage.« Frau Ricarda weigerte sich, diese in ihren Augen völlig ungehörige Frage zu beantworten. Schillings drang in sie; von je her sei sie doch eine national gesinnte Dichterin gewesen. In der Tat, das war sie; ihre Bildung war deutsch und italienisch; die Russen, alten Stiles, liebte sie, die Franzosen aber ganz und gar nicht. Dennoch: »Daß ein Deutscher deutsch empfindet, möchte ich fast für selbstverständlich halten; aber was deutsch ist, und wie Deutschtum sich betätigen soll, darüber gibt es verschiedene Meinungen. Was die jetzige Regierung als nationale Gesinnung vorschreibt, ist nicht mein Deutschtum. Die Zentralisierung, den Zwang, die brutalen Methoden, die Diffamierung Andersdenkender, das prahlerische Selbstlob halte ich für undeutsch und unheilvoll. Bei einer so sehr von der staatlich vorgeschriebenen abweichenden Auffassung halte ich es für unmöglich, in einer staatlichen Akademie zu bleiben ... Sie erwähnen die Herren Heinrich Mann und Dr. Döblin. Es ist wahr, daß ich mit Herrn Heinrich Mann nicht übereinstimmte, mit Herrn Dr. Döblin tat ich es nicht immer, aber doch in manchen Dingen. Jedenfalls möchte ich wünschen, daß alle nichtjüdischen Deutschen so gewissenhaft suchten, das Richtige zu erkennen und zu tun, so offen, ehrlich und anständig wären, wie ich ihn immer gefunden habe. Meiner Ansicht nach konnte er angesichts der Judenhetze nicht anders handeln, als er getan hat. Daß mein Verlassen der Akademie keine Sympathiekundgebung für die genannten Herren ist, trotz der besonderen Achtung und Sympathie, die ich für Herrn Dr. Döblin empfinde, wird jeder wissen, der mich persönlich oder aus meinen Büchern kennt. – Hiermit erkläre ich meinen Austritt aus der Akademie.« Diesen großartigen Brief bekam ich erst lang nach dem Krieg zu lesen. Frau Inge Jens, in ihrer *Geschichte der Sektion für Dichtkunst der Preußischen Akademie der Künste*, stellt ihn TMs berühmtem *Bonner Brief* gleich. Ich möchte ihn noch höher stellen. Denn Ricarda Huch hatte es noch schwerer als TM in Zürich. Und wie schwer hat sie es dann während jener zwölf Jahre gehabt; sie und ihr Schwiegersohn Franz Böhm, Jurist von Haus, der aufrechte Liberale.

Die Freundschaft mit Ricarda Huch war mein schönster Gewinn während jener zwei Berliner Winter. Erwähnenswert mag noch der Salon der Frau Helene von Nostitz sein, in den ich dank ihres Sohnes Oswalt, eines »Altsalemers«, geriet. Er bestand aus ein paar hübsch eingerichteten Kammern unter dem Dach; der Salon Rahel Levin-Varnhagens, danach jener meiner Urgroßmutter Hedwig Dohm mag ähnlich bescheiden gewesen sein. Bei Helene von Nostitz traf man interessante Leute, zum Beispiel den Grafen Harry Kessler. Hätte ich schon gewußt, wer das war, was er alles erfahren hatte, oh, ich hätte gebeten, ihn besuchen und ausfragen zu dürfen, solange seine Geduld reichte. Kessler, dem Gesetz nach Sohn eines Bankiers aus alter St. Galler Familie, hatte jedoch – dies ist höchst wahrscheinlich – den Kaiser Wilhelm I. zum Vater; der Kaiser, oder damals der König, muß siebzig Jahre alt gewesen sein, als er ihn zeugte, vermutlich gelegentlich der Pariser Weltausstellung 1867, denn Kessler erblickte das Licht der Welt das Jahr darauf in Paris. Später erhob Wilhelm ihn zum Grafen, genauer, bat einen Fürsten zur Lippe, es statt seiner zu tun, wohl das einzige Mal in der Geschichte des deutschen Hochadels, daß ein bloßer Fürst einen Grafen machte. Natürlich galt der neue Rang nur für den Bastard-Sohn. In seinen *Erinnerungen* zog Kessler sich geschickt aus der Affaire, indem er die Fotografien seiner Eltern mit »Graf Kesslers Mutter und »Graf Kesslers Vater« betitelte. In diesen *Erinnerungen* findet sich das bei weitem beste Porträt des alten Bismarck, das je mit Worten gezeichnet wurde. Ebenso blendend beobachtet und geschrieben sind Kesslers *Tagebücher* aus dem zweiten und dritten Jahrzehnt des Jahrhunderts, mit ihren kulturellen, gesellschaftlichen, politischen Notizen eine goldene Fundgrube für jene Epoche. Es gibt noch weiter zurückliegende Tagebücher, die noch der Veröffentlichung harren. Dort, so hörte ich, erzählt der junge Kessler, wie er zusammen mit der Schwester Nietzsches den toten Philosophen in den Sarg bettete… Kessler war ein Globetrotter und Salonlöwe, wohlhabend durch Erbe, nach 1918 dem Deutschen Reich für ein paar Jahre als Diplomat dienend, die längste Zeit aber unabhängig, Beobachter und Vermittler; Schriftsteller nebenher. Seine Rathenau-Biographie dürfte das Beste sein, was über diesen weit vorausschauenden, tragischen Politiker geschrieben wurde.

In dem gleichen Salon traf ich auch einmal Jakob Wassermann, den ich schon von zu Hause kannte und sehr gerne hatte, seine schelmische Schwermut. Und wie hatte es mir sein *Caspar Hauser* angetan. Wie bei Hermann Hesse spürte man bei ihm sofort die ungewöhnliche, schöpferische und leidende Persönlichkeit, auch wenn er gar nichts Bedeutendes sagte. Seine zweite Frau, Marta Karlweis, war hoch intelligent, aber kalt und ehrgeizig. Sie wollte aus ihrem

Gatten offenbar machen, wozu er seiner Natur nach gar nicht taugte, einen großen Herrn, in Glanz lebend. So hatte sie für ihn in Berlin eine elegante Villa zusamt dem Silber, Porzellan und allem Luxus gemietet. Einmal war ich dort zu einem, trotz der Villa, eher ungastlichen Abendessen; gastlich, herzensfreundlich war Frau Marta durchaus nicht. Nebenbei hatte ich den Eindruck, daß sie hoffte, eine ihrer Töchter aus erster Ehe mit meinem Freund Pierre Bertaux zu vermählen, da hatte sie die Rechnung ohne den Wirt gemacht. Tat sie dem Dichter nicht sehr gut, so tat seine geschiedene erste Frau, Julie, ihm noch schlechter; mit ihren ständigen Geldforderungen, ihrer unstillbaren Rachsucht – zum Beispiel mit einem giftgetränkten Schlüsselroman – hat sie Wassermann buchstäblich ins Grab gebracht. Er war, zumal seit dem Januar 1933, solcher nagenden Qual nicht mehr gewachsen. Ein Drama wie aus einem späten Roman von Jakob Wassermann. Nun also traf ich ihn bei Frau von Nostitz und stellte ihm die Frage aller Fragen: »Wie gefällt es Ihnen denn in Berlin?« Wassermann: »Es wird auch hier mit Wasser gekocht.« Da mußte ich ihm recht geben.

Oh gewiß, das Berliner Theater war großartig, und auch ich genoß es; die letzten Klassiker, Hauptmann und Shaw, auch neue Dinge. Zum Beispiel gab es da ein Erfolgsstück mit über 100 Aufführungen in Max Reinhardts Deutschem Theater, welches *Die Verbrecher* hieß. Der Autor, ein gewisser Ferdinand Bruckner, war allen ein Rätsel, bis er sich endlich als ein ehemaliger Theaterleiter minderen Erfolgs zu erkennen gab. Hier spielte Gustaf Gründgens, noch nicht von meiner Schwester geschieden, einen widerwärtigen Erzschurken, spielte ihn so überzeugend, daß meine Mutter förmlich entsetzt war: *das* war ihr Schwiegersohn! Ein Irrtum. Gründgens war ein großer Schauspieler, weiter nichts, und er konnte die erhabenen Figuren, Caesar, Fiesco, Hamlet, Wallenstein ebenso vollkommen inkarnieren wie das leise, grausame Scheusal, das hier einen Unschuldigen unter das Fallbeil bringt. Gründgens sah ich auch in dem schwachen Stück meines Bruders *Revue zu Vieren*, das schon gewohnte Quartett, er, Pamela Wedekind, Erika und Klaus. Ich war in der Uraufführung, der kein geringerer als der Kultusminister Becker beiwohnte. Dieser, am Ende, großmütig: »Er hat etwas dazugelernt.« Ratlos dagegen waren zwei Kritiker, deren Gespräch ich überhörte. Der eine: »Die Kritik wird schwierig sein?«; der andere, achselzuckend: »Nun ja, ein Versuch, die ganze geistige Krise unserer Zeit...« Das Stück war ein verdienter Mißerfolg, verursacht durch ein Mißverständnis des Autors: er hielt seine Vierergruppe für so interessant, daß er sie der Welt in allen möglichen Formationen darstellen zu sollen glaubte. Bald darauf fiel sie auseinander, indem nicht nur Gründgens, auch die Tochter Wedekinds aus dem Umkreis meiner Geschwister verschwand; sie hielt es nun mit Carl Sternheim, dem Dramatiker. Jedoch war Klaus mutig und damals und noch für eine gute Zeit optimistisch genug, um sich durch Niederlagen nicht deprimieren zu lassen. Ein Mißerfolg war auch ein neues Stück Heinrich Manns, *Bibi. Seine Jugend in drei Akten*, in welchem der Aufstieg eines Berliner Karrieristen gezeigt wurde oder werden sollte. Alfred Kerr verspottete den Verfasser als jemanden aus der dunklen Provinz, der sich Berliner große Politik und Gesellschaft so vorstellte, wie man es in München eben tat. Weit entfernt davon, zu bestreiten, daß Kerr etwas von Theater verstand, waren mir seine Kritiken doch einigermaßen ekelhaft: diese spritzigen Abschnittchen, versehen mit römischen Ziffern und mit Kalauern gewürzt, wie etwa: »Der Werfel hat gefallen«, über

ein Stück von Franz Werfel, oder »Tua Kolpa, tua Kolpa«
über das Drama eines Autors namens Kolb. Für mein Gefühl hätte Kerr der erste Kritiker der Hauptstadt nicht sein
dürfen.

Auch Heinrich Mann lebte nun in Berlin, befreundet mit
einer Dame vom Theater oder Cabaret namens Trude He-
sterberg. Sein Roman *Die große Sache* war Frucht dieser Nie-
derlassung. Unter Literaten galt er als politisches Orakel,
was er nicht war, oder nur einmal gewesen war: 1914 und
während des Krieges. Warum er seither ein voraussehen-
der Beurteiler des Politischen nicht sein konnte, darüber
vielleicht später. In der »Dichter-Akademie« machte er
rege mit, demnächst als ihr Präsident. Ich erinnere mich an
einen »Antrag Heinrich Mann: Warnung der Jugend vor
dem Schriftsteller-Beruf.« Ein- oder zweimal lud er Klaus
und mich zum Mittagessen in einem Restaurant ein. Regelmäßig redete er uns zuerst mit »Sie« an: »Wie geht es
Ihrem – wie geht es deinem Vater?« Er war uns noch ziemlich fremd, trotz der nun acht Jahre zurückliegenden Versöhnung mit seinem Bruder; erst die Emigration brachte
ihn uns näher.

Ein paarmal geriet ich in Zirkel geringerer Literatur oder
Bohème, und die Zeit schien mir dort ebenso verloren wie
in Vergnügungslokalen: »small talk« über Politik und Gesellschaft, Klatsch. Als ich, was ich gar nicht hätte tun sollen, von der zugleich angenehmen und traurigen Wehmut
der Erinnerungen sprach – da dachte ich an Salem –, war
die Reaktion: »Tja, das hat Proust uns ja gezeigt.« (Du
Esel! Es ist mein Erlebnis und nicht das von Proust – von
dem ich damals noch keine Zeile kannte). In einem jener
Zirkel traf ich den Hochstapler Harry Domela, längst vergessen, während kurzer Zeit aber in Berlin begierig herum-
gereicht und ausgefragt. Sein Buch *Der falsche Prinz* wurde

259

zum Bestseller, von dem, so hörte ich, sein Anwalt weit mehr profitierte als der Autor selber. Er konnte gut beobachten und erzählen: seine Herkunft aus dem Elend, seinen wunderlichen Aufstieg, den er einem Urtalent zu verdanken hatte: sicheres Auftreten, tadellose Manieren. Unvergeßlich bleibt mir seine Beschreibung eines Besuches bei den »Saxo-Borussen« in Heidelberg, die ihn als baltischen Aristokraten akzeptierten. Das Merkwürdige ist, daß er sich als Hohenzollernprinz gar nicht ausgegeben hatte, sondern im Hotel einer Stadt in Thüringen, ich glaube Erfurt, von dem alten Hotelier, einem Kommerzienrat Kossenhaschen, als solcher erkannt wurde und die noble Entlarvung sich gefallen ließ. Er nutzte aber, so konnte sein Anwalt vor Gericht geltend machen, die Situation nicht so weit aus, wie möglich gewesen wäre. Der Kommerzienrat: »Nun, nächste Woche ist ja im Schloß Cecilienhof ein großer Tag?« (Der Geburtstag der Kronprinzessin.) »Haben E. K. H. schon an ein Geschenk gedacht?« Domela, bescheiden: »Nein, dazu reicht mein Taschengeld doch nicht.« Der Kommerzienrat: »Nun, da könnte man doch...« und drängte ihm sein Geld geradezu auf. Als das ungleiche Paar nächtlich am Denkmal Wilhelms I. vorbeikam, fing der Hotelier an zu schluchzen: das müsse er immer, wenn er die unvergeßliche, hehre Gestalt sehe... Recht eigentlich gefallen konnte mir der begabte Bursche nicht: grau, schwammig und bei aller Eleganz etwas unappetitlich. Jedoch muß er bei anderen Erfolg gehabt haben. Bei unserer ersten Begegnung schloß er seine Erzählung mit den Worten: »Man muß eben dem Lieben Gott einmal eine Chance geben.« Da ging der Pädagoge, der Schüler Kurt Hahns in mir durch: »Der Liebe Gott hat *Ihnen* eine Chance gegeben, und die sollten Sie nun nützen! Mit dem Geld, was Sie haben, müssen Sie etwas lernen. Oder wollen

Sie immer Hochstapler bleiben?« – zu welchem Rat er entschieden ein verdutztes Gesicht machte. Ein paar Monate später besuchte er mich in München; kam mit dem Taxi angefahren und bat mich, ihm zwanzig Mark zu leihen, was ich tat. Er wohnte in den »Vier Jahreszeiten«. Am nächsten Tag rief er an und bat mich noch einmal um zwanzig Mark. Nun wurde ich ärgerlich: »Das Geld, was ich Ihnen gestern gab, haben Sie vor meinen Augen in Taxis verfahren. Das könnte ich mir nicht leisten. Nein, Sie bekommen nichts mehr von mir.« »Ach, wirklich?« – Ich hörte dann nie wieder von ihm, fürchte aber, es hat im Dritten Reich so oder so ein schlimmes Ende mit ihm genommen.

Ja, und dann die Universität. Viel mehr als von der Münchner hatte ich im Grunde von ihr nicht. Ich hörte Friedrich Meinecke über das »Zeitalter der Reformation«: ein feiner alter Herr mit schütterem Bart, dem das Colleghalten schwerfiel, zumal er an einem nervösen Tick litt. Später las ich seine berühmtesten Werke: *Die Idee der Staatsräson in der neueren Geschichte*, *Weltbürgertum und Nationalstaat*, *Die Entstehung des Historismus*, welch letzteres im Dritten Reich erschien; ich habe es in der Zürcher Emigrantenzeitschrift *Maß und Wert* einer freundlich-strengen Kritik unterzogen. Meinecke gehörte zu jenen »feinsinnigen« Historikern, die vor der harten gesellschaftlichen Wirklichkeit sich in die reineren Gefilde der Ideengeschichte zurückzogen. Ein guter Liberaler war er, »nationalgesinnt« auch, also eben ein Nationalliberaler, wenn auch nobelsten Stiles. Erich Marcks, den ich von München her kannte, hörte ich nicht, weil ich ihn nicht achtete. Sein Werk *Der Aufstieg des Reiches*, gleichfalls im Dritten Reich erschienen, nannte ich in meiner Besprechung eine zwei Bände dicke Kaiser-Geburtstags-Rede, und genau das war es, wobei der heimliche Kaiser freilich nicht Wilhelm, sondern Hitler hieß, den mit Bismarck zu vergleichen der törichte alte Mann sich nicht schämte. Natürlich war der Geist der Berliner Universität genau so national wie der der Münchner. Auch die besten Historiker blieben ihm untertan... Bei Werner Sombart hörte ich Geschichte der Volkswirtschaftslehre. Er war ein hochgebildeter Herr und konnte elegant sprechen; dazu blasiert, eitel und müde. Kam er zu einer Theorie, an die er nicht glaubte, etwa die »Grenznutzenlehre« des Professors Böhm-Bawerk, so legte er sie so dar, daß man nur darüber lachen konnte.

Oft blieb ich einfach zu Hause, las und exzerpierte; zuerst Hegels *Vorlesungen über die Philosophie der Geschichte*. Weil er ein so berühmter Philosoph war und in diesem Werk sich auch schöne, intuitive Beschreibungen finden, etwa der alt-indischen Kultur und Religion, so glaubte ich ihm, wunderte mich nur darüber, daß wir schon am Ziel seien, vielmehr schon zu Hegels Zeiten gewesen waren, indessen seitdem doch manches Neue sich Bahn gebrochen hatte. Was mich einen Sinn in der Geschichte suchen und hier für ein paar Wochen finden ließ, war die alte metaphysische Angst: »Das Ganze« *mußte* doch einen Sinn haben. Und dann, dem Rat von Karl Korsch folgend, las ich Marx und Engels. Mein konservativer Instinkt spielte von Anfang an gegen die beiden Altmeister. Jedoch war ich nicht unbereit, mich bekehren zu lassen, und besonders die Engelsschen energisch klaren und hochmütigen Darlegungen hatten etwas Gewinnendes. Schriften, insgesamt, gegen die ein Neunzehnjähriger sich wehren mußte, um nicht völlig von ihnen kaptiviert zu werden. Beim *Kapital* kam ich nie über den ersten Band hinaus, und es ist auch völlig unnötig, den zweiten und dritten zu studieren, es wäre denn für Historiker der Nationalökonomie. Im ersten Band finden sich im hohen Grad lesenswerte historische Analysen. Über Marx hielt ich im Januar 1929 mein erstes Referat. Es geschah im philosophischen Seminar des Professors Max Dessoir, während jenes Winters eine etwas kunterbunte Lehrveranstaltung: jeder, der wollte, durfte sich zum Referat über irgendeinen Philosophen melden. Von Marx schien Dessoir noch nie etwas gehört zu haben, denn mehrmals unterbrach er mich mit dem erstaunten Ruf: »Genau wie bei Hegel!« Schon wagte ich zu unterscheiden zwischen Lebendigem und Totem in der Marxschen Lehre, fand einen Widerspruch zwischen seiner Dialektik und der Hauptthese, wonach der »wirtschaftliche Unterbau« in letzter Instanz ja doch alles andere bestimme, und endete mit dem Satz: »Wahrscheinlich ist es Zeit, ihn als einen Denker seines eigenen Jahrhunderts zu verstehen und als einen nicht unfehlbaren Propheten des zwanzigsten.« So weit war ich immerhin und hatte zum ersten Mal erfahren, daß ich einen schwierigen geistigen Zusammenhang zur Zufriedenheit des Professors darstellen konnte. Daraus mein Entschluß, »Philosophie« inskünftig zum Hauptfach zu wählen.

Der Spätwinter 1929 war ein überaus kalter, die Zeitungen brachten Balkenüberschriften über das, was die Leute ja nun am eigenen Leibe spürten – »Die Kältekatastrophe« –, und wir froren erbärmlich; im Zimmer, die Vermieterinnen geizten mit Briketts, und draußen erst recht. Trauriger noch als im Vorjahr klangen gegen Abend in der Innenstadt die Ausrufer der Extrablätter: »Das tragische Ende in Konnersreuth!«, »Aufsehenerregende Mitteilungen über Henny Porten!« (Therese Neumann von Konnersreuth, die stigmatisierte Nonne; Henny Porten, Schauspielerin des frühen Stummfilms). Den ganzen Winter lang immer die gleichen Extrablätter, so als ob die armen Verkäufer jeden

Abend ein neues Publikum erwarteten. Man sah mehr Bettler als im Vorjahr; mehr Darbieter, die dem Bettel nahekamen, Wahrsager etwa am Kurfürstendamm, die, wenn sie falsch geraten hatten – »Der Herr ist ein Gärtner«; er war aber keiner –, dennoch um eine kleine Gabe baten. Daß ich damals schon wußte oder fühlte, es gehe mit der kurzfristigen, verglichen mit späterem noch jämmerlich bescheidenen »Konjunktur« schon wieder zu Ende, kann ich nicht behaupten. Seit dem Frühjahr 1928 regierte in Berlin eine »Große Koalition«, reichend von der Deutschen Volkspartei bis zu den Sozialdemokraten, welch letztere den Kanzler stellten; trotz des dramatischen oder höhnisch-aggressiven Tones, der im Reichstag von Anbeginn die Mode gewesen war, verließ ich mich auf die vernünftige Geschicklichkeit Stresemanns und erwartete keinerlei Krise während der bis 1932 dauernden Legislatur, im Wirtschaftlichen so wenig wie im Politischen. Nur gegenüber dem Berliner Literaturbetrieb, wie Alfred Kerr ihn repräsentierte, empfand ich Mißtrauen und Antipathie. Und deutlich war mir geworden, daß Berlin, besonders aber dieser Aspekt Berlins, mit Deutschland durchaus nicht gleichzusetzen war.

Eine andere Erfahrung

Hier folgt ein Erlebnis, welches im Sommer 1928 spielte. Den Mitgliedern des auf Kurt Hahns Wunsch hin gegründeten »Altsalemer-Bundes« waren einige Pflichten auferlegt: Einen Monat lang Training ohne Alkoholkonsum mit dem Ziel, das »Große Sportabzeichen« zu gewinnen, ein paar Monate Arbeit in einer Fabrik oder ähnlichem, die Teilnahme an einem »straff organisierten Kurs«, Segelschule oder dergleichen, um den im Vertrag von Versailles verbotenen allgemeinen Militärdienst ein wenig zu ersetzen. Am Anfang hielt ich mich an diese Pflichten, wie ich denn während der beiden Berliner Winter einen Monat lang keinen Wein trank, was in Gesellschaften Verdacht erregte, und im Stadion für den Zehnkilometerlauf übte. Das Sommersemester 1928 verbrachte ich in Paris, um Französisch zu lernen, hier keines Berichtes wert, über Frankreich später.

Von Paris fuhr ich Ende Juni nach einem Ort namens Zschipkau, nahe dem Städtchen Senftenberg in der Niederlausitz, um dort in einem Braunkohlenbergwerk zu arbeiten; eingeführt durch einen Schulkameraden, Joachim von L., der ein Gleiches im Vorjahr getan hatte und der eine Art von Pflegesohn des Generaldirektors jener Bergwerke war. Die Reise von Paris nach Berlin war damals lang, annähernd 24 Stunden, Nacht und Tag. In Berlin hielt ich mich einen Tag auf, um dem Generaldirektor Gabelmann einen Besuch zu machen und den Großteil meines Gepäcks bei Bekannten zu lassen. Dann die Fahrt nach

Senftenberg, von dort im Bus nach Zschipkau. Die Gegend war öde, flach wie ein Teller, öde auch das Dorf; keine Landwirtschaft rings umher, kein Grün, nur Kohle. Der Gasthof Mattick leicht zu finden. Ich erklärte meine Absicht, etwa zweieinhalb Monate zu bleiben, und den Zweck. Frühstück und Abendessen im Gasthaus; für den Tag werde man mir belegtes Brot und eine Flasche Malzkaffee mitgeben. Es muß ein Samstag gewesen sein, denn am nächsten Tag besuchte ich den Direktor, um Anweisungen einzuholen. Herr Rodatz hatte Teegesellschaft und kam verärgert heraus: »Um was handelt es sich, Herr M.?« Nach meiner kurzen Erklärung: ja, das sei schon recht, ohne Arbeitserfahrung werde man leicht so etwas wie ein Katheder-Sozialist. Ich sollte mich am nächsten Morgen um 6 Uhr bei der Grube Nr. Soundso, Aufseher Herr Stahn, melden.

Um die Grube zu erreichen, lieh ich mir gegen Entgelt im Gasthof ein Fahrrad, der Weg dauerte etwa eine halbe Stunde, der Arbeitstag zehn Stunden, der Tag, die Fahrten mit eingerechnet, also elf. Der Aufseher erwies sich als ein sanfter und freundlicher, etwas melancholischer Mensch. Es gab Tiefbau und Tagbau, dem letzteren wurde ich zu meiner Erleichterung zugeordnet. Die ersten fünf bis sechs Wochen arbeitete ich bei einer Maschine, welche die großen gehauenen Kohlenstücke verkleinerte. Die Wagen langten auf Schienen an, ein Kollege füllte die Maschine, an deren unterem Ende ich stand, um aus dem Schlund der Maschine die leeren Wagen wieder zu füllen. Eine harte Arbeit war das nicht, bedurfte auch keiner Geschicklichkeit, nur mußte der Wagen gut voll werden, und zu voll auch wieder nicht. Ich hatte keine Uhr bei mir, aber die gleichen Wagen kehrten etwa nach zwei Stunden wieder, einige mit Merkmalen, z. B. der Beschriftung: »Hugo, etwas mehr Kohle kannst du reintun, Dreck«, und nach dieser Wiederkehr konnte man die Zeit errechnen. Eßpause war zwischen 10 und ½11. »Wo kommst du her?« »Aus Bayern.« »Ist da auch nichts mehr los?« Daß ich nur ein flüchtiger Gast war, wollte ich nicht verraten, aber natürlich kam es doch heraus; sogar, daß ich der Sohn eines berühmten Mannes sei. Der Sohn des Oberaufsehers, seinerseits ein junger Mann, der im Büro arbeitete, zeigte mir ein kleines Foto TMs, ein Reklamebildchen, das er in einer Zigarettenschachtel gefunden hatte: »Kennen Sie den Herrn?« Das sprach sich herum, ein Kumpel fragte mich: »Wovon lebt so'n Dichter?« Ich suchte mich anzubiedern: »Von dem Verleger, der hat das Geld und druckt seine Bücher. Aber das ist wie bei euch, der Verleger behält das meiste...« Dem Aufseher Stahn gegenüber führte ich nach der Arbeit einmal verfänglich sozialistische Reden, hinzufügend: »Au, das hätte ich nicht sagen sollen!« Stahn: »Ich mache auch keinen Gebrauch davon. Uns wird es ja doch immer gleich schlecht gehen.« Über ihm stand ein Oberaufseher, über den mir schon am ersten Tag jemand sagte: »Da bist du gleich an den Schlimmsten gekommen. Die, die einmal einer von uns waren, das sind immer die Allerschlimmsten.« Der Mann, ich habe seinen Namen vergessen, hatte es im Krieg zum Feldwebel gebracht und verdankte dem wohl seinen Aufstieg; wie ein grober preußischer Feldwebel ging er auch hier mit seinen Untergebenen um, in der Überzeugung, daß anders die nach dem Tarif bezahlten Kumpels zu tüchtiger Arbeit nicht zu bringen seien. Zu mir war er höflich, zumal ich doch irgendwie mit der Obrigkeit verbunden schien. »Sie benehmen sich gar nicht so ungeschickt. Danach geht es wohl theoretisch weiter?« Ein anderer namens Rauhut war viel sympathischer. Es geschah ein Unglück im Tiefbau. Ein Arbeiter war von einer berstenden Kohlenwand erschlagen oder zu spät aufgefunden worden, ich sah, wie man den Toten heraustrug. Dazu Herr Rauhut: »Für ihn ist es ja gut. Was haben wir hier? Nur Arbeit und Not.« Es wurde dann für einen Kranz gesammelt, einige wollten nichts geben. »Der hat seinen Kranz von der Knappschaft und damit hat er genug.« Ein anderer: »Und seine Frau liest ja.« Das Ehepaar, so erklärte man mir, besaß eine schmale Lebensversicherung, mit welcher das Abonnement einer Zeitschrift sich verband; sie würde wohl ein paar tausend Mark erhalten. Unglücksfälle wie jener, dessen Zeuge ich war, kamen vergleichsweise selten vor und trafen jeweils nur einen. Immerhin waren es in den letzten Jahren insgesamt drei gewesen: »Henke, Marwitz und Petersen.« Der Sohn des Oberaufsehers beschrieb mir, was für ein schwerer Tod das sei.

Am Freitag nach der Arbeit war Zahltag; die Löhnung erbärmlich. Frau Mattick, eine gutmütige Person, zu mir: »Es gibt solche, die bringen ganze dreißig Mark nach Hause. Ja, was soll da zuerst gekauft werden?« Es gab zweierlei Art von Bezahlung: Nach dem Tarif und nach dem Akkord, letzterer für die Häuer, welche die »Würger« genannt wurden, weil sie sich so sehr anstrengen mußten, um, je nach der Masse des Gehauenen, zu verdienen. Vor dem Büro, an dem Schlange gestanden wurde, gab es Szenen wie bei Gerhart Hauptmann. »Damit kann ich ja nicht einmal das Kostgeld bezahlen!« »Führt euch nicht so auf, schafft was, dann gibt's auch mehr!«... Ich wurde gefragt: »Wie viel Kostgeld bezahlst du?« »Vier Mark Fünfzig.« »In der Woche?« »Nein, am Tag.« »Für einen einzigen Tag vier Mark fünfzig? Der ist aber raffiniert!« Natürlich war das Leben billig, weil so sehr primitiv. Ich fragte im Dorfladen nach Klosettpapier, zumal es im Gasthof nur alte Zeitungen dafür gab, die Inhaberin antwortete, für so etwas sei hierzulande keine Nachfrage. Was mir ferner auffiel: Wie untertänig die Arbeiter noch waren, wie wenig von dem »aufrechten Gang« Ernst Blochs sie hatten. Es gab da den Oberinspektor Tempel, einen Herrn von entschiedener Autorität. Nachdem er seine Inspektionen ausgeführt hatte, fragte er, von Kumpels umgeben: »Na, wer holt mir jetzt ein paar Flaschen Bier?« Mehrere Stimmen erklangen: »Ich, Herr Inspektor!« Und einer rannte aus Leibeskräften nach der weit entfernten Kantine, um das Bier zu holen. Immer fürchteten sie das Gespenst der Arbeitslosigkeit, das eisige Wort »Sie können sich Ihre Papiere abholen«. Hofften sie etwas? Kaum. Wohl hieß es am Samstag um zwei Uhr nachmittags: »Wieder eine Woche vorbei.« Aber die nächste Woche würde ja genauso sein und das nächste Jahr, das nächste Jahrzehnt auch. Die Alten fanden die Vergangenheit besser als Gegenwart und Zukunft, die Jahre vor 1914. »Da war doch am Freitag was in der Lohntüte, worüber man sich freute.« Nie war von Urlaub die Rede. Gab es ihn überhaupt? Ich muß gestehen, daß ich es nicht weiß. Ein armes, gutes, ausgemergeltes Männlein erzählte mir, einmal sei er in der Sächsischen Schweiz gewesen. »Ach, da sind Felsen, da sind Wasserfälle!« Es war einer der Momente, in denen Mitleid und Zorn mich überkamen. Diese Menschen, so wie sie schufteten, hatten doch in Gottes Namen ein Recht auf die Sächsische Schweiz, nicht einmal im Leben, sondern mindestens jedes Jahr, und warum nicht auch auf das Meer, auf die Berge, wie wir? Nun, heute haben sie es. Das gehört zu den gewaltigen Fortschritten, zum eindeutig Besseren, und Ernst Blochs »aufrechten Gang« haben sie auch. Das alte Lied: Man muß die alten Zeiten gekannt haben, um etwas Gutes an den neuen zu finden.

Einmal hielt die gewohnte Arbeit am Tagbau für ein paar Tage an. Es galt, eine riesige Maschine von einem Ort zum anderen zu transportieren, und dafür mußte ein Geleise gelegt werden. Wir hatten also die Schienen herbeizuschleppen und zu montieren. Hier war Gelegenheit, mit einer Menge von Kollegen ins Gespräch zu kommen oder ihnen zuzuhören. Es waren die heißesten Tage dieses Monats August, die Arbeit schwer und erhitzt mitunter die Stimmung. Durst, über allem anderen. Das Ideal der Kumpels war die »Weiße mit Himbeer«, Weizenbier mit einem Schuß Himbeersirup. »Gestern abend habe ich zwei getrunken, die waren wie weggeblasen!« Mir selber ging, wenn der Durst schwer erträglich wurde, eine Zeile Stefan Georges im Kopf herum: »Eppich und Ehrenpreis«, wobei ich aus »Ehrenpreis« Erdbeer-Eis machte, was mir unter den gegebenen Umständen viel poetischer vorkam.

Fetzen eines politischen Gedankenaustausches: »Die Rote Fahne!« »Der Lokalanzeiger von Mosse!« »Der ist ja deutschnational!« Sie waren fast alle Anhänger der SPD mit einer Ausnahme: Die eines waschechten Kommunisten. Er war wohl gescheiter als die anderen, wußte mehr, litt darum auch mehr. »Wann wird diese Qual einmal aufhören!« »Die Reichen leben in Wollust, das kommt uns auch zu!« Der Obersteiger erzählte mir, dieser Mensch hetzte die Leute zum Streik auf, und man wollte ihn gern loswerden; da aber seine Arbeit befriedigend sei, so sei das eine schwierige Sache. Nicht, daß unser Kommunist von feinerer Bildung gewesen wäre. Über das Sterben seines Vaters: Der habe sich verletzt, harmlos zuerst, der Arzt habe eine Salbe auf die Wunde getan, bald darauf habe sie alle möglichen Farben angenommen, rot, blau und grün. »Der hat geschrien wie ein Stück Vieh. Nach ein paar

Stunden war er erledigt.« So viel und nichts Weiteres über seines Vaters Tod. Natürlich haßte ich den Feldwebel-Aufseher, schimpfte auch mit ihm – »Sie scheinen mir ein ganz frecher Kunde zu sein!« – womit es sein Bewenden hatte. Daß er mich nicht mochte, weil er mich für eine Luxuspflanze hielt, versteht sich von selbst. Jedoch fürchte ich, auch bei den anderen Kollegen mir wenig Achtung erworben zu haben. Denn obgleich sie »ausgebeutet« wurden und es auch so sahen, besaßen sie ein Ehrgefühl für gute Arbeit; das gehörte sich so. Solange ich nun bei jener Zermalmungsmaschine arbeitete, ging alles glatt. Als ich aber unter der Last einer Schiene auf meiner Schulter stolperte, rauschte Unwille. »Mensch, bist du so schlapp?« Ärger noch kam es beim Aneinanderschrauben der Schienen. Das Wort »Ungeschicklichkeit« kannten sie nicht; nur Schlappheit, gleich Faulheit. Hier war ihr Ehrgefühl dem Soldatischen verwandt. Wie oft mußte ich später im amerikanischen Militärdienst die Worte hören: »Die Armee will Resultate, nicht Entschuldigungen.«

Was mir ferner auffiel: Der strenge Begriff, den sie von der Ehe hatten. Ein junger Kollege stand vor der Hochzeit. Natürlich wurde er mit Scherzen bedacht, jedoch mit solchen, die eines erkennen ließen: sie nahmen als selbstverständlich an, daß bis dahin zwischen Braut und Bräutigam nichts gewesen sei. Darin dachten sie entschieden bürgerlicher als die Berliner Bourgeoisie.

Nachdem das Geleise gelegt war, kam der große Tag, an dem jene Riesenmaschine zu ihrem neuen Ziel befördert wurde. Dazu bedurfte es eines Drahtes mit Hochspannung. Ich erhielt den bequemen, obgleich verantwortlichen Auftrag, bewaffnet mit einem Fähnchen die Strecke, etwa 600 Meter, hin und her zu laufen, um die Leute vor dem Draht zu warnen. Der Feldwebel-Aufseher, der mir die Arbeit anwies: »Sie selbst, wenn Sie hinlangen, sind erledigt.« Ein sonderbares Gefühl; obgleich ich Selbstmord-Anwandlungen bis zu dem Tag, an dem ich dies niederschreibe, nie gekannt habe, jedenfalls keine bewußten. Herr Rauhut gesellte sich für einen Augenblick zu mir und erzählte: »Wenn es passieren soll, dann passiert's ja doch. Vor ein paar Jahren hatten wir hier die gleiche Arbeit. Und da waren ein paar Frauen, die sollten zum Schluß den Draht wieder abnehmen und einrollen. Die wollten aber nicht, sie behaupteten, er sei noch geladen. Der Aufseher Soundso wird ungeduldig. ›Ich will euch zeigen, wie geladen der ist!‹ Geht hin, berührt den Draht und fällt tot um. Sehen Sie, das hat eben so sein müssen.«

Die Abende waren kurz, denn weil ich um halb fünf aufstand, ging ich, bei redlich erworbener Müdigkeit, gegen neun Uhr schlafen. Vorher las ich: Eine Stunde Windelbands *Lehrbuch der Geschichte der Philosophie*, eine Stunde Stendhals *Chartreuse de Parme*, die seither für mich mit dem Gasthof Mattick assoziiert blieb. Samstag abend war ein wenig Geselligkeit im Saal des Gasthofs, da erschienen zahlreiche Kollegen, zumal die unverheirateten, die wohl etwas mehr Geld für Bier und Schnaps ausgeben konnten. Öfters kam ich dazu, um Kollegialität zu zeigen. Es wurde gesungen, am häufigsten:

> Trink, trink, Brüderlein trink,
> lasse die Sorgen zu Haus...

Ein Rat, der, so gut es ging, beherzigt wurde. Am Sonntag machte ich einen Spaziergang. Es waren da ein paar kleine künstliche Hügel, stammend von der Erdmasse, die bei Einrichtung eines Tagbaus aufgeworfen und irgendwohin transportiert worden war; dazwischen ein Wasser, in dem sogar gebadet wurde. Da traf ich mitunter ein Kollegen-Ehepaar, sauber gekleidet, höflich grüßend, wie während der Woche unüblich. Eines Sonntags gab es dort ein Fest, veranstaltet von den Sozialdemokraten der Stadt Senftenberg, ein Wettschwimmen zuerst, dann Rede und Vortrag eines Gedichts durch einen Jugendlichen:

> ...was tot ist, soll begraben sein!
> Das Neue steigt schon aus den Fluten.

Die Leute hörten andächtig zu, ohne wohl an das »Prinzip Hoffnung«, welches hier anklang, zu glauben.

Ein wenig freundete ich mich mit dem Obersteiger der Grube an, der den gleichen Familiennamen trug wie ich selber. Er war nebenher Leiter der nationalen Vereinigung »Stahlhelm« in diesem Umkreis, jedoch ein vernünftiger, wohlmeinender Mensch. Er erzählte mir so manches, zumal die Organisation betreffend, welcher das Bergwerk gehörte. Es war eine Aktiengesellschaft; der bei weitem größte Teil der Aktien gehörte der steinreichen böhmisch-jüdischen Familie Petschek, deren Prager Palais später Sitz der Gestapo wurde. Aber er, der Obersteiger, besaß auch ein paar Aktien, dafür war er berühmt, und er konnte sich ein Auto leisten, nicht ganz ohne böses Gewissen: »Der Generaldirektor liebt es nicht, daß seine Obersteiger Wagen besitzen« – und sie hatten doch immerhin an einer Bergakademie studiert. Interessant war mir das Gefälle in den Besoldungen: Der Generaldirektor erhielt jährlich 150000,– M, der Direktor am Ort 15000,– M, der Oberinspektor Tempel 12000,– M – »wenn es Schwierigkeiten gibt, schickt Herr Rodatz immer Herrn Tempel vor« –, die Obersteiger 9000,– M, dazu Dienstmotorräder; jene, welche die Dreckarbeit machten, 2000,– M, wenn es so viel war. »Das ist der Grundsatz: Man gibt einem einzigen, der das Handwerk versteht, einen Haufen Geld und sagt ihm: Hol heraus, was du kannst.« Zwei junge Petscheks hatten Zschipkau einmal besucht und sich sehr leutselig gezeigt. In ihrem Besitz spielte das Nest und sein Darum und Daran gewiß eine höchst nebensächliche Rolle. Aber die Kumpels wußten davon, denn bei der Arbeit erscholl mitunter der höhnische Ruf: »Macht schneller, die Petscheks wollen Geld sehen!«

Generaldirektor Gabelmann hatte sich in der weiteren Nachbarschaft ein Rittergut gekauft und residierte dort während des Monats August. Sogar lud er, oder lud Frau von L., die Mutter meines Schulkameraden, mich für einen Sonntagnachmittag dorthin ein. Der langwierige Weg, auf dem Rad natürlich, wurde mit der Zeit angenehmer; es gab Wald, vermutlich zum Gut gehörig, und um das Herrenhaus etwas Parkartiges. Im Hause einige Damen, auch junge Mädchen, in der Mitte der stattliche, machtausstrahlende alte Herr, dessen noch aktive Freude am schönen Geschlecht in Zschipkau Gesprächsthema war. Seinen großen Wagen kannte man weit und breit, dank seiner Hupe, wie ehedem das »Tatütata« an den Autos Kaiser Wilhelms II. Tee und Gebäck, »small talk«. Eine der Damen, scheinbar mit den Sitten in Zschipkau vertraut, bemerkte, es sei erstaunlich, welch schöne Kuchen doch die Frauen der Bergarbeiter für den Sonntag buken – »Nun, sie können es sich ja leisten.« Als ich später Zolas *Germinal* las, in dessen Mittelpunkt bekanntlich ein Bergwerk und das dazugehörige Dorf stehen, fand ich solche unwissend-beschönigenden Gespräche wieder. Gegen sechs verabschiedete ich mich: Ich müßte um halb fünf aufstehen und darum früh zu Bett gehen – was das staunende Mitgefühl der jungen Mädchen erregte. Es gab noch ein anderes Schloß, dessen zarte Silhouette man von einem jener Hügelchen am Horizont ausmachen konnte. Das gehörte, so erzählte mir der Dorfschullehrer, der Familie Wied, welche bei den Senftenberger Sozialdemokraten wegen ihres Besitzes und Aufwandes verhaßt sei. Was für ein Unsinn, fügte der Lehrer hinzu; es sei doch nur gut, daß es auch in dieser Gegend eine Oase von Schönheit gebe, der Park stehe ja jedermann offen; welchem ich beipflichtete. Von der Familie Wied ahnten die Kumpels nicht das mindeste; sie hatten andere Sorgen. Dies Schloß in der Wüste spielte nachmals in meiner Phantasie noch eine Rolle; etwas wie einsamster Luxus auf dem Mond.

So hatte ich fünf bis sechs Wochen gelebt. Dann machte ich den Fehler, mich als Häuer zu melden, um auch diese Seite der Arbeit wenigstens versucht zu haben. Da schaffte ich mit einem Kollegen zusammen, ich hatte die Kohle herauszuhauen, was seine Funktion war, habe ich vergessen, nur daß er bald ungeduldig wurde und immer wieder »Kohle, Kohle!« rief. Denn ich machte es ihm viel zu langsam, und die von mir gelieferten Stücke waren viel zu gering, wie sehr ich mich auch abstrampelte. Wir mußten uns einigen, derart, daß er auch meine Löhnung, nach dem Akkord, erhielte, anders konnte er nicht existieren. Und dann geschah das Unvermeidliche. Da man hier nicht nur mit den Armen, auch mit den Beinen aus Leibeskräften zu arbeiten hatte, luxierte nach einigen Tagen wieder meine rechte Kniescheibe – ein eklatanter Mißerfolg jener Operation, die vier Jahre zurücklag. Der schon vertraute abscheuliche Schmerz. Ich hinkte oder kroch zum Aufseher, es war der sympathische Herr Rauhut, der gutmütig meinte: »Dann gehen wir halt *zuhause*. Gegen den Strom kann man nicht schwimmen.« Er gab mir einen jungen Kollegen mit, auf dessen Schulter gestützt ich zum Büro humpelte. Der Junge sah skeptisch an mir herunter: »Sonderbar, daß man da gar nichts sieht!« Eine Wunde ohne

Blut, das war Schwindel, Drückebergerei. Es wurde der Obersteiger Mann durch das Telefon herbeigerufen, er brachte mich auf seinem Motorrad ins Dorf zurück. Dort lag ich auf dem Bett mit Umschlägen, nun den ganzen Tag mit Windelband und Stendhal beschäftigt, bis die ballonartige Schwellung so weit zurückgegangen war, daß ich, das Knie fest eingebunden, die Rückreise wagen konnte. Ein paar Mal besuchte mich der Dorfschullehrer. Er erzählte mir von einem Kollegen in einem der Nachbardörfer, der ein glühender Verehrer Thomas Manns sei; wäre es nicht möglich, den noch zu besuchen. Sein Haus liege nahe der Bahn Richtung Dresden. Den Gefallen tat ich dem Manne gern. Sein Kollege wohnte mit Weib und Kind, sogar mit einer »Magd«, in einem adretten Häuschen, dessen Mittelpunkt die Bibliothek bildete und in ihr TMs Gesammelte Werke. Natürlich wurde während des Abendessens nur von ihnen und ihm gesprochen; der Lehrer-Verehrer war unersättlich mit seinen Fragen. Sonderbare Existenz; Träger einer Bildung, welche die Freude seines Lebens war, die er ja aber nicht weitergeben konnte, nicht den Nachbarn, nicht den Schülern. In seinem Hause schlief ich. Am Morgen brachte mich die »Magd« zum Bahnhof, mein Gepäck in einem Leiterwagen. Ich gab ihr eine Mark, was sie sichtlich enttäuschte; aber ich mußte eisern sparen, um nach Hause zu gelangen. In Dresden hatte ich einige Stunden Aufenthalt und ging, auf einen Stock gestützt, in der schönen, siebzehn Jahre danach ohne jeden Sinn ermordeten Stadt umher, die ich hier zum ersten Mal bei Tage sah und dann nie wieder. Gegen Abend nahm ich den Zug nach München.

Ein Erfolg war das Unternehmen nicht gewesen, angesichts des vorzeitigen, plötzlichen Endes und meiner schlechten Arbeit. Den Joachim von L. hatten die Kumpels bitten müssen, doch nicht gar so viel Kohle zu hauen, das könnte zu einer Drückung ihres Lohns führen; bei mir war das Gegenteil der Fall. Für stolze Zufriedenheit also kein Grund. Trotzdem mochte, möchte ich dies Erlebnis nicht missen. Immerhin hatte ein Kumpel mir gesagt: »Jetzt weißt du, wie wir hier leben. Wenn du einmal in den Reichstag willst, dann wählen wir dich.« Das war es; obgleich ich in Zschipkau nun wirklich an keinen Reichstag gedacht hatte, nicht in der traumlosen Nacht, nicht am langen Tag, da träumte man nur von dessen Ende. Gymnasium und Hochschule auf der einen Seite, die Welt der Arbeit auf der anderen waren damals radikal getrennt; die eine noch viel esoterischer, die andere noch viel härter als heute.

In München traf ich Erika und Klaus, unlängst von ihrer berühmt gewordenen Weltreise zurückgekehrt. Ihr Buch *Rundherum* war im Entstehen, Klaus las abends daraus vor, eine im hohen Grade amüsante, gehaltvolle Lektüre; die Erlebnisse, wie sehr verschieden von den meinen, obgleich auch die beiden Weltreisenden in die peinlichsten Situationen geraten waren. Selber schrieb ich im September meinen Bericht über Zschipkau, der im folgenden Winter unter dem nicht von mir erfundenen Titel *Als Bergarbeiter unter Bergarbeitern* in zwei Nummern des Berliner *Acht-Uhr-Abendblattes* erschien. Meine erste Zeitungsveröffentlichung; ich erhielt 150 Mark dafür, war also während meines zweiten Berliner Winters entschieden reicher als im vorhergehenden. Ob jene Nummern des Acht-Uhr-Abendblattes noch in irgendeiner deutschen Bibliothek zu finden sind? Mein Redakteur hieß Hanns Schulze; Klaus hatte mich zu ihm gebracht. Daraus jahrelang ein Scherz zwischen ihm und mir; wollte Klaus irgend etwas von mir, so verfehlte er selten hinzuzufügen: »Du bist mir noch etwas schuldig, bitte vergiß Hanns Schulze nicht.« Generaldirektor Gabelmann soll nach der Lektüre meiner Artikel getobt haben, was mir leid tat, denn schließlich hatte er mir vertraut. Bricht man Vertrauen, wenn man die Wahrheit schreibt? In meinem Bericht stand ziemlich genau das, was ich hier erzählt habe, mit dem Unterschied, daß ich mich strikt auf Grube und Dorf beschränkte. Seinerseits sagte mir Joachim von L., Herrn Gabelmanns Schützling: »Das hätte ich ziemlich genau so geschrieben wie du.« Damit meinte er nicht nur die Schlußsätze, welche dem damals entschieden konservativ Gesinnten besonders gefallen haben mögen: der ehrenwerte Menschenschlag, den ich dort in Lausitz kennengelernt hatte, sei für aktive Beteiligung an einer Revolution im Stile Lenins, so wie unsere radikalen Intellektuellen sich das vorstellten, völlig ungeeignet.

Heidelberg

Frühsommer 1929. Nach einem ersten Wohn-Mißverständnis, in den Hügeln oberhalb von Handschuhsheim, viel zu weit draußen, wohne ich in der »Pension Neuer«, nur durch zwei oder drei Häuser vom Eingang zum Schloßpark getrennt. Das Zimmer, im zweiten Stock, bietet einen weiten Blick auf Stadt, Fluß, die Höhen auf der anderen Seite. Hinunter zur Universität ein steinerner und steiler Fußweg, keine Viertelstunde lang. Am Hause vorbei führt die Bergbahn hinauf zum Königsstuhl, die ich nur selten brauchen kann; ein Haltepunkt, mit Restaurant, gegenüber der Pension. Zum Königsstuhl gibt es ein Gewirr von Pfaden. Bald kenne ich sie alle, wie auch die Wege, die von dort sich weiter durch den Odenwald ziehen; zum »Kohlhof« etwa, der die schönste Aussicht bietet. Man kann dort auch die Höhen entlang gehen, um bei Neckargemünd wieder das Tal zu erreichen. Hier, endlich, werde ich zum Wanderer, weiß es, und bin zufrieden damit.

Die Stadt bietet, was ein Student meines Schlages von einer Stadt verlangen kann: Universität, Bibliothek, häufige und berühmte Gäste, welche in Vorträgen sich darstellen, gute Buchhandlungen, gesellige Zirkel. Übrigens ist sie ja schön; nicht sehr alt zwar, kein mittelalterlicher Kern, dafür sorgte der Mordbrenner Mélac, nach dem jetzt noch so mancher Hund heißt, es blieben nur ein paar Kirchen, die Türme an der Brücke, ganz wenige Häuser; überwiegend ist Alt-Heidelberg achtzehntes Jahrhundert, mir kaum weniger lieb. Die lange, enge Hauptstraße, stark belebt, am

Tag und abends. Sie führt vorbei am Ludwigsplatz, wo die alte Universität steht, in einer Seitengasse findet sich der Seminarienbau; an einem neuen Hauptgebäude, im rechten Winkel zur alten Universität, wird gearbeitet, sie ist einer Stiftung des reichen nordamerikanischen Botschafters zu danken. Ein kluger Kommilitone: »Das ist so, wie wenn Aemilius Paullus irgendwo im eroberten Griechenland eine Universität gestiftet hätte.« Über dem Portal eine Inschrift, von Friedrich Gundolf stammend: »Dem lebendigen Geist.« Nur zu bald wird man »lebendigen« eliminieren und durch »deutschen« ersetzen. Den Bürgern Heidelbergs gefällt der neue Bau nicht, er ist zu modern, zu kalt. An der Hauptstraße, gegenüber dem Ludwigsplatz, das Kaffee Krall, immer voll von Studenten. Die Studenten dominieren, wie in allen kleineren Universitätsstädten; neben ihnen, über ihnen, die Professoren. Ihre Photographien, auf Ansichtspostkarten, sieht man in den Fenstern der Buchhandlungen; die alten vollbärtigen Gesichter, die jüngeren glattrasierten. So recht imposante Köpfe sind es wohl eigentlich nicht. Nur einer fehlt; Karl Jaspers. Der mag so etwas nicht... Mittagessen in der altersgrauen Mensa, inmitten eines ebenso alten Hofes, für fünfzig Pfennige; das Gebotene ist dann auch danach. Abends zwei Eier, über einer Spiritusflamme weich gekocht. Es gibt Abwechslungen; in der »Plöck« eine Fischbratstube, in der man für siebzig Pfennige große Massen billigsten Fisches verzehrt. So im ersten Jahr. Die Studenten sind arm zumeist; 100 Mark, 150 Mark im Monat, so daß ich mit meinen 240 zu den Privilegierten gehöre und wieder den dritten Teil davon für das schöne Zimmer aufwenden kann. Ich beschließe, täglich nicht mehr als drei Mark auszugeben, so daß mir 70 für Außergewöhnliches bleiben: Bücher, Sparen für Reisen oder gute Zwecke. Meine Wäsche schicke ich in einem Schließkorb nach Hause.

Vorstellung bei den Professoren, an deren philosophischen Seminaren der nun Zwanzigjährige teilzunehmen wünscht: Heinrich Rickert und Karl Jaspers. Rickert hauste in einer Villa jenseits des Flusses, etwas hoch gelegen, und empfing mich in deren Eßzimmer. Vollbart des Gelehrten, aus dem 19. Jahrhundert, matte Augen hinter der Brille, alt. »Gedenken Sie auch, in Heidelberg zu promovieren?« Das kann ich noch nicht sagen, weil ich ja eben erst anfange. Das verstand er, aber, wie ich zu spüren glaubte, nicht ganz ohne Enttäuschung. Karl Jaspers wohnte im ersten Stock eines Mietshauses in der »Plöck«. Er verhielt sich kühl und sachlich, schrieb meinen Namen ein und entließ mich wieder. Die Gebühren für Seminare und Kollegs hatte man auf der Kanzlei zu bezahlen, längst nicht mehr das Geld dem Professor in bar zu reichen, wie solches dem Hofrat Friedrich Schiller geschah, nicht ohne Peinlichkeit für Lehrer und Schüler. Beide, Jaspers und Rickert, lasen in diesem Sommersemester Kolleg unter dem Titel »Einführung in die Philosophie«, und ich besuchte beide.

In Heidelberg lebte ein Schulfreund von mir, ein Grund unter anderen, warum ich die Stadt gewählt hatte: Hans Jaffé, Sohn eines Professors der Volkswirtschaft, der, so erzählte mir Hans, an schierer Melancholie gestorben war; er hatte sich eines Tages ins Bett gelegt und war nicht mehr aufgestanden, bis er tot war. In meinem Freund war von diesem Teil seiner Erbmasse gar nichts; ein überaus heller, begabter und lebensfroher Bursche, in Salem bei weitem der beste Schüler, zumal in den eigentlichen Wissenschaften, Mathematik, Physik, welch letztere er nun studierte. Demnächst verschwand er nach Göttingen, aber erst, nachdem er mich in den Kreis seiner Mutter eingeführt hatte. Diese, Frau Else, war eine geborene von Richthofen, ihre Schwester die Witwe des Schriftstellers D. H. Lawrence, die in New Mexico lebte, und ich habe sie nie kennengelernt. Vor wenigen Jahren erschien in den USA ein Buch *The Richthofen Sisters*; nur aus ihm, spät, erfuhr ich so ganz, mit welch bedeutender Persönlichkeit ich es in Heidelberg zu tun gehabt hatte, wie solches mir öfters geschah. So viel wußte ich immerhin damals schon: sie war eng mit dem großen Max Weber befreundet gewesen, und war es nun mit dessen Bruder, Geheimrat Alfred Weber, von Haus aus Nationalökonom, während Max als Jurist begonnen hatte. Daß die Beziehung zu beiden Brüdern einen zärtlichen Hintergrund besaß, ahnte ich nicht, naiv wie ich in solchen Dingen war. Vor allem aber wirkte Frau Else als geistige Beraterin, als Diotima der beiden.

Die Webers hatten eine Schwester gehabt, Gattin eines Architekten namens Schäfer, gefallen gleich zu Anfang des Krieges in Ostpreußen. Danach wurde Frau Schäfer Lehrerin in der Odenwaldschule, wo ihre drei Söhne aufwuchsen. Sie nahm sich dort das Leben, weil der Leiter der Schule, Paul Geheeb, sie geliebt und dann verlassen hatte. Er war also wirklich ein Herzensbrecher, und die frühe Novelle meines Bruders Klaus, *Der Alte*, in welcher der Internatsleiter die älteren Schülerinnen zu einem ernsten Gespräch bittet, um danach sie zu verführen, so ganz unwahr doch wohl nicht. Als ich in den fünfziger Jahren Geheeb in der von ihm während des Dritten Reiches in der Schweiz gegründeten, von dem Neunzigjährigen noch immer aktiv geleiteten »Ecole d'Humanité« besuchte, nahm er mich beiseite, um mir diese Geschichte des langen und breiten zu erzählen. Klaus hatte ihm nach Erscheinen seines ersten Novellenbandes *Vor dem Leben* obendrein noch einen frechen Brief geschrieben: Kunst sei nun einmal etwas anderes als ordinäre Wirklichkeit. »Ich wollte«, so Geheeb, »mit diesem unverschämten Menschen nie mehr etwas zu tun haben!« – das Wort »unverschämt« etwas behindert durch seinen zur Unterlippe drängenden langen Bart. Lehrer und Schüler hatten aber doch wieder Briefe gewechselt und sich 1925 versöhnt.

Die nun elternlosen Söhne der Frau Schäfer wurden von Max Weber und seiner Frau, Marianne, adoptiert, zumal das Ehepaar kinderlos war. Der Jüngste starb als Gymnasiast, den Ältesten kannte ich kaum, der in der Mitte, Max geheißen, ein schöner, etwas zur Schwermut neigender Mensch, wurde binnen kurzem ein naher Freund von mir. Viele Jahrzehnte später, kurz vor ihrem Tod, besuchte er die uralte, fast erblindete Frau Else Jaffé. Sie strich ihm durch das Haar, murmelnd: »Noch einmal einen Weber-Schädel in der Hand zu haben!«

Durch Max kam ich in das Haus seiner Adoptivmutter, die er nur »TM« nannte, Tante Marianne. Auch sie galt allgemein als geistig hochbedeutende Frau, ich will nicht entscheiden, ob sie es wirklich war. Jedenfalls agierte sie als Max Webers Vikarin auf Erden. Sie schrieb (1926) seine umfangreiche Biographie, noch immer unentbehrlich für jene, die hinter dem Gelehrten den Menschen kennenlernen wollen, wenngleich nicht ohne Beschönigungen und Peinlichkeiten, wie denn die Autorin von sich selbst in der dritten Person spricht, »die Gefährtin«, und ihr »Frauenschicksal« nicht unerwähnt läßt. Sie gab seine Werke Stück für Stück heraus, vor allem das riesige Sammelwerk, das sie *Wirtschaft und Gesellschaft* nannte. Ihre Arbeit scheint wissenschaftlich nicht ganz befriedigend gewesen zu sein, denn in unseren Jahren erscheinen neue, bessere Editionen. Und sie führte Max Webers Sonntagnachmittag-Jour fort; eine Begegnung in dem Hause am Neckar, unweit des Rickertschen, die mit einem Vortrag, einer Vorlesung begann, um mit einer Diskussion über das Gehörte zu enden. Dort Einlaß zu finden, war für einen Anfänger-Studenten große Ehre. Oft, nicht immer, lohnte es sich. Friedrich Gundolf las da einige seiner Essays über deutsche Romantiker vor, Eichendorff, Mörike, auch Büchner; ein Psychologe namens Gruhle, ehedem Lehrer von Karl Jaspers, bot das Seine; von volkswirtschaftlichen Fragen handelte der Professor Emil Lederer, ein gemäßigter Marxist, von soziologischen Karl Mannheim. Auch Alfred Weber traf ich dort zum ersten Mal. Der Gelehrte, alternd und mit einem leichten Tick in den zwinkernden Augen, sprach mich an:»Große Verwirrung hier, was?« Sie meinen gesellschaftlich? »Nein, geistig.« Da mußte ich erst noch herausbekommen, was er meinte. Von Politik war in diesem Sommersemester noch kaum die Rede. Von Krise wohl, jedoch, ganz im Sinn von Alfred Weber, nur in geistiger Hinsicht. Daß die Nationalsozialisten, während Jahren nur eine Lächerlichkeit, neuerdings wachsenden Zulauf hatten, hörte ich wohl, aber nahm es nicht ernst; man spürte sie noch nicht, oder kaum, an der Hochschule. Das sollte alles kommen, bald, schnell und plötzlich, aber es war noch nicht da. Mit Gundolf und seiner Frau, die er »Munkputz« nannte, kam ich bald in eine freundschaftliche Beziehung, obgleich ich sein Schüler nicht war, nur aus Neugier mitunter sein Kolleg besuchte, mit dem Eindruck, daß Vortragen ihm überaus schwer fiel, was er mir später zugab. Weit mehr Schriftsteller und Dichter als Lehrer, schrieb er alles auf und bangte dann, er hätte nicht genug Seiten für die dreiviertel Stunde. Wie ich ihm das später nachfühlen konnte! Gundolf war zart, ehedem schön gewesen, was man ihm noch ansah, nervös, ja gequält, dabei aber gastfreudig.

Daß er geheiratet hatte, verzieh sein Herr und Meister Stefan George ihm nie; wer heiratete, wurde automatisch aus dem Kreise verbannt. Darüber Gundolf in einem poetischen Rückblick auf sein Leben:

> Meine jugend war gelenkt
> Dumpf, dann willig von dem Meister
> Bis ein Stärkerer mich entschränkt:

Der Stärkere war seine Frau. Für sie schrieb er, als sie vor ihrem germanistischen Examen stand, eine sehr witzige Geschichte der deutschen Lyrik in Versen. Ich erinnere mich an die beiden letzten Verse über Conrad Ferdinand Meyer:

> Und seltsam mischt sich Firneglanz
> Mit Atelierlicht-Renaissance.

Womit Conrad Ferdinands Lyrik, oder doch deren schwache Seite, erstaunlich gut charakterisiert ist. Auch machte Gundolf einmal ein Spottgedicht auf mich, welches seine Frau mir zu lesen gab. Das war später, als ich Mitglied der »Sozialistischen Studentengruppe« war und in ihrer Monatsschrift gegen die Nazis eiferte.

> Mit der Feder ohne Schwerte
> Reizt er sture Reckenschar.

Der Tadel traf mich; nur, wo sollte ich das Schwert denn hernehmen?
Das Gedichtchen muß er kurz vor seinem Tod gemacht haben, denn ich trat erst Ende 1930 in die »Gruppe« ein, und im Juli darauf starb Gundolf an einem Krebsleiden. Auch von ihm, wie von Ricarda Huch, haben wir ein Sterbegedicht:

Ist auch mein licht nicht ausgeglommen,
Schön war das mir vergönnte stück.
Wie ichs aus Gottes hand bekommen,
Glüh ich es ihm zurück
…

Ich sah den glanz der werde-tage
Und fühlte segnung wo ich litt.
Ich liebte, ward geliebt und trage
Die holden bilder mit.

»Und fühlte Segnung, wo ich litt.« Dessen bin ich nicht so
sicher. Gundolf gehörte zu jenen, die, zumal in der Krankheit, und er kränkelte längst, sich auf die »Welt«, das
»Sein«, keinen Reim machen konnten, ein quälendes und
ganz unfruchtbares Leiden. Beginnend, auf diesem Gebiet
erfahren zu sein, merkte ich genau, daß er von sich selber
sprach, wenn er über irgendeinen deutschen Romantiker
schrieb, von dessen schwerer Last, »ich zu sein im Wirbel
des All«. Gern suchte er sich mit Alkohol zu beruhigen,
aber gerade der Wein schwatzte es aus. Der Schwiegervater seines Freundes Karl Wolfskehl besaß einen Weinberg
im Badischen, von dorther kam ihm ein leichter, spritziger
Wein, von dem er während eines geselligen Abends in seinem Haus mehrere Flaschen trank, und er sah es gern, daß
seine Gäste mithielten. Er ging dann ganz aus sich heraus,
wenn wir über Dichter und Gedichte sprachen und auch,
wenn er anfing, laut über das Welträtsel nachzugrübeln,
wobei seine Frau ihn auf etwas anderes zu bringen suchte.
Es war ihr Verdienst, ihm ein warmes, gemütliches Haus
zu machen, in dem man nicht nur reichlich trank, sondern
auch vorzüglich aß, in Heidelberger Professorenhäusern
eine Seltenheit. Mein Bruder Klaus, der einmal bei Gundolfs gewesen war, zeigte mir gegenüber sich erstaunt dar-

über, daß der feierliche Georgianer privatim so ganz anders sein konnte, daß er Witze machte wie ein Berliner Feuilleton-Redakteur. Desto besser, erwiderte ich. Der immer Feierliche ist unerträglich. (Es gab in Heidelberg auch solche.)

Bei dem Professor Hellpach, ehedem badischer Kultusminister und zeitweise Staatspräsident, nahm ich an einem nicht üblen psychologischen Seminar teil. Er hatte als Arzt begonnen und konnte auf diesem Feld etwas, bot auch einprägsame, mitunter humoristische Beispiele aus eigener Erfahrung. Von Gestalt war er untersetzt und zur Korpulenz neigend, ein Typ, dem man ansah, daß er gern lebte und gut aß. Er hatte im Jahre 25 beim ersten Wahlgang als Vertreter der Demokratischen Partei für die Reichspräsidentenschaft kandidiert und zehrte noch von diesem spärlichen Ruhm. Noch immer war er Mitglied des Reichstags und ließ seiner Berliner Pflichten wegen sein Seminar häufig ausfallen. Es muß im Jahre 1932 gewesen sein, daß er plötzlich mit Aplomb sein Mandat niederlegte; er schrieb dem Reichstagspräsidenten Löbe einen offenen Brief, in dem er den ganzen parlamentarischen Betrieb als sinnlos bezeichnete. Mit einer Balkenüberschrift begrüßte Hitlers *Völkischer Beobachter* den neuen Bundesgenossen: »Professor Hellpachs Faustschlag gegen die Republik!« Vielleicht wollte er sich auf das »Dritte Reich« vorbereiten, in welchem er ebenso gut zu leben gedachte wie vorher, und nachher auch, seit 1945 als ein guter Demokrat.

Da ich »Geschichte« im Nebenfach beibehielt, hatte ich mich auch mit dem Neuhistoriker Willy Andreas zu befassen. Er war verheiratet mit einer Tochter von Erich Marcks, Gerta, unsere damals an Reifheit weit überlegene Kindheitsfreundin, Regisseuse unserer Theatervereini-

287

gung, des »Mimik-Bundes«, auch Mitwirkende; in Minna von Barnhelm hatte sie mir als Riccaut mit ihrem Französischen imponiert. So kam ich öfters in das Haus des Professors, der mir persönlich wohlwollte, überhaupt mit seinen Studenten sich als Pädagoge mehr Mühe gab als die Mehrzahl seiner Kollegen. Sein frühes Werk, über die Entstehung des Großherzogtums Baden, fand ich schwach bis manchmal zum Lächerlichen in der Sprache; dagegen bleibt das Buch, an dem er damals arbeitete, *Deutschland vor der Reformation*, lesenswert. Sein Kolleg war überwiegend Erzählung, und zwar völlig frei gesprochene, jedoch unterbrochen durch lange Zitate, die er ablas, den letzten Satz stark verlangsamend; da mußte er sich auf die Rückkehr zur freien Rede besinnen. Natürlich gehörte auch er der nationalliberalen Schule an, und zwar, wie sein Schwiegervater, deren rechtem Flügel: immer war das Deutsche Reich friedliebend gewesen, Frankreich niemals; wie nobel hatte doch Bismarck 1871 den besiegten Gegner behandelt und welch schmählicher Dank kam dann 1918 und auch jetzt, während der Historiker sprach, von Paris. Als es seit dem Frühjahr 1930 mit der Republik abwärts zu gehen begann, kehrte er seine Gesinnungen deutlicher und deutlicher heraus, insoweit er solche besaß; nationalen Liberalismus konnte man nuancieren, je nach der Lage.

Heinrich Rickert, Seminar und Kolleg, gab ich nach dem ersten Semester auf, im Gefühl, daß da für mich nichts zu holen sei. Seminar hielt der Geheimrat im Eßzimmer seines Hauses, ein Raum mit Butzenscheiben und einem Buffet, auf dem stets eine Schale mit Marzipan zu erblicken war. Noch sehe ich ihn das erste Mal hereinkommen und die am Tische stehenden Teilnehmer zählen mit Finger und Stimme, eins, zwei, bis acht. »Das kleinste Seminar seit meiner Privatdozentenzeit. Ich habe es nicht anders erwartet. Bitte nehmen Sie Platz, meine Herren.« Er tat es an der Spitze des Tisches und begann mit einem Vortrag über Philosophie überhaupt und über die seine, welche Wissenschaft war, und über eine neumodische Afterphilosophie. »Es fragte ein Kommilitone den anderen, nachdem sie gemeinsam Kolleg bei einem jener Neumodischen gehört hatten: Verstehst du denn das? Was heißt verstehen, lautete die Erwiderung; in dieses Kolleg gehe ich wie in ein Orgelkonzert! Nun, meine Herren, ein Orgelkonzert werden Sie bei mir allerdings nicht zu hören bekommen...« Wir wußten, jedenfalls wußte ich schon, daß dieser Hieb sich gegen Karl Jaspers richtete, der weit mehr Zulauf hatte als der alte Herr. Seine gleichgesinnten Kollegen, Kuno Fischer und Windelband und wie sie hießen, waren lange tot. »Ich lebe aber noch!« rief er ein anderes Mal aus. Besonders zornig wurde er, wenn einer seiner Studenten die Rede auf den neuen Stern am Philosophenhimmel, auf Martin Heidegger, brachte. Er zitierte dann einen Satz Heideggers und fragte: »Kann man das ins Lateinische übersetzen? Was man nicht ins Lateinische übersetzen kann, das existiert für mich nicht!« Ich weiß nicht mehr, welcher Gegenstand, oder ob überhaupt ein bestimmter Gegenstand in diesem Seminar behandelt wurde; es mag sich auch, wie jenes bei Max Dessoir, aus Referaten und Diskussionen zusammengesetzt haben, welche nichts Unmittelbares miteinander zu tun hatten. Einmal erschien ein Gast, dessen Namen und Titel Rickert uns von der Visitenkarte las: »Wir haben heute das Vergnügen, Herrn Privatdozenten Dr. – es folgte ein estnischer Name – an der Universität Dorpat unter uns zu begrüßen. Bitte, beginnen Sie Ihren Vortrag, Herr Kollege.« Während der hohe Gast uns seinen Bericht über Rikkerts Philosophie las, die einzige noch wissenschaftliche Philosophie im deutschen Sprachraum, strich der so Beurteilte sich den Bart, um am Ende zu resümieren: »Ich habe Ihnen nicht ungern zugehört, nur hätte ich gewünscht...« Seine neueste Arbeit, im *Logos* erschienen, sei leider nicht erwähnt worden. »Ich habe viele Bücher geschrieben, die in vielen Auflagen erschienen sind«, aber gerade dieser Artikel sei ihm so ganz besonders wichtig, vielleicht wichtiger als alles andere. An jenem Tag beschloß ich, meine eigenen Rickert-Studien nicht fortzusetzen.

Übrigens mag er als Logiker etwas gekonnt haben; jedenfalls war dies die Ansicht Max Webers. Da er sehr stark an Platzangst litt, wurde er zur Universität in einem uralten Auto gebracht, die hinteren und Seitenfenster mit Vorhängen verhängt: um den wahren Grund seiner Schwäche zu verbergen, ging er an einem Krückstock und bat seine Zuhörer, sitzen zu bleiben, bis er draußen sei, weil er Schwierigkeiten beim Gehen habe. Am Anfang waren viele Studenten da, aber sie blieben nicht, wie er es selber voraussagte: »Es ist nicht immer so voll.« Er sprach schön, das muß ich ihm lassen, so wie man zur Bismarck-Zeit gesprochen hatte, aus welcher er kam; sein Vater war damals ein führender Parlamentarier gewesen, und er verfehlte nicht, uns zu erzählen, welchen Eindruck der Eiserne Kanzler auf ihn gemacht hatte. Wie es denn sein Vorsatz schien, ein Füllhorn von Bildung auszuschütten, für ein Publikum, welches in seiner Mehrheit sich der Philosophie als Beruf nicht widmen würde. Auch mischte er Lebensweisheiten mit ein, zum Beispiel jene von mir schon erwähnte »wertbeziehende«: man könnte sich durchaus an den unterschiedlichsten Werten gleichzeitig orientieren. So sei er mit Max Weber befreundet gewesen, einem radikalen Demokraten, und sei noch befreundet mit Alfred Hugenberg, diesem bedeutenden und edlen, leider vielfach verleumdeten Staatsmann. (Da war er nun gründlich im Irrtum; für mich bleibt

290

Hugenberg die widerwärtigste und fatalste politische Persönlichkeit während des Ersten Weltkrieges und in den Jahren der Weimarer Republik; auch könnte ich nachweisen, daß er als Direktor dem Vermögen des Hauses Krupp Millionen entnommen hat, um damit sein Presse- und Filmimperium aufzubauen, und zwar ohne daß der Chef des Hauses, Gustav Krupp von Bohlen, etwas davon geahnt hätte.) Was dann die Philosophie betraf, in welche er uns einführte, so fragte er mehrfach: »Was *will* sie denn eigentlich?« und gab die Antwort darauf: »Sie will wissen, was die Welt ist.« Genau dies Wissen-Wollen, hatte ich mir schon im Vorjahr ausgerechnet, war sinnlos. Jede Definition bedeutet die Unterordnung eines Begriffes unter einen anderen oder mehrere andere, ist also eine Gleichsetzung. Ein Wald ist eine Ansammlung von Bäumen: Bäume, Ansammlung, Zahl. Demokratie ist die Regierung des Volkes durch das Volk: Volk, Regierung. Aber »das Ganze« läßt sich keinem anderen Begriff unterordnen, läßt sich mit nichts vergleichen, weil es außer ihm, neben ihm nichts gibt, es wäre denn das Nichts selber, und das bedeutete keinen Vergleich, weil es das Nichts nicht gibt. Wie konnte ein Logiker wie Rickert auf einen so sehr einfachen Lehrsatz nicht verfallen? Auch im Kolleg unterließ er es nicht, gegen Karl Jaspers zu giften: ein bekannter Ordinarius der Philosophie habe erklärt, Philosophie als Lehrfach werde aus den Hochschulen bald ganz verschwinden müssen. Er, Rickert, sei anderer Meinung: »Es wären ja auch die Folgen einer solchen Eliminierung für den Kollegen selber keine angenehmen!« Der eitle alte Mann bleibt für mich die leere Hülse einer ehemals lebensstarken Tradition. Als Maske, ohne Charakter dahinter, hat dieser Schüler Immanuel Kants sich dann auch 1933 erwiesen.

Karl Jaspers

Neben Kurt Hahn bleibt er die Persönlichkeit, welche auf den langsam, sehr langsam sich zur Reife hin arbeitenden Schriftsteller GM am stärksten gewirkt hat. Also versuche ich hier, sein Porträt zu geben, wobei ich, zur Abwechslung, auch hineinnehme, was damals noch fernste, totaliter unvorstellbare Zukunft war.

In diesem Sommer, wie auch später, besuchte ich sein Seminar und seine Vorlesungen, die einzigen, die ich hörte, vom ersten bis zum letzten Tag, denn da lohnte es sich. Wahr ist allerdings, daß ich, was er bot, zwei Jahre später in einem kleinen, in seiner Sparsamkeit überaus konzentrierten Buch lesen konnte: es war das Bändchen der Sammlung Göschen Nummer 1000 *Die geistige Situation der Zeit.* So machen es die Professoren nun einmal, mit einer einzigen mir bekannten Ausnahme, der meinen; aus Vorlesungen werden Bücher, oder aus einem im Verlagsauftrag geplanten Buch eine Vorlesung. Auch die *Geistige Situation der Zeit* ist ein philosophisches Buch, anders konnte Jaspers es nicht; aber *Einführung in die Philosophie* hätte er sein Kolleg doch nicht nennen dürfen. Denn die längste Zeit sprach er von gegenwärtigen, gesellschaftlichen, politischen, kulturellen, auch »geistigen« Zuständen; was mich doch ein wenig enttäuschte. Darüber machte ich einmal eine Bemerkung, nach dem Kolleg, draußen, zu einer im Seminar des Lehrenden gewonnenen Freundin mit Namen Bobby Euler, Tochter eines Frankfurter Industriellen und einer reichen Dame jüdischen Geblüts, welcher der Vater, von unten kommend, seinen Aufstieg mitverdankte, wenngleich nicht nur ihr: Geld allein tut es nicht. Unter den grauen, mageren Pflänzlein der Studenten im Seminar wirkte Bobby wie eine Blume; hübsch und immer geschmackvoll gekleidet. Zu ihr also sagte ich: »Was er da macht, ist ja alles sehr interessant und richtig und wichtig, aber doch mehr Soziologie als Philosophie. Die hätte ich mir anders vorgestellt.« Seinen nächsten Vortrag begann Jaspers mit den Worten: »Meine Damen und Herren, ich muß erwarten, daß Sie dies Kolleg bis zu Ende hören. Bilden Sie sich schon jetzt ein Urteil darüber, dann werden mir Äußerungen zu Ohren kommen, die mich kränken müssen.« Was ich keineswegs auf mich bezog. Es war einige Jahrzehnte danach, in den fünfziger Jahren, daß er zu mir sagte: »Jetzt, da Sie selber akademischer Lehrer sind, werden Sie wissen, wie man sich fühlt, wenn einem solche Bemerkungen zugetragen werden, wie Sie einmal über mein Kolleg eine solche auf dem Ludwigsplatz machten.« Wahrscheinlich war es Bobby, die Narrenfreiheit bei ihm genoß und ihm davon erzählt hatte. Die Empfindlichkeit, welche Kritik jederlei Art unauslöschlich in sein Gedächtnis eingrub – ich konnte sie verstehen. Nur hätte ein so würdebewußter Herr besser getan, die Narbe im Verborgenen zu belassen.

Das philosophische Seminar hatte nur drei Räume: Man betrat es durch den allgemeinen Sitzungs- und Arbeitsraum mit der Bibliothek, geriet von dort in ein Mittelzimmer, welches der Assistent der »Cusanus-Kommission« regierte, dahinter lag das Professorenzimmer. Dort befand sich Jaspers schon, bevor die ersten Teilnehmer eintrafen; lang, ernst, gesammelt, erschien er pünktlich um drei Uhr fünfzehn im Hauptraum und nahm in der Mitte des langen Tisches an der Wand unter einem Porträt Wilhelm Windelbands Platz. Das Seminar dieses Sommers nannte sich »Übungen zu Hegels Ästhetik«. Da er, wohl mit Recht, uns für Beginner auf diesem Gebiet ansah, hielt er uns während dieser ersten anderthalb Stunden einen Vortrag – er nannte es »Lückenbüßer« – über deutsche Philosophie überhaupt, über die nachkantische und jene Hegels. Was er sagte, war bequem zu verstehen, klar, hatte immer Hand und Fuß. Auf die Würde dieser Übungen hielt er viel. Als ein Teilnehmer zu spät hereinkam, bemerkte er: »Ein Medizinstudent in der Anatomie kann kommen und gehen, wann er will. In ein philosophisches Seminar kommt man oder kommt man nicht. Wer zu spät kommt, den ersuche ich, an der Tür lieber wieder umzukehren.« So auch im Kolleg; da unterbrach er seinen Redefluß, wenn jemand hereinkam, erst recht und mit Empörung, wenn jemand hinausging: »Auch ein Zeichen der Zeit, daß man es für richtig hält, ein philosophisches Kolleg für zehn Minuten zu besuchen.« Am Ende jener anderthalb Stunden nannte er die Abschnitte des Ersten Bandes der *Vorlesungen über die Ästhetik*, die wir für das nächste Mal zu studieren hätten, und verteilte an jene, die sich dafür meldeten, ein paar Kurzreferate. Ich meldete mich nicht. Für Anfänger im Hegel-Studium war das Werk gut gewählt; es enthält eine bewundernswerte Fülle historischer Einblicke und herrlicher Darstellungen in allen Bereichen der Kunst, einschließlich der Architektur. Daß die »Dialektik«, römisch eins, arabisch eins, A, Alpha, Beta, Gamma, regelmäßig durchgeführt wird, auch da, wo keinerlei Notwendigkeit dafür zu finden ist, mag als pedantische Puschel hingenommen werden. Von heutigen Kennern wird Hegel mitunter der eigentliche Begründer der Kunstgeschichte genannt – eine Bewertung seines Werkes, für die man durchaus nicht Hegelianer zu sein braucht. Natürlich erscheinen seine Grundgedanken in allen seinen

Vorlesungen: über Geschichte, Religion, Geschichte der Philosophie, so auch in der *Ästhetik*: der »Weltgeist«, das »sich setzende Ich« – hier zeichnete Schopenhauer einen Stuhl an den Rand –, der »Begriff«, der die Wirklichkeit aus sich »entläßt« – Schopenhauer: »hinauskomplimentiert« – und andere solche, nicht eben leicht zu erfassende Vorgänge oder Gleichnisse, oder wie man es nennen will.

Damals las ich nebenher *Die Welt als Wille und Vorstellung*, las, verschlang sie wie den größten aller Romane. Hier war Alles, was grübelnde Jugend suchte: Darstellungen der menschlichen Situation, Fragen, Lösungen. Und wie wunderbar er schreiben konnte! Nebenbei fehlte es in seinen Texten nicht an Hieben gegen den verhaßten Hegel; dies Aneinanderreihen rasender Wortgeflechte, dergleichen man bisher nur in Tollhäusern vernommen, dieser freche Scharlatan und beispiellose Unsinnschmierer. (Kein Zitat! Nur dem Sinn nach wiedergegeben.) Es war der Ekel, welchen der germanische Philosoph dem europäischen Schriftsteller verursachte. Mit einem Schlag, für diese Zeit, war ich Schopenhauerianer, mithin Anti-Hegelianer, worüber ich ein kurzes Memorandum verfaßte und mit ein paar höflichen Zeilen an Jaspers sandte: Unter Schopenhauers »Wille« könne man sich doch etwas vorstellen, unter Hegels »Begriff des Begriffs« aber gar nichts... In der nächsten Sitzung bat der Professor mich, das Opusculum vorzulesen. Danach: »Nun, was sagen Sie dazu?« Es gab ein paar kritische Stimmen, vielleicht auch bejahende, ich weiß es nicht mehr. Zum Schluß nahm der Meister das Wort: Schopenhauer habe den Hegel nicht verstehen wollen und habe sich auch über Kant geirrt, indem er sich für dessen wahren Vollender hielt. Gewiß sei er ein Denker von Rang, zumal ein großartiger Essayist; aber die Monotonie seines Denkens wirke auf die Dauer doch ermüdend, jedenfalls für reife Leser. »Sie werden bemerkt haben, daß Herr M. sogar Schopenhauers Stil nachgeahmt hat.« Letzteres war zweifellos richtig; auf einen angehenden Schriftsteller – es sollte noch eine gute Weile dauern, bis ich einer wurde – färbt der Stil jedes großen Autors ab; da ich bald und für ein paar Jahre Hegel las, so wurde auch meine Sprache ein wenig hegelianisch. Zeitweise war sie von Tacitus beeinflußt, und wenn ich heute politische Artikel lese, die ich in den dreißiger Jahren schrieb, so scheint mir die Macht, welche Friedrich von Gentz, der Held meines ersten Buches, damals über die Rhythmen meiner Sprache besaß, ans Komische zu grenzen. Dergleichen gehört zum Lehrgang... Immerhin hatte ich mit meinem schriftlichen Versuch erreicht, was ich wollte: daß Jaspers auf mich aufmerksam wurde. Später erzählte er mir, er habe zu seiner Frau gesagt: »Da kommt einer mit Niveau.« Ein paar Wochen danach suchte ich ihn in seiner Sprechstunde auf.

Seine Wohnung war eher klein. Erinnere ich mich recht, gab es kein Wohnzimmer, nur ein Eßzimmer, in welchem die Studenten zu warten hatten, daneben sein Arbeitszimmer. Als die Reihe an mich kam, berichtete ich ihm: daß ich mich entschlossen hätte, Philosophie zum Hauptfach zu wählen. Schon hätte ich allerlei gelesen, auch ein Werk von ihm – da meinte ich die *Psychologie der Weltanschauungen* –, aber es fehle mir an Substanz, ich spüre kein Fortwärtskommen, ich sei wie ohne Kompaß. Über das Gesicht des Professors ging ein Schatten von Ärger; und da Angriff die beste Verteidigung ist, so reagierte er mit der Frage: »Herr M., was wollen Sie denn eigentlich werden?« Das traf ins Schwarze. Ich mußte antworten: »Das weiß ich noch nicht.« Und die Wahrheit ist, daß ich mir diese Frage noch gar nicht gestellt hatte. Er stieß nach: »Nun, wer eine Universität besucht, bereitet sich dort auf einen der akademischen Berufe vor, welche man erlernen kann: Lehrer, Arzt, Pfarrer, Richter, Chemiker und so fort.« Philosophie sei aber kein Lehrfach an den Gymnasien, sei überhaupt kein Beruf; das Einzige, was man da werden könne, sei Professor der Philosophie und dies Glück nur den allerwenigsten beschieden. »Vielleicht könnte ich Psychologie dazunehmen?« »Da irren Sie sich. Psychologie ist heute nur noch die Larve einer Wissenschaft.« »Oder Soziologie?« »Das ist noch schlimmer.« Ferner: praktisch nütze mir ein Doktortitel sehr wenig. Das Resultat eines Hochschulstudiums müsse ein Staatsexamen sein, in meinem Fall vermutlich das eines zukünftigen Gymnasiallehrers. Über die Professoren der Philosophie: »Sie würden entsetzt sein, wenn Sie deren Gesichter auf einem Philosophenkongreß sähen.« Nachdem wir so eine Weile hin und her geredet hatten, zog er mit Autorität seine Taschenuhr: er höre die Kommilitonen draußen rumoren, für diesmal sei es genug.

Mit der Frage: Was wollen Sie denn eigentlich werden? hatte er seinen Zweck völlig erreicht, denn während einiger Tage fühlte ich mich tief beunruhigt, ja, erschüttert davon. Ich zog Erkundigungen ein: für das Staatsexamen brauchte man drei Fächer, zwei Hauptfächer und ein Nebenfach, »Philosophie« könnte allenfalls das letztere sein. Nach einigem quälenden Hin und Her wählte ich zwei Kombinationen: für das Staatsexamen Geschichte und Latein als Hauptfächer, Philosophie nebenher; für die Promotion das Umgekehrte, Philosophie im Hauptfach. Mit diesem Entschluß suchte ich Jaspers ein paar Wochen später wieder auf. Er, mit feierlichem Ernst: »Dann lege ich die Verantwortung für das, wozu Sie sich da entschieden haben, in Ihre Hand.« Er salvierte sich; ich durfte ihm später nicht den Vorwurf machen, er habe mich zu einer so gefährlichen und brotlosen Kunst verführt. Auf das Staatsexamen legte er das Hauptgewicht. »Nach der Promotion an der Universität bleiben, Literatur, Kongresse, die man besucht, um sich bekannt zu machen – würdelos. Man muß dem Staat zeigen: Ich kann auch in euren Betrieb. Erhält man dann, dank seiner Schriften, den Ruf an eine Universität, desto besser; aber wem geschieht das schon!« Da dachte er an seinen eigenen Weg. Er hatte als Mediziner in der Heidelberger Psychiatrischen Klinik gearbeitet, dann sich nebenher als Psychologe habilitiert und war so lange dabeigeblieben, bis er, sieben Jahre bevor ich ihn kennenlernte, einen ordentlichen Lehrstuhl für Philosophie erhielt. Als ich ihm nun sagte, ich hoffte bei ihm zu promovieren, ging er noch einmal zum herzhaften Angriff über: »Da«, rief er beinahe höhnisch, »muß ich erst einmal sehen, was Sie können! Sie haben ja noch nicht einmal ein ordentliches Referat bei mir gehalten!« Ja, gut, ein solches werde folgen.

Von nun behandelte er mich im Seminar rauher als die anderen, mit Bemerkungen wie »Reden Sie erst, wenn Sie daran kommen«, oder »Sie irren sich!«, derart, daß meine Freundin, Bobby Euler, die auch seine Freundin war, es ihm privatim zum Vorwurf machte. Er antwortete, jemanden wie mich müsse man »strampeln« lassen – ein pädagogisches Prinzip. Im allgemeinen gab es für Jaspers zwei Arten von Lieblings-Schülern: die sehr reichen und die sehr armen. Die Reichen, zum Beispiel Bobby, zum Beispiel ein Dr. E., Sohn eines Kaufhausbesitzers in Frankfurt, der nur erster Klasse reiste, waren ihm willkommen wegen ihrer wirtschaftlichen Unabhängigkeit; die ganz Armen imponierten ihm, weil sie das große Wagnis gewagt und ihr Sach auf nichts gestellt hatten. Selber gehörte ich zu keiner dieser beiden bevorzugten Klassen. Von freien philosophischen Schriftstellern hielt er wenig. Als ein geistreicher und frecher Student namens Boris Goldenberg ihn im Seminar einmal fragte, was er von Ludwig Klages halte, kam die Antwort: »Klages halte ich für einen echten Philosophen.« Sein bestes Werk sei sein frühestes, *Die Probleme der Graphologie*; er verstehe gar nicht, warum der Autor es nicht noch einmal aufgelegt habe. Aber warum nicht offen sein? Klages müsse von seiner Schriftstellerei leben. Und so schreibe er Bücher, die er zu verkaufen hoffte wie zum Beispiel *Der Geist als Widersacher der Seele*, Werke, mit denen er, Jaspers, nicht das Geringste anfangen könne. Wie anders bei den wohlbestallten Professoren. Auf der einen Seite genössen sie materielle Sicherheit, auf der anderen hätten sie Disziplin zu üben und dürften keinen sensationellen Unsinn schreiben, denn andernfalls kämen einem die Kollegen mit vernichtender Kritik. Wirklich genoß er selber materielle Sicherheit, selbst in den schrecklichsten Jahren des Dritten Reiches, und wirklich war die Disziplin des philosophischen Schriftstellers lange Zeit eine vorbildliche, manchmal sogar allzu genaue; lange Zeit – am Ende nicht mehr. Da schrieb er über Dinge – *Wohin treibt die Bundesrepublik* –, von denen er zu wenig wußte, und schrieb, was einige wenige Besucher ihm zugetragen hatten. Bekanntlich berühren sich die Extreme. Der Jaspers vor 1933 war überaus sparsam mit seinen auf das allergründlichste erarbeiteten Publikationen. Der Jaspers nach 1945 schrieb zu viel und walzte einen Vortrag – *Die Atombombe und die Zukunft des Menschen* – zu einem Buche aus, mit in den Topf werfend, was gar nicht hineinpaßte, was er aber gerade auf Vorrat hatte, zum Beispiel eine Betrachtung über Unsterblichkeit.

Von nun an bedeutete meine Heidelberger Existenz, ohne daß es mir klar bewußt gewesen wäre, ein Ringen um die Gunst meines Lehrers. Ich tat, was er wollte, eisern fleißig den lieben langen Tag im Seminarraum verbringend; am

Vormittag mit philosophischen Lektüren und Notizen befaßt, in den müden Stunden des Nachmittags mit lateinischen Texten oder historischen Werken. Daneben oder
darüber die Seminare, jenes, was Jaspers leitete, ein historisches, ein altphilosophisches. Ich will nicht sagen, daß
solche gedrängte Einteilung des Tages so recht gesund und
produktiv war. Es ist ungut für einen jungen Geist, schon
am Morgen Philosophen zu lesen, meist wunderliche Mi-
schungen aus Tiefsinn und Unsinn.

> ... ein Kerl, der spekuliert,
> Ist wie ein Tier auf dürrer Heide
> Von einem bösen Geist im Kreis herumgeführt,
> Und ringsumher liegt schöne grüne Weide.

Aber irgend etwas kommt endlich doch dabei heraus, wenn
man sich ernsthaft abmüht; jedenfalls war ich nach den
drei Heidelberger Jahren entschieden reifer, denk-geübter,
auch schreibgewandter als am Anfang. Der härteste Winter war der erste, was die Arbeit, auch was die Geselligkeit
betraf. Meine beiden Freunde, Hans Jaffé und Max Weber-Schäfer, studierten nun in Göttingen. Mit einem dritten, Student der Medizin, auch einem »Alt-Salemer«,
nahm ich wohl oder übel vorlieb. Erholung fand ich in einsamen Spaziergängen und Zeitungslektüren in der akademischen Lesehalle. Dort las ich eines Abends in der *Frankfurter Zeitung* die Überschrift: »TM erhält den Nobelpreis.«
Von einem Bekannten auf dem Weg zur Mensa darauf angesprochen, gab ich die Antwort: »Nun, wir bereiten unser
Staatsexamen vor und kümmern uns darum nicht weiter.«
Ich schickte ein Glückwunschtelegramm nach Hause.
Meine Mutter antwortete, ich sollte mir irgend etwas Schönes wünschen, »dürfte schon etwas Kostspieliges sein. Den
großen Geschwistern bezahlen wir ihre Schulden, was

ziemlich weit führt.« Da ich nicht wußte, was mir wünschen, so bestand das Geschenk aus siebenhundert Mark, viel Geld damals. Nach einigem Schwanken kaufte ich mir damit ein Grammophon, noch mit Kurbel, und meine Lieblingsplatten: Schubertlieder, Verdi, Beethoven-Quartette. Eine Verschönerung meiner einsamen Abende, die auch weniger einsam wurden, denn die Musik zog Gäste an.

Gegen Ende dieses Wintersemesters schickte ich Jaspers ein Referat, das mit seinen Hegel-Seminaren nichts zu tun hatte, eine Art von Essay, in welchem ich Leibniz und Spinoza miteinander verglich, die »Monaden-Lehre« des einen, den Pantheismus des anderen. Bald kam die Antwort: dann und dann sollte ich ihn besuchen, »bis dahin werde ich Ihr Referat gelesen haben und hoffe, Ihnen etwas darüber sagen zu können«. Er empfing mich freundlicher als vorher, jedoch mit den Worten: »Das ist weder der Anfang noch der Entwurf für eine Doktor-Arbeit«. Nein, so hatte ich es auch nicht gemeint, mehr wie eine Fingerübung. »Das haben Sie also richtig verstanden.« Es seien gute Partien in dem Aufsatz, »herrliche Sätze« sogar, man merke mir meine »Erbmasse« an. Aber oft nähme ich den Mund zu voll, zumal wenn ich beifällig oder kritisch gewisse Professoren zitierte. »Die Kollegen tun das, aber ich mag es nicht.« In dem Manuskript fand ich dann auf einer Seite seine Marginalie: »Sehr klar und richtig.« Es war die Seite, auf der ich Leibnizens PRINCIPIUM IDENTITATIS INDISCERNIBILIUM auseinandersetzte, den Lehrsatz von der Identität des Ununterscheidbaren. Nachdem wir eine kurze Weile über meine Arbeit gesprochen hatten, ging er zu Ernsterem über. »Nun muß ich Ihnen einen kleinen Vortrag halten.« Es ging um die Situation der Philosophie heute. Alles müsse neu begonnen werden; »den alten

Philosophen glauben wir nicht mehr«. Wohl müsse man sie kennen, oder besser, einen von ihnen gründlich kennen; aber um die Frage, was die Welt sei, gehe es nicht mehr, sondern um des Menschen Erdendasein. »Da interessiert uns *alles*; die Wissenschaften, die Historie, die Sprache, die Gesellschaft, was immer.« Er meinte das, was im zweiten Band seines Werkes *Philosophie Existenzerhellung* hieß. Er entließ mich mit guten Wünschen, ein erster schmaler Erfolg. Besser ging es im nächsten Jahr. Da ich damals noch kein Tagebuch führte, kann ich mich an die Reihenfolge der Seminar-Themen nicht erinnern; jedenfalls blieb Jaspers bei Hegel: *Phänomenologie des Geistes*, *Wissenschaft der Logik*. Ich will gestehen, daß ich mit dem erstgenannten Werk, welches als Hegels bedeutendstes gilt, nie viel anzufangen wußte, damals nicht und später nicht. Es gab starke Partien darin, und andere, gewalttätig verdrehte – für mich ungenießbare. Ich übernahm eines jener Kurzreferate, machte es schlecht, was ich auch wußte, und worüber mir Jaspers sagte: »Wenn so kluge Leute meine Interpretation nicht verstehen, so muß mich das enttäuschen.« Lese ich heute meine Randbemerkungen in jenen Hegelbänden, geschrieben in einer »gotischen« Kinderschrift, so berühren sie mich halb melancholisch, halb lustig. »Hier treten zum ersten Mal *zwei* Selbstbewußtsein auf, aber die Ableitung ist pitoyable!« oder: »Wieso ist ein fremdes Ich mein Anders-Sein?!« »Das ist alles nicht so begrifflich klar, wie er tut – es handelt sich nämlich um uniones mysticae.« Manches in diesem Stil. Ein Kommilitone, der über den Abschnitt »Herrschaft und Knechtschaft« zu referieren hatte, legte das Schwergewicht auf diese Sätze: »Das Verhältnis beider Selbstbewußtsein ist also so bestimmt, daß sie sich selbst und einander durch den Kampf auf Leben und Tod bewähren. Sie müssen in diesen Kampf gehen...« Ich erriet, was der Student meinte: den unvermeidlich herannahenden neuen Krieg zwischen Deutschen und Franzosen. So kann ein junger Tor alte Philosophie sich zurechtlegen. Weit mehr hatte ich von Hegels Logik: Schwere Gedankenpoesie voller Zauber, auch die gesamte Geschichte des abendländischen Denkens enthaltend. Zauber ist schon der Anfang: Beginnend mit dem reinen Sein – so wie das Vorspiel zum *Rheingold* mit dem Rhein –, hinüberspielend in das Nichts, aus welcher Doppelheit sich das Werden ergibt, welches zugleich Sein und Nichtsein ist – ein Triumph der Dialektik, wenn es je einen gab. Nun übernahm ich ein Großreferat über den Abschnitt »Repulsion und Attraktion«. Solche Referate wurden dem Professor eingeschickt, der in einer der nächsten Sitzungen darüber kritischen Bericht gab. Danach lagen sie für Interessenten in einem offenen Schranke auf. Wieder ließ er mich kommen und empfing mich mit den Worten: »Herr M., ich sehe, daß Sie philosophieren.« Das höchste Lob, das ich je von ihm empfing. Im Seminar dann empfahl er die »gründliche und ergiebige Arbeit« zur Lektüre. Damit war ich akzeptiert – vorläufig. Die Mühe, die sich Jaspers mit von ihm einmal angenommenen Studenten gab, die Zeit, die er für ihre doch mehr oder minder schwachen Versuche verlor, mußte ich nun bewundern.

Im dritten Jahr nahm ich an des Professors Lehrveranstaltungen nicht mehr teil, weil ich mich nun teils auf meine Doktorarbeit, teils auf die Vorbereitung des Staatsexamens konzentrierte, zu welch letzterem Zweck ich lateinische und historische Seminare nach wie vor besuchte. Die Dissertation sollte *Zum Begriff des Individuellen bei Hegel* oder so ähnlich heißen.

In meinem Tagebuch unter dem 24. Oktober 1931: »In Jaspers' *Geistiger Situation* gelesen; es ist, wie ich dachte, kenntnisreich, gut aufgebaut, männlich und hochmütig. Stil schlicht und etwas eintönig. Wo er Positives bietet, gerät er leicht ins Traktätchenhafte...« Unter dem 18. Dezember: »Heute war ich bei Jaspers, der mich in seinem Sammetjäckchen freundlich schmunzelnd empfing. Die Gliederung meiner Arbeit sei gut, sehr geschickt, das Thema ›herrlich‹. Übrigens war er gut gelaunt und wollte sein Buch gelobt hören, sprach auch angeregt von den Kritiken, die er hatte. Von allen Parteien werde er gelobt; ob es nicht noch ein einheitliches deutsches Denken trotz aller Gegensätze gebe? Den Dingen müsse man ins Auge sehen (dies ist in der Tat seine Force). Zum Beispiel das mit der Reichswehr gehe nicht; denn selbst wenn Frankreich nicht über uns herfiele, so müßte doch eines Tages die Reichswehr über uns herfallen. Das ist echter Jaspers...« Was ich hier einzutragen vergaß: er war ärgerlich über die Kritik Ludwig Marcuses, ich denke in Leopold Schwarzschilds Wochenschrift *Das Tagebuch*. Marcuse hatte dem Autor vorgeworfen, daß er den »nächsten Krieg« bejahe, oder mindestens nicht bedingungslos verneine. Das sei ein typischer Sophismus, und wenn gescheite Sophismen ihm sogar ein geistiges Vergnügen bereiten könnten, so sei dieser mehr böswillig als gescheit. Worin lag die Verdrehung? *Wenn* ein Krieg unvermeidlich sei, so Jaspers, *dann* wäre es die Aufgabe des Staatsmannes, ihm einen Sinn zu geben, wie der »Weltkrieg«, ein Krieg zwischen Deutschen, Briten und Romanen, ein Verrat an Europa, ihn eben gerade nicht gehabt hatte. Ob in solchen Gedanken wohl ein Lob des Krieges an sich selbst verborgen sei? Ich las danach jene Seiten noch einmal und fand sein Argument bestätigt über und über: für einen »geschichtlich gehaltvollen« europäischen Krieg sei weit und breit keine Möglichkeit sichtbar. »Wie die Kampffronten einmal liegen werden, ist un-

ausdenkbar; oder besser, jede Weise, wie man sie sich aus-
denkt, ist absurd.« Aber, und dieser Gedankengang charakterisiert das ganze Buch, ein endgültiger Friede ist
ebenso undenkbar und ein neuer europäischer Krieg früher oder später wahrscheinlich, wobei jedes Bündnis in
Frage kommt, eines so sinnlos wie das andere, etwa ein
deutsch-russisches gegen die Westmächte. »Die Schwierig-
keit ist die Verschleierung auf beiden Seiten. Die zum
Kriegswillen erregenden Schaustellungen militärischer
Dinge zeigen nicht die Bevölkerungen bei Gasangriffen,
nicht den Hunger und das wirkliche Sterben. Die pazifistischen Argumente verschweigen, was es heißt, versklavt zu
werden... Beide verdecken den Untergrund des Bösen, das
der dunkle Ausgang aller Kräfte ist, die im Krieg sich ent-
laden.« Im Resultat eines solchen Hin und Her verlangte
der Autor »Wehrhaftigkeit«, und zwar als allgemeine
Pflicht; ein Berufsheer wie die Reichswehr könnte sich jederzeit zum Herrn über das eigene Land machen. Was die
deutsche Reichswehr bekanntlich nicht tat. Solange sie der
General von Seeckt kommandierte, spielte sie mit der Möglichkeit, aber niemals mehr als das. Als ebenso superreali-
stisch-irreal erwies sich die Bemerkung des Philosophen,
die Vereinigten Staaten zusammen mit England könnten,
wenn sie wollten, jeden Krieg auf Erden verbieten. Solche
Irrtümer gibt es in dem Buch einige, und sie stammen aus
derselben Quelle: aus einem in Melancholie sich überschlagenden Willen zum Realismus, der wieder mit dem
Streben nach absoluter Redlichkeit zu tun hat. Ob er von
Haus aus so angelegt war oder aber dem gewaltigen Einfluß Max Webers erlag, dessen »Ich sage, was ist«, weiß ich
nicht; in solchen Fällen pflegt aber beides zu gelten. Immerhin traf *eine* Prophezeiung, welche in dem Buche steht,
ein knappes Jahrzehnt danach buchstäblich ein: »Will

306

man den Krieg um jeden Preis verhindern, so wird man blind hineintaumeln, wenn man von den anderen in die Situation manövriert ist, in der man ohne Krieg vernichtet oder versklavt wird.« So geschehen 1939–40. Daß er, weitsehend, aus den gegebenen Bedingungen, wie er sein konnte, doch nicht alles voraussah, versteht sich; zum Beispiel nicht die Situation, die wir heute haben, in welcher *der* große Krieg nicht mehr sein kann, aller Regionalkriege, Bürgerkriege etc. ungeachtet, und in welcher eben darum *der* Friede, wie man ihn in versunkenen Zeiten genoß, auch nicht sein kann. Erstaunlich bleibt, was Jaspers, der seiner Krankheit halber fast nie ausging, der auch den Umgang mit den meisten seiner Kollegen mied – von welchen er »der Robespierre« genannt wurde –, was er alles schon sah, obgleich es in seinen geringen oder kümmerlichen Anfängen stand: »Massenordnung in Daseinsfürsorge« – was man heute das »soziale Netz« nennt –, »Demokratisierung«, »Mitbestimmung« schon bei Kindern – alle diese noch immer aktuellen Ausdrücke gebrauchte er. »Man möchte Herrschaft überhaupt abschaffen.« Von dem, was man heute die »permissive Gesellschaft« nennt, oder gestern so nannte, spricht er als von etwas Selbstverständlichem – wobei man wissen muß, wie damals noch überwiegend Kinder zu Hause »erzogen«, wie sie in der Schule gedrillt wurden. Was übrigens ihn selber, den Autor betraf, so war er, etwa die Beziehungen zwischen den Geschlechtern angehend, nichts weniger als permissiv. Nach dem Tode Alfred Webers schrieb er an dessen langjährige Lebensgefährtin, Frau Else Jaffé, einen Brief des Inhalts: Im Grundsatz müsse er zwar dergleichen nicht durch Heirat geweihte Beziehungen verurteilen, sei aber angesichts so lange währender wechselseitiger Treue bereit, eine Ausnahme zu machen... Mit dem, was ich in meinem Tagebuch das »Traktätchenhafte« nannte, war die Lösung, das elitäre Happy End gemeint. Die Massen sind, wie sie sind und bleiben werden – das, was Max Weber »Stimmvieh« nannte; mit ihren ordinären Unterhaltungen, mit ihrer »Daseinsfürsorge« – Brot und Spiele. Bleibt nur der über sie sich erhebende Einzelne, in treuer »Kommunikation« mit anderen Einzelnen; ihm könnte die »Existenz-Philosophie« als die einzig noch mögliche eine Hilfe sein.

Der Nationalsozialismus kommt, fünfzehn Monate vor der »Machtergreifung«, nicht vor; die fürchterliche Wirtschaftskrise, die Arbeitslosigkeit der Massen, der Zusammenbruch der Daseinsfürsorge auch nicht. Vielleicht wird dergleichen in späteren Ausgaben erwähnt: ich kenne nur die erste und besitze den Band noch.

Mir selber sagte Jaspers in dieser Zeit einmal: »Haben Sie nicht den Eindruck, daß mit der großen Mehrzahl der Studenten hier ein vernünftiger Dialog nicht mehr möglich ist? Daß nur noch Beruhigungsmittel nottun, aber Reden keinen Sinn mehr hat?« Das klang tief bekümmert. Auf der anderen Seite glaubte er an die mörderische Doktor-Eisenbart-Kur des Reichskanzlers Brüning, Sparen und noch mehr Sparen, wieder eine Million Arbeitslose mehr. Pläne für Arbeitsbeschaffung, wie sie damals von Leopold Schwarzschild in seinem Tagebuch verfochten wurden, in Heidelberg von dem sich so nennenden »Tat-Kreis«, lehnte er mit eisiger Sachlichkeit ab; das sei unwissendes Gerede. Über seine eigene wirtschaftliche Existenz mit einer wiederum Max Weberschen, hier jedoch an Selbstgefälligkeit grenzenden Redlichkeit: »Ich lebe von Ausbeutung.« Er meinte, von den Steuerzahlern, zu denen ja auch die »Proletarier« gehörten, so weit sie noch arbeiten durften. Auch lehnte er es strikt ab, persönlich in die Niederungen der Politik hinunterzusteigen – dies nun freilich im schroffsten

Gegensatz zu seinem bewunderten Meister Max Weber. Solches erlebte ich zweimal: einmal im Gespräch mit ihm, das andere im Seminar. Ich hatte mich bei ihm gemeldet, um ihn zu überreden, doch seine hohe Autorität zugunsten des Privatdozenten Dr. Gumbel geltend zu machen, gegen den die Nazi-Studenten eine infame Hetzkampagne organisiert hatten; die Professoren schwiegen, das hieß, billigten schweigend, was da geschah. Jaspers: »Das steht Ihnen – der Kampf dagegen –, aber das steht mir nicht.« Und erklärte mir, daß ein Lehrer der Philosophie zwar versuchen müsse, zu erziehen, eben darum jedoch in Sachen der Politik ein Beispiel von Disziplin geben müsse; sie dürfte die Universität nichts angehen oder sie zerstörte deren eigenste Idee … Im Seminar auf seine politische Enthaltsamkeit im allgemeinen angesprochen – ich glaube, wieder von dem begabt frechen Boris Goldenberg –, antwortete er, indem er noch einmal die »Idee der Universität« auseinandersetzte, zusamt seiner eigenen, vom Amt des philosophischen Lehrers. Ein Student habe ihm einmal die Bemerkung hingeworfen: »Wenn das Haus brennt, denn werden Sie doch beim Löschen helfen wollen!« Und darauf habe er geantwortet: »Nein, wenn das Haus brennt, dann rufe ich die Feuerwehr. Löschen braucht Handwerkszeug und will gelernt sein. Ich habe Medizin gelernt und Philosophie, aber Feuerwehrmann bin ich nicht.« Für den Jaspers der frühen dreißiger Jahre paßte das Wort vom Elfenbeinturm oder von »hoher Warte« haargenau. Der nach 1945 war völlig anders, auch in dieser Beziehung, das Erlebnis des »Dritten Reiches« die mit Grauen erfahrene Ursache dafür.

Im Spätwinter des Jahres 32 überbrachte ich ihm meine ins Reine geschriebene Dissertation. Wieder ließ er mich nach ein paar Wochen kommen. Seine Kritik war scharf. Am Anfang habe er geglaubt: »Endlich wieder eine erstklassige

Arbeit«, um nur zu bald enttäuscht zu sein: »Nein, er hält
das Niveau nicht.« Mein Vater, »uns allen ein Vorbild, was
den Aufbau eines Gedankenwerkes betrifft«, würde entsetzt sein, wenn er das läse. Ob ich mir nicht noch ein Jahr,
allerwenigstens ein halbes nehmen wollte, um das Ding
noch einmal durchzuarbeiten? Natürlich empfand ich seinen Tadel als ungerecht. »Ja, wenn Sie dabei bleiben, dann
werde ich Ihnen keine gute Note geben können.« Es lief
dann, nach dem mündlichen Examen, auf ein kümmerli-
ches »Cum Laude« hinaus. Darüber war ich wiederum erbittert, zumal der Prüfer im Lateinischen, Professor Meister, mich wärmstens gelobt hatte, der Professor Andreas
nicht eben begeistert, aber doch zufrieden gewesen war. Es
schrieb dann Jaspers einen Brief an meinen Vater: Mein
ernstes Streben habe mir im Lauf der Jahre seine Achtung
gewonnen, meine Konzentration auf das Staatsexamen
sich aber auf die Doktorarbeit etwas negativ ausgewirkt.
Er lud mich zu einem Abschieds-Abendessen ein. So recht
gemütlich war es nicht, allein mit dem Ehepaar. Ich will
nicht sagen, daß die Birne, die von der Decke hing, ganz
ohne Schirm war, aber sie nahm sich so aus. Es gab irgendeinen Gemüse-Auflauf, serviert von einer Magd äl-
test-plumpen Stiles, und Tee. Zum Nachtisch schenkte
sich der Professor mehrere Gläschen »Kantorowicz
Orangenlikör« ein, von welchem er seinem Gast nichts
anbot. Während er einen Moment abwesend war, erklärte
mir seine Frau, er brauche das, um »seine Krankheit zu
ernähren«. Von ihr hat er selber in seiner *Philosophischen
Autobiographie* ausführlich Bericht gegeben. Sie bedeutete
eine schwere Belastung und Beschränkung seines Lebens
von Kindheit an, ebenso aber Schutz; seiner Produktivität
ist sie eine Hilfe gewesen... Als wir auf die politische Lage
zu sprechen kamen und ich bemerkte, die einzige Hoffnung

310

Deutschlands beruhe auf der Arbeiterklasse, lachten die beiden laut heraus. Jaspers: »Sie haben das ganz ernst vorgebracht, aber Ihre Augen haben auch gelacht.« Vielleicht hat er recht; ich weiß nicht, wie ernst ich es gemeint hatte. Übrigens, fügte er hinzu, seien die gewerkschaftlich organisierten, sozialdemokratischen Arbeiter alten Schlages in der Tat ein Hort der Ordnung; womit ich mich zufriedengab.

Zwei Jahre später, in St. Cloud bei Paris, habe ich die Dissertation noch einmal vorgenommen, stark gekürzt, neu gegliedert und einigermaßen lesbar gemacht. So – ich nannte das Ding *Auszüge aus meiner Doktorarbeit* – wurde sie auf Kosten meiner Großeltern Pringsheim, die damals noch in München lebten, gedruckt und der Universitätsbehörde eingeschickt, worauf ich das Diplom zugeschickt erhielt; so korrekt ging es damals noch zu. Die Broschüre besitze ich nicht mehr, sei es Zufall oder Absicht, in der Bundesrepublik soll es ein einziges Exemplar davon geben.

Es dauerte dreizehn Jahre, bis ich, August 1945, Karl Jaspers wiedersah. Ich kam von Luxemburg, wo ich für die zu jener Zeit von der amerikanischen Armee verwaltete Radiostation einige gut befundene Heidelberger Gelehrte zum Reden bringen sollte, auf Band oder, ich glaube, damals noch auf Platte. Mein erster Gang führte mich in die »Plöck«. Frau Jaspers öffnete die Tür, erkannte mich sofort und begrüßte mich mit den Worten: »So dick hätten Sie nicht zu werden brauchen!« Nicht ganz uncharakteristisch für Frau Gertrud, über die meine Freundin Bobby Euler in ihrem Frankfurterisch mir einmal gesagt hatte: »Sie ist nicht böswillig, aber bös.« Sie mag es wirklich gewesen sein, jedoch nie für ihren Gatten, dem zu dienen, ihn zu beschützen, sie als ihre Lebensaufgabe ansah. Jaspers, nach so lange Zeit, schien mir wenig verändert, wenig gealtert. Wie er berichtete, hatten die Jahre erzwungener Untätigkeit – erst war ihm das Lehren, dann auch das Publizieren verboten worden – trotz allem auch ihre gute Seite. Er konnte nun ausruhen. Die Universität hatte den Kranken unsagbare Mühe gekostet, nun hatte er den lieben langen Tag Zeit zu neuen Studien, die griechischen, die indischen, die chinesischen Philosophen wurden ihm erst jetzt vertraut. Von dem, was seine Frau, ihrer jüdischen Abstammung wegen, und er mit ihr an Erniedrigungen und Gefährdungen hatten erleiden müssen – zuletzt trugen sie immer Gift bei sich, in der Erwartung, »abgeholt« zu werden –, darüber sprach er mir damals noch kaum. Der Zweck meines Besuches war ein sachlicher und als solcher erfolgreich; er hatte die Rede bereit, die er vor kurzem gelegentlich der Wiedereröffnung der Heidelberger Hochschule gehalten hatte und die er nun für mich ablas.

Sein ganzes, sein bestes Wesen, sein ganzes Können sprach aus diesen wenigen Seiten. Wenn ich in einem der vorhergehenden Kapitel, in welchem von der Agricola-Biographie des Tacitus gehandelt wurde, meinte, ein Deutscher, von der Schreckensherrschaft befreit, hätte nie »wir« gesagt wie der römische Historiker, so muß ich mich nun korrigieren; nämlich Karl Jaspers ausnehmen. Der sagte »wir« mit totaler Redlichkeit. »Tausende haben in Deutschland im Widerstand gegen das Regime den Tod gesucht oder doch gefunden, die meisten anonym. Wir Überlebende haben nicht den Tod gesucht. Wir sind nicht, als unsere jüdischen Freunde abgeführt wurden, auf die Straße gegangen, haben nicht geschrien, bis man auch uns vernichtete. Wir haben es vorgezogen, am Leben zu bleiben, mit dem schwachen, wenn auch richtigen Grund, unser Tod hätte doch nichts helfen können. Daß wir leben, ist unsere

Schuld. Wir wissen vor Gott, was uns demütigt.« Recht wohl hätte er sich ausnehmen können. Er hatte während jener zwölf Jahre auch nicht einen einzigen Satz gesprochen oder, solange er noch durfte, veröffentlicht, der zugunsten der Tyrannei hätte ausgelegt werden können. Wenn er publizierte – das Werk über Nietzsche –, so ließ er das Kapitel über Nietzsche und die Juden einstweilen weg; Wahrheit durfte er nicht und Unwahrheit wollte er nicht schreiben. Seiner Frau blieb er treu, wie oft die Heidelberger Nazi-Größen ihm auch nahelegten, sich scheiden zu lassen: nur diese Kleinigkeit, und er dürfte wieder der Jugend von seiner Weisheit mitteilen. Als Frau Gertrud ihm mit dem Gedanken kam, sie wollte sich aus der Welt schaffen, damit er frei wäre, sein Werk zu vollenden, verweigerte er sich: was wäre seine Philosophie, eine Philosophie der Treue von Mensch zu Mensch, denn wert, wenn er selbst sie verriete? Keine Andeutung von alledem in seiner Rede. Zu Anfang des Jahres 47 schrieb oder diktierte er mir darüber einen sechs Seiten langen Bekenntnisbrief, aus dem ich hier nicht zitieren möchte, selbst wenn ich es dürfte... Noch ein paar Zitate aus der Heidelberger Rede. »Mit uns ist durch zwölf Jahre etwas geschehen, das wie eine Umschmelzung unseres Wesens ist. Mythisch gesprochen: die Teufel haben auf uns eingehauen und haben uns mitgerissen in eine Verwirrung, daß uns Sehen und Hören verging. Wir haben Blicke in die Realität von Welt und Menschen und uns selbst getan, die wir nicht vergessen. Was daraus in unserem Denken wird, ist unabsehbar. Daß wir bis jetzt überleben, ist wie ein Wunder. Aber darüber hinaus ist, daß wir leben, unser eigener Entschluß. Er fordert, die Folgen eines Daseins unter solchen Bedingungen auf uns zu nehmen. Unsere in dieser Würdelosigkeit einzig noch bleibende Würde ist die Wahrhaftigkeit, und dann die unendlich geduldige Arbeit trotz aller Hemmungen, allem Mißlingen.« Der Hauptteil der Rede handelte dann von Wissenschaft: was sie ist, was sie nicht sein kann, warum sie immer etwas ihr im Grundsatz Fremdes, die »Humanität« suchen muß; und wo ihre Gefahren liegen. Dies immer mit dem Blick auf jene zwölf Jahre. »Wissenschaftlichkeit, das heißt: zu wissen, was man weiß und was man nicht weiß... Unwissenschaftlich ist alles Totalwissen, als ob man im Ganzen Bescheid wüßte.« Es war das Prinzip, nach dem er schon seine *Allgemeine Psychopathologie* aufgebaut hatte, zweiunddreißig Jahre früher. Im schieren Positivismus ist aber die Gefahr des Dogmatismus immer schon vorhanden. Es galt, den Keim des Bösen zu begreifen, den es lange vor Hitler gab. Grob vereinfachte Vererbungslehre, Rassenlehre mußte nicht, aber konnte, denn es geschah ja, zur Ermordung der Geisteskranken, dann zum Massenmord an den Juden führen. Auch die Idee der Euthanasie, an sich nicht bedingungslos abzulehnen, war in sich schon gefährlich. »Die Sache ist in der Tat nicht einfach. Weiß doch jeder Arzt, wie etwa bei den rasenden Schmerzen Karzinom-Kranker zuletzt die Spritzen wohltätig so gesteigert werden, daß der Kranke nicht mehr erwacht und der Übergang zur letalen Spritze fließend ist. Daraus ist eines zu lernen: daß es Fragen gibt, die nicht lösbar sind. Wenn man sie in die Sphäre der Berechenbarkeit und Grundsätzlichkeit zieht, so tastet man etwas an, was man ehrfürchtig stehen lassen muß. Solche Unlösbarkeiten gibt es zahlreiche; zum Beispiel in den Fragen der freien Willensbestimmung.« Daraus die Notwendigkeit zweier Pfeiler der Medizin: Wahrhaftigkeit und die Ehrfurcht vor den Menschen, oder Wissenschaft und Humanität.

Natürlich hätte man diesen Gedankengang auch an einem anderen Gegenstand vollziehen können; etwa an der Geschichte überhaupt, besonders an Machtpolitik. Denn schließlich gab es diese auch vor Hitler und gibt es sie auch heute noch, überreichlich; trotzdem bleibt Hitler einzigartig in Europas Geschichte, und zwar wegen der rasenden Übertreibungen in der Verwirklichung seiner Dogmen. Darin aber, daß Jaspers seine eigenste Wissenschaft, die Medizin, zum Beispiel nahm, tat er gut. Zuletzt warnte er: »Wir werden nicht jubelnd von ›Aufbruch‹ reden, nicht noch einmal dem falschen Pathos verfallen, daß es nun gut und herrlich werde und daß wir vortreffliche Menschen in vortrefflichen Zuständen sein würden. Solcher Illusion verfiel mancher in den Jahren 1918 und 1933. Diese Selbstberauschung, während in der Tat der Ruin seinen Gang geht, ist uns verwehrt.« Im Grunde schien diese Rede mir besser als das ganze Göschenbüchlein Nr. 1000. An Stelle kühlster Betrachtung trat eine immer kontrollierte, dennoch leidenschaftliche Anteilnahme.

Seit Februar 1946 hielt ich mich während acht Monaten in Frankfurt auf und von dort aus konnte ich ihn öfters sehen, die Reise nach Heidelberg mit einem Gang durch den Odenwald verbindend. Bei meinem ersten Winterbesuch empfing er mich mit den Worten: »Der GM hat mich berühmt gemacht!« Es war jene Rede, die zuerst von Radio Luxemburg ausgestrahlt, danach offenbar von vielerlei Sendern übernommen worden war; er habe Briefe darüber sogar aus Australien erhalten, was ihm sichtlich gefiel. Nur an wenige Gesprächssplitter kann ich mich erinnern. Natürlich wurde viel über Vergangenheit und Zukunft geredet und über das Gegenwärtige auch. Die Vergangenheit. Jaspers erzählte von Auslandsbesuchen, bei denen er taktloserweise gefragt worden sei, wie er denn zum Hitler-Regime stehe, und da habe er nur antworten können: »Ich anerkenne die Obrigkeit.« Was wußte solch vorlauter Jour-

315

nalist schon von der immer bedrängteren Lage, in der sein Gast sich in Heidelberg befand? »Der Doktor Barth von der *Neuen Zürcher Zeitung?*« »Ja, woher wissen Sie das?« Ich mit steinerner Miene: »Wir wissen alles« – was ihn momentan zu verblüffen schien. Worauf ich lachte und erklärte, Hans Barth sei ein Freund von mir und habe mir damals von jenem Dialog berichtet... Ein anderes Mal fragte er mich: Wie könnte Deutschland – damit meinte er die drei »Westzonen« – sich denn ohne »Wehrmacht« gegenüber den Russen behaupten? Ich, mich verabschiedend: »Man soll sich eben nicht von fremden Armeen besetzen lassen.« Es gab keinen Hunger in der Wohnung an der »Plöck«. Selber hatte ich angefangen, Jaspers Pakete aus USA schicken zu lassen, so tat seine Lieblingsschülerin Hannah Arendt, gewiß viel reichlicher als ich, der ich so manche alte und neugewonnene Freundschaftspflicht wahrnehmen mußte. Das Lehren, nach dem langen, langen Schweigen, machte ihm offenbar Freude; von seinen Studenten, die allermeisten heimgekehrte Soldaten, sprach er mit Hoffnung. Ein anderes Mal ertappte ich ihn bei einer kleinen Denunziation. Es war von Alfred Weber die Rede; offenbar gab es eine gewisse Spannung zwischen den beiden. Nun bestieg Jaspers mühselig die Leiter zum obersten Fach seiner Bibliothek, nahm ein Buch heraus und fand, sehr schnell, die Seite, die er suchte: ein einziger Satz, welchen man als Huldigung an das »Regime« auslegen konnte. Frau Gertrud tadelte ihn deswegen. Auch machte er sich über des Kollegen Glauben an »Dämonen« lustig. Auf die sei Alfred Weber momentan geradezu versessen. Eine Polemik in diesem Sinn erschien später auch in einem seiner Bücher: »Es gibt keine Dämonen.« Wie in seiner Bemerkung über die Notwendigkeit einer deutschen Wehrmacht mir der alte, realistische Jaspers wieder erschien, so hier der Wissenschaftler, welcher zwischen »transzendie-render« Philosophie und gegenständlicher Forschung strengstens unterschied. In diesem Fall aber mit Unrecht. Weber war nicht abergläubisch und hatte keineswegs be-hauptet, Dämonen flögen gepanzert in der Luft umher. Kräfte des Bösen hatte er gemeint, im Menschen selber, und gepaart mit Ingenium, wie wir solche noch unlängst ja nun wirklich erlebt hatten. Wenn Jaspers in jener Universi-tätsrede von »Teufeln« sprach, warum sollte Weber in die-sem Gleichnis-Sinn nicht von Dämonen sprechen?

Während meiner kalifornischen Lehrer-Zeit gab es spora-dischen Briefwechsel. Er meinte es gut mit mir. In einem Seminar der fünfziger Jahre, so erzählte mir meine Freun-din Christa Mericum, erwähnte er mich mit den Worten: »Mein Schüler. Tüchtiger Kerl geworden.« Während mei-ner Besuche in Europa besuchte ich ihn einige Male in sei-ner Basler Wohnung. Sie – ich glaube, es war ein ganzes, schmales Haus – erinnerte an jene in der »Plöck«, war aber weitläufiger; nun gab es einen Salon, auch ein Gastzimmer, in dem ich übernachtete. Am Vormittag kam er zu mir her-ein, und zwar zu der Stunde, in der sein Arbeitszimmer gereinigt wurde; diese Zeit wünschte er für ein ernstes Ge-spräch zu benutzen – mir am Morgen im höchsten Grade unlieb. Dagegen waren die Abende nun anders; es gab gut zu essen und zu trinken, was, man mag einwenden, was man will, der Geselligkeit ja doch dienlich ist. Der alte Jas-pers, noch weit mehr als der mittelalte, besaß eine altfrän-kisch bezaubernde Gegenwart; ärgerlich konnte mitunter seine Abwesenheit sein. Solche Menschen gibt es; wie auch solche, für die das Umgekehrte gilt. Unerfreulich war mir zum Beispiel der Brief, den er mir zum Tod meines Vaters schrieb. Bei Verwerfung der *Betrachtungen eines Unpolitischen* und Ablehnung des *Zauberberg* sei manches andere doch sehr gut und recht gewesen. Ich antwortete, die *Betrachtungen* hätte er nicht zu erwähnen brauchen, schließlich habe sein vergötterter Max Weber den Weltkrieg wenigstens zu Anfang ebenso herzhaft bejaht wie TM und sei zeitweise sogar Mitglied des verhängnisvollen »Vereins der Alldeutschen« gewesen. »Bei Ablehnung des *Zauberberg*« – so bündig darf man es nicht sagen. Will man Kritik an einem großen Romanwerk üben, so muß man es ausführlicher machen und auch das, was jeden ansprechen muß, die Figuren, das Atmosphärische, nicht völlig unerwähnt lassen. Was Jaspers an dem Roman mißfiel, errate ich: Der Gebrauch, soll heißen Mißbrauch von Wissenschaft, hier seiner eigensten, der Medizin, für zweifelhafte künstlerische Zwecke. Da gilt, daß man über Fragen des Geschmacks nicht streiten kann; seiner war so. Aber es scheint, daß er für Kondolenzbriefe keine glückliche Hand hatte.

Später störte mich die Geldgier des Ehepaars, das doch nun in behaglichster Wohlhabenheit lebte. Ich hatte ihn gebeten, für den letzten oder vorletzten Band der von mir herausgegebenen *Propyläen-Weltgeschichte* einen Beitrag über Philosophie – oder über Religion oder beides – in unseren Jahrzehnten zu schreiben, er die Einladung akzeptiert. Ein paar Wochen später rief er mich an: mittlerweile hatte er von Ullstein den Vertrag erhalten und fand das gebotene Honorar unerhört: »In welche Gesellschaft hat der GM mich da gebracht!« Nun ja, die Summe war wirklich nicht überwältigend, was man pro Seite in solchen Riesen-Anthologien in den frühen sechziger Jahren eben zu bezahlen pflegte; viele bedeutende Gelehrte aus vieler Herren Länder waren damit zufrieden gewesen. Er nicht; und hielt mich deswegen so lange am Telefon fest, bis sich mir die Hand zu verkrampfen begann. Danach kam ein Schreiben: es fehle ihm für das Thema eben doch die »Anschauung«, und darum müsse er seine Zusage zurücknehmen.

Wohl hätte ich ihm mit einer Gegenerfahrung respondieren können. Noch in Kalifornien hatte ich von einem amerikanischen Professor namens Schilpp den Auftrag übernommen, für ein Sammelwerk über Jaspers den Beitrag *Freiheit und Sozialwissenschaft* zu schreiben. Die Arbeit raubte mir die ganzen zum Ausruhen dringend benötigten Weihnachtsferien. Was erhielt ich als Honorar? Ein einziges Freiexemplar, das war es; und für die deutsche Ausgabe auch. Ohne jeden Zweifel war es Jaspers, der mich dem Herausgeber für das Thema empfohlen hatte. In den USA war ich damals nahezu unbekannt, und wenn schon jemand von mir wußte, dann von dem Historiker, keinesfalls von dem Jaspers-Schüler. »In welche Gesellschaft hatte er mich da gebracht?«

Lustig, jedoch nicht uncharakteristisch war folgendes Mißverständnis. Im Sommer 1960 schrieb ich ihm: »Die Ökonomie meines Lebens bleibt immer gleich schwierig. Während ich ein Loch stopfe, entstehen zwei neue.« Da meinte ich, daß ich mich verzettelte und den Verpflichtungen, welche man mir aufdrängte, Vorträge, Buchbesprechungen etc. kaum noch nachzukommen imstande sei. Er begriff es anders: ich war in Geldnot. Und antwortete mir mit herzlichem Bedauern: ob denn nicht eine der Stiftungen... oder ob ich denn nicht, da ich doch ab Herbst Ordinarius in Stuttgart sein würde, mir daraufhin etwas leihen könnte? Ich mußte ihn aufklären; aber demaskiert hatte er sich ohne Not. *Wenn* einer seiner Schüler, auf die er ein wenig stolz war, ihm von Geldnot schrieb, dann hätte er mir immerhin, und nur bis zum nächsten Herbst, eine bescheidene Leihgabe anbieten dürfen.

Über meinen ersten Essayband schrieb er mir lobend, wie

man so schreibt, wenn man in einem Buch geblättert hat, die Frage hinzufügend: »Was geschieht da eigentlich?« Als Frage gut, jedenfalls auf den ersten Blick. Auf den zweiten: Ein Essay muß selber sagen, was in ihm geschieht. Auch geschah ja nun in meinen Essays, wie in jenen anderer Essayisten, das Allerverschiedenste. *Schloß Arenenberg* ist eine Erzählung in Essayform: Die Geschichte des Hauses Bonaparte durch drei Generationen, so wie jenes Bodenseeschlößchen sie hervorruft. Der Essay über Bertrand Russell ist eine Untersuchung; zum geringeren Teil biographisch, zum größeren Darstellung und Kritik der Russellschen Philosophie in ihrer Fortentwicklung. Also zwei recht verschiedene Dinge. Was Jaspers an meinen Arbeiten mißfiel, war, so glaube ich, die literarische Form: zu gefällig geschrieben. Darauf hätte ich antworten können, wie der große Friedrich Schiller; da er von seiner Feder lebe, so müsse er selbst noch seine philosophischen Untersuchungen spannend gestalten. Natürlich die falsche Antwort. Aussage und Form waren ihm radikal untrennbar; anders als schön hätte er mit aller Gewalt nicht schreiben können. Nein, ich bilde mir nicht ein, Schillern in irgend etwas ähnlich zu sein. Außer eben in diesem Einen: Daß auch mir sich die Frage nach dem Stil niemals stellte. Er kam teils aus dem Gegenstand – über Bertrand Russell schreibt man anders als über Wallenstein –, teils von selber. Dem Handwerk des Literaten, wenn er es denn beherrschte, hat Jaspers in der *Geistigen Situation* seine Achtung ausgesprochen. Aber ein Philosoph – und als seinen Schüler sah er mich an – durfte kein Literat sein.

Was Karl Jaspers und mich zuletzt auseinanderbrachte, war meine kritische Haltung gegenüber seiner nahen Freundin, Frau Hannah Arendt.

Schon an ihrem Werk *Origins of Totalitarism* (1951) fand ich mich genötigt, Kritik zu üben. Zwar lobte ich am Anfang, »verdienter Erfolg«, »Magnum Opus« und so, weil es Mode war, diese Schriftstellerin für eine großartig tiefschürfende zu halten; im Grunde aber glaube ich, mich nie einer bloßen Mode unterworfen zu haben, und so auch hier nicht. Frau Arendt, stets begierig, Neues zu bieten, suchte in meiner Ansicht die Ursprünge des totalen Staates, wo sie nicht waren. Als ich Jaspers nach dem Erscheinen jener Besprechung besuchte, zeigte er sich noch halbwegs freundlich: »Ich muß Sie zausen.« »Glauben Sie denn wirklich, daß Thomas Hobbes ein geistiger Wegbereiter des totalen Staates war? Glauben Sie, daß der englische Imperialismus, besonders Lord Cromers Herrschaft in Ägypten, etwas mit dem totalen Staat zu tun hat? Oder der französische Antisemitismus, die Dreyfus-Affäre?« »Schreibt sie denn das?« »Allerdings; dem sind ja drei Kapitel gewidmet.« Er hatte also, im blinden Vertrauen auf die geliebte Freundin, das Buch öffentlich empfohlen, aber nur sehr flüchtig gelesen.

Schlimmer, definitiv schlimm ging es mit Frau Arendts Buch *Eichmann in Jerusalem*, das ich als Artikel-Serie im *New Yorker* gelesen hatte, bevor die deutsche Buchausgabe erschien, mit wachsendem Widerwillen. Das Buch trägt den Untertitel, welchen die New Yorker Zeitschrift noch nicht bot: *Über die Banalität des Bösen*. Diesen Aspekt, diese These, für die Autorin das Wichtigste, berührte ich in meiner Besprechung kaum; es war von dem Individuum, Eichmann, die Rede, der in der Tat ein armer, in seinen Aussagen mitunter das Komische streifender Tropf gewesen sein mag, obgleich solche, die ihn besser kannten als Frau Arendt und ihrerseits keine schlechten Menschen sind, den Angeklagten völlig anders sahen. Die Folgerungen, welche die Reporterin aus dem Gerichtssaal mit nach Hause nahm und über die sie einen eigenen Traktat schreiben zu wollen uns ankündigte, bildeten einstweilen nur den Hintergrund. Aber ich mochte den Ton des Ganzen nicht; er war der Sache unangemessen: »Es ist erstaunlich, wie vollkommen die europäische Philosophin, die uns ehedem so tiefschürfende, schwierig zu lesende Werke schenkte, sich dem Ton der metropolitanen Witzbolde anzupassen verstanden hat; dem trockenen, geschliffenen, gewollt monotonen, konzentrierten und dabei, wirklich oder scheinbar, ausführlich genauen, mit Sicherheit an der Grenze des Zynischen manövrierenden, dem zugleich sachlichen und elbischen Stil, der die Zeitschrift prägte.« (Aus meiner Besprechung.) Für die Sophismen Frau Arendts nur zwei Beispiele: Eichmann, indem er im Jahre 44 sich weigerte, Heinrich Himmlers Befehl zu folgen und mit den Deportationen aufzuhören, vielmehr unbeirrt weitere Opfer für den Holocaust einsammelte, habe genau das getan, was die Richter im Nürnberger Prozeß von den Angeklagten im Rückblick verlangten: er stellte ein höheres, von Hitler inkarniertes Gesetz über den Willen seines Chefs. Die Ähnlichkeit dieser Haltung zu der von der abendländischen Moral geforderten sei »äußerst peinlich«. Ferner: Wenn es Deutsche gab, welche sich für die Rettung einzelner Juden oder einzelner Kategorien von Juden einsetzten, erkannten sie eben damit die Rechtlichkeit des Gesamtunternehmens an. Die Folgerung: Sie hätten niemanden retten dürfen... Sophismen mögen hübsch sein im Spiel, wie es die klassischen der Griechen sind; angewandt auf so furchtbare ernste Dinge stießen sie mich ab. Ebenso die sich durch das Buch ziehende Behauptung, durch ihre Zusammenarbeit mit den Verfolgern hätten die »Judenräte«, hätten Europas Juden den Massenmord erst möglich gemacht, mindestens in dem Ausmaß, in dem er geschah. Eine These, in der ein

Gran Wahrheit steckte, aber auch nicht mehr, und die durch stärkere Gegenwahrheiten hätte widerlegt oder doch zu beinahe nichts reduziert werden müssen. Ohne Zweifel gab es deutsche Leser, denen sie sehr gut gefiel. Dazu noch goß die Autorin ihren Spott über den deutschen Widerstand aus; nicht moralischen, sondern national-politischen Ursprungs sei er gewesen, Militärs und Zivilisten wollten den verlorenen Krieg beenden, ehe er völlig verloren war, weiter nichts. Von welchem Urteil sie im *New Yorker* nur Friedrich Reck-Malleczewen (*Tagebuch eines Verzweifelten*) und Karl Jaspers ausnahm. In der deutschen Ausgabe ließ sie ihre Gnadensonne dann auch über den Geschwistern Scholl scheinen, ich nehme an, auf Drängen des Verlages, dem jene Seiten überaus unangenehm waren. In meiner Besprechung brachte ich dagegen Zitate aus den Briefen Helmuth James von Moltkes, aus dem Testament des Grafen Schwerin; nur allzu viele von anderen Opfern des 20. Juli wären zu nennen gewesen. Und ich bestritt, daß Jaspers in *diesem* Sinn zum deutschen Widerstand zu rechnen sei – wie er selber es ja in jener Heidelberger Rede mit seinem »wir« mit Redlichkeit bestritt. Diesmal ließ er sich das Lob gefallen. Er hätte es nicht tun sollen.

Das ganze Werk schien mir inspiriert von einer sich überschlagenden Gescheitheit, dem Ehrgeiz, unerhört Neues zu bieten; eines der Bücher, die, insoweit sie überhaupt wirken, nur zusätzliche Verwirrung stiften. Im allgemeinen halte ich mich für einen eher zu vorsichtigen Schriftsteller. Jedoch gibt es Momente, in denen auch in mir der Zorn überfließt und in ein Manuskript gerät; und wenn ich heute meine Kritik wieder lese, so kann ich sie nicht bereuen.

Ein paar Wochen später schrieb mir Jaspers in irgendeiner wenig bedeutenden Frage, die mir nicht mehr gegenwärtig ist. Ich gab Antwort darauf, hinzufügend: möglicherweise hätte ich ihn unlängst etwas kränken müssen. Seine Reaktion: zuerst sei er zornig, dann unendlich traurig gewesen. Meine Duplik: dann bedauerte ich sehr, mich im Ton vergriffen zu haben, am Ende wäre es besser gewesen, meine Besprechung gar nicht zu schreiben. Gleichzeitig sandte ich ihm Blumen und bot ihm meinen Besuch an. Darauf sein letzter Brief: meinen Besuch wünsche er nicht; meine Blumen erinnerten ihn an jene, die Martin Heidegger seinem Lehrer Edmund Husserl übersandte an dem Tag, an dem er ihm als Rektor der Universität den Gebrauch der Freiburger Bibliothek verboten hatte. Diese Beleidigung mußte ich als Ende unserer mehr als dreißigjährigen Beziehungen ansehen.

Das war 1963. Zwei Jahre später hat Jaspers sich in einem Rundfunkgespräch ausführlich mit *Eichmann in Jerusalem* befaßt. Ich kann nicht finden, daß er hier sich treu blieb, und zwar aus Treue zu der geliebten Freundin, die er verteidigen *mußte*. Sie hatte, so wollte er es, nicht als Philosophin geschrieben, sondern als Reporterin; von Tatsachen und von unmittelbaren Eindrücken. Sie hatte, indem sie den Judenräten Mitschuld am Holocaust nachwies, vorsorglich die Zahl nicht genannt, um welche der Massenmord ohne solche Mitschuld hätte verringert werden können. Und wenn sie in Eichmann nicht nur die Person sah, sondern den Typ, und zwar einen banalen, so sah sie auch hier nur die Tatsache. »Sie stellt fest, daß ja das ganze Phänomen des Nationalsozialismus nichts Dämonisches hatte, daß aus dem völlig Niveaulosen, Undämonischen, gleichsam aus der Gosse aufsteigen konnte, was dann alle Deutschen und darüber hinaus unendlich viele Menschen beherrschen sollte. Die völlig unwesentliche Art derer, die diese Herrschaft ausübten, von Hitler an, ist etwas so Erschreckendes, daß man sich sträubt, jene Dämonie leugnen zu müssen. Es ist eben die Banalität, die die Welt regieren kann.« Womit er eingestand, daß Frau Arendt eben doch als Menschheits-Beobachterin geschrieben hatte, also das, was Philosophen zu tun pflegen.

Jahrzehnte vor Frau Arendt hatte Hermann Rauschning in seinem Werk *Die Revolution des Nihilismus* (1938) gefragt, wie eine so ungeheure, menschheitsbedrohende Macht entstehen konnte »aus so geringen und verächtlichen Ursprüngen«. Insoweit meine eigenen Gedanken über jenes Phänomen von anderen Denkern beeinflußt worden waren, wirkte Rauschning am stärksten auf mich. Der ideelle Unernst des Ganzen war auch mir längst deutlich: Ideen aus dem späten 19. Jahrhundert, schlecht von Anfang an und schon ranzig geworden, als man in Deutschland an ihre Verwirklichung ging. Der Propagandaminister Goebbels am 21. April 1945: »Aber wenn wir abtreten, dann soll der Erdkreis erzittern.« Um den Ernst zu beweisen, brachte er dann auch nicht nur sich selber, sondern vorher seine Frau und seine sechs Kinder um: verwirklichte Schundliteratur, so wie der Judenmord oder wie die letzten Befehle Hitlers, die nun der Vernichtung seines eigenen Volkes galten, weil es sich als seiner unwürdig erwiesen hatte. Da hat man es mit einem abscheulich komplizierten Denkvorgang zu tun. Mit seinem Nationalismus, seiner »Liebe zum deutschen Volk« war es ihm nie ernst gewesen, hier aber doch zugunsten der Exhibition eines anderen Ernstes: seiner These, wonach der Stärkere alles Recht hat und der als schwächer Erwiesene, hier die Deutschen, von der Erde verschwinden muß. Womit es ihm zuletzt dann auch wieder nicht völlig ernst war; als er erfuhr, daß Albert Speer die Ausführung seiner Wahnsinnsbefehle sabotiert hatte, fing er an zu weinen und ließ dem Minister, statt ihn erschießen zu lassen, freie Hand. Ernst, bis zu allerletzt, war es ihm nur mit dem Judenhaß, den wiederum eine große Mehrheit der Deutschen keineswegs mit ihm teilte. »Wenn in den dreißiger und vierziger Jahren eine Welle barbarischen Aberglaubens über Deutschland gegangen wäre, im Stil des 15. Jahrhunderts, das wäre sehr schlimm, aber vielleicht wäre es noch besser als der stumpfe Gehorsam, der windige Opportunismus, der Zynismus, die in Wahrheit herrschten. Alles wurde befohlen, alles wurde ausgeführt, ohne Spontaneität, ohne Hysterie, ohne Glauben und Aberglauben. So am Anfang; so auch, als die Dinge sich ihrem Höhepunkt näherten. Ein einziger Teufel in Menschengestalt entschied im Großen; eine emsige Bürokratie plante in Details, so wirkungsvoll und genau, wie sie die Ausführung jedes anderen Befehls geplant hätte; die Ausführenden, die direkten Mörder selber waren ebenso leicht zu finden, mitunter eigentliche Sadisten, häufiger brutale Landsknechte oder auch ziemlich gewöhnliche Menschen. Furchtbar lebenswahr hat Rolf Hochhuth einen von ihnen, der die Juden in Rom gefangennimmt, in seinem Stück *Der Stellvertreter* gezeigt.« So in einem Vortrag, den ich im Jahre 66 vor dem Jewish World Congress in Brüssel zu halten hatte; Gedanken, für die weder Hochhuth noch ich der Entdeckungen Frau Arendts bedurften. Mit »Banalität« haben sie nichts zu tun, solange über den Gebrauch eines Wortes noch irgendein Konsensus besteht. Denn die Anführer, die Machthaber, ohne die das alles doch niemals geschehen wäre, sie besaßen hohe Intelligenz, weithin ausstrahlende Energie, Phantasie, Verstellungskunst, Rhetorik – entschieden ungewöhnliche Menschen also, die ihre Gaben anfangs und zum Teil sogar für schöpferische, dann aber, weil sie so waren, wie sie waren, nur noch für mörderische, nihilistische Zwecke gebrauchten. Böse Menschen, das ja;

aber banale? So viel Talent bei so niedriger Gesinnung – darin gerade lag ihr Ungewöhnliches.

Eine Analyse des »bösen Willens«, man könnte auch sagen des Bösen schlechtweg, findet sich im zweiten, *Existenzerhellung* genannten Teil von meines Lehrers Hauptwerk *Philosophie*. Ich darf nur ein geringes Fragment daraus bieten: »In der Wahl des Bösen ist er aus Freiheit der Freiheit verlustig, verstrickt in das Verneinen alles Seins und seiner selbst... Das Böse als sich wollendes Dasein, das sich verabsolutierend gegen die eigene existentielle Möglichkeit kehrt, erscheint im Haß gegen alles, was Wahrheit aus möglicher Existenz zeigt... Indem es das Eigendasein in seiner Nichtigkeit will, ist es der *Wille zum Nichts*. Es ist nur zu erhellen als der Widerspruch: in voller Klarheit das Nichts zu wollen; in der Leidenschaft des Vernichtens von Anderem sich selbst vernichten zu wollen; ein Ziel zu verfolgen, das erreicht, sogleich verloren ist. Der böse Wille ist unbegreiflich; *wissentlich* ergreift er sich, in verzweifelter Leidenschaft sich selber nicht weniger hassend als alles andere... Das Böse legt sich die Fesseln des Eigendaseins an und sagt ja dazu. Es ist die Leidenschaft ohne Gehalt, keinem Gott dienend, keinem himmlischen und keinem unterirdischen. Es ist eine Energie, die dem Guten Widerpart hält, und in der Unbedingtheit des Zerstörens vom Sein im Dasein sich selbst miteinsetzt... Gibt es dieses Böse?« – Es gibt es; es erschien zwei oder drei Jahre, nachdem Jaspers diese Sätze zu Papier gebracht hatte – für mich die bewundernswertesten in seinem ganzen Werk. Von der »Banalität des Bösen« keine Spur.

Karl Jaspers soll ein paar Tage vor seinem Tod diese Worte gesprochen haben: »Es war alles umsonst.« Was meinte er? Daß er die Menschen im Ganzen nicht habe besser machen, den Weltlauf nicht habe ändern können? In unserer

Zeit macht niemand mehr Weltgeschichte. Hitler war der letzte, der es für einen kurzen Moment tat; was er zurückließ, war dann auch danach. Das Wirken von Karl Jaspers richtete sich an den Einzelnen; wie oft hat er das öffentlich gesagt oder geschrieben. An möglichst viele Einzelne, das ja; aber immer nur an eine Minderheit. Und da hat er Unzähligen Bedeutsames gegeben: Aufklärung im schönsten Sinn des Wortes. So auch mir. Wenn ich gelegentlich Kritik an ihm übte, zu seinen Lebzeiten und danach, so war es aus dem gleichen Grunde, aus dem ich Kritik an dem Lehrer meiner Frühzeit, Kurt Hahn, übte: eben weil ich für ihn stimme, nicht gegen ihn. Auf meine Art zu leben, mag Hahn den stärkeren Einfluß gehabt haben, auf mein Denken Jaspers. Von ihm erfuhr ich, zu einem guten Teil, was Philosophie ist; Wissenschaft, welch letztere sie wohl braucht, ohne selber eine zu sein. So fand er es lächerlich, im sogenannten »Urknall«, die von Astronomen zeitweise angenommene plötzliche Expansion oder Explosion einer unvorstellbar dichten Masse, woraus das »Universum« entstand, einen göttlichen Schöpfungsakt zu sehen. Das, was er Transzendenz nannte – es gibt einen schlichteren Namen dafür –, war außerhalb der Welt, die »nicht in sich selber ruht«; in der Welt durfte man sie nicht suchen. Trotzdem nannte er im Rückblick sein erstes, noch streng wissenschaftliches Buch, die *Psychopathologie*, auch ein philosophisches; denn der Autor war sich bewußt, in einem nie endenden Forschungsprozeß zu stehen und mit mehrerlei Fragestellungen, mehrerlei Methoden zu arbeiten, deren Resultate kein Ganzes bildeten. Wenn ich, als sein Schüler, mich auf die Historie warf, so mag das nebenher praktische Gründe gehabt haben; in Frankreich, in den USA, konnte ich mit ein wenig Kant und Hegel nichts anfangen. Der bessere Grund war anders. Auch ich benötigte zum »Philosophieren« einen Gegenstand. Ich fand ihn in der Geschichte, einem Worte Napoleons gemäß: »Mein Sohn soll Geschichte studieren, das ist die wahre Philosophie.« Wer sucht, wird in meinen historischen Schriften bis herab zu polemischen Essays mehr als nur ein wenig »Geschichtsphilosophie« finden, wenngleich selten direkt ausgesprochene. Was ich von Jaspers lernte: daß der Mensch immer mehr ist, als er selber von sich wissen kann, daher sich selber durch sein Tun immer wieder überraschen wird. Daß es Fragen gibt, die als Fragen sinnvoll, sogar unausweichlich sind, ohne daß sie eine zwingende Antwort vertrügen; daß es unlösbare Denkkonflikte gibt; daß jedes behauptete Totalwissen falsch ist und obendrein Schaden stiftet. Meinen kalifornischen Studenten, zumeist naiven Pragmatikern oder Optimisten, pflegte ich zu sagen: »This problem, like most problems, cannot really be solved«; ein vereinfacht ausgedrückter Schluß, eine Warnung, die ich bei Jaspers gelernt hatte. In meiner Besprechung seines Werkes *Vom Ursprung und Ziel der Geschichte* lese ich: »Wenn aber der, der Geschichte schreiben will, es nicht unmittelbar im Sinn und in der Nachfolge Jaspers' wird tun können, weil er Mittel gebrauchen und Stimmungen erwecken muß, die sich in diesem Werk nicht finden, so wird doch ein Schüler von Karl Jaspers, schriebe er auch Geschichte, die Schule, durch die er ging, nie ganz verleugnen können und wollen. Er wird sich des Vielschichtigen auch der Historie bewußt sein, der Unfaßbarkeit des Ganzen, das nur Annäherungen zuläßt und, kommt es zu den Erklärungen, kommt es zu den Wertungen, stets mehr Fragen offen läßt, als dem führungswilligen Leser willkommen sein mag. Er wird keine Illusionen haben über die großen Männer und die großen Sachen und doch auch nicht dem billigen Pessimimus, der schadenfrohen Entlarvung, dem Hohn, der gespielten Verzweiflung sich hingeben. Er wird sich entscheiden für das Unentschiedene, in der Schwebe Gehaltene und wird das Kunststück fertigbringen müssen, Wirklichkeit erscheinen zu lassen, die er als Ganzes nicht weiß und nicht hat. Wäre es besser für ihn gewesen, er wäre nie bei Jaspers in die Schule gegangen? Ich glaube, nein.« Wohlbemerkt, Jaspers war kein Agnostiker. Ich auch nicht. Zu wissen, daß man das und das nicht weiß, weil man es nicht wissen *kann*, bedeutet Streben nach Wissen, meinetwegen sokratisches.

Das unvollendet gebliebene Spätwerk meines Lehrers, *Die großen Philosophen*, ist denkbar anti-historisch, anti-philosophiegeschichtlich oder anti-geistesgeschichtlich. Der Autor sieht die »maßgebenden Menschen«, die »fortzeugenden Gründer des Philosophierens«, die »aus dem Ursprung denkenden Metaphysiker« außerhalb ihrer Zeit, die er nur, als biographisches Faktum, einleitend erwähnt; dergestalt, daß Plato und Kant in einem Teil, Heraklit und Spinoza in einem anderen erscheinen. Es ist ein großer Wurf und gegen den neuartigen Zugang nichts zu sagen; unter der stillschweigenden Voraussetzung, daß man auch andere Zugänge gelten läßt – wie gerade Jaspers aus seiner eigensten Philosophie heraus sie gelten lassen muß. Die Philosophiegeschichten des 19. Jahrhunderts, von denen ich eine anno 28 in der Niederlausitz studierte, sind längst unlesbar geworden. Nicht aber ein Werk wie Paul Hazards *Krise des europäischen Geistes* (erschienen in den dreißiger Jahren), in welchem die europäischen Denker um 1700, Spinoza, Leibniz, Locke, Pierre Bayle, Fontenelle und andere mehr im zeitgeschichtlichen Zusammenhang, in ihrer gegnerischen Verwandtschaft verstanden werden – ein ebenso gültiger Zusammenhang, nur mit anderen Findungen.

Nie so recht nachvollziehen konnte ich den Rat, den Jaspers seinen »einzelnen« Lesern gab: »quer« zur Zeit zu stehen, so wie ein Fels im Wildbach – mein Gleichnis, nicht seines. Das Ich, meiner Überzeugung nach, ist mit der ihm gegebenen Zeit ganz und gar identisch, in einer anderen undenkbar. Ist einer traurig über seine eigene Zeit, fragt er sich, warum er nun gerade in ihr leben muß, so fragt er auch, warum er denn der ist, der er ist und kein anderer – eine Frage, die nun ganz gewiß zu nichts führt. Von dem Einzelnen schlecht erscheinenden Moden der Zeit sich nach Kräften unabhängig zu halten, ist etwas anderes. Keine Epoche gehorcht einem einzigen Nenner.

Inwieweit ich, was ich im Leben so dachte und lernte, mir auch ohne Jaspers erworben hätte, weiß ich nicht; auch das gehört zum Nichtwissen. Später fand ich andere Lehrer; ein paar lebende, manchen toten. Sicher aber steht zum Beispiel meine Kritik an Karl Marx sehr deutlich unter seinem Einfluß: zumal der polemische Aufsatz von 1939 *Was bleibt von Karl Marx?* Später kristallisierte Anderes sich an, zeitgeschichtliche Erfahrungen, neue Lektüren.

War Jaspers ein glücklicher Mensch? Zufrieden mit sich war er; gerecht gegenüber anderen, mit sich selber auch. Er freute sich über die Erfolge seiner Bücher, die moralischen, die kommerziellen. Er liebte seine Frau, wie er mir noch in jenem Abschiedsbrief versicherte, zu dem solches Bekenntnis eigentlich nicht paßte; er liebte Hannah Arendt. Aber viel Lebensfreude war ihm nicht gegeben, wofür seine Krankheit allein die Schuld nicht trug. Er hatte sein Leben ausschließlich seiner Arbeit gewidmet, für sie es diszipliniert. Er scheute die leichten Vergnügungen. Während er die *Geistige Situation* vorbereitete, sah man ihn und Frau Gertrud zwar häufig in Heidelberger Kinos; dies geschah nur, um sich über das neue Medium und seine Wirkungen zu unterrichten. Beim Arbeiten hörte er, jedenfalls in der

Heidelberger Zeit, mitunter Radiomusik; der Anregung, keineswegs der Zerstreuung halber. Herzlich lachend kann ich ihn mir nicht vorstellen, nicht bei »small talk«, nicht bei harmlosem Kartenspiel oder beim Erzählen von Scherzen. Seit 1945 behandelte er mich von gleich zu gleich, nicht mehr mit der professoralen Majestät, mit welcher er dem Studenten gegenübergetreten war. Aber immer angespannt, immer ernst, immer im Dienst der Aufgabe – beinahe immer. Hegels Wort, »wen Gott dazu verdammt hat, ein Philosoph zu sein«, zitierte er gelegentlich in einem Ton, der deutlich machte: da dachte er auch an sich selber. Ebenso, als er einmal im Seminar über Kants streng geordnete, montone Lebensweise sprach, seine Selbstaufopferung der Arbeit halber: »Er hatte nicht einmal eine Frau.« Der Nachsatz, »Die habe ich doch immerhin«, blieb unausgesprochen. Was er zuletzt sich sagen mochte: er hatte auf die Freuden des Lebens verzichtet, um sein eigenstes Bestes zu geben und so vor dem Jüngsten Gericht zu bestehen. Noch seine bescheidene Totenfeier, sein Begräbnis ordnete er auf das Genaueste an.

Nachwort. Unlängst las ich einiges in dem gerade erschienenen dicken Band, welcher die Korrespondenz zwischen Jaspers und Hannah Arendt enthält, und fand einen Brief des Philosophen aus dem Jahre 45, der mich beschämte. Er würde, schreibt Jaspers, gerne sich öffentlich gegen Thomas Manns ungerechte Beurteilung der Deutschen wenden, müsse aber darauf verzichten, um des Romanciers Sohn G., den er sehr hochschätze, nicht weh zu tun. Hätte ich diesen Brief gekannt, als ich meine Polemik gegen *Eichmann in Jerusalem* schrieb, ich glaube, sie wäre unveröffentlicht geblieben. Eine Rücksicht ist die andere wert, und auch ohne mich fehlte es Frau Arendt nicht an scharfen Kritikern.

Friedrich Hebbel

Sommer 1931. Aus Heidelberg war ich an den Bodensee gefahren, um dort den August zu verbringen, an meiner Dissertation zu arbeiten, nebenher spazieren zu gehen oder zu rudern. Die Sehnsucht nach der vertrauten Landschaft, auch wohl Unlust, die Sommerferien mit der Familie im neuen Haus in Nidden, Kurische Nehrung, zu verbringen, wie im Vorjahr. Was ich nicht bedachte: Unlängst hatte die deutsche Regierung durch ein Verbot, Reichsmark über die Grenzen zu bringen, praktisch jede Auslandsreise unmöglich gemacht. Also wählten Massen von Erholungsuchenden, die andernfalls ihre Ferien in Österreich oder in der Schweiz verbracht hätten, das gleiche Gebiet wie ich selber; und wohin ich auch in Meersburg, Unteruhldingen und Umgegend meinen mit Hegel-Bänden schweren Koffer schleppte, es war alles schon besetzt und überbesetzt. Anderthalb Stunden Weges im Norden lag Salem, und zum letzten Mal überkam mich das Gefühl, welches im ersten Jahr nach dem Abitur so überstark gewesen war: wie angenehm geborgen man dort wohl wäre. Noch einmal nahm ich das Schiff und gelangte nach dem Ort Bodman an der Südwestecke des Überlinger Sees. Ein abgelegen bescheidenes Dorf damals. Als ich es in den frühen achtziger Jahren wieder sah, war kaum noch etwas zu erkennen: ein weitgeschwungener eleganter Badeort nun. Das alte Lied: in unseren Zeiten kann man nicht zurück; man wird, was man ehedem geliebt hat, nicht wiederfinden – weswegen man immer Neues suchen muß. Auch der Gasthof »Zur

Linde« wimmelte von Menschen. Der Wirt hatte keine Zeit
für mich. In Geduld schon geübt, bestellte ich mir einen
Schoppen Wein und wartete, nicht draußen, wo es laut und
lustig zuging, sondern in der einsamen Gaststube. Da saß
ich, müde, unbehaust und traurig. Nach einer Weile fiel
mir ein, daß ich im letzten Moment noch ein Buch in die
Handtasche getan hatte: den ersten Band der Tagebücher
Friedrich Hebbels. Wie ich zu ihm kam, weiß ich nicht
mehr. Ich fing an zu lesen, dort wo Hebbel zu schreiben
anfing. Bald hatte ich alle Düsternis vergessen, eine Erfahrung, ungefähr so angenehm, wie das plötzliche Verschwinden starker Zahnschmerzen. Ich las und las und bemerkte die Stunden nicht, die der Wirt mich warten ließ,
und als er mir endlich mitteilte, im Hause einer »Wittfrau«
habe er ein Zimmer für mich, war die Nachricht mir fast
mehr Störung als Erlösung.
Die Wittfrau war arm und lieb. Vor kurzem hatte sie ihren
einzigen Sohn verloren, von diesem Unfall hatte ich sogar
in der Zeitung gelesen. Er war im Sturm mit einigen Kameraden beim Segeln ertrunken – oder, wie die Mutter mir
versicherte, ertrunken doch nicht, der Arzt schwor ihr, es
habe ihn ein Herzschlag getroffen. Sein Bildnis hing in der
Wohnstube an der Wand; schon verblaßt, so schien es mir,
vermutlich weil es eine ungeschickt vergrößerte Fotografie
war, und darum schon weit fort, wie die Toten sind. Daneben ein gerahmter Spruch: »Wenn auch der Hoffnung letzter Anker bricht, verzage nicht!« – ein Geschenk des Pfar-
rers. So recht logisch schien mir dieser Trost nicht. Im
Haus der armen Mutter also bekam ich mein Zimmer, möbliert mit dem Notwendigsten, wusch mich und schwamm
vor dem Frühstück im See und widmete einen langen Vormittag der Arbeit, noch immer Hegel exzerpierend, jedoch
fing ich auch schon die Dissertation zu schreiben an. Am

Nachmittag Wanderungen in die Höhen hinauf, über die Ruine Hohenbodman zum Kamm, wo man den Blick nach beiden Seiten hat. Eine unberührte, einsame Landschaft damals; Vögel, Füchse, Schlangen, die sich auf den Felsen sonnten. Mein Freund Max Weber-Schäfer hatte mir versprochen, zu mir zu stoßen, was er nicht tat, so daß ich etwa sechs Wochen lang außer mit meiner Wirtin und der Kellnerin im Gasthof mit niemandem sprach. Es war dank Friedrich Hebbel, daß ich mich nicht einsam fühlte.

Oh, er war mir weit überlegen, so viel merkte ich, auch grundverschieden nach Talent, Charakter, Herkunft und Situation. Er wußte, worauf er hinauswollte; ich keineswegs. Aber junge Menschen, die es schwer haben, die zum Denken in Einsamkeit neigen, die unberaten sich um Bildung mühen, sind sich immer auch ähnlich, derart, daß Identifizierung möglich ist, sogar sich aufdrängt. Als Hebbel zu schreiben anfing, war er 22 Jahre alt; ich auch. Schon begann er, ein wenig zu publizieren; ich auch. Von Hamburg ging er nach Heidelberg, wo er die Landschaft liebte, den Odenwald, den Blick über Tal und Rheinebene, den Königsstuhl, den er nächtens bestieg, wie ich hundertmal. Auch fand er, wie ich, ein paar Freunde dort; der ihm wesentlichste hieß Emil Rousseau. Und dann ging er nach München, meiner Heimatstadt. So weit wenigstens reichte der Vergleich; und genügte.

Hebbel, trotz aller von außen kommenden Erniedrigungen, der Armut, der Hilfe unerfreulicher Gönner oder Gönnerinnen, war viel stolzer als ich. So gleich die ersten Sätze: »Ich fange dieses Heft nicht allein meinem künftigen Biographen zu Gefallen an, obwohl ich bei meinen Aussichten auf die Unsterblichkeit gewiß sein kann, daß ich einen erhalten werde. (Was ich auch im hohen Alter nicht schreiben würde.) Es soll ein Notenbuch meines Herzens sein, und diejenigen Töne, welche mein Herz angibt, getreu, zu meiner Erbauung in künftigen Zeiten, aufbewahren.« Nicht eigentlich Notizen am Abend oder am nächsten Morgen über des Tages Tuen und Geschehen. Selten Datierungen; immer dort, wo lange Partien aus eigenen Briefen, zum Beispiel an Rousseau, abgeschrieben werden; sonst nur gelegentlich. Neue Freunde oder Bekannte werden nicht eingeführt, nicht einmal sein Münchner Bettschatz; sie erscheinen da, wo sie ihm etwas des Erinnerns Wertes sagten, wo es etwas Komisches, Groteskes, Ernstes, Trauriges über sie zu notieren gibt. An einem Münchner Jahresende erwähnt er, im Laufe des Jahres Schelling und Goerres kennengelernt zu haben; wann das war und welchen Eindruck diese beiden höchst merkwürdigen Gestalten auf ihn gemacht hatten, erfahren wir nicht. Auch weitreichende Ortsveränderungen werden nicht immer wahrgenommen. Er ist in Hamburg; eines Tages ist er in Heidelberg. Der Umzug nach München, nach einem Heidelberger Frühling und Sommer, wird erwähnt, aber nicht, daß diese Reise über Straßburg und Tübingen zu Fuß unternommen wurde. Die Vollendung eigener schriftstellerischer Arbeiten wird bündig vermerkt, kaum je worum es sich handelte. »Meine erste Erzählung angefangen am..., beendet am...« Sehr häufig Lesefrüchte. Der junge Mensch liest ungeheuer viel, scheinbar ohne System, meistens wohl, was Freunde ihm leihen: die beiden Weimaraner natürlich, dann Jean Paul, Lichtenberg, Seume, Byron, E. T. A. Hoffmann, Kerners *Seherin von Prevorst*, Gibbon, die historischen Werke Voltaires, die *Dictées de Ste. Hélène*, manch anderes über Napoleon und vieles, vieles mehr. Er schreibt auf, was ihn anspricht, lange Textstellen, philosophische, psychologische. Er übt Kritik, positive und tadelnde, mitunter, bei aller Gescheitheit, sehr ungerechte.

»Man sollte«, meint er, »in dieser hohlen Zeit, wo man nur *auf* und *durch* Papier lebt, eigentlich keine bedeutende Lektüre vornehmen, ohne zugleich zu rezensieren.« Daran hält er sich. Stärkstens interessieren ihn historische Fakten, Zusammenhänge und Skurrilitäten. Letztere ganz besonders, und da ist ihm in München auch die *Bairische Landbötin* recht: Fälle von Mord oder Wahnsinn oder Gespenstergeschichten, Vorahnungen, die in Erfüllung gehen – daraus später die arge Ballade vom *Heideknaben.* Arbeit an sich selber auf dem Umweg über die geronnene Arbeit anderer, Lebender und Verstorbener. »Der Mensch hat ein Gefühl der Zukunft«, schreibt er – aber kein genau bestimmtes. »Wir sollen handeln, nicht um dem Schicksal zu widerstehen, das können wir nicht, aber um ihm entgegenzukommen.« Welchem Schicksal? Er ahnt es, in guten Stunden. »Sich auf das Leben vorzubereiten und zugleich zu leben, ist die höchste Aufgabe.« Er sucht ihr gerecht zu werden, aber es gelingt ihm nicht immer, gelingt ihm zeitweise gar nicht: »Heute Nachmittag wieder einmal gelebt: Messe, Spaziergang mit Rendtorf von 4 bis 7 auf den Straßen.« So in Heidelberg. Was das Buch, eben für Hebbels Altersgenossen, so ergreifend macht, ist noch viel mehr als jener Bildungsprozeß. Es ist das Ringen mit sich, mit Gott und Welt und allen dumpfen Wundern des Seins. Sollen wir ihn fromm nennen? Unbedingt. Einen Christen vielleicht, einen Protestanten sicher, und einen, der ohne Religion sich nicht denken kann. »Religion ist erweiterte Freundschaft.« »Nur wer Gott liebt, liebt sich selbst«; soll heißen, ist im Reinen mit sich selbst, anstatt an sich zu leiden, was ihm freilich nur zu oft geschieht: »O, wie oft fleh' ich aus tiefster Seele: o Gott, warum bin ich, wie ich bin! Das Entsetzlichste!« Ein Verzweiflungsschrei aus tiefster Seele; eine gültige Aussage keineswegs.

Jugend, zumal einsame, ist die Epoche des Philosophierens, im Gespräch mit anderen oder mit sich allein. Er liest keine Philosophen von Profession, nur solche, die, wie Lichtenberg, auf eigene Faust grübeln – »Originalphilosophen« nannte man sie im 18. Jahrhundert. Genau dies ist er selber. »Alles kann man sich denken, Gott, den Tod, nur nicht das Nichts.« »Der Mensch kann eigentlich sein Ich aus der Welt gar nicht wegdenken. So fest er mit Welt und Leben verwebt ist, ebenso fest, glaubt er, seien auch Leben und Welt mit ihm verwebt.« »Ich habe oft das Gefühl, als ständen wir Menschen (d. h. jeder Einzelne) so unendlich einsam im All da, daß wir nicht einmal Einer vom Andern das Geringste wüßten und daß all unsere Freundschaft und Liebe dem Aneinanderfliegen vom Wind zerstreuter Sandkörner gliche.« »Ich glaube, eine Weltordnung, die der Mensch begriffe, würde ihm unerträglicher sein, als diese, die er nicht begreift. Das Geheimnis ist seine eigentliche Lebensquelle...« »Genie ist *Bewußtsein* der Welt.« »Aus den Wirkungen des Genies auf Gott zu schließen.«

Mit sich selber beschäftigt bis zum Extrem, manchmal zufrieden und dankbar, euphorisch nie, oft zweifelnd bis zur Verzweiflung – die Quelle all seines Unglücks sei sein Dichtertalent, zu bedeutend, um unterdrückt zu werden, zu gering, um ihn zu tragen –, immer angespannt, immer äußere und innere Erlebnisse mit demselben Willen zum Wissen analysierend, hält er auch seine nächtlichen Träume für wert, festgehalten zu werden. Und seine Phantasie ist die stärkste und bunteste im Traum. Oft hat er Bezug auf das, was er gerade liest, zum Beispiel Napoleon-Bücher. »Über Nacht, im Traum, war ich Napoleons Kammerdiener.« »Neulich sah ich im Traum Napoleon. Er ritt mir finster und bleich an einem stürmischen Herbstnachmittag schnell vorüber.« Über das Wesen des Traums: »Es ist mir (wenn man über Traumerfahrungen überhaupt räsonnieren darf, was ich bezweifle, da ich glaube, daß sie niemals rein in das Bewußtsein übergehen, weil sie in das Bewußtsein entweder durchaus nicht hineinpassen oder weil doch der Akt des Erwachens ihnen einen fremdartigen Bestandteil beimischt, der sie gänzlich verändert) – es ist mir schon oft vorgekommen, als ob sich die Seele im Traum eines veränderten Maßes und Gewichtes bediente, wonach sie die Bedeutung der Dinge, die in und außer ihr vorgehen, bestimmt; sie wirkt auf die alte Weise, aber nicht bloß in anderen Stoffen und Elementen, sondern auch, wenn der Ausdruck erlaubt ist, nach einer anderen Methode.« Tiefenpsychologie des Dreiundzwanzigjährigen, Freud antizipierend, aber nicht ganz in dessen Sinn: *wenn* man über Traumerfahrung überhaupt räsonnieren darf…

Das Politische im engeren Sinn interessiert ihn kaum. Freilich aber kann er nicht umhin, über das historische Stück Zeit nachzudenken, mit dem er wird zu Rande kommen müssen: noch immer die nachrevolutionäre, nachnapoleonische Zeit. Ein Zeitalter der Ruhe, meint er. Auch: ein Zeitalter der Massen, nicht mehr der Einzelnen, welch letztere es um so schwerer haben, sich zu finden und sich durchzusetzen. Über die Deutschen, auch über die Dänen – hier darf man nicht vergessen, daß er von Haus aus dem großdänischen Kulturkreis angehörte, daß er dänisch, wenn nicht sprach, so doch las, daß der dänische König sein Landesherr war und ihm später ein Stipendium gewährte: beide Nationen würden nie imstand sein, eine echte Revolution zu vollbringen. Jedoch: »Wenn eine Revolution verunglückt, so verunglückt ein ganzes Jahrhundert, denn dann hat der Philister einen Sachbeweis.« Es ist nicht klar, welche Revolution er hier meint: Die »Große«, die vor ihm war, oder eine andere, die kommen könnte und in Deutschland allemal scheitern müßte. Übrigens ist er durchaus kein Revolutionär, nicht wie sein Jahrgangsgenosse, Georg Büchner. Der, bürgerlich privilegiert, konnte es sein, konnte, vergebens zwar, versuchen, die armen Bauern zum Aufstand zu rufen. Jener nicht, der aus dem Elend Kommende, im Elend Stolze, mit der Verwirklichung der eigensten Gaben durchaus Beschäftigte. Auch schätzt er die nicht, die, wäre er ein Revolutionär, doch seine Bundesgenossen sein müßten. »Unbeschreiblich ist meine Verachtung der Masse. Da krabbelt dieser geistige Pöbel die Liliputer Turmleiter, die er Wissenschaft nennt, mit Schneckenfüßen...«

Über Herbheit und Hochmut des jungen Hebbel haben jene, die ihn damals kannten, wie spätere sich gern verlauten lassen; weniger über seine Liebesbedürftigkeit, das Weiche, Zärtliche, das in ihm war; und über seine Demut. Haust ja nun einmal im menschlichen Herzen das Allerwidersprüchlichste dicht nebeneinander. Am Jahresende oder Neujahrstag liebt er es, sich Rechenschaft zu geben über die vergangenen zwölf Monate und über das während der kommenden zwölf zu Erstrebende. So 1837: »Die erste Bitte, mit der ich in diesem angefangenen neuen Jahr vor den Thron der ewigen Macht zu treten wage, ist die Bitte um einen Stoff in einer größeren Darstellung. Für so mancherlei, das sich in mir regt, bedarf ich eines Gefäßes, wenn nicht alles, was sich mir aus dem Innersten losgerissen hat, zurücktreten und mich zerstören soll!« Am Ende dieses Jahres dann fühlte er sich zu wohl, um viel zu schreiben. Darüber, wieder ein Jahr später, noch immer in München, rückblickend: »Am vorigen Silvesterabend war ich mit Rousseau zusammmen, wir tranken Punsch, tausend Pläne und Hoffnungen gingen, wie Funken, aus unsern entzündeten Seelen hervor, und wie die zwölfte Stunde ausgeschlagen hatte, sprangen wir auf und umarmten und küßten uns innig. Jetzt modert er, und ich – kann dies ruhig niederschreiben... Es schlug 12 Uhr, ich habe für die Toten gebetet.« Die Toten: die Mutter, gestorben im September, und wenige Wochen später der um vier Jahre jüngere Freund Emil Rousseau aus Ansbach: »Auch mein Freund Rousseau ist, wenige Wochen nach meiner Mutter, gestorben. Mein Tagebuch ist seit Monaten ins Stocken geraten, weil ich diese Nachricht hineinzuschreiben hatte.« Es folgen Träume. Früher bemerkt er, es sei sonderbar, wie selten man von den Verstorbenen träume. Rousseau erscheint ihm, weil der vor so kurzem noch gelebt hatte. »Jetzt habe ich schon zum zweiten Mal von meinem R. geträumt. Er lebte noch, aber ich wußte recht gut, daß er bald sterben würde; ich hatte ihn unendlich lieb und suchte ihm dies auf alle Weise an den Tag zu legen. Ich wüßte nicht, daß ich jemals eine Empfindung von so wunder Süßigkeit (ich finde kein anderes Wort) gehabt hätte.« Und während er in einer früheren Notiz an die Unsterblichkeit der Seele nicht glauben kann, tut er es nun, weil sie braucht: die Mutter, die ihn nun ganz verstehen, die ihm alles verzeihen wird, der entschwundene Jüngling. »Es ist mir seit seinem Tode, als ob meine geheimsten Empfindungen und Gedanken ein Verhältnis zu ihm haben, als ob sie ihm schon im Augenblick ihres Entstehens bekannt sein müßten.« Was Wunder, daß, wer solches schrieb, Gedichte machte, in dieser Zeit als Dramatiker oder Essayist noch nicht reif war, als Lyriker aber wohl? So schöne Gedichte wie *Nachtlied, Höchstes Gebot* mit der Eingangszeile »Hab' Achtung vor dem Menschenbild«, *Das letzte Glas*, entstanden in der Heidelberger und Münchner Zeit, mitunter schreibt er eines von ihnen ins Tagebuch.

Als ich, nach Heidelberg zurückgekehrt, selber eines zu

schreiben anfing – die erste Seite fehlt, der Titel lautete aber: *Tagebuch im Stile Hebbels* –, notierte ich auf der zweiten, noch vorhandenen: »Der Hebbelsche Begriff von Freundschaft ist der nobelste, der mir bisher untergekommen; er ist ungefähr der meine, und heute aus der Welt gekommen. Nichtsdestoweniger kann ich einen Freund, wie Hebbel ihn in Rousseau hatte, nicht aufweisen. Der Grund ist wohl, daß Pierre B. und Kai in ihrer Art so sehr für sich sind wie ich, während Rousseau dem – vier Jahre älteren – Hebbel untergeordnet war.« Hebbel pflegte sein Mädchen zu haben, in München war es eine gewisse Beppi, deren Aussprüche voll belustigender Unbildung er gelegentlich notiert. Von ihr durfte seine in Hamburg lebende Freundin, Elise Lensing, Schneiderin von Beruf, nichts wissen. Elise war acht Jahre älter als er und liebte ihn weit mehr als er sie und hatte Geld gespart, was er verbrauchte; auch gebar sie ihm zwei Knaben, die einer nach dem anderen früh starben, den jüngeren sah der Vater nie; solches geschah jedoch nach Hebbels Heidelberger und Münchner Zeit. Seine Briefe an Elise Lensing sind eine Art von zweitem Tagebuch, man findet dort vieles, was man in dem eigentlichen vergebens sucht; sei es, weil er einen solchen stetigen Adressaten für seine geformten Erlebnisse brauchte, sei es, weil er, wenigstens auf diese Weise, ihr danken, ihr seine Treue aus der Ferne signalisieren wollte. Auf diese Weise wenigstens blieb er ihr treu in Heidelberg und München, in Kopenhagen und Paris; bis er in Wien die Hofschauspielerin Christine Enghaus fand. Die war seine Rettung, allein und ganz; also mußte er sich von Elise lösen und brachte es, dank der noblen Haltung beider Frauen, auch erträglich und gütlich hin. Ein Künstler wie er, der es seiner familiären Ursprünge, der Armut, der nie überwundenen Demütigungen wegen so furchtbar schwer

342

hatte, gleichzeitig aber von seinem Wert so unerschütterlich überzeugt war, wem anderem als seinem Werk, dem zukünftigen, konnte er gleich sein? Um Hebbels Freundschaft mit Rousseau genauer kennenzulernen, muß man seine Briefe, besonders jene an Elise mithinzuziehen.

Bald folgte der Jüngere dem Älteren nach München nach. Sie wohnten nicht zusammen, verbrachten aber die Abende in Rousseaus vermutlich komfortablerer Wohnung, wo sie sich etwas zum Essen kochten. An Rousseaus Talent *wollte* Hebbel glauben, zumal er seine eigensten Pläne darauf baute. Sie würden gemeinsam in Hamburg eine literarisch kritische Zeitschrift gründen, von der, so fürchte ich, im glücklichsten Fall zwei Nummern hätten erscheinen können; danach wäre es mit dem Geld, das Hebbels Gönnerinnen, die Gräfin Rhedern, die Schriftstellerin Schoppe, was allenfalls die Eltern Rousseaus beigesteuert hätten, schon wieder aus gewesen. Hebbel, nach dem Tod des Freundes an dessen Vater, Regierungsrat in Ansbach: »Wie ich ihn kennen lernte, war er ein Verehrer von Rückert und Platen; aber er war es nur noch drei Tage lang, wenige Gespräche reichten hin, ihn auf der Bahn der Kunst eine unendliche Strecke weiter zu führen.« Daß der Erzieher Rückert und Platen für eigentliche Schädlinge hielt, daß er den späteren Heine als bloßen Angeber und Lügner verwarf, auch von Eichendorff nicht viel hielt – »Joseph von Eichendorff hat es, wie immer, wo er mir vorgekommen ist, so gut gemacht als er konnte; doch sein Geist ist *weiblicher* Natur, er empfängt, vermag aber wohl nicht zu bilden« –, während er Uhland vergötterte, zeigt, daß die kritische Fähigkeit des jungen Dichters seinem harten Hochmut nicht, jedenfalls noch nicht entsprach. Ohne Zweifel dann war es Hebbel, in dessen Bann der neunzehnjährige Rousseau das Studium der Rechte aufgab, um sich literarischen Arbeiten zu widmen und daraus sich den Doktor phil. zu gewinnen. Hebbel an den Regierungsrat: »Es war kein unüberlegter, vermeidbarer, es war ein nach allen Seiten durchdachter und aus den tiefsten Bedürfnissen seiner Natur hervorgehender Schritt, wenn er sich entschloß, die Jurisprudenz aufzugeben und fortan nur der Literatur und Philosophie zu leben. Er verhehlte sich nicht, daß dies auf den Genuß des Lebens Verzicht leisten heiße; aber er fühlte sich des Opfers, jeder Anstrengung fähig...« In Ansbach mag man darüber anders gedacht haben, sei es auch nur weil, mit allzuviel Recht, die Schriftstellerei als ein unsicherer, ja gefährlicher Beruf galt. Was man vermutlich nicht wußte, von Hebbel keineswegs erfahren konnte: daß der Jüngling völlig talentlos war. Hebbel an Elise Lensing: »Der *Schmurr* meines Freundes Rousseau (Du schreibst wieder Strousseau) ist vortrefflich; daß er damit kein Glück machen wird, versteht sich von selbst, denn dem deutschen Publico *kann* nichts gefallen, was gut ist.« Nun, ich verschaffte mir die Novelle, die in den *Neuen Pariser Modeblättern* 1838 gedruckt wurde, und mußte sie überaus schwach finden: ein wenig neumodischer »Realismus«, verbunden mit einer Geistergeschichte, viel zu gräßlich, um wahr zu sein. Ebenso erging es mir mit Rousseaus Doktor-Dissertation, die tatsächlich noch in der Münchner Bibliothek vorhanden war, nach den Zerstörungen des Hitlerkrieges vielleicht nicht mehr ist. Sie war durchaus von Hebbel inspiriert, ein Vergleich zwischen Sparta und Hebbels Nordland Dithmarschen, zwischen den Schlachten bei den Thermopylen und Hemmingstedt. Der Verfasser hatte Schiller und Hegel gelesen, soviel war klar. Aber die Verherrlichung der Bauernrepublik diente der Verherrlichung des Freundes: von diesem Grenzland habe Deutschland noch Bedeutendes zu erwarten. Aus einem Gedicht von

Hebbel stammten die »springenden Retorten«: »Wir haben fast nur republikanische Experimente und sahen oft mit Schrecken die Retorten springen.« Und natürlich war der Vergleich zwischen den beiden Schlachten an den Haaren herbeigezogen; was hatte die heroische Niederlage bei den Thermopylen, was hatte Leonidas mit den bäuerlichen Siegern von Hemmingstedt gemeinsam? Es war damals wohl noch leichter, sich den Doktor phil. zu erwerben, als zu meiner Zeit; Hebbels eigenes Doktorat, wie auch jenes von Karl Marx sind Beispiele dafür.

Aber alle, dem »Forscher« so leicht erkenntlichen Schwächen des Jünglings Rousseau konnten ihn mir nur rührender machen; wie auch Hebbels lange Briefe nach des Freundes Tod mir den Dichter noch näherbrachten, als es schon sein Tagebuch getan hatte. Gern hätte ich Rousseaus Grab in Ansbach besucht, um zu sehen, welchen der beiden von Hebbel gedichteten Sprüche die Familie für den Grabstein gewählt hatte. Es kam aber nicht dazu; die Zeit fehlte und das Geld auch. Allmählich verlosch meine Sympathie für den damals vor dreiundneunzig Jahren Verstorbenen.

Ob ich ohne das Hebbel-Erlebnis ein Tagebuch zu führen je begonnen hätte, bleibe dahingestellt. Jedenfalls muß man *bereit* sein, aus einer Begegnung dieser Art Nutzen zu ziehen. Ein paar Eintragungen des Jahres 31 lassen mindestens was die Form betrifft Hebbels Einfluß vermuten.

1. Oktober. Bildung, Bildung, Bildung! Obzwar ich nun bald den Doktorhut erwerben will, kann ich mich an Bildung zum Beispiel mit Hebbel noch lange nicht messen. Keine oder nur ganz wenige moderne Romane lesen! Aber gründlich die Männer des 18. und 19. Jahrhunderts, Philosophen, Historiker, Dichter. Ich plage mich da eben mit

einem Roman von Huxley, gebe ihn lieber auf. – Übrigens ist nicht zu bestreiten, daß bei den vergangenen Großen oft auch gar nicht so viel Objektives zu holen ist. Tiecks Romane sind unleserlich, ebenso der des Novalis, auch bei Hegel steht unleugbar viel Überflüssiges, den Leser Peinigendes, ja, Unsinniges. Aber hier und gerade hier liegt die große Persönlichkeit. Die Quantität des Werkes ist notwendig. Kleine Aufsätzchen (die Nietzsche forderte) hätten es nicht getan.

Im Rückblick ist alles Geschehene notwendig, vorausbestimmt; so sehr vorausbestimmt, daß es schon da ist, die Zeit zum Schein wird... Das Geschehen macht die Zeit, das kausale Geschehen hebt sie auf. In den diesbezüglichen Spekulationen im *Zauberberg* erscheint die Zeit als Mächtige, Zeitigende, Inhalt-Spendende; das ist ganz falsch. Dies eigentlich jeweils schon Vorhandensein des zu Geschehenden ist nach dem Tod von jemandem am deutlichsten. »Niemand wußte, daß der Tod ihn schon ergriffen hätte.« Sehr deutlich erlebt man diesen logischen Tatbestand im Traum, wenn man sich in persönliche oder historische Vergangenheit träumt und, indem man hofft und handelt, doch genau weiß, daß es so kommen muß wie es kommt, da es ja irgendwie schon geschehen ist! Ich träumte so mehrfach von Napoleon III. und kürzlich von Louis Philippe, die ich bedauerte, weil ich ihr Schicksal kannte. (Anmerkung 1985. Hier mag man glauben, ich ahmte in Träumen wieder meinen Hebbel nach, der öfters von Napoleon I. geträumt hatte. Das kann aber nicht sein. Im Wachen mag man irgendeinem Bewunderten nacheifern. Die träumende Seele macht keine Faxen. Sie stellt sich als das dar, was sie ist, nicht als das, was sie zu sein wünscht. Den hier aufgeschriebenen Gedanken fand ich ein halbes Jahrhundert darnach in einem Gedicht des kastilisch-spanischen Dichters des 15. Jahrhunderts namens Manrique wieder. In Prosa übersetzt: »Wenn wir die Gegenwart betrachten, ein Punkt nur und schon vorüber, dann werden wir, wenn wir vernünftig urteilen, das Zukünftige schon zum Vergangenen schlagen. Täusche sich keiner, indem er glaubt, was er noch vor sich hat, werde länger dauern als das, was schon hinter ihm liegt: alles muß den gleichen Weg gehen.«)

2. Oktober. *Weltwende. Versuch einer geistigen und wirtschaftlichen Neuordnung* von XX. Obendrauf das gleichgültige Gesicht eines jungen Mannes, Grüblerblick und Hand am Kinn, oder auch das Gemälde eines Jünglings mit grellen Augen. Typische Neuerscheinung 1931.

9. Oktober, Heidelberg. Hier bin ich und weiß nicht recht, warum? Gestern abend war ich verzweifelt, der Zug kam von Neckargemünd und ich erkannte die Berge und Flußkrümmungen, schließlich fuhr ich durch die ganze Stadt vorbei an vielen bekannten Orten, wie in einer Trambahn. Wäre ich gern hierher gekommen, so wäre das ganz nett gewesen. Blicke ich zum Fenster hinaus, so ist's objektiv freilich schön, die Höhen prangen im Herbst, aber die Stadt ist doch gar zu lächerlich. Es ist überhaupt keine Stadt, sondern eine lächerliche Ansammlung von Häusern, deren Bewohner sich recht wichtig nehmen... Am Bahnhof traf ich den Doktor Klibansky, der – ich glaube aus Reisesehnsucht, Bahnhöfe sind gewissermaßen exterritorial – seine Briefe daselbst einzustecken pflegt. Er fuhr mit mir auf's Schloß und aß mit mir zu Abend, ich wurde etwas von meiner Melancholie an ihm los... Ich habe fünf Liter Apfelwein gekauft, die ich mir schicken ließ, weil ich sie nicht schleppen wollte. Nun kam die Verkäuferin selbst,

ein zierliches, rührend fein gekleidetes Wesen, und trug sie auf meinen Berg, sichtlich gedemütigt, während sie unten versichert hatte, *natürlich* könnte geschickt werden. Mir tat es sehr leid – hab' Achtung vor dem Menschenbild!

11. Oktober. Eine häßliche Geschichte: Tschitscherin, ehemals Volkskommissar des Auswärtigen, seit einiger Zeit bei Stalin in Ungnade und nach vergeblichen Versuchen, ein Stellchen in seinem ehemaligen Ministerium zu bekommen, wurde als ein in Lumpen gehüllter Bettler und völlig betrunken aufgefunden. Es liegt eine furchtbare Konsequenz darin, seinen ehemaligen Minister nicht hinrichten zu lassen, noch durch ein Pöstchen zu retten, sondern ihn verhungern zu lassen. Aber Tschitscherin war eben nicht Minister, sondern Volkskommissar!

14. Oktober. Ein Schriftsteller kann nur Halbwahrheiten schreiben. Seine Wahrheit muß liegen: erstens in seiner Person: zweitens in seinem Werk als Ganzem, jeweils sich entgegengesetzte Aussagen enthaltendem. Ich lese meinen Hegel-Aufsatz durch und rufe aus: Das stimmt doch alles nicht! – Wer sich scheut, Sätze zu schreiben, die nicht stimmen, der muß schweigen und zwar sein ganzes Leben lang. (Ein Aufsatz über Hegel, der Dezember 1931 in S. Fischers *Neuer Rundschau* erschien.)
An Kai zu schreiben: Wir sind grundverschieden, ich, Intellektueller, er Künstler, ich abstrahierend, er auf des Lebens goldenem Baum. Aber was schadet das?

15. Oktober. In der *Rundschau* Erfolg haben, ist so viel, wie in einem bourgeoisen Gästesalon Erfolg haben – aber hat es denn viel mehr Wert, vor einem Arbeiterpublikum Erfolg zu haben? Wer hat da nicht alles Erfolg! Kai urteilte so, es

ist aber ein ästhetisierendes Urteil. Kai meinte, die *Rund-schau* könne schon Wert haben, wenn man in ihr sein Erleben mitteilt: er ist kein »Zustandsfanatiker«. Nur real muß es sein – ein Schriftsteller darf nicht über die soziale Welt schreiben wollen, die er nicht kennt. Das muß er der Praxis und allenfalls der Wissenschaft überlassen.

18. Oktober. Den dritten Tag, daß ich nicht von meinem Berg herunter bin, wie geplant. Die Arbeit geht gut. Daß es mir vergönnt sei, sie fertig und gedruckt zu sehen! Es ist das schönste Herbstwetter.

Über den Selbstmord fiel mir neulich ein: Im *Annerl* behauptet Brentano, der sich wahrscheinlich auf solche Dinge verstand, Selbstmörder aus Verzweiflung kämen auf die Anatomie, dagegen dürften solche aus Melancholie begraben werden. Dahinter möglicherweise ein guter Instinkt. Wer langsam dahinsiecht, oder auch, wer durch Hunger stirbt, nimmt nicht jenen widernatürlichen, plötzlichen und ungeheuren Eingriff vor, der von Schopenhauer ganz recht als verdrehte Bejahung des Lebens bezeichnet wird; er verdient sich den Tod gewissermaßen. Goethe wollte nur Selbstmord üben, wenn er es fertig brächte, sich zu erdolchen.

Ich las Mignets *Französische Revolution*, einfach, spannend, manchmal knappe Reflexionen, lateinisch. Der Charakter Ludwigs XVI. ist mir sehr deutlich aus seinen Taten.

21. Oktober. Nahrungssorgen-Traum. Begebe mich in ein Büro: an einem Tisch ein junger Mann. Ich bewerbe mich um eine Lehrerstelle, soll in einigen Tagen wiederkommen. Komme also. »Ich komme da also wieder, M. ist mein Name.« Der junge Mann giftig, ohne aufzublicken: »Da müssen Sie schon Ihr Anliegen formulieren.« »Ich war

schon einmal da. Ob man mich *eventuell* als Lehrer brauchen könnte?« Der junge Mann, wieder nicht aufblickend: »Kommt nicht in Frage.«

21. Oktober. Der alte Köster in seinem Tagebuch: Er habe es oft satt, Kantens Scharfsinn zu bewundern. Wirklich habe auch ich es satt, Hegels Scharfsinn zu bewundern. Übersatt! Aber nun heißt es ausgeharrt. Bin ich zu einer praktischen Tätigkeit bestimmt, wird mir der Dr. phil. nicht schaden. (Brief an Kai)

22. Oktober. Der Literarhistoriker Eduard Engel gibt neuerdings ein Buch heraus, *Kaspar Hauser. Schwindler oder Prinz?*, in welchem er mit Leidenschaft, überlegenem Hohn und Bosheit die Schwindelhaftigkeit des Kasparschen Prinzentums zu beweisen sucht. – Dagegen bemüht sich der Ministerpräsident Laval um einen Nichtangriffspakt mit Amerika: beide Länder sollen sich verpflichten, im Kriegsfall dem Feind des anderen auch keine Munition zu liefern usw. – Ich schließlich befasse mich mit dem Problem des Individuellen bei Hegel. Welche von diesen drei Tätigkeiten ist nun die nützlichste? Bei der Lavalschen jedenfalls steht einem der Verstand still.
Auf dem Königsstuhl, zum wievielten Mal! Schöner Spätherbst, endlich kalt! Blätter mit Reif.

24. Oktober: »Wer das Tiefste gedacht, liebt das Lebendigste« – ein schöner, tiefer und wahrer Vers, in dem sehr viel liegt.
Mich plagt zurzeit die Idee zu einem Lustspiel: Die Heidelberger Professoren zu Beginn des Dritten Reiches, aufgefordert, sich über dasselbe zu äußern. Jaspers: Ernst Justus. Willy Andreas: Prof. Dr. Gally Mathias. Regenbogen:

Aristides Wetterwolke. Hellpach: Staatspräsident a. D. Dr. Dunkelbier usw.

26. Oktober. Merkwürdig auf der gestrigen Versammlung die Natürlichkeit mancher Leute: Wie einer das Wort »Bonzengroschen« aussprach, mit dem man die Jugend ködere. Dagegen fiel ab die Unechtheit eines anderen, der immer von seinem Herzen sprach, mit dem er innerlich gerungen.

Immer noch nicht auf der Höhe. Die Einleitung zu Bernard Bolzanos *Wissenschaftslehre* gelesen. Gedanklich auf der Höhe der modernen Logik, dabei die Sprache des Idealismus. Bescheiden und männlich; stark. – Ich will auch lesen: *La Logique de Leibniz*, von Russell, für die Logik der Hegelschen Geschichtsauffassung.

Merkwürdig, wie gewisse kleine Bemerkungen anderer einen Stachel zurücklassen, der zu Tieferem anregt. Zum Beispiel die Bemerkung des Herrn von B. bei einem Tee bei Jaspers: »Es ist entsetzlich, wie sehr der Geist heute von der Realität entfernt ist.« Ich erwiderte, ich könnte mir das offen gesagt nicht recht vorstellen, und was weiter daraus folgte. Ebenso die Bemerkung von Jaspers über die Schriftsteller des *Tagebuch:* es seien Moralisten ohne festen Punkt.

»Wenn deine Schrift dem Kenner nicht gefällt...« Tatsächlich haben die meinen schon oft des Narren Lob erhalten!

28. Oktober. In der Stadt auf den ersten Blick fröhlicher Wintermarktbetrieb: die Leute sprechen aber von der »Krise«, wo ich hinhöre... Die Studenten machen allmählich sich wieder breit, die meisten mager und hilflos, mit häßlichen Kaufhaus-Knickerbockers. Doch gibt es immer

351

noch solche vom alten Schlag, elegante mit Handschuhen und Stock, wohlgenährten, selbstbewußten, frechen Milchgesichtern. Ich habe das Nest und den Betrieb gründlich über... Abends im Park, kalte Mondnacht. Brief von Pierre. Eine scheußliche Mord-, Selbstmordtragödie stand gestern in der *Frankfurter Zeitung.* Ein Säugling, von den toten Eltern im Stich gelassen, in der Wiege verhungert. Indes die Welt an Produktion erstickt – man sollte es den Vertretern oder milden Reformern des Systems um die Ohren schlagen.

Der Dreißigjährige Krieg – Descartes hat seinen Haupteinfall zu Neuburg an der Donau im Winterquartier gehabt. Da wird es auch nett zugegangen sein.

In der »Gruppe« eine Rede auf den scheidenden Professor Lederer gehalten und – ausgesprochen – steckengeblieben. In einem sonderbaren und widerlichen Zustand.

31. Oktober: Meine Hand ist müde: einen Marsch gemacht wie lange nicht: Weißenstein, Schönau, Neckarsteinach, Neckargemünd, gewiß 35 km, über Berge. Wie mir das gut tut. Früher war ich oft so müde, als Pfadfinder, in Salem nach dem Hockeyspiel und nach Touren, im Bergwerk. Aber da ist mein krankes Knie, ein böser, sehr zentraler Stein in meinem Leben! Glücklich bin ich eigentlich nicht mit einem Freund, sondern unter vielen, auf einer Tour. Niemand kann mehr Gemeinschaftsmensch sein als ich. Das hat sich mir noch von jeher bestätigt. – Aber woher nehmen und nicht stehlen?

Der Anblick einer Arbeiterstadt im Odenwald (sehr arm: im besten Gasthaus kein Gemüse und keine Suppe zu kriegen) deprimierte mich bis auf Äußerste.

1. November. Frau Gundolf schreibt mir plötzlich, daß sie sich verpflichtet fühle, mir noch einmal zu danken – es klingt fast wie ein Abschiedsbrief, wird sich doch nicht das Leben nehmen! – »Er (Gundolf) hatte Ihre Empfänglichkeit wohl erkannt und war Ihnen herzlich zugetan.«

2. November. »Eine Billion« – Inflation. Einem Volk, das sich das hat antun lassen, oder vielmehr, das sich das selbst angetan hat, ist *alles* und *jedes* zuzutrauen. Es ist merkwürdig, daß man diese ungeheuerliche und völlig traumhafte Sache literarisch noch nicht recht verwendet hat. Um eine Billion Mark aufzuzählen, bräuchte man, wie ich neulich las, 19000 Jahre. Wir lieben die großen Zahlen.

3. November. Gestern ein ölig pastoraler und an die Grenzen des Komischen streifender, aber von edelster deutscher Bildung und Philosophie (wirklich) durchtränkter Gedächtnisvortrag von Regenbogen über Gundolf... Regenbogen hatte eine naive Art, mit den ihm von Größeren überlieferten Begriffen umzugehen: »Gundolf war sowohl Geist wie Seele.« Gut war sein Ausdruck: Bildungshistoriker.

4. November. Klägliche Nacht. Den ganzen Morgen schlaflos und im Erwachen schon die Blamage des Abends vor Augen.

5. November. Was man sich nicht alles einbildet – Elogen von Professor Marschak und O. Jakobsen für meine Rede. Der Letztere (der keine Schmeicheleien macht): Sie sei »ehrlich, warm, knapp und männlich« gewesen. Das letztere Prädikat ist mir besonders lieb. – Nachmittags – ge-

stern – mit Leonore L. im Schwetzinger Park, wo ich noch nie war, dann sie abends bei mir. Unterhaltung bis 12 Uhr.

10. November. Meine Freundin Leonore L. ist sehr reizend, lieblich und klug – ob sich die Sache halten wird und kann, weiß ich nicht. Als ich neulich den *Gefangenen* von Wedekind rezitierte, schrie sie bei dem Vers »Nichts geschadet, dummer Teufel...« auf vor Lachen. Ebenso, als ich gestern bei einem Abschiedsfest für Lederer ihr zuflüsterte: »Sehen Sie doch, wie B... Interesse für seine Nachbarin heuchelt.« Dieser Abend war überhaupt leidlich: das beste Heidelberg, das sich freilich auch sehr ernst nimmt, beisammen, gute Reden von Alfred Weber, Marschak, Radbruch. Dieser an Heidelbergs große Zeit erinnernd, die Lederer noch erlebt, die Zeit »Max Webers, Wilhelm Windelbands, Troeltschs, Jelineks, Emil Lasks, der damaligen Freunde Georg Lukács, Bloch, Leviné und sein tragisches Geschick, dann vor allem unser gemeinsamer Freund Adolf Köster, der, zu Hohem berufen, so früh von uns geschieden ist«. Radbruch, der recht tapfer politisch kämpferisch sprach, spielte auch auf meine letzte Rede an: es gebe ja Leute, für die sie, er und Lederer, als Reaktionäre gälten. Mich verstimmte das sehr...

Folgendes lehrreiches Erlebnis mit einem sympathisch aussehenden jungen Menschen, politischem Idealisten, scheinbar Mitte, Verehrer von Brüning. Nach einem langen, sehr freundlichen Gespräch, in dem ich verfocht, daß es müßig sei, den Gegner irgendwie noch gentlemanlike zu behandeln, weil er es auch nicht tue, und daß, so wie die Dinge in Deutschland lägen, Verständigung auch von Mensch zu Mensch nicht mehr möglich sei, stellte sich heraus, daß er selber Nazi und also durch seine tadellose Haltung mir gegenüber seinen Standpunkt gerechtfertigt.

13. November. Ein erhängter proletarischer Familienvater, um ihn herum teils ermordete, teils verhungerte Kinder (übrigens historisch), greulich anzusehen, daneben ein Schieber-Restaurant, Ober mit Speisen eilend, fette Tänzerpaare. Darunter: »Deutsche Republik«. Aus der Zeitung *Der Syndikalist.*

14. November. Ranke ist doch ein widerlicher Erzschmuser! Seine Reflexionen sind Hegelianismen folgenden Stils und meistens folgenden Wortlauts: »Dem Besonderen kann ein Allgemeines anhaften.« »Welch ein Moment in der allgemeinen Weltentwicklung!« »Wie war doch...« (etwa: England damals so kraftstrotzend!) Dazu ein Staatsfetischismus und protestantische Frömmelei. Selbst die Französische Revolution löst sich ihm noch in außenpolitische Konstellationen auf.

Traum. In der Nacht träumte mir, ich sei Ludwig XVI. und sollte hingerichtet werden. Junge Leute, die mich verfolgten und denen ich weinend in die Arme fiel: ich könnte es nicht mehr ertragen. Ich war nicht nur Ludwig, sondern auch Zuschauer und Zuhörer der Tragödie, die zur gleichen Zeit aus einem historischen Buch gelesen wurde und wirklich stattfand. Marie Antoinette fragte mich, ob auch sie hingerichtet würde, und ich antwortete: Bestimmt werden Sie es, indem ich mir dabei dachte: das ist nun so ein Augenblick, wo etwas nur irreal geschieht, ganz bestimmt geschieht, weil es doch im Grunde schon geschehen ist!

Leonore L. fragte mich: »Leiden Sie an Postmangel?«

Nicht durchaus, aber wohl, wenn meine besten Freunde mich im Stich lassen, wie Pierre B. es im Augenblick tut. Das sticht mit jeder leeren Post aufs Neue.

15. November. »Du« – es ist sehr falsch zu glauben, es sei in dem Sinn entstanden, den es heute hat – übrigens nur in einer übersensiblen Luxus-Oberschicht hat; das eigentliche Berliner Volk z. B. sagt durchaus Du zueinander und grenzt sich dadurch gegen die Oberschicht ab. Das Sie bedeutet einen gesteigerten Humanitäts-Liberalismus (Joseph II. fing an, seine Diener Sie zu nennen) und Individualismus, der dann durch das Du bedeutungsvoll durchbrochen wird (z. B. Jaspers und Marianne Weber). Eigentlich kann man nicht sagen, daß den Engländern das Du fehlt, vielmehr das Sie, weil sie distanziert und demokratisch genug waren, dieser erst im 18. Jahrhundert eingebürgerten Höflichkeitsform nicht zu bedürfen, wie auch z. B. die Römer. War diese nun einmal da, so bekam ihr Mangel, nämlich das Du, die Bedeutung des Vulgären, dergleichen Firlefanz Verachtenden, oder aber des Herzlichen. Beide Bedeutungen gehen ineinander über bei jungen Leuten (Frankreich), Sozialisten (wo es planmäßig durchgeführt wird) und dergleichen. Es ist mir sehr rasch natürlich geworden, hundert »Genossen« zu duzen, die ich nicht kenne und aus denen ich mir nichts mache. Dagegen ist mir das Du mit ein, zwei Freunden sehr wertvoll; wie auch meine Beziehung zu ihnen durch seine Einführung eine entschiedene Veränderung erfahren.

18. November. Stunden, in denen die Politik und politische Argumentation gegenüber einem fingierten Edel-Nazi-Gegner mich so verfolgt, wie eben jetzt, daß ich nicht arbeiten kann. Es ist auch scheußlich genug.

Eine Entdeckung Rankes: »Es ist nicht anders als daß alles menschliche Tun und Treiben dem leisen und der Bemerkung oft entzogenen aber gewaltigen und unaufhaltsamen Gang der Dinge unterworfen ist.« Typisch.

20. November. Bei der Lektüre von Hamsunschen Abenteurer-Novellen fiel mir wieder einmal auf, wie vorsichtig ich bisher gelebt und wie wenig äußere – voilà – Erlebnisse ich gehabt. Besonders solche einsamer Art. Es ist da eigentlich nur Paris und Bergwerk zu nennen – das ist nicht viel. Aber ich mußte erst von innen älter werden, jetzt wird mit Gott auch das Äußere sich einstellen. Notwendig ist es – Amerika, mal hungern und dergleichen. Bloß von Heidelberger Studien ist noch niemand ein Mann, schon mancher aber ein Professor Dr. Glockner geworden. Übrigens ist mein Bruder Klaus, so reich an äußeren Erlebnissen, Reisen und in eroticis, wie ich arm; und doch glaube ich nicht, daß ich ihm irgendwie unterlegen bin.

24. November. Gespräch mit einem französischen Revolutionär namens Lipansky (?), der auch mit Pierre bekannt. Revolutionäre Front, los von den Parteien! Sieht die Lage in Deutschland sehr gut, klug und spöttlich. »Für die Revolution am reifsten. Muß durch den Faschismus hindurch, der sich aus den bekannten Gründen kaum sechs Monate wird halten können, obwohl Frankreich ihm Geld geben wird. Und dann? Revolution von links, mit französischer Intervention. Die gilt es zu verhindern.« Seine Urteile ruhig, souverän, unabhängig. Freilich gibt es noch andere Möglichkeiten.

25. November. Brief von Kai. Er will Weihnachten eine Reise machen in die Berge: die höchsten Berge, die schön-

sten Landschaften, Frankreich, die Schweiz, oder auch nach Rom. 1. Habe ich Zeit? 2. Habe ich Geld? 3. Bin ich sicher, daß er mir nicht in 14 Tagen mitteilt, daß er allein in die Karpathen fährt?

Ein wirklich philosophisches Buch kann man nicht verstehen, während man es liest, sondern indem es zu Gedanken anregt, die man später hat und die sich dann als dem Kreis des Buches immanent herausstellen. – Schopenhauer: ein echter Metaphysiker und dabei doch so erstaunlich plattklug. Längst bevor ich Sch. gelesen hatte, fiel mir in Salem auf einem Spaziergang einmal das Folgende auf: eine Weg-Schnecke, die an einem Regenwurm lutschte, und bald darauf ein Frosch, der seinerseits in einer Schnecke schwelgte. Es fehlte nur noch die Schlange für den Frosch.

26. November. Gestern abend bei Marianne Weber – sie ist doch ein »guter Kerl«. Den Damen ein Gruseln eingejagt durch politische Perspektiven. – Das Jahr 1932 wird ein kritisches Jahr – für die Welt und für mich. Ich habe das immer gedacht, aber nun es näher rückt, wird das anders. Wie weit ich materiell unabhängig bin, muß sich finden – ich meine, wieweit mich Entbehrungen zermürben. Ich bin kein Proletarier. Arme Philosophie!

27. November. Gestern war plötzlich Erika hier; sie rief an und kam dann spät nachts mit ihrem Ford herauf... Kaffee, allerlei Gespräche, die politische Lage, die finanzielle Lage im Allgemeinen und Besonderen. Der Alte hat in den letzten drei Monaten 1200 Mark verdient, noch nicht den zehnten Teil von dem, was er gewohnt ist. Das geringe Vermögen schwindet dann wie Schnee in der Sonne. Der Klaus, stets optimistisch und tatenfroh, sein Jugendbuch ist fertig und soll sehr hübsch sein. Erika erwartet (und

möchte fast) den Bürgerkrieg. (Er wird auch kommen.) Sie trägt ihr Haar anders und ist wirklich sehr reizend (entzükkend, wie Kai sagte). Spaziergang im Schloßpark, bei Mond im Schloß herumgeturnt bis ½ 2 ... Der Alte denkt in die Schweiz zu gehen, glaubt von den Nazis verhaftet zu werden. Das könnte ihn in der Tat töten, in die Hände dieser widrigen Barbaren zu fallen.

28. November. Der Ekel gegenüber gewissen Ereignissen, den man aus Heines späten Gedichten spürt, ist der Ekel des Kranken, besonders des Fieberkranken.
Was heute an unwahrem, seinsollendem Stil geschrieben wird, ist furchtbar. Ob das immer so gewesen ist, weiß ich nicht. Vielleicht ja – das Zeug hat sich eben nicht gehalten. In einem Edelnazi-Roman mit dem Titel: *Fäuste! Hirne! Herzen!* (eine schlechte Imitation des guten Romans von Fallada: *Bauern, Bonzen und Bomben*): »Auf dröhnt der Dom. Es plärrt die Zeit.« Der Stil, c'est l'homme, in diesem Fall die »Bewegung«.

4. Dezember. Gestern Abend bei Marianne Weber – Klibanskys Privatdozentur wurde gefeiert, mit Heinrich Zimmer. Zimmer ist ein genialer, dabei höchst liebenswerter Mensch, ich bin ihm gegenüber stark befangen. Er erzählte mir, Wassermann meine, das brennendste künstlerische Problem sei gegenwärtig das Verhältnis des Künstlers zu seinen Figuren, wieviel er von ihnen wissen könnte usw. – eine Frage, mit der ich mich auch schon beschäftigt habe. Wassermann soll seinen Söhnen Vorwürfe gemacht haben, weil sie nichts verdienen. Christiane Z. meinte: Man kehre immer mehr zur Großfamilie zurück, die Jüngeren hätten nichts zu tun, der Vater trage das Ganze. Ein etwas krampfhafter Patriarchalismus!

Bernhard Diebold ist doch ein ganz schlechter, unwissender Journalist. Heute vergleicht er die Gesellschaft im Paris Napoleons III. mit der Berlinischen von heute und findet, daß sie sich genau gleichen. Etwas Dümmeres kann man sich kaum denken.

Ein neues schönes Buch über den Dichter Mombert ist erschienen, *Werden und Werk,* mit der Abbildung einer sehr schönen Büste. Denselben Mombert sehe ich hier mit seiner Schwester vor den ausgehängten Menukarten billigster Restaurants, überlegend, ob er hineingehen soll.

6. Dezember. Von Jakobsen verabschiedet, er war sehr gerührt. Ihr schenkte ich Pralinees... Abends bei Dr. Oppermann, zusammen mit dem Historiker Täubler. Ein gescheiter, gequälter, eitel monologisierender, verwirrt assoziierender Mensch. Oppermann von erstaunlicher Ungeschicklichkeit, ballt die Faust vor Verlegenheit, wenn seine Frau spricht, und springt niemals in die Bresche, wenn das Gespräch stockt. Das blieb immer an mir hängen, und ich machte es leidlich, brachte sogar zum Schluß eine warme Diskussion zustande.

8. Dezember. Im Zug von Mannheim traf ich den Genossen Max Diamant. Der freie Journalismus, sagte er, sei nicht geschädigt, sondern zu hundert Prozent vernichtet, während der letzten drei Monate. Wir kamen dann auf die politische Lage zu sprechen, die er sehr pessimistisch sieht. Er riet mir, recht bald Examen zu machen, denn es sei zweifelhaft, ob ich es im Mai noch werde machen dürfen, an eine Anstellung jedenfalls sei nicht zu denken. »Deutschland: ich habe es aus der Ferne geliebt – er ist Russe –, aber seit ich es kenne und in ihm lebe, hasse ich es. Es sind Bestien.« Er glaubt nicht, daß die Herrlichkeit des Faschismus so

kurz sein werde, man werde organisieren, wie der Deutsche das kann, und sich wie in Rußland und Italien der kleinen Kinder bemächtigen; auf lange Sicht arbeiten. Deutschland werde ein großes Zuchthaus sein, hunderttausend Intellektuelle nach Paris eilen, die Mehrzahl freilich sich unterwerfen, die Professoren mit fliegenden Fahnen voran.

Ich las in der Zeitung, der lange gesuchte Bericht Piccolominis über Wallensteins letzte Monate sei gefunden.

Der grundlegende Unterschied zwischen Lyrik und Ballade. Mit welchem Recht nimmt man *Die traurige Krönung* des Königs Milesint von Mörike oder *Der König in Thule* in eine Lyriksammlung? Der K. i. T. wird von Gretchen gesungen, ist also indirekt lyrisch. Das wird häufig so sein.

Ich habe in den letzten zwei Monaten etwa 80 Mark wohltätig ausgegeben. Das ist doch etwas.

19. Dezember. Sonderbar, daß man sich das nicht abgewöhnen kann: ich kann nicht leugnen, daß ich seit einigen Wochen wieder einmal einen freundlichen Blick auf jemanden geworfen habe, einen »Gruppengenossen«. Übrigens nicht seines Aussehens halber – ich kannte ihn lange –, sondern wegen seines ruhigen, klugen, freundlichen Sprechens. Er heißt schlicht Harry Schulze.

22. Dezember. Gestern nach München gefahren; früh im Dunkeln und neuen Schnee mein Köfferchen den Berg hinunter getragen. Fahrt im Personenzug, zehn Stunden, bitterkalt, vielerlei Leute sprechen und politisieren hören. Etwas Tacitus gelesen, über die Juden, einem, wie er berichtet, projectissima ad libidinem gens. Vorzüglich… Erika holte mich in ihrem offenen Wagen bei bitterer

Kälte. Der Alte, gestern noch stumm und fremd, ist heute aus Verstimmung im Bett geblieben... Geschwister-Abendgespräche mit Klaus, der nach wie vor wohlgelaunt...

23. Dezember. Spaziergang in den alten Rodel-Gegenden. Was hatten wir doch für eine elende Kindheit. Rodeln, Angst vor anderen Kindern, vor den Eltern, dem Gymnasium, traurige Abende... Der Alte ist krank und über die Maßen grämlich.

25. Dezember. Weihnachten, schwere Mahlzeiten, Tauwetter. Versuche wieder zu schreiben und stehe mit meinen Hausgenossen sehr herzlich. Klaus hat genau in derselben Zeit (Anfang Oktober) angefangen, Tagebuch zu führen, ohne daß wir darüber gesprochen hätten. – Ich kann nicht sagen, daß ich mich hier sehr wohl fühle. Nur, wer die Familie gegründet hat und erhält, kann sich in ihr selbständig und für sich halten. – Ein neuer Radioapparat, das ist toll. Daß man die Natur nicht versteht, daran ist nichts zu suchen; aber daß unsereiner nun Menschenwerk nicht mehr versteht!

30. Dezember. Eine Pause, die man sieht. Das Jahr geht zu Ende, das erste Viertel dieses Jahres-Opus. Dies ist Praxmar, ein Alpengasthaus mit Kirchlein, oberhalb eines Tales, an dessen Ende ein blau leuchtender Gletscher... Es ist zu Fuß zu erreichen von Kemmaten, einer Station, nicht weit von Innsbruck, in fünf Stunden. Was wir auch geleistet haben, Kai und ich – allerdings in zwei Etappen. Denn wir kamen abends in Kemmaten an, nach einem Aufenthalt in Innsbruck, und gingen nachts bis nach Sellrain, wo wir einkehrten. Es ist so gut, wie es sein könnte, aber nicht

ganz gut, wie zu erwarten war, und so glücklich ich sein kann, so glücklich bin ich hier.

3. Januar. Eine schöne Woche mit Kai (auf die Stunde eine Woche – vier Tage in Praxmar, zwei auf der Reise, einer in München). Es ist wahrhaft erstaunlich, was K. in diesem Jahr gelernt hat, was für einen schönen Ernst er hat, welche Originalität der Ansichten. Das ist einmal ein Mensch, der *denkt,* d. h. denkt, was vor ihm nicht gedacht wurde... Die Zeiten, da ich sein Schulmeister war, sind vorbei, ich kann wohl mehr von ihm lernen, als er von mir. Übrigens kann ich nicht sagen, daß ich neidisch auf ihn bin, denn er ist so wie er ist, durch seine ganze Persönlichkeit, nicht durch ein zufälliges Talent, um das man ihn beneiden könnte. Er hat von mir gelernt, das ist keine Frage. Nun aber geht er auf eigenen Füßen und wie schön ist sein Gang. Die Gespräche, die wir gehabt haben, kann ich nicht aufzählen, gereizt war nur eines über aktuelle Politik. Ohne Zweifel sind wir uns näher gekommen und stehen nun so, wie ich es wünsche.

5. Januar. Hier immer dieselbe Misere. Lange Frühstücke, wenig Arbeit, der Alte verstimmt, die Mahlzeiten trostlos, sobald Erika nicht da ist, langweilige kurze Spaziergänge, sogar die Luft, sonst ein Hauptplus, à la Heidelberg... In den letzten Tagen viele Gespräche mit Klaus gehabt, heute sogar einen Streit, welcher in persönliche Injurien (von seiner Seite) ausartete.

7. Januar. Heute kam ein angenehmer Brief von Kai, fünf Bände Lenin, ein neuer Anzug: Krisen-Anzug, der zehn Jahre halten soll. Leider auch ein Brief von E. R. Curtius an den Klaus, mit der Bemerkung: »Das literarische Debut

Ihres Bruders habe ich mit Interesse gelesen; ich weiß aber offen gesagt nicht recht, was er will, und denke, er weiß es selber nicht.« Hierüber habe ich mich sehr alteriert. Getan habe ich in diesen drei Wochen, wenn ich von der Woche mit K. absehe, sehr wenig; geschrieben sechs Seiten, gelesen ein Werk über deutsche Außenpolitik 1890–1914 (trostlos!) und ein paar Kleinigkeiten.

8. Januar. Heidelberg. Regen. Schon wieder alles beim alten, nach einer erstaunlich schnellen und bequemen Fahrt, fünfeinhalb Stunden, neulich zehn, während derer ich in den *Gedanken und Erinnerungen* las... Ich ging noch denselben Nachmittag nach meiner Ankunft ins Philosophische Seminar und las ein paar Plinius-Briefe – eine amüsante Lektüre. – Man soll gerecht gegen Heidelberg sein, ich werde noch danach jammern. – Klaus meinte, letztlich habe er an einer Revolution kein Interesse. Nicht nur habe er es jetzt materiell besser, mehr Ruhe usw., sondern es sei auch eine brüchige Gesellschaft besser zu beschreiben als eine neue, fehlerfreie. Das ist ganz richtig; der Geist fällt überall da ein, wo es Löcher gibt.

9. Januar. Als Bismarck geboren wurde, war die Französische Revolution fünfzehn Jahre her (sollte heißen: zwanzig) und es lebten noch die Männer jener Zeit. Als er starb, war mein Vater ein erwachsener Mensch. Man verzwanzigfache diesen Zeitraum – und man ist mitten im alten Rom. So kurz ist jener Bereich, den wir den geschichtlichen nennen. Ein Kopernikus der Zeit war noch nicht da.

12. Januar. Ich lese sehr rasch etwa zwei bis drei Stunden täglich Bismarcks *Gedanken und Erinnerungen*. Es sind sehr viel Klatsch, starke Bosheiten und Heuchelei (auch blau-

äugige) darin, aber auch vorzügliche und vorzüglich ausgedrückte Gedanken.

14. Januar. Ein Brief von Pierre, der mir zu dem Hegel-Aufsatz gratuliert. Nachmittags bei Harry Schulze (ich durfte, denn ich hatte fünf Tage keinen Menschen gesehen), der wirklich ein sehr netter Junge ist.

15. Januar. Es ist leichter, in der Einsamkeit zwei Leuten zu begegnen als einem; denn zwei, zumal ein Pärchen, beziehen sich zunächst aufeinander, nicht so schroff auf jenen, der entgegenkommt; bei dreien ist es schon wieder anders. – Gestern, bei einem Versuch, meine Arbeit nachzulesen, die bis auf Einleitung und Schluß im Konzept »fertig« ist, wurde mir so mies, daß ich beschloß, ins Kino zu gehen, was ich Gott weiß wie lange nicht getan. Ein Spionagefilm, zum Schluß die Hinrichtung einer Frau, süßlich und hundsschlecht. Zuvor ein paar angeblich russische Tänzer, die auch der Menschheit ganzen Jammer merken ließen, einer mit einem kläglich schiefen Mund. Ich wurde in dem riesigen und besetzten Kapitol just neben dem einsam in seinem Mäntelchen sitzenden Alfred Weber plaziert, der offenbar auch nicht arbeiten konnte und sich an Großstadtfreuden zu zerstreuen suchte. Der ganze Heidelberger Jammer! – Die nächtlichen Straßen – ich gehe hier in meinen eigenen Spuren. Als man den Kai hier noch treffen konnte, »Genossen« im Kaffee Krall, dann der Sommer und Herbst mit ihm – der politische Winter mit Cassirer; noch der letzte Sommer mit Bobby, der Gruppe usw. Jetzt bin wirklich nur noch ich da. Sauve qui peut!

Hier endet das Heft, das nachfolgende ging verloren. Dazu einige Erklärungen.

Kai war der Sohn von Adolf Köster, eines Hamburgers von bescheidenster Herkunft; dessen Vater war eine zeitlang Berufs-Sergeant gewesen, »Kapitulant«, wie der Ausdruck war, dann Zoll-Angestellter am Hamburger Hafen. Nach des Sohnes Tod besuchte ich die alten Eltern noch in Blankenese, schlichte und sehr würdige Leute. Adolf arbeitete sich hoch; in einem Roman, *Die bange Nacht* – der Titel einem Lied von Hermann Löns entnommen –, hat er seinen harten Aufstieg beschrieben, Studium der Theologie, die er später eine »lächerliche Wissenschaft« nannte, Privatdozent der Philosophie, Journalist. Als Kriegsberichterstatter tat er, wie so mancher Sozialdemokrat, was er konnte, um die Moral seiner Leser intakt zu halten, ohne zu beschönigen oder in falsche Hurratöne zu verfallen. Nach dem Zusammenbruch 1918 wurde er in die Weimarer Nationalversammlung gewählt, von welcher die Republik ihren Namen erhielt: ein Jahr lang war er Minister des Äußeren, des Inneren ganze drei Monate. Unterdessen und danach schrieb er: ein Buch über und gegen den General Ludendorff, das Torso blieb – warum wurde es nie veröffentlicht? –, eine Broschüre, *Konnten wir im Herbst 1918 weiterkämpfen?* gegen die Dolchstoßlegende, deren vergiftende Wirkung er besser verstand als die meisten seiner Parteigenossen. Gar nichts, so klagte er, hätten die republikanischen Regierungen gegen die »Beschimpfung und Bezichtigung des eigenen Volkes« getan. Die Legende »wird geglaubt werden, solange die Republik in sträflicher Nachlässigkeit die ausgiebige Verbreitung der Kenntnis jener unumstößlichen Tatsachen versäumt, an denen die Dolchstoßlegende früher oder später zerschellen muß«. Was sie niemals tat; sie wurde nur durch neue, schlimmere Erfahrungen überlagert und vergessen, nie eigentlich verworfen... Später ging Köster in den Auswärtigen Dienst, Gesandter in Riga, dann in Belgrad, wo er 1930 an einer zu spät entdeckten Blinddarmentzündung starb, nur 47 Jahre alt. In Belgrad war er so beliebt, zumal bei den Militärs, deren Manöver er als Kenner stets begleitete, daß über alle Stürme hinweg noch heute eine Straße nach ihm benannt ist. Denkbar, daß, wenn er gelebt hätte, die Politik der SPD in den Jahren vor Hitler eine weniger selbstmörderische gewesen wäre. Nach seinem Tod gab Kai sein Heidelberger Studium auf, weil die Familie nun von der schmalen Pension der Mutter leben mußte. Für eine Zeit fand er Arbeit bei der SPD-Fraktion im Reichstag. Ein paar Mal besuchte er mich in Heidelberg, ich ihn in Berlin. Er hatte vier Brüder, und alle waren sie die schönsten Germanen, die man sich nur vorstellen kann, was ihnen aber in Anbetracht des sozialdemokratischen Vaters im neuen Reich der Germanen wenig half. Der Mutter wurde die Pension gekürzt.

Adolf Köster hatte ein Mädchen aus guter, soll heißen wohlhabender Familie geheiratet; womit er, wie Kai Jahrzehnte später meinte, schön früh im Sinn des »Godesberger Programmes« handelte. Frau Köster war eine begabte Malerin, aber ich kann nicht sagen, daß sie mir sehr gut gefallen hätte. Sie kam nicht darüber hinweg, daß sie eine große Dame gewesen war – »Du weißt doch, wie es auf einer Gesandtschaft zugeht« –, jetzt aber sparsam leben mußte, worauf sie sich nicht verstand. Auch Kai, ihr ältester Sohn, besaß künstlerische Begabung, aber ohne daß sie sich in irgendeiner Richtung konkretisiert hätte. Er liebte es, im Grase zu liegen, etwa in der Lüneburger Heide, zu lesen oder in den Himmel zu schauen. Seine Art zu Denken war, wie jene seines Vaters, intuitiv und sachlich, nicht ideologisch; sein Gespräch mehr assoziierender Monolog als

Rede und Gegenrede. An jenem Abend im Tiroler Gebirge, an dem wir uns stritten, rief er: »Schluß mit den Rußland-Vergleichen! Da hat eine Bande intellektueller Terroristen Ordnung in ein amorphes Staatswesen gebracht. Mit der deutschen Situation hat das rein gar nichts zu tun!« Er hatte ja recht. Obwohl ich den Karl Marx auf den Tod nicht leiden konnte, glaubte ich damals an »die Revolution« als Notwendigkeit, oder wollte daran glauben, oder tat so, als ob ich daran glaubte, um meinen jüngeren Freund zu schulmeistern. Wie ernst oder unernst solche Ansichten gewesen waren, sie kamen mir unter dem Druck der Wirklichkeit rasch abhanden. Jedenfalls war das Wort von den »intellektuellen Terroristen« und dem »amorphen Staatswesen« eines, das in mir haften blieb, sich verzweigte. So ging es mir später noch einige Male: Ein einziger Satz, von dem rechten im rechten Moment gesprochen, konnte durch die Jahrzehnte wachsende Wirkung tun.

Leonore L., seit jenem Besuch im Schloß Kuchelna, 1923, mir flüchtig bekannt, erschien zwei Jahre nach dem Tod ihres Vaters im Sommersemester 1930 in Heidelberg, um Volkswirtschaft zu studieren – sie promovierte bei Alfred Weber –, und nebenher etwas Geschichte und Philosophie zu treiben. Wir trafen uns in Jaspers' Seminar und vertrugen bald uns ausgezeichnet. Es entstand eine Dreiergruppe, Leonore, Reinhold Cassirer und ich. Reinie, klug, liebenswürdig und witzig, stammte aus einer bedeutenden Berliner jüdischen Familie, ein Philosophieprofessor klingenden Namens, ein erfolgreicher Kunsthändler, was noch. Wir trafen uns einmal die Woche in meinem Zimmer in der Pension Neuer, um die Lektüre zu besprechen, die Jaspers uns für die folgende Sitzung auferlegt hatte. Leonore wohnte weit draußen in Schlierbach, wo sie bei einer sympathischen Witwe, Frau Noll mit Namen, zusamt deren zwei Töchtern auch die Mahlzeit nahm. Öfters besuchte ich sie dort, entweder mit dem Fahrrad oder indem ich den Weg, zugleich abkürzend und angenehm erschwerend, zu Fuß über den Berg nahm. Auch machten wir allerlei Fahrten in ihrem winzigen Auto – ich glaube, es hatte vorne nur einen Platz, hinten einen Außenbord-Sitz, auf den man über eine Stufe kletterte. An der Universität besaßen ganze zwei Studenten Autos; das andere war ein »Hanomag«, auch nicht viel größer als ein Kinderwagen. Einmal fuhren wir hinüber in die Pfalz und besuchten den Dom von Speyer – die weiteste Reise, die ich von Heidelberg aus machte. Leonore kränkelte in der Jugend; im Alter wurde sie gesund. Ihr Kopf war, wie ich bald merkte, schärfer als der meine. Sie sprang auf alles an, was man sagte, freute sich über jede passende Formulierung; den Humor hatte sie wohl von ihrer Mutter. Eine gute Anzahl von Jahrzehnten später hat sie in Heidelberg für eine Zeit Philosophie unterrichtet, ihre Studenten bewunderten ihren Scharfsinn ebenso sehr wie ihre pädagogischen Talente.

Reinie Cassirer führte mich im Herbst 1930 in die Heidelberger Sozialistische Studentengruppe ein. Ein ganz neues Erlebnis. Vorher hatte ich ziemlich einsam gelebt, obgleich im Sommersemester 1930 weniger so als im Winter zuvor; ein paar Freunde und Freundinnen immerhin. Nun gab es plötzlich an die hundert »Genossen«, ein Wort, das ich nicht mochte, aber gebrauchen mußte, zumal ich nun selber der Genosse M. wurde: Ein Kern von vielleicht zwanzig Jungen und Mädchen – »Männer und Frauen«, »Damen und Herren« würde hier nicht passen –, um sie herum ein weiterer Kreis von Mitgliedern, deren Namen mir nicht haften blieben. Die »Gruppe« hatte einen stattlichen Raum gemietet, zu bezahlen durch gestufte Beiträge; wer, wie ich, mehr als 200 Mark von seinen Eltern erhielt, zahlte

10 % davon. Dort traf man sich, um Referate anzuhören und zu diskutieren. Auch gab die Gruppe eine Monatsschrift heraus, *Der Sozialistische Student,* als Gegenstück zu dem offiziellen, von der Universität finanzierten *Heidelberger Student,* der sich nun stark und schnell nach rechts hin entwickelte. Es wurden gemeinsame Ausflüge unternommen, bei denen die Klampfe nicht fehlte. Noch besitze ich ein Gruppenbild von einer dieser Exkursionen; ich ganz am Rand stehend, mit Kragen und Krawatte; die anderen im Stil der Jugendbewegung gekleidet. Der Vorsitzende, Martin Hörz, ging jahraus jahrein in demselben braunen Cordanzug. Ein großartiger Kerl, aussehend wie der junge Luther, kraftvoll und hellen Verstandes, Pfarrerssohn, glaube ich, trotz seiner marxistischen Überzeugungen im Moralischen so streng, daß seine intime Freundschaft mit der Tochter eines Berliner Feuilletonchefs eine Bettgemeinschaft striktest ausschloß; die erst nach der Hochzeit (zu der es nicht kam). Mich mochte er, suchte mir bei der Überwindung meiner Scheu zu helfen, schob mir allerlei Aufgaben zu: Vorträge, Leitartikel in der Monatsschrift. Im Jahre 32 trat Hörz in die Kommunistische Partei ein und machte eine Reise nach Rußland, um sich über die Erfolge des ersten Fünfjahresplanes zu informieren. Damals war ich nicht mehr in Heidelberg, las aber, was der *Heidelberger Student* über seinen Vortrag berichtete: jener Plan scheine wirklich erfolgreich zu sein. Auch die Nazis hatten – manchmal, nicht oft – Sinn für die Qualität und Brauchbarkeit eines jugendlichen Gegners. Nach der »Machtergreifung«, als mancher Sozialist im Städtchen, zum Beispiel der biedere und sehr tüchtige Leiter der Heidelberger Gewerkschaften, erbärmlich zusammengeschlagen wurde, bedeutete man dem Martin: Dir geschieht nichts. Sogar hörte ich, man habe ihm die Stellung eines »Reichs-

jugendführers« angetragen, wenn er nur widerrufen wollte. Hörz wollte nicht. Prompt verließ er Deutschland, ging nach Schweden, wo er anfangs sich als Stahlarbeiter durchbrachte. Was dann aus ihm wurde, weiß ich nicht. Einmal fragte ich Willy Brandt, ob er in Schweden einem Landsmann jenes Namens begegnet sei; er verneinte.

Ein anderer führender Kopf in der Gruppe war Otto Jakobsen, »Oja« genannt. Er war etwa fünfzehn Jahre älter als die anderen, noch Veteran aus dem Weltkrieg, eine Erfahrung, die schon für sich allein ihn reifer machen mußte als die Jüngeren; sehr hager, die Gruppe bezahlte, so gut sie eben konnte, für seine und seiner Lebensgefährtin Heidelberger Existenz. Nach dem Krieg zuerst Arbeiter, dann Journalist, studierte er in Heidelberg Soziologie, Zeitungswissenschaft, das neueste, einstweilen auf Heidelberg beschränkte Angebot auf dem Markt der Geisteswissenschaften, und Neuere Geschichte, diese jedoch, ohne je ein Kolleg zu hören oder an einem Seminar teilzunehmen. Er konnte gut sprechen, besonders wenn er den Leuten von seinen Kriegserlebnissen erzählte, von dem Abgrund zwischen der Wirklichkeit und dem, was die patriotischen Zeitungen darüber zu berichten liebten. Unter den Genossen war seine Rede derb und gespickt mit Obszönitäten. Darüber ein heller Berliner zu mir: »Das ist nicht die Sprache der Arbeiter. Es ist die Sprache von Winkeljournalisten.« Sein Doktor-Examen begann mit einer Krise: Der Professor Andreas weigerte sich, ihn zu prüfen, weil er Geschichte offenbar nie studiert habe, ein in seinem Professorendasein beispielloser Fall. Was tun? Der Dekan der Fakultät, Professor der Philosophie Ernst Hoffmann, zeigte sich großmütigerweise bereit, ihn in seinem eigenen Fach zu examinieren. Nun galt es, ihm binnen vierzehn Tagen einige philosophische Grundbegriffe und die zu ihnen gehörenden Autoren beizubringen. In meinem Tagebuch: »Gestern und heute mit Jakobsen Philosophie gepaukt und mich heiser geredet; er stellte sich ungeschickt. Das ist nicht gut; man macht platt, was einem Ernst ist.« Es ging dann aber doch leidlich, ich denke, dank Ernst Hoffmanns Toleranz, und Jakobsen verließ Heidelberg mit einem Doktorhut, wenn auch mit sonst gar nichts; später trafen wir uns als »Emigranten« in Prag wieder.

Gelegentlich empfingen wir Gäste von auswärts zu Referaten. Einer von ihnen blieb mir unvergeßlich: der österreichische Philosoph oder Soziologe oder wie er sich nannte Otto Neurath. Sein Vortrag fand während eines Gruppen-Ausfluges irgendwo auf dem Land statt; wir übernachteten in der Jugendherberge, Neurath und sein Freund, der Privatdozent für Statistik Dr. Gumbel, im Gasthof. Das Thema lautete: »Der Marxismus als Waffe der Arbeiterschaft«. Was der hochgewachsene und stark korpulente Gast bot, war aber nicht eigentlich Marxismus; es war die Philosophie oder Anti-Philosophie des »Wiener Kreises« in ihrer schärfsten Ausprägung, dem »Physikalismus«. »Alles physikalisch« lautete der häufig wiederholte Refrain. Für den Physikalismus gibt es »Geist« nicht, folglich keine Doppelheit von Geist und Körper. Folglich also auch keine Geisteswissenschaften; die Wissenschaft ist eine All-Eine, immer und unvermeidlich auf Physik gründend. Sätze oder Fragen, die sich nicht physikalisch ausdrücken lassen, sind unechte, sind leer. Behauptet einer, er habe rote Löwen gesehen, so ist seine Aussage zwar höchst unwahrscheinlich, aber sinnvoll, weil prüfbar. Wenn dagegen ein moderner Philosoph – da wählte er ein wohlgeeignetes Beispiel –, wenn er schreibt: »Das Nichts nichtet«, so ist es ein physikalisch nicht einmal zu widerlegender, weil ein sinnleerer Satz. Sinnleer ist alle Philosophie. Solches erscheint schon in dem Umstand, daß der Philosophiestudent immer zur Lektüre der Autoren des Unsinns selber genötigt wird, hätten sie auch vor zweitausend Jahren gelebt, weil Unsinn keinerlei Fortschritte machen kann. Wer dagegen liest denn heute noch den Newton? Seine Leistungen sind in Späterem aufgehoben. In der Wissenschaft studiert man nur das Neueste. Darum: »Lest's keinen Kant, lest's keinen Schopenhauer; Wissenschaft sollt's treiben! Von den alten Eierschalen, Metaphysik, Idealismus und alledem müßt ihr euch befreien. Da werdet ihr nun sagen: ach, das ist ja Büchner mit seinem *Kraft und Stoff,* das ist Moleschott, das ist doch alles längst veraltet. Falsch, das ist gar nicht veraltet, wir haben's nur weitergeführt.« Und nun die Bedeutung des Physikalismus für die Arbeiterschaft? Die folgende. »Der Intellektuelle schwimmt immer wie ein Fettauge auf der Suppe, und dafür ist ihm jede Vernebelung recht. Der Philosoph, der Pseudo-Wissenschaftler, selbst wenn er behauptet, sich, sagen wir, mit Volkswirtschaft zu befassen, will immer vernebeln. Schon seine geschwollene Sprache zeigt es: Manifestation, Emanation, Negation der Negation. Wenn der Prolet so etwas liest oder hört, dann versteht er es nicht und meint, er sei zu blöd. Ist aber gar nicht wahr. Gerade der Arbeiter versteht sehr genau, wenn man mit ihm über wirtschaftliche Tatsachen spricht, so einfach wie sie sind.« Unlängst, so erzählte der Doktor, habe er einen Wahlkampf in Wien mitmachen müssen. Und habe angefangen: »Also, ich soll hier eine Wahlrede halten. Wollt ihr für die Mieten im Gemeindebau mehr zahlen als bisher? – Lautes ›Nein‹! – Wollt ihr für die Straßenbahn mehr zahlen als bisher? – ›Nein‹! – Für die Milch? Für die Krankenkasse? ›Nein, nein, nein!‹ Also, dann wählt's sozialistisch« – und sei wieder abgetreten unter dem Jubel seiner Zuhörer.

Neuraths Vortrag beeindruckte mich tief; hatte er recht, völlig recht, dann waren meine Heidelberger Jahre verloren. Hier tat Verteidigung not. Meine erste Frage in der Diskussion: »Gilt, was Sie über die Philosophen sagten, auch für Hegel?« Neurath zögerte einen Moment. Dann: »Der Hegel strotzt vor Realität. Auch Lenin hat ja empfohlen, ihn zu lesen. Ob viel dabei herauskommt? Auch im Hegel steht eine Menge barer Unsinn« – in welch letzterem ich ihm recht geben mußte. Meine zweite Frage: »Hat denn nicht Marx selber gewisse Ideale im Kopf getragen? Hat er nicht einen Begriff von dem gehabt, was der Mensch sein oder wie er leben sollte, aber zur Zeit noch nicht lebt?« Neurath: »Nix als physikalisch. Der Marx hat eben das Elend der Proletarier in London nicht mitanschauen können. Er hat's nicht riechen können. Was brauchts da Ideen?« Eine Antwort, die mich etwas erleichterte, weil sie in mehr als nur einer Beziehung total falsch war.

So am Vormittag. Am Nachmittag ging ich zum Schwimmen in einem Freibad am Rand des Dorfes und traf den Dicken aus Österreich im Wasser an. Zu ihm, mit Lachen: »Hier ist ja nun alles wirklich physikalisch!« Dann wurden wir ernsthafter: »Ich werde Ihnen ein kleines Gedicht von Friedrich Hebbel aufsagen:

> Den bängsten Traum begleitet
> Ein heimliches Gefühl,
> Daß alles nichts bedeutet,
> Und wär' uns noch so schwül.
> Da spielt in unser Weinen
> Ein Lächeln hold hinein,
> Ich aber möchte meinen,
> So sollt' es immer sein!

Was Hebbel da meint, ist unwissenschaftlich. Aber ist es deswegen völlig sinnlos?« Neurath: »Es steckt etwas Psychologie drin, Traum-Psychologie. Psychologie, ernsthaft betrieben, gehört natürlich zur Wissenschaft.« Dann gutmütig: »Sie packen die Sachen doch ganz gut an.«

Von den »metaphysischen Eierschalen«, welche wir loswerden müßten, war fortan unter den Genossen noch hin und wieder die Rede, ernsthaft oder scherzhaft.

Heidelberg und die Krise

Rückblickend glaubt man leicht, »Geschichte« voraus gesehen zu haben, nicht genau, aber ungefähr. Die Wahrheit
ist, daß ich gar nichts voraussah, noch am 31. Januar 1933
nicht. Meine Tagebücher geben genügend Zeugnis davon,
obgleich kein sehr dichtes. Noch war ich zu sehr mit mir
selber beschäftigt. Die Erinnerung aber und gelegentliche
Aufschreibungen sagen mir, daß ich nichts voraussah, nur
vielerlei für möglich hielt; so auch das »Dritte Reich«, obwohl auch dies nicht in der Gestalt, die sie in der Wirklichkeit annahm. Die düstere Prophezeiung des Genossen Max
Diamant bewegte mich als Möglichkeit, sonst hätte ich sie
nicht notiert; aber völlig ernst nahm ich sie kaum. Wir
tappten im dunkeln. Ein Grundirrtum, von nur allzu vielen
geteilt, daß ich Adolf Hitler und die Seinen gewaltig unter-
schätzte.

Es gab andere Irrtümer. Meine Generation war in die parlamentarische Republik hineingewachsen und nahm ihre
Dauer für selbstverständlich. Etwas sozialer sollte sie werden. Mit dem Vertrag von Versailles sollte sie sich versöhnen, indem sie von seinen Bosheiten und Ungereimtheiten
sich allmählich und gütlich befreite: die Besetzung des
Rheinlandes, die Reparationen. An das »Rapprochement
Franco-Allemand« glaubte ich, also an die Politik des Außenministers Stresemann. Eine Regierung der Großen
Koalition in Berlin war mir recht, weil sie eine sichere
Mehrheit im Reichstag besaß und auf Kompromissen beruhen mußte: zwischen der Deutschen Volkspartei mit ih-

ren Beziehungen zur Großindustrie auf der rechten, und den Sozialdemokraten, engstens verbündet mit den Freien Gewerkschaften auf der linken Seite; ebenso zwischen ihnen, denen Religion als Privatsache galt, und der katholischen Zentrumspartei. Warum nicht? Auf Kompromissen mußte alle Politik beruhen. Der Ton im Reichstag blieb ungut; es wurde da viel geschmäht, gern von »Schande« und »zwölfter Stunde« gesprochen, wie eh und je, aber politische Morde kamen nicht mehr vor. An der Spitze des Reiches stand ein kaiserlicher Feldmarschall mit, so viel wußte ich, stockkonservativen Ansichten und beschränktem Verstand; wohl hatte ich mich über seine Wahl aufgeregt, anno 25. Er machte dann seine Sache würdig genug; eine Verlegenheit für jene, welche die Republik haßten, ihr Oberhaupt aber respektieren mußten. Auch die republikfeindliche konservative Partei, jetzt die »Deutschnationale« genannt, hatte gelegentlich an der Regierung teilgenommen. Warum sollte das nicht so weitergehen? Sich noch mehr festigen? Wo waren die Alternativen? Nie würden die Kommunisten zur Macht gelangen; die Nationalsozialisten erst recht nicht. Sie hatten bei den Reichstagswahlen von 1924 noch 31 Sitze erobern können, vier Jahre später nur noch zwölf; eine lästige, närrische Gruppe am Rande.

Ein geschulterer Blick hätte das alles anders gesehen; hätte gewußt oder geahnt, wie zerbrechlich die ganze Anordnung war, im Inneren des Deutschen Reiches wie auch außerhalb; und wie alles übel zusammenhing, im Raum und in der Zeit. Um zu verstehen, mußte man die Vorgeschichte kennen, ungleich gründlicher, als ich es damals tat: die Fehlkonstruktionen des Bismarck-Reiches, die unterdrückten, nie gelösten Konflikte zwischen den sozialen Klassen und den ihnen zugehörenden Parteiungen; Konflikte, während des verrückten Weltkrieges momentan unterdrückt, um danach wieder im Offenen zu brennen, ärger als zuvor: die furchtbare moralische Verwirrung, welche der Krieg zurückgelassen hatte. Ein besser mit den Dingen Vertrauter hätte gewußt, wie künstlich und unfest die Anordnung der neuen Staaten in Ost- und Südosteuropa war, gerecht auf dem Papier, verfälscht in der Wirklichkeit, durch die Wirklichkeit: Deutsch-Österreich, ein Staat wider Willen des Staatsvolkes; Jugoslawien, eine Diktatur der Serben über Kroaten, Slowenen, Albaner; die Tschechoslowakei, angeblich Nationalstaat, in welchem die Tschechen selber in der Minderheit waren gegenüber den Minderheiten, Deutschen, Ungarn, Ukrainern, während die Slowaken, welche der herrschenden Nation angehören sollten, ihr auch wieder nur auf dem Papier angehörten; der neue polnische Staat, viel zu weit sich erstreckend auf Kosten der Russen, der Litauer, auch der Deutschen; diese ganze neue, neonationalistische Ordnung, gestützt durch Bindungen, die ich, irrtümlicherweise, weil ohne Kenntnisse, für zuverlässig hielt, eine polnisch-französische Allianz, die »kleine Entente« ČSSR, Rumänien, Jugoslawien, die ihrerseits sich auf Frankreich stützten, den Sieger, der für den Sieg am stärksten gelitten hatte und eben darum, käme es zu einer neuen Machtprobe, sie nicht mehr bestehen, seine Bundesgenossen im Osten im Stich lassen würde... Von alledem wußte ich nichts oder so gut wie nichts, provinziell und eingesperrt, wie unsere Bildung war; es sind Ansichten ex eventu. Und wußte auch nicht, auf wie tönernen Füßen die magere Herrlichkeit der deutschen Wirtschaft beruhte, daß die reichen Kapitalien fehlten, welche Deutschland vor dem Krieg in der weiten Welt besessen hatte, daß mit geliehenem Geld gewirtschaftet wurde, mit ihm neue großartige Bauten errichtet, mit ihm auch die Reparationen bezahlt, und daß die geliehenen Milliarden plötzlich könnten abberufen werden. So lebten wir in den Tag und in das Jahr, unsern Geschäften nachgehend, ohne Ahnung von dem, was drohte.

Eines wenigstens war dem jungen Studenten deutlich: der mißfarben graue Charakter der Republik, der Mittelmäßigkeit jener, welche sie vertraten. In ihrer großen Mehrheit waren es die Männer des Kaiserreichs, nur älter geworden, trost-ärmer geworden, noch immer mit dem Zylinderhut und der sichtbar um den steifen Kragen geschlungenen Krawatte; Männer, die rein gar nichts ausstrahlten, ohne Ideen, ohne Hoffnung. Daß die Worte des Ministers Stresemann, er sehe »Silberstreifen am Horizont« sprichwörtlich geworden waren, mag zeigen, wie sehr es den Ministerreden an Zukunftsperspektiven fehlte. Meist handelten sie von »schweren Opfern«, leider Gottes wieder einmal notwendigen. Kein Humor. Die Deutschen von vor 1914 hatten viel gelacht, auch in politicis, dafür sorgte Wilhelm II.; nun war ihnen das Lachen vergangen. Keine Feste auch, keine feierlich-freudigen oder intimeren Kontakte zwischen Regierern und Regierten. Daß etwa ein Kultusminister mit seinen Studenten diskutiert, sie angesprochen hätte – undenkbar. Als es die Republik schon nicht mehr gab, nannte ich sie in meinem Tagebuch »dies Kaiserreich ohne Kaiser«. Das war sie gewesen: das verkrüppelte, verarmte »Reich«, ohne die alte Machtstellung in der Welt, ohne die Flotte, ohne die Militärparaden, ohne Scheintriumphe, Glanz und Pomp, ohne den Schutz, den die Krone, trotz der Lächerlichkeit ihres Inhabers, noch immer geboten hatte. Ja doch, die Literatur blühte, die Architektur, die Malerei, die Musik, das Theater; und die Naturwissenschaft auch. Aber alle diese guten Dinge sind nicht eigentlich der Republik zuzurechnen. Sie waren schon vorher dagewesen, mit wenigen neuen Erscheinungen, wie Bertolt Brecht eine war.

Im Herbst 1928 sah und hörte ich Adolf Hitler zum ersten Mal; kaum ein halbes Jahr nach seiner schweren Wahlniederlage. Offenbar aber war er nun im Aufwind, wenigstens in München. Statt eines Saales bedurfte er deren drei, weit auseinanderliegenden. Sehr groß war der Raum, in dem ich mich befand, nicht. Am Eingang das Schild: »Juden ist der Zutritt verboten«. (Daß die Stadt oder der Staat diese gesetzeswidrige Kundmachung duldete, war ein Zeichen von Schwäche, wenn nicht von Sympathie. Mein armer Großvater hatte testamentarisch seine berühmte Majolika-Sammlung dem Bayerischen Nationalmuseum vererbt, unter der Bedingung, daß jenes Verbot verboten würde, was nie geschah.) Man saß an Tischen und trank Bier. Da meine Nachbarn sich als Anhänger gaben, so spielte ich ihn auch, indem ich, so gut es ging, bayerischen Dialekt sprach. Der Redner, Lückenbüßer, bis der große Mann anlangte, konnte seine Sache immerhin, scharf, höhnisch, seinen Zuhörern schmeichelnd. Es ging um die Herabsetzung der Eisenbahnpreise für die erste und zweite Klasse – damals gab es deren noch drei oder vier; vermutlich wollte die Direktion eine bessere Ausnützung der oft leerstehenden Abteile erreichen. »In der dritten Klasse fahren wir, die Volksgenossen. In den Polsterklassen fahren die Schieber, die Bonzen, die Juden.« Zu beiden Seiten des Podiums ein Jüngling in SA-Uniform, keinen Muskel rührend, eine Art von Ehrenwache. Nach einer Weile erschien ER und wurde am Eingang mit lautem Jubel begrüßt von einer Bande junger Leute, die ganz offenbar mit ihm angelangt waren, Routine, die sich an jenem Abend zum dritten Mal wiederholte; was machte es aus? Indes er zum Podium schritt, postierten sich, anstatt nur zwei vier

Garden zu beiden Seiten. Er sprach frei und höchst intensiv. Gegen die Frankreich-Politik des Reiches ging es, die
Hoffnung, es könnte zu einer dauernden Aussöhnung mit
dem unerbittlichen, teuflischen Erbfeind kommen, gegen
den Minister Stresemann. Diese Illusion sei, wie wenn
einer in der Lotterie spielte und jedesmal hoffte, das große
Los zu gewinnen. Bei diesem Vergleich – wie ich später las,
gründete er sich auf ein Erlebnis aus des Redners eigener
Jugend –, bei diesem Vergleich war es, daß die vier starren
Jünglinge ein zartes Lächeln um ihren Mund spielen ließen, auch das nach Programm und an diesem Abend zum
dritten Mal. Gegen die Energie, die Überzeugungskraft
des Redners mußte ich mich wehren; was einem Freund,
den ich mitgebracht hatte, rein jüdischer Abstammung,
nicht gelang. »Er hat ja recht«, flüsterte er mir zu. Dieses
»Er hat ja recht« – wie oft habe ich es später hören müssen,
von Mit-Zuhörern, von denen ich es nie erwartet hätte,
Schweizer Freunden zum Beispiel. Ein paar andere Dinge,
die mir auffielen. Der Redner wollte auch jene gewinnen,
die, wie er wohl wußte, nur gekommen waren, um sich zu
amüsieren: »Und ob Sie als meine Gesinnungsgenossen gekommen sind oder nur, um mich einmal zu hören...« Und
dann versprach er »ungezählte Massenversammlungen«
in diesem Jahr und dem nächsten, auch »wenn keine Wahlen bevorstehen«, welch letztere Bemerkung gegen die eta-
blierten Parteien ging. Insgesamt blieb der Eindruck von
schwülem Sturmwind, der zugleich von einer Theaterma-
schine gemacht wurde und von dem Menschen selber ausging. Lange hielt der Eindruck aber nicht an, ich verdrängte ihn. Schlimmer: der Mann tat mir leid. Er regte
sich so sehr auf und würde sein Ziel ja doch nie erreichen...
So kehrte ich nach Berlin zurück, wo während des folgenden kalten Winters von Hitler nirgendwo die Rede war.

Anfang Oktober 1929 starb Gustav Stresemann; für die Republik ein unersetzlicher Verlust, soviel war klar. Drei Wochen danach kam es zum Zusammenbruch der New Yorker Börse. Die Stimmung in dem Abteil, in welchem ich Ende Oktober nach Heidelberg zurückkehrte, war düsterer als gewöhnlich. Ein würdiger alter Geschäftsmann unterhielt sich mit der Dame gegenüber und wiederholte mehrfach die Worte: »Wir gehen schweren Zeiten entgegen.« Das taten wir. Ich habe keinen Zweifel daran, daß die hunderttausendfach gemachte schlimme Voraussage den Gang der Dinge beschleunigte und verschärfte. Es ist mit Wirtschaftskrisen ein wenig so wie mit dem Krieg: glaubt die Geschäftswelt, daß *sie* »kommen«, und verhält sich dementsprechend, dann steigern sie sich an sich selber. Die Krise begann in den USA, um binnen weniger Wochen nach Europa, dem politisch noch völlig unabhängigen, wirtschaftlich aber schon von dem angeblich »isolierten« Nordamerika abhängigen überzuspringen; was für Deutschland, das kapitalärmste, kreditabhängigste Land bei weitem am stärksten galt. Der rasch sich verbreitende allgemeine und tiefe Pessimismus spielte jedoch auch seine Rolle dabei.

Heidelberg war ein politisch interessanter Platz, beherrscht von Professoren, Studenten und Kleinbürgern, die ihrerseits überwiegend von der Hochschule lebten: Geschäftsinhaber, Handwerker, Zimmervermieterinnen, Dienstleistungsgewerbe, ein wenig Tourismus. Fabriken gab es auch, aber verhältnismäßig weniger als in den großen Städten. Eine so zusammengesetzte Gesellschaft erfuhr die Auswirkungen der Krise schnell und tief; Gehälter wurden gekürzt und wieder gekürzt, ebenso, was die Väter ihren studierenden Söhnen monatlich geben konnten. Ein günstiger Boden für die nun im Großen einsetzende Nazipropaganda. Inmitten der Stadt, hinter der Heiliggeistkirche, stellte im Lauf des Winters eine neue Buchhandlung im Dienste der »Partei« sich dar: im Fenster Hitlers Bildnis, darunter sein Buch *Mein Kampf*, daneben die Zeitungen, *Völkischer Beobachter, Der Angriff*, mit ihren geilen Überschriften, Nazi-Romane, Nazi-Poesie, Nazi-Koppel und -Schulterriemen; vermutlich wurden auch Schlagringe und weniger harmlose Handwaffen verkauft, jedoch heimlich. Vor dem Geschäft und drinnen drängten sich die Studenten. Sie, die ehedem mit den alten Parteien der Rechten zufrieden gewesen waren, gingen nun in Scharen zu der neuaufsteigenden über; im Allgemeinen Studentenausschuß, »Asta«, besaßen die Nazis seit 1930 die Mehrheit. Das englische Sprichwort, wonach nichts besseren Erfolg haben kann als der Erfolg, bewährte sich; die Zahl der Anhänger wuchs mit jedem Monat, jedem Tag in beschleunigtem Tempo; daß ihre aggressiven, schlauen und brutalen Agenten im Schatten des Einen blieben, daß er sie stets in der Hand behielt und an rhetorischem Können sie alle überstrahlte, gab der »Bewegung« ihre in der deutschen Geschichte beispiellose Anziehungskraft. Dreist und überaus geschickt waren auch ihre studentischen Anführer in Heidelberg, gut aussehende, kühne und zynische Burschen. An ihnen freuten sich die Geführten, in dem Gefühl, das richtige Lager gewählt zu haben. Zu dem alten nationalen Motiv, dem Haß auf die »Erfüllungspolitiker« und »Lakaien« der falschen Sieger von 1918, zu dem dumpfen Gefühl, daß Deutschland potentiell die stärkste Macht in Europa sei, während man von seinen offiziellen Vertretern nur Schwaches und Demütiges vernahm, kam nun ein anderes: die Furcht, bald die Gewißheit, nach beendetem Studium keine Arbeit zu finden – ein trauriger Grund, so lange wie möglich und bei magerer Kost im Schutz der Universität zu bleiben, anstatt sich zu beeilen.

Im März 1930 brach die Regierung der Großen Koalition, geführt von dem Sozialdemokraten Hermann Müller, nach langen, mühselig überbrückten Konflikten zwischen den beiden Flügeln endlich auseinander. An ihre Stelle trat ein über- oder angeblich unparteiliches Kabinett, geführt von Heinrich Brüning, das sich im Notfall auf die Rechte des Reichspräsidenten stützen und gegen das Parlament, ohne das Parlament regieren würde. Noch erinnere ich mich an die Rede, mit der der Fraktionschef der SPD, Breitscheid, im Reichstag die neue Regierung begrüßte: die Rolle der Opposition sei seiner Partei noch immer gut bekommen. So ganz stimmte das nicht; denn auch in der Opposition hatte sie, patriotisch wie sie war, zumeist eine Minderheitsregierung stützen müssen, ohne doch auf sie einwirken zu können. Daß es diesmal um etwas ganz anderes ging, daß die erste »Präsidialregierung« den Anfang vom Ende der Republik bedeutete, ahnte der Redner nicht – wir in Heidelberg auch nicht. Brüning, ganz Ehrenmann, ganz Fachmann, entschlossen, den Haushalt des Reiches zu sanieren, auf Kosten aller, der Arbeitenden und der Arbeitslosen, der Steuerzahler und der Armen, die Wirtschaft sich gesund schrumpfen zu lassen, wonach ein neues Wachstum nicht ausbleiben konnte, was alles nach klassischer Theorie ja ganz richtig war, Brüning löste den Reichstag auf, nachdem er mit seinem Sparprogramm keine Mehrheit gefunden hatte; Neuwahlen kämen im September. Einstweilen machte er sein Programm kraft präsidentieller »Notverordnung« zum Gesetz.

Im Juni 1930 räumten die Franzosen die letzte Zone des Rheinlandes, in der sie laut Vertrag noch weitere Jahre hätten bleiben dürfen; ein später Triumph von Stresemanns Außenpolitik, eine Konzession an den deutschen Stolz, jedoch eine völlig vergebliche. Wohl wurde gefeiert, zum Beispiel eines Abends auf dem Heidelberger Schloß. Die Corps »chargierten«, es gab einen Fackelzug, dennoch kein Freudenfest. »Wir verzichten auf einen Frieden, der...« usw. rief der Vertreter der Studentenschaft. Im gleichen Sinn, wenn auch ein wenig gemäßigter, klang es aus der Rede des Professors Andreas: wieder die »Kriegs-schuldlüge«, die »Schande von Versailles«, nun zwar die wiederhergestellte Souveränität auf dem gesamten, leider schmählich beschnittenen Territorium, immerhin ein ge-wisses Verdienst des verstorbenen Außenministers, aber noch nicht im Entferntesten genug. Europa, ein Raubtier-käfig wie eh und je, der Völkerbund eine Lüge. Am näch-sten Tag wurde der Historiker im Kolleg mit donnerndem Beifall empfangen. Er verstehe solche Begrüßung richtig, begann er; immer habe er es für die Pflicht des deutschen Gelehrten gehalten, seinen Überzeugungen Ausdruck zu geben, koste es was es wolle. Freund, dachte ich mir, viel wird es dich aber diesmal nicht kosten.

Die Wahlen vom September 1930. Der Erfolg der Nazis: von zwölf Sitzen im Reichstag auf einhundertundsieben, weit mehr als Brüning, als sogar Hitler erwartet hatte. Der Jubel in der Stadt am nächsten Morgen. »Wir werden alle Soldaten!« hörte ich einen lustig rufen; der wußte gewiß nicht, daß sein Witz neun Jahre später bitterer Ernst wer-den würde. Ein anderer: »Jetzt aber Taten!« Ein dritter: »Was für ein schöner Erfolg! Von sieben Mann – die Zahl der Mitglieder bei der Parteigründung – zu einhundertsie-ben Sitzen im Reichstag!« Wie glücklich war der Hausmei-ster im Kollegienbau, ein freundlicher Mensch, wie glück-lich die Wirtin im Restaurant oben an der Bergbahn neben dem Schloß. Sie pflegte nun im Sommer vor der Tür zu

stehen und die Touristen anzusprechen: »Wollen die Herrschaften vielleicht zu Mittag speisen?« Die wollten gern,
aber sie hatten das Geld nicht. Der dicke schlagflüssige
Wirt war Brüning treu geblieben. Er mochte mich, weil ich
bei ihm zu Mittag aß, wenn ich nicht in die Stadt hinunter
ging; sein einziger Stammgast. Als er seinen fünfzigsten
Geburtstag feierte, sagte er mir lachend: »Die Hälfte ist
um!« Drei Jahre später starb er jedoch, wie seine Frau mir
im Jahre 46 erzählte. Die hatte mir damals, 1930, ohne
Scham versichert, daß sie für Hitler stimmen werde. Im
allgemeinen waren damals die Frauen noch schlimmer als
die Männer, was nicht viel heißen will.

Es war bald nach den Septemberwahlen, daß ich in die
Sozialistische Studentengruppe eintrat, in dem Gefühl:
Jetzt mußt auch du etwas tun. Aber was? Es war, mit geringen Ausnahmen, doch nur Inzucht, was wir trieben. Wir
überzeugten nur jene, die schon überzeugt waren. So hielt
ich einen Vortrag über Nationalismus, wobei ich unterschied zwischen dem, was man später »gesundes Nationalgefühl« nannte, eine Selbstverständlichkeit, auf der Sprache und allem mit der Sprache zusammenhängendem beruhend, und jenem anderen, aggressiven, hysterischen und
hohlen. Das wurde für richtig befunden, auch der französische Lektor hörte gerne zu. Aber Nazis, oder solche, die es
werden wollten, waren nicht anwesend.

Ging ich den langen Fußsteig zur Universität hinunter
oder hinauf, so kam ich an einer Bank vorbei, viermal am
Tag, und fast jedesmal sah ich dort zwei junge Burschen,
lungernd und sich balgend. »Arbeitslos« konnte man sie
nicht einmal nennen, weil sie gewiß noch nie hatten arbeiten dürfen. Und eines Tages waren sie verschwunden. Später traf ich sie in der Stadt, in brauner Hemdenuniform.
Die SA hatte sie gekapert. Nun erhielten sie mittags etwas

zu essen, hatten auch wohl irgendeine kleine Pflicht oder
Scheinpflicht, die ihrem Leben ein wenig Stolz gab. Ohne
Zweifel war dieser Fall einer von vielen Hunderten in der
Stadt, von Millionen im Deutschen Reich. Daß hier der
Staat eingreifen mußte, so viel war mir deutlich; der Ge-
danke, der sich aufdrängte, keineswegs nur mir, war der
eines Freiwilligen Arbeitsdienstes. Darüber sprach ich mit
den Genossen in der Gruppe. Aber sie, an ihrer Spitze
Martin Hörz, waren zornig dagegen: ein Arbeitsdienst
würde schnell in einen paramilitärischen ausarten, die
Jungen würden schießen lernen und patriotische Vorträge
hören und obendrein würde ihre Arbeit zu »unerhörtem
Lohndruck« führen. Mein Argument, bei vier, fünf, bald
sechs Millionen Arbeitslosen käme es auf »zusätzlichen«
Lohndruck kaum noch an, wurde nicht angenommen.
Starre, Mangel an Phantasie war der Fluch der SPD und
gerade der Aktivisten unter ihren Anhängern, weil sie auch
die Doktrinärsten waren.
Ich ging in politische Versammlungen. Eine der Sozialdemokraten, aber nicht von unserer Gruppe organisiert, als
Beispiel: Es sprach der Abgeordnete Crispien, ältester Stil,
Weißbart und Schlapphut, Arbeiter von Haus und sehr
stolz darauf, er habe nur Volksschulbildung, aber den
Marxismus, eine höchst schwierige, unentbehrliche Wissenschaft, habe er sich durch eigenes Studium in der Nacht
erworben. Ich stand oben auf der Galerie unter jungen Arbeitern, offenbar Nazis und ihrem Anführer, einem vier-
schrötigen, schlauen und bösen Menschen. »Das ist ein
Beifall!« höhnte er mehrmals, wenn unten dünner Applaus
erklang. Als der Redner begann, die Theorie von der un-
vermeidlichen Revolution auseinanderzusetzen, ging es
wie Ekel durch die Bande oben: »Ach, da kommt wieder
das alte Zeug!« Unten mehrten sich die feindlichen Zurufe,

offenbar waren Hitlers Anhänger geschickt verteilt. Schließlich erscholl ein schriller Pfiff, dann gewaltiges Gebrüll, der Anfang einer vorgeplanten Saalschlacht; ich machte mich aus dem Staube. Ein weit stärkerer sozialdemokratischer Redner war Carlo Mierendorff, Kriegsteilnehmer, in einer Gewerkschaft tätig, seit den Septemberwahlen im Reichstag, wo er die Nationalsozialisten ungleich schärfer anzugreifen verstand als seine Kollegen. Lachend erzählte er uns, wenn er am Perron-Ausgang der Bahnhöfe seinen Ausweis vorzeige – die Abgeordneten reisten gratis in der Ersten Klasse – , werde er von den Kontrolleuren des öfteren militärisch gegrüßt: wegen seines »arischen Offiziersgesichts« hielten sie ihn offenbar für einen Nazi. Mierendorff war kein Dogmatiker; er sprach stark und drohend und endete mit der an Hitler gerichteten Warnung: »Wir können nicht nur Demokratie, wir können auch Diktatur! Es wird anders werden, verlaßt euch drauf!« Nachdem er geendet hatte, eröffnete der Vorsitzende die Diskussion, aber keiner meldete sich. Einer meiner Nachbarn: »Werden sich hüten.« Diese Versammlung wenigstens konnte man ein wenig ermutigt verlassen. Mierendorff mußte später seine tapfere Haltung mit fünf Jahren Konzentrationslager büßen; 1943 kam er bei einem Luftangriff um.

Meine politische Publizistik begann ich Dezember 1930, noch mit einem Artikel im *Heidelberger Student,* dessen Redaktion in die Mitte des Textes eine Erklärung setzte: sie vertrete nach wie vor die ganze Studentenschaft, nicht, wie lügenhafterweise behauptet werde, nur *eine* Gruppe. Offenbar sollte mein Beitrag hier als Alibi dienen; eine Scheingerechtigkeit, die sie bald aufgab. Nach den Septemberwahlen hatte mein Vater in Berlin seine *Deutsche Ansprache* gehalten, der Untertitel lautete *Appell an die Vernunft.* Während der Veranstaltung kam es zu Krawallen, angeführt durch den Schriftsteller Arnolt Bronnen. Frau Hedwig Fischer, Gattin des Verlegers, die sich zu fürchten begann, schickte durch den Saaldiener einen Zettel zum Rednerpult, mit den Worten »Möglichst bald Schluß machen!«, welche Aufforderung in der Familie M. sprichwörtlich wurde. Als viele Jahre später Frau Hedwig in den USA ihren siebzigsten Geburtstag feierte, schrieb mir mein Bruder Klaus, er habe der Jubilarin ein Telegramm mit den Worten »Möglichst bald Schluß machen!« geschickt – worüber ich heute noch lachen kann. Gegen den *Appell an die Vernunft* also wandte sich ein mir unbekannter Kommilitone im *Heidelberger Studenten*. Ich antwortete mit einer Gegenpolemik, von der hier ein paar Auszüge folgen:

»Im Gegensatz zu einem im Sommer vorigen Jahres in dieser Zeitschrift gedruckten Angriff auf Thomas Mann, einer inhaltlich so dürftigen und im Ton so groben Schreiberei, daß es, sie einer Antwort zu würdigen, der ganzen Toleranz Thomas Manns, seines gütigen Interesses für die Sorgen der Jugend bedurfte, enthält der in der letzten Nummer des *Studenten* erschienene Aufsatz *Thomas Mann und Politik* immerhin stellenweise Ernstes und Halbrichtiges, dem zu entgegnen sich lohnt. Der Autor – Ernst Hülsmeyer – trägt wenigstens nicht die heuchlerische Liebe und Verehrung zur Schau, mit der sein Vorgänger dem der Jugend und dem Volke – angeblich – verlorenen Dichter wehmütig nachsah, um dann auch gleich mit allerlei nichtsnutzigen Verbalinjurien desto wütender über ihn herzufallen. Seine Haltung ist aber im Grunde dieselbe, ungerecht, ohne Verständnis im Ganzen und entstellend im Detail ... Im allgemeinen, so beginnt Herr Hülsmeyer, sei es unpassend, auch widersinnig, wenn Dichter und Denker aus der gegenwartsfernen Muße ihres Arbeitszimmers in das grelle

Licht der Öffentlichkeit, obendrein der politischen hinaustreten und, anstatt ohne es zu wissen, und selbst ohne zu wollen, mittelbar und geheimnisvoll am Webstuhl der Zeit zu weben, das Gewicht ihrer Persönlichkeit bewußt für die bestimmte Lösung geistespolitischer und politischer Fragen in die Waagschale zu werfen. Hier ist zu erinnern, daß zu Beginn der politischen Ansprache, auf die sich Herr H. in erster Linie bezieht, Thomas Mann sich die Frage, ob sein direktes Auftreten berechtigt, ob es notwendig sei, selbst gestellt und, wie mir scheint, befriedigend beantwortet hat. Er weiß, daß trotz allem, was mit einem Schein von Recht gegen eine Kunstausübung vorgebracht werden mag, die ihren Zweck nur in sich selbst hat, daß trotz der furchtbaren Schwere der Tages- und Zeitfragen, die den denkenden Menschen an allen Nerven auf das Feld des Praktischen oder Halbpraktischen zerren, die freie Tätigkeit des Geistes um ihrer selbst willen stets zu Recht bestehen bleibt, er weiß auch, daß alles, was mit Leidenschaft gedacht, mit Ernst und Lust getan wird, auf Erden schließlich auch zu etwas außer ihm gut sein muß, unabhängig davon, ob es zweckhaft gemeint war oder nicht. Er weiß es, und er handelt danach. Denn Herrn Hülsmeyer kann nicht unbekannt geblieben sein, daß Thomas Mann nun schon wieder seit vielen Jahren an einem Epos baut, das mit Politik schlechterdings nichts zu tun hat, daß er so dem rein Geistigen, nur mittelbar Wirkenden intensiver und mit mehr Disziplin hingegeben ist, als jene sich politisch zur Rechten bekennenden Schriftsteller, gegen deren Jahr für Jahr auf den Markt gebrachten, mit Tendenz faustdick beladenen Kunstwerke seinen Unwillen zu äußern Herr Hülsmeyer leider unterlassen hat. Aber: Wer wie Thomas Mann sein Leben lang mit überzeitlich menschlichen Fragen, eigentlich um Metaphysik, gerungen hat – als ob es nicht auch überzeitliche Fragen wären, die, in der Zeit, in diesem oder jenem konkreten Gewande erscheinen –, der kann es sich wohl gestatten, auch einmal um die Gefahr eines kommenden Weltkrieges sich zu kümmern, der befleckt dadurch seine Dichterehre nicht. Ein Dichter ist keine Zierpuppe, ein Mensch, der dem Publikum dadurch Spaß macht, daß er sich nur für Schönheit und Goethe interessiert und vom bösen Weltgetriebe nichts weiß; uns ist nicht bekannt, daß es den Ruhm des Verfassers der *Wissenschaftslehre* geschmälert hat, die *Reden an die Deutsche Nation* gehalten zu haben. Durch sein politisches Wirken hat Thomas Mann bewiesen, nicht nur, daß er, der Dichter des *Tod in Venedig*, sich um die Zukunft der Nation und der Kultur mit fast leidvoller Sensibilität sorgt, sondern vor allem, daß die Trennung zwischen ›Geist‹ und ›Wirklichkeit‹ überhaupt eine höchst abgeschmackte ist. Glaubt denn Herr Hülsmeyer, Thomas Mann, oder ein ähnlicher seines Kalibers, könnten noch Novellen schreiben, wenn Europa auf die Kultur des Dreißigjährigen Krieges zurückgeworfen sein wird? – Um zusammenzufassen: Die freundliche Aufforderung Herrn H.s, Thomas Mann möge doch in Zukunft bei seinen Novellen bleiben und die Finger von der häßlichen Politik lassen, wird der Dichter wohl nach sehr kurzer Überlegung ad acta legen... Nun aber, und damit komme ich zur Kritik der politischen Aussagen und Ratschläge durch Herrn Hülsmeyer, hat Thomas Mann überhaupt im Sinne des Wortes politisiert, den politischen Wetterpropheten gemacht, ein ›unfehlbares Heilmittel, mit genauer Gebrauchsanweisung‹ geboten? ›Unfehlbare Heilmittel‹, Herr H., kommen aus ganz anderen Ecken. Es muß betont werden: *Wenn* Thomas Mann eines besäße, er wäre der letzte, der es, seiner Dichterehre zuliebe, verschwiege. Es würde ihm keine Schande machen. Aber er hat keines und glaubt nicht, eines zu haben. Der Philosoph bleibt Philosoph, auch wenn er politisiert, er hängt sich nicht an einzelnes. Thomas Mann hat die Geschichte und die schwer lastende notwendige Vergänglichkeit des Versailler Vertrages an Hand seiner schlimmsten Bestimmungen aufgezeigt, die Hauptmomente der sozialen Weltkrisis in ein paar Sätzen meisterhaft dargestellt, jedenfalls klarer, wie Herr H. gegen Ende seiner Polemik. Er hat dann die geistigen Untergründe des Nationalsozialismus so bloßgelegt, wie dies meines Wissens bisher noch nicht geschehen ist, und schließlich sogar – o Schmach! – die Sozialdemokratie als die Partei genannt, deren Praxis das geistige Bürgertum – Thomas Mann glaubt noch an ein solches – sich am ehesten anschließen könnte. Wenn Herr H. hierin die Anpreisung eines politischen Allheilmittels mit genauer Gebrauchsanweisung sieht, so ist jedenfalls seine Terminologie eine ganz ungewöhnliche... In concreto rügt Herr H. an Thomas Mann das folgende: Erstens: er sei ein Gegner alles Nationalen. Zweitens: er sei ein Anhänger der Sozialdemokratie, was gewisse fatale Konsequenzen einschließe. Drittens: er stehe überhaupt abseits; er habe am Existenzkampfe des deutschen Volkes, an fiebernden Weltkrisen und dergleichen keinen Anteil, weil er ein Freund der Konvention, ein Stilist und Novellenschreiber, und weil er ein Intellektueller sei. Am entschiedensten muß gegen Herrn H.s erste Behauptung Front gemacht werden. Man muß hier stark an seiner bona fides zweifeln. Thomas Mann, so sagt er, habe bisher eine bestimmte Abneigung gegen alles Nationalgesinnte, besonders gegen den Nationalsozialismus bekundet. Gegen den Nationalsozialismus allerdings. Daß Thomas Mann ein Gegner alles Nationalgesinnten, d. h. also, alles Nationalen sei, das zu sagen ist nicht nur dem Tatsächlichen und allgemein Bekannten strikt zuwider, sondern es ist auch inhaltsleer, man kann gar nichts damit anfangen. Wie, ein Mann, der zu allen großen Deutschen der Vergangenheit so innige Beziehungen hat und bewußt pflegt wie Thomas Mann, der, wie er, ein Wahrer der großen deutschen Tradition ist, und als Denker nie mehr hat sein wollen, der, wie er, um die Problematik spezifisch und wesentlicher *deutscher* Geistigkeit beständig kreist, an ihr schafft, wie wohl keiner aus Herrn H.s Lager, der sollte ein Gegner alles Nationalgesinnten, ein Verächter nationaler Werte sein?... Es genügt, die Worte herzuschreiben, mit denen Thomas Mann schließt; sie tun die Heillosigkeit der Anwürfe Herrn H.s dar. ›Nein, nicht um Kränkung geht es, auch hier und heute nicht. Der Name voll Sorge und Liebe, der uns bindet, der nach Jahren einer halben Entspannung uns heute wieder wie 1914 und 1918 im tiefsten ergreift, uns Herz und Zunge löst, ist für uns alle nur einer: *Deutschland.*‹ Thomas Mann hat sich zur Sozialdemokratie bekannt; richtig. Daß er sie ›als unbedingt zuverlässige Rettung‹ dem erstaunten Bürgertum empfiehlt‹ ist nicht richtig, wie ich schon festgestellt habe. Wenn übrigens Thomas Mann dem Bürgertum sagt, es gehöre an die Seite der Sozialdemokratie, so sollte es lieber darüber nachdenken, anstatt zu staunen. Es ist auch zu fürchten, daß es nicht mehr staunt, sondern sich schon entschieden hat. Ein Erbe des deutschen Humanismus, ein Bürger im guten Sinn bleibt auch im Lager der Arbeiter, was er ist. Wessen Bürgertum in Renten bestand, die er verloren hat, der geht zu Doktor Goebbels. Thomas Mann weiß, daß der deutsche Idealismus verloren ist, wenn er nicht seinen Frieden mit dem revolutionären Gesellschaftsgedanken schließt; dies ist sein Grundgedanke. Und zahlreiche seiner Schriften – und nicht nur *seiner* Schriften – suchen zu zeigen, wie dieser Friede möglich ist. Aber das materiell de-

possedierte, geistig bankrotte Kleinbürgertum, die Mittel-
schichten, die um das bangen, was ihnen noch geblieben
ist, die Großbürger, die das Hitlersche Wirtschaftspro-
gramm unter heimlichem Lachen sich anhören, sie alle
sollten sich mit ihrem Bürgertum nicht spreizen, das sie
längst aufgegeben haben; es bleibt fraglich, ob viele von
ihnen für die Sozialdemokratie gewonnen werden können... Die Sozialdemokratie ist für Verständigung; Thomas Mann auch. Sicher. Aber ›Verständigung‹ und andererseits ›Nation‹ haben im Munde Thomas Manns einen
besseren Sinn als in dem eines nationalen Studenten. Thomas Mann ist Pazifist und er ist Europäer, aber nicht um
des Friedens willen – Frieden an sich ist gar nichts – und
nicht um Europas willen – Europa ohne Nationen ist gar
nichts –, sondern um Deutschlands willen. Darum kann er
auch zwischen dem Pazifismus der Sozialdemokratie und
ihrem Wehrbekenntnis durchaus keine Diskrepanz sehen.
Man treibe doch mit den Worten ›Wehrbekenntnis‹,
›Wehrwille‹ keinen solchen Mißbrauch. Die Sozialdemokraten und mit ihnen Thomas Mann sind der Meinung,
daß ein weiterer europäischer Krieg von Europa, mithin
vor allem von Deutschland, nicht viel übrig lassen wird;
daher sind sie entschlossen, ihn zu verhindern, das ist,
durch eine entsprechende Außenpolitik bei der Entgiftung
der internationalen Beziehungen soweit mitzuhelfen, bis
Abrüstung möglich sein wird. Bis dahin, und weil sie von
der Rechten aller Länder in ihrem Bestreben immer wieder
contercarriert werden, halten sie dafür, daß ein Minimum
von Verteidigungsmöglichkeiten bereitgehalten werden
muß, damit man sich verteidigen kann, *wenn* man angegriffen wird. Dies und nichts anderes ist ihr recht natürliches
Wehrbekenntnis. Das Wehrbekenntnis des nationalen Studenten sieht bekanntlich ganz anders aus. Hier wird der

›Wehrwille‹ in so bedenklicher Weise verabsolutiert – als ob es einen Sinn hätte sich zu wehren, wenn man gar nicht angegriffen wird –, daß er einem ›Angriffswillen‹ verflucht ähnlich sieht. Der nationale Student *will* angegriffen sein; dies ist sein Inhalt und darauf beruht auch ein gutes Stück seines oft betonten Nationalgefühls. Dagegen ist der wahre Nationalismus, der Nationalismus Thomas Manns, solcher Art, daß er nicht erst angegriffen zu werden braucht, um sich zu entzünden, sondern ruhig und sicher in sich ruht. Man tut besser daran, das Wort *deutsch* so zu füllen wie Thomas Mann durch sein Werk, als es gar zu oft auszusprechen. Wer sich der Liebe zu seiner Mutter rühmt, dessen Liebe ist vielleicht nicht so ernst und nicht so substantiell, wie er tut. Dies für alle Nationalgesinnten. Zum Schluß wird Herr H. unleugbar etwas wirr. Was nützt das alles, fragt er ermattet. Asien läuft nur noch leer – darunter versteht er hoffentlich mehr als seine Leser! – in Shanghai boykottiert man Douglas Fairbanks – schrecklich, da steht wohl der Weltuntergang vor der Türe! Zwischen den Empirestaaten gar bestehen finanzielle Verknüpfungen, kurz, die Welt ist zu allem Wahnsinn fähig, ›Weltkatastrophe und fiebernde Seelenkrise innerer Entwicklung der Nation… Und Thomas Mann steht abseits, er ist ein Intellektueller.‹ Thomas Mann steht nicht abseits, er steht so wenig abseits, daß er es – was ihm Herr H. ja zum Vorwurf macht – bei seinem Roman nicht mehr aushielt und er vor die Öffentlichkeit trat, um das, was Herr H. die Weltkatastrophe nennt, geistig meistern zu helfen. Der Unterschied zwischen Herrn H. und Thomas Mann ist nicht, daß der eine sich um die Krise kümmert, der andere nicht, sondern er ist, daß Herr H. sich ihr mit Wollust hingibt, sie romantisch übertreibt, während Thomas Mann, dessen Pflichten ja auch allerdings andere sind, sie ruhig und ohne sich als Geistesrevolutionär zu spreizen, ins Auge faßt, um dann sicher und männlich Stellung zu nehmen. Erwartet Herr H. von Thomas Mann, daß er redet und denkt wie ein neunzehnjähriger Nationalsozialist? Schließlich: Wer ist denn zäher, unbeirrbarer, sturer im Glauben: wer allen Stimmungen lustvoll hingegeben, sich von einem Radikalismus zum andern wirft, sich in seiner Seelenkrise auch noch gefällt, zu den Waffen ruft, weil die anderen Länder es so machen, wessen letztes Argument, wessen letzte, leerste Hoffnung der Krieg ist, der keine Nationen übriglassen wird – oder wer trotz aller Rückschläge und scheinbarer Aussichtslosigkeit, inmitten einer Welt, die in der Tat die Nerven zu verlieren und sich aufzuheben droht, kalten Kopf behält, das Banner der Aufklärung und des Geistes hochhält – selbst auf die Gefahr hin, an Sympathien bei der nationalen Studentenschaft einzubüßen?«

Wer solches schrieb, war nicht mehr der mir schon fremd, oft unsympathisch gewordene Wichtigmacher von 1925, nicht der zerquälte, ratlose Jüngling von 1927. Er hatte ein wenig Boden unter den Füßen gewonnen; er formulierte einige Gedanken, die, variiert und ein wenig vertieft, in ihm geblieben sind und nur für lange Zeit in den Untergrund gehen mußten. Das im Schlußabschnitt gebrauchte Verbum »aufheben« stammt von Hegel und hätte in einem politischen Artikel natürlich nicht gebraucht werden dürfen. Ferner ist im Ganzen gelegentlich ein Ton, welcher den Einfluß der Gruppe verrät. Ausdrücke wie »Lager der Arbeiter« waren von Haus aus nicht die meinen und wurden später fallen gelassen. Immerhin hatte die Polemik insofern Sinn, als sie im Blatte der Gegner erschien, also wohl auch von einigen gelesen wurde. Mindestens las ihn der Angegriffene und antwortete in einer

Form nach höflichen »Triplik«. Trotzdem war dieser Anfang eines Flirts mit dem *Heidelberger Student* auch schon wieder sein Ende.

Im Herbst 1930 wurde dem Privatdozenten Dr. Emil Julius Gumbel vom badischen Kultusministerium der Titel eines Professors zuteil, ein Akt der bloßen Routine. Gumbels Wissenschaft war die Statistik, und sein Fach verstand er. Bei der äußersten Rechten – bei der Rechten überhaupt? – hatte er sich schon im Jahre 1922 durch sein Buch *Vier Jahre politischer Mord* verhaßt gemacht; um so verhaßter, als die von Gumbel aneinandergereihten Tatsachen unwiderlegbar blieben. Im Jahre 1924 habilitierte er sich in Heidelberg. Schon im nächsten Jahr forderten einige Mitglieder seiner Fakultät Gumbels Entlassung, genauer gesagt, die Entziehung seiner Venia legendi wegen allerlei angeblich provokatorischer Taktlosigkeiten. Jedoch entschied die Mehrheit gegen den Vorschlag und zwar unter dem Einfluß von Jaspers, dessen »Idee der Universität« die Beschneidung der persönlichen Freiheiten eines Lehrenden nicht erlaubte, solange er innerhalb der Universität Wissenschaft und außerwissenschaftliche persönliche Überzeugungen nicht vermengte. So heißt es denn in einem ersten Gutachten der Fakultät: »So unerfreulich ihr (der Fakultät) Persönlichkeit und Gesinnung Dr. Gumbels sind, glaubt sie eher ein solches Mitglied ertragen zu können, als Gefahr laufen zu dürfen, eine nicht von jeder Seite her unangreifbare Ausschließung eines ihrer Mitglieder vorzunehmen.« Das zweite, spätere Gutachten wurde, wie er mir erzählte, von Jaspers verfaßt, im Zeichen der eisigen Objektivität und abwägenden Gerechtigkeit des Verfassers. »Auf den ersten Blick ist Gumbel ein fanatischer Idealist. Er glaubt an seine Sache, den Pazifismus und an seine Mission darin. Leidenschaftlich und voll Haß steht er allem gegenüber, was ihm Gewalt, Nationalismus, Tendenz zu zukünftigem Krieg scheint. Wo dieser Idealismus in Frage kommt, hat er Mut, nicht nur die Zivilcourage, das zu sagen was er denkt, sondern den Mut zum Wagnis seines Lebens... Man sieht in seiner politischen Betätigung das typische Ganze aus Idee, anmaßlichem Selbstbewußtsein, persönlicher Affektivität (Ressentiment, Haß), Sensationslust und Demagogie... Partei-Menschentum und Gelehrtennatur scheinen also getrennt voneinander bei ihm zu existieren. Es ist nicht bekannt geworden und niemals ihm vorgeworfen, daß er in seinen Vorlesungen politische Tendenzen verfolge...« Nun, im Herbst 1930, brach ein Sturm gegen Gumbel los, wie ihn die Universität wohl seit Jahrhunderten nicht erlebt hatte. Darüber ein offener Brief von mir in der Tageszeitung des Städtchens, dem *Heidelberger Tageblatt*. Daß sie ihn druckte, war ein Akt des Mutes. Der sechs Jahre früher in einer Rede gefallene Ausspruch Gumbels, um den es sich handelt, lautete: »Feld der Unehre.« Der Redner hatte sich gegen die gängige Formel »Feld der Ehre« gewandt und bemerkt: »Ich will nicht sagen, Feld der Unehre, aber...«

»Wenn man«, schrieb ich, »ohne die Gebräuche des politischen Kampfes in Deutschland zu kennen, die in den letzten Monaten gegen Dr. Gumbel entwickelte und sich immer mehr steigernde Hetze an sich, außerhalb des politischen Zusammenhangs, ernst nähme, so müßte man glauben, ein großer Teil der Studentenschaft und anderer politischer Interessenten sei verrückt geworden. Ist es wirklich möglich, daß wegen eines, in der Form gewiß zu scharfen, vor sechs Jahren gefallenen Ausspruches gegen einen Mann, den man sechs Jahre in Ruhe gelassen hat und der sechs Jahre die Ruhe von niemandem gestört hat, nach sechs Jahren eine wütende Empörung spontan entsteht, weil dieser Mann vom Privatdozenten zum außerordentlichen, das ist unbezahlten Professor avanciert ist? Nein, das ist unmöglich. Der inkriminierte Ausdruck Gumbels ist sechs Jahre alt und nicht von vorgestern, wie man jetzt sonderbarerweise tut; er ist ebenso lange bekannt, längst zurückgenommen, längst verjährt; er tut heute niemandem mehr weh. Es muß daher gesagt werden, daß an der Empörung derer, die den Kampf gegen Gumbel begonnen haben, also der Parteileute und Studenten, kein wahres Wort ist – sie mögen sich so wütend gebärden, wie sie wollen, und, als betrogene Betrüger, vielleicht jetzt selber an ihre Wut glauben. Kein wahres Wort! Vielmehr handelt es sich hier um eine kalte politische Mache, von der nur fraglich ist, wo sie ausgedacht worden ist; von den hiesigen studentischen Drahtziehern sicher nicht. Der Haß gegen ein System, eine Regierung, eine gegnerische Partei ist nie so konkret und wohltuend wie der Haß gegen einen lebendigen Menschen; daher man planmäßig die Wut der Bürger und Studenten auf einen Einzelnen zu konzentrieren sucht, um aus den so entfachten Energien im Kampf für die Partei Kapital zu schlagen; man begann damit, sobald sich mit der Ernennung Gumbels zum Professor ein wenn auch noch so lächerlicher Scheinanlaß dazu bot. Wer dies Theater einmal durchschaut hat – und es ist doch nicht sehr schwer zu durchschauen –, dem muß es ziemlich ekelhaft erscheinen. Man zerschlägt die Idee der Universität, deren Lehrfreiheit man durch den Kampf gegen einen Dozenten, nur um seiner Gesinnung willen, auf das gröblichste verletzt; man gefährdet den Frieden und den guten Ruf der Stadt; man sucht das Leben eines Menschen zu zerstören, dessen ganze Sünde ist, in seiner Gesinnung ebenso radikal zu sein, wie seine Gegner es sind, und eben eine eigene Meinung, nicht diejenige seiner Gegner zu haben. Man veranläßt Massenversammlungen und Demonstrationen; man provoziert die Polizei, um dann als Märtyrer aufzutrumpfen; man fuchtelt herum und gebärdet sich als verzweifelter Patriot, während man in Wahrheit nichts anderes ist als der Ausführer von wohlausgedachten Parteiplänen... Agenten gehen von Haus zu Haus und sammeln Unterschriften gegen den ›Vaterlandsverräter‹, sammeln bei Leuten, die vielleicht nicht einmal die dummen Verleumdungen kennen, mit denen man gegen Gumbel kämpft, geschweige denn, daß sie wüßten, was der Unglückliche wirklich verbrochen oder nicht verbrochen hat. Muß dagegen versichert werden, daß Gumbel, wenn er im Ausland Vorträge hielt, nicht gegen, sondern *für* Deutschland, für Verständigung sprach und daß sein ganzer Vaterlandsverrat darin besteht, Pazifist zu sein, und zwar kein halber, sondern ein ganzer?... Es ist aber nicht weniger gefährlich, wenn man zwar Gumbel einen guten Mann sein läßt, ihn aber doch aus Heidelberg entfernt wissen will, weil er die Ruhe der Stadt gefährdet. Da ist denn doch darauf hinzuweisen, daß es nicht Gumbel ist, der die Ruhe der Stadt gefährdet, Gumbel, der seit Monaten eine Hetze von beispielloser Brutalität schweigend über sich ergehen läßt; nein, die sind es, die den Feldzug gegen ihn eröffnet haben und marktschreierisch weitertreiben...«

Als der Allgemeine Studentenausschuß beschloß, an keiner öffentlichen Feierlichkeit mehr teilzunehmen, solange Gumbel nicht entlassen sei, wurde er durch den sozialdemokratischen badischen Kultusminister aufgelöst. Der Minister, Remmele hieß er, war in der Jugend Knecht bei einem Müller gewesen, weswegen die Studenten das Volkslied *Das Wandern ist des Müllers Lust* gerne sangen, ohne zu bemerken, daß der Aufstieg eines ehemaligen Arbeiters zu hohem Regierungsamte doch eigentlich im Sinn einer »Arbeiterpartei« wie der nationalsozialistischen sein müßte. Widersprüche dieser Art gab es viele, aber was half es, auf sie hinzuweisen?

Anfang Juli 1931 starb Friedrich Gundolf. Im *Heidelberger Student* der folgenden Woche gab es, in einem anderen Zusammenhang, einen Artikel durchsetzt mit den rüdesten antisemitischen Bemerkungen. Auf der gleichen Seite protestierten die studentischen Corps, weil sie zu der Totenfeier Gundolfs nicht eingeladen worden waren. In unserem *Sozialistischen Student* stellte ich beide Artikel nebeneinander, mit der Schlußbemerkung: »Gundolf war Jude. – Studenten, kann man den Unsinn noch höher treiben?« Man konnte, ohne den leisesten Nachteil für die eigene Sache.

Über ein anderes Vorkommnis an der Universität während des Winters 1931 gibt ein Artikel Bescheid, den ich im Februar in unserem Studenten-Blättchen veröffentlichte.

»…Das Versagen der Professorenschaft gipfelt im Fall Dehn. Hier hat die theologische Fakultät einen Lehrer, den sie schon berufen und der diese Berufung schon angenommen hatte, fallen lassen, weil ein paar nationalsozialistische Flegel ihr Mißfallen gegen diesen Lehrer bekundet haben. Das diesbezügliche Gutachten der Fakultät, mit dem Kommentar des Dekans, Herrn Dr. Jelke, muß man gelesen haben. Nach Jelke kann von einem Nachgeben der Fakultät gegenüber dem Terror rechtsgerichteter Kreise nicht die Rede sein; aber schon im nächsten Satz und ebenso im Gutachten heißt es, daß ernste Bedenken für den ruhigen Fortgang der wissenschaftlichen Arbeit und die Möglichkeit unabsehbarer Schwierigkeiten für Pfarrer Dehn, nicht etwa Zweifel an der Vertrauenswürdigkeit Dehns, den Entschluß der Fakultät bewirkt hätten. Unabsehbare Schwierigkeiten sind aber nur von rechtsgerichteten Studenten zu erwarten, eben dem, was man auf lateinisch den Terror der rechtsgerichteten Studenten nennt. Herr Dekan Jelke gibt also im zweiten Satz zu, was er im ersten leugnet. Er gibt zu, daß die Fakultät nicht einmal vor aktuellem Terror, sondern vor der Möglichkeit zukünftigen Terrors gekniffen hat. Die theologische Fakultät hat die schon geschehene Berufung eines Lehrers zurückgezogen, weil die Möglichkeit besteht, daß dieser Lehrer – ein Pfarrer! – vor Jahren einen Ausspruch gegen den Krieg getan hat! Gegen dieses Vorgehen der Fakultät haben Hellpach und Dibelius in nicht mißzuverstehender Weise protestiert. Außer diesen ist noch eine allgemeine Rede von Ernst Hoffmann über Lehrfreiheit und Demagogie zu erwähnen, die wir der Tendenz nach billigen, von der wir aber gewünscht hätten, daß sie gerade in der Situation, in der er sprach, etwas weniger allgemein ausgefallen wäre. Das ist alles, was die Professorenschaft gegen die Gefahr einer Vernichtung der letzten Reste von geistiger Freiheit zugunsten einer nationalsozialistischen Bürgerpöbeltyrannei getan hat; es genügt uns nicht... Es ist auf die Professoren kein Verlaß, und noch können wir im Fall Gumbel häßliche Überraschungen erleben. Da sie sich hüten, sich eindeutig festzulegen, so kennen wir nicht einmal recht ihre Meinungen. Man sieht nicht, daß ein Sieg des nationalsozialistischen ›Geistes‹ das Ende der anständigen Wissenschaft bedeuten würde, und man tut nichts, dieses Ende aufzuhalten.«

Daß man von den Professoren im Falle Gumbel noch einiges erwarten könne, bestätigte sich im nächsten Jahr: nun wurden ihm die Venia legendi in Tat und Wahrheit entzogen, weil er, er konnte es nicht lassen, in einer seiner Reden bemerkt hatte, das passendste Kriegerdenkmal sei eine Kohlrübe – Anspielung auf den Kriegswinter 1917/18, während dessen die Kohlrübe, in München »Dotsche« genannt, die wichtigste Quelle unserer Ernährung gewesen war. Für Gumbel bedeutete die Entlassung das Glück seines Lebens. Er ging nun zu Gastvorlesungen nach Paris, wo er sich noch zur Zeit der »Machtergreifung« aufhielt. Wenn nicht, so wäre ihm, einem der Allerverhaßtesten, ein früher Märtyrertod sicher gewesen, derart, wie ihn sein Gesinnungsgenosse Erich Mühsam erlitt. Was den Pfarrer Dehn betrifft, so finde ich in meinem Tagebuch, Datum 13. November 1930, diese Notiz: »Die Professoren in Halle, die in einem Beschluß die Studenten mit Lob überhäufen, die den pazifistischen Professor Dehn auf das frechste belagert und angepöbelt: nur reine Vaterlandsliebe... Kein Wort gegen die Studenten, kein Wort für den Kollegen! So sind die Professoren – warum sollten die Politiker besser sein?« Offenbar hatte Dehn den Ruf nach Heidelberg angenommen, weil seines Bleibens in Halle nicht war.

Daß es während des Winters 1930/31 in den großen Städten noch unvergleichlich wüster herging als in unserem Städtchen, zumal in Berlin, ist ja nun eine vertraute Tatsache für jene, welche diese Zeit noch erlebt haben, und die wenigen, die heute sich noch dafür interessieren. Lehrreich könnte es sein. Ein Höhepunkt der kalkulierten Barbareien in der Reichshauptstadt, endend mit einer schmählichen Kapitulation der Regierung, war der Krawall um einen Film nach Erich Maria Remarques Roman *Im Westen nichts Neues*. Ich kann mich nicht erinnern, den Film gesehen zu haben, nach Heidelberg gelangte er nicht mehr. Ursprünglich ein Hollywood-Produkt, wurde er von der Berliner UFA übernommen, einem Unternehmen Alfred Hugenbergs, welches sonst in preußisch-patriotischen, den »Wehrwillen« pflegenden Filmen brillierte. Er stellte, darin stimmten vernünftige Referenten überein, den Krieg dar, wie er war, also so sehr schön nicht. Das war alles. Der Berliner Nazichef Goebbels witterte hier jedoch eine Gelegenheit für Skandale und Triumphe. Wie vor Saalschlachten wurden seine Anhänger geschickt verteilt. Nach wenigen Minuten schon krepierten Granaten auf der Leinwand, wurden Stinkbomben geworfen, Niespulver gestreut, auch weiße Mäuse losgelassen. Man mußte die Vorstellung abbrechen. Während der folgenden Tage wurde zwar das Filmtheater selber einigermaßen beschützt, noch immer war der Polizeipräsident von Berlin ein Sozialdemokrat. Dafür wiederholten sich die Demonstrationen in der Umgebung. Nun griff die Reichsregierung selber ein und ließ durch ein Urteil ihrer »Film-Oberprüfstelle« weitere Vorstellungen verbieten, zumal sie »dem deutschen Ansehen schadeten«. Am nächsten Tag die riesige Balkenüberschrift im *Angriff*, der Berliner Nazi-Zeitung: »In die Knie gezwungen!« Wenn *das* nicht dem deutschen Ansehen schadete, die Republik zum Spott machte! Auf dem Höhepunkt der Skandale übersandte jemand, der Humor besaß, dem *Angriff* ein Kapitel aus dem Kriegsroman, an dem er, ein alter Soldat, gerade arbeite: es war ein Kapitel aus Remarques Roman, und Dr. Goebbels druckte es prompt. Aber dieser Scherz wurde in all dem Getöse kaum bemerkt; Lächerlichkeit konnte vielleicht in Frankreich töten, in Deutschland nie. Wirklich war Remarques Roman völlig unideologisch, von einer männlichen oder männlich sein sollenden Sachlichkeit.

Mit Brünings mörderischen Notverordnungen wuchs die Zahl der Arbeitslosen, Ende des Jahres 31 waren es schon fünfeinhalb Millionen, wuchs die Zahl derer, die um ihren Arbeitsplatz zu fürchten Grund hatten. Einmal, im Laufe dieses Jahres, hatte mein Freund Reini Cassirer ein Referat vor Mitgliedern der SPD in einer kleinen Nachbarstadt zu halten. Da hörte ich einen jungen Menschen den anderen fragen: »Schaffst du noch?« Dies »noch« war bezeichnend: Beide nahmen sie als selbstverständlich an, daß er seine Arbeit bald verlieren werde. Die anwesenden Alten, gediegene Leute, so sehr charakteristisch für die SPD, hörten höflich zu, das nachfolgende Gespräch war deprimierend. »Wir haben uns überlebt«, sagte einer dieser braven Alten. Daß unter solchen Umständen eine große Mehrheit der SPD-Wähler der Partei treu blieb, bis einschließlich der Wahlen vom März 1933, spricht für den Charakter dieses Stammes und Typus. Freilich konnte man es auch anders sehen. Ein witziger Genosse zu mir: »Um heute noch SPD zu wählen, muß man sehr gescheit oder sehr dumm sein.«

Ein geringer Teil trennte sich dennoch von der Partei; alte Wähler kaum, wohl aber Politiker. Max Seydewitz, ihr Anführer, besuchte uns im Frühling 1931 und machte einen starken Eindruck auf mich; wie ich denn leicht das Opfer guter, leidenschaftlicher, obendrein gescheiter Redner wurde, wenigstens für den Augenblick. Seydewitz: Eine große Partei, die im Abseits existiere, an keinem Hebel wirklicher Macht sitze, die aber passiv und stumm die zerstörerische Wirtschaftspolitik, die nationalistische Außenpolitik der Reichsregierung erst ermögliche, gehe ihrem Untergang entgegen, wenn nicht schnell, dann langsam; sie könnte zur Not ihre alten Wähler behalten, aber keine neuen, jungen, dazugewinnen, auf die nun alles ankomme. Zudem werde Brüning, der ganz allein von der Gunst des im Grunde ja doch erzreaktionär gesinnten Reichspräsidenten und seiner Kamarilla abhänge, unvermeidlich noch weiter nach rechts getrieben werden. Da sah Seydewitz richtig. In meinem Tagebuch, unter dem 10. Oktober 1931: »Herr Dr. Brüning hat sein zweites Kabinett gebildet, das er sich nach rechts zu erweitern bemüht... Die

Rechte will aber nicht von Brüning hereingelassen werden unter seiner Führung, sondern sie will ihn sich totlaufen lassen, um dann hundertprozentig einzuziehen... Reichswehr und Inneres sind zusammengelegt, im Hinblick auf die im Winter zu erwartenden Schwierigkeiten.«

Die Reichsregierung, die ich voraussah, war keineswegs die Hitler-Diktatur. Es war eine Regierung der im Jahre 31 gebildeten Harzburger Front, welcher die Nazis, die Deutschnationalen, der »Stahlhelm« und andere konservative Vereinigungen angehörten. Noch immer hielt ich Hitler für den Trommler, der bewußt oder unbewußt sich zugunsten der Reaktion abmühte. Für die im Herbst 31 von der SPD abgefallene »Sozialistische Arbeiterpartei«, SAP, war ich auch, aus den gleichen Gründen wie Seydewitz. Es kam etwas anderes hinzu. Noch immer regierten die Sozialdemokraten, im Bunde mit der katholischen Zentrumspartei, in Preußen. Aber was hieß hier »regieren?«

Preußen war dreifünftel des Reiches, nach Territorium und Einwohnerzahl, aber längst kein echter Staat mehr, noch weniger als etwa Bayern. Es war nur ein großer Körper von Verwaltungseinheiten, mit einer schwachen obersten Verwaltung, die nur auf dem Gebiet von Erziehung und Wissenschaft, allenfalls der Justiz noch realen Einfluß besaß. Das Schicksal der Nation, in der Wirtschaft wie in der äußeren Politik, wurde bestimmt von der Reichsregierung und den Kräften, offenliegenden und dunklen, von denen sie abhing. Die Preußische Regierung mußte Gesetze ausführen, die sie nicht gemacht hatte, mußte um bitterem Preis eine Ordnung aufrechterhalten, welche den Massen immer verhaßter wurde, mitunter gegen ihre eigenen Leute; wie denn zum Beispiel der preußische Innenminister Severing die alten, ehedem revolutionären Lieder seiner eigensten Partei verbot. Daß eine große, ideenreiche

Partei in der Opposition besser gewesen wäre als diese widerspruchsgeladene, unüberbietbar peinliche Situation, das Aufrechterhalten eines Systems, auf das man keinerlei wirklichen Einfluß besaß, glaube ich auch im Rückblick noch. Nur konnte die SAP dagegen keine Hilfe bieten; sie war eine Konstruktion von Intellektuellen, von Politikern, ohne nennenswerten Anhang. Mein Freund Kai, immer realistischer als ich, verstand das sofort, ich nicht. Bis zum bitteren Ende hat die neue Partei nicht die mindeste Rolle gespielt. Die Spaltung der SPD mußte auch in unserer Gruppe sich auswirken. Die Intellektuellen waren für die SAP, die mehr oder weniger »proletarischen« Mitglieder dagegen. Gegen ein feindseliges Auseinandergehen war ich auch; Spaltung mochte im Reich sein, warum aber im geringen Kreis unserer Gruppe, in dem man sich bisher doch freundlich vertragen hatte? Es gab eine Reihe von quälenden Diskussionen während langer Abende. Einmal erhob ein italienischer Gast seine Stimme. »Ich finde«, so begann er, »diesen ganzen Konflikt unerfreulich. Auch wir sind einmal zusammengesessen, in Zimmern, so verraucht wie dieses, und haben uns darüber gestritten, ob wir Marxisten sein sollten oder Leninisten, und eines Tages erfuhren wir, daß Mussolini Premierminister geworden sei, und dann war es aus mit allen unseren Streitereien.« Die Stimme unseres Gastes klang heiser und krächzend wie die eines Unglücksvogels. In meinem Tagebuch, unter dem 29. November: »Gestern Abend in der Gruppe, bis halb eins recht qualvolle Versammlung. Thema: Auflösung in SPD – SAP oder Einheit. Die Entscheidung wurde elenderweise wieder aufgeschoben. Ich hätte das rechte Wort gewußt, wurde sogar darum gebeten und sprach es nicht aus.« Unter dem 6. Dezember: »Eine wahrhaft fürchterliche Versammlung in der Gruppe, die endgültige Spaltung. Diejenigen, die es gleich gesagt hatten, betonten, sie hätten es gleich gesagt…« Was im Jahre 32 aus den getrennten Hälften noch wurde, weiß ich nicht, zumal ich während der folgenden Monate mich ganz auf die Vorbereitung des Doktorexamens konzentrieren mußte, auch das Interesse an der Sache verloren hatte und so abermals in die Rolle des bloßen Beobachters und Einzelgängers verfiel.

Ein politischer Zirkel, dessen Schwerpunkt damals in Heidelberg lag, war der »Tatkreis«, genannt nach einer seit 1928 von Hans Zehrer herausgegebenen, bei Eugen Diederichs erscheinenden *Monatsschrift zur Gestaltung neuer Wirklichkeit*; ein für die letzten Jahre vor Hitler überaus charakteristischer Bund rede- und schreibgewandter, auch über Durchschnitt gebildeter junger Herren, welche sich »konservative Revolutionäre« nannten. Diese unglückliche Wortverbindung, »konservative Revolution«, wurde bekanntlich von Hugo von Hofmannsthal in einem an der Münchner Universität gehaltenen Vortrag – *Das Schrifttum als geistiger Raum der Nation* – berühmt gemacht; sie hat sich dann rasch verbreitet. Nazis durfte man die Mitglieder des Tatkreises nicht nennen; jedoch glaubte er, durch seine Ideen die »Bewegung« vergeistigen und für die Nation nützlich machen zu können. National, sozialistisch und auch konservativ gesinnte deutsche Jugend aller Parteien würde zuletzt, das hieß bald, sich zu einem gewaltigen Mahlstrom zusammenfinden und das Antlitz des Deutschen Reiches total verändern; unter der Führung des Tatkreises. Seine Heidelberger Repräsentanten traf ich in der »Politischen Gesellschaft«, einer elitären Vereinigung, welche die buntesten Gäste zu ihren Diskussionen bat. Aus dem Tatkreis hörte ich dort einen gewissen Giselher Wirsing, der im September 33 die Redaktion übernahm und unter Hitler sich als Chefredakteur der *Münchner Neuesten Nachrichten* betätigte, auch noch in den fünfziger und sechziger Jahren von sich reden machte; dann den Doktor Ernst W. Eschmann, der mir wegen seiner Arroganz zuwider war. Zu seinen Ehren muß ich hinzufügen, daß er mich früh einmal zur Seite nahm und auf mich einredete: die Familie M. habe in deutschen Landen Gewicht, gerate aber immer mehr auf ein totes Geleise, weil sie die historische Situation mißverstehe; ob ich da nicht korrigierend eingreifen könnte? Meine Antwort lautete unverbindlich. In der »Politischen Gesellschaft« hörte ich Eschmann reden, nachdem zwei Gäste ihre Vorträge gehalten hatten. Einer von ihnen, der Genosse Taut von unserer Gruppe, wußte zu berichten, Immanuel Kant habe eine »Philosophie der Unternehmer« geschrieben – zu solchem Blödsinn konnte der Marxismus töricht prätentiöse Burschen verführen. Eschmann replizierte überlegen: wir hätten zwei Referate gehört, vielleicht ganz gescheite, aber ohne jede Beziehung zur deutschen Wirklichkeit heute. Er selber publizierte unter dem Namen »Leopold Dingräve«, wie denn der Tatkreis überhaupt Pseudonyme liebte. Der erfolgreichste Autor des Kreises nannte sich Ferdinand Fried; sein Buch *Das Ende des Kapitalismus*, eine Sammlung von Aufsätzen, die vorher in der Zeitschrift erschienen waren, erregte im Jahre 31 Sensation. Ich nehme an, daß ich einige der Essays Meister Ferdinands in der Zeitschrift entdeckt hatte, die ich in der akademischen Lesehalle oft studierte, obgleich mit Widerwillen; man mußte diesen interessanten Gegner kennen. Und dann las ich die Kritik, die Leopold Schwarzschild in seiner Berliner Wochenschrift *Das Tagebuch* veröffentlichte. Indem ich dies niederschreibe, liegt Schwarzschilds Artikel vor mir. Er ist *Ein gewisser Fried* überschrieben.

Der Kritiker weiß nicht, wer sich hinter dem Namen »Fried« versteckt – »vielleicht ein Ullsteinredakteur, der seine Stellung nicht riskieren wollte«. Also wußte er es doch, wollte es aber nicht sagen. Mit der abwägenden Gerechtigkeit, die ihm eigen war, gesteht er dem Autor *ein* Verdienst zu: verunsichertem Bürgertum habe er einige ketzerische Gedanken nahegebracht, wie der deutsche Bürger sie nur von einem seines Schlages, nicht aber von »Marxisten« und dergleichen Gesindel annehmen würde. Im übrigen sei das Buch eine qualvolle Lektüre. Qualvoll schon wegen der faustdicken Fehler etwa im Bereich der Statistik; qualvoll in der Vermanschung aller Begriffe, um neue unsinnige daraus zu gewinnen. »Kapitalismus«, so der Kritiker, ist seit Marx auch für alle »bürgerlichen Ökonomen« das Wirtschaftssystem, in dessen Rahmen die Produktionsmittel das Eigentum von Privaten sind und von ihnen zu privatem Nutzen eingesetzt werden. Das »Ende des Kapitalismus« müßte also die Enteignung, gleichgültig auf welche Weise, des privaten Besitzes an den Produktionsmitteln sein. Aber genau darüber findet sich in Frieds Buch gar nichts. Für ihn ist Kapitalismus »Weltwirtschaft«, ist »westlerisch«, ist Gläubigerstaat gegen Schuldnerstaat, ist Kosmopolitismus gegen Nationalismus, ist internationale Abhängigkeit gegen Autarkie. »Das Ganze wird überschmiert mit geopolitischer Schlagsahne; an Stelle wirtschaftstheoretischer Durchdringung wird beliebtermaßen fortgesetzt mit sogenannten ›Räumen‹ operiert; die Welt wird eingeteilt in einen agrarischen, also antikapitalistischen und autarken, einen agrarisch-industriellen, also vorerst unentschiedenen, und einen rein industriellen, also kapitalistisch welthändlerischen ›Gürtel‹ – wobei dann die Unverschämtheit begangen wird, das viel agrarischere und autarkere Frankreich zu den industriell-kosmopolitischen, und das viel industriellere welthändlerische Deutschland zu den gemischten ›Räumen‹ zu rechnen ... Daß überdies im bevorstehenden Endkampf des antikapitalistisch-agrarisch-autarken Prinzips gegen die westlerisch-industriell kosmopolitische Seuche gerade dem unentschiedenen Deutschland die Führung zufallen muß, versteht sich am Rande.« Antisemitische Töne fehlen nicht: Die Gedanken von Karl Marx stammten ausschließlich von dem »Wuppertaler Patriziersohn Friedrich Engels«, und »was Marx an Eigenem hineintrug, muß auf seine rassische Eigenart zurückgeführt werden«. Schwarzschilds Kritik war die eines volkswirtschaftlich gebildeten, rationalen und wahrheitsliebenden Geistes an einem halbgebildeten, in Halbrationalitäten schwelgenden Großmaul. Der Autor, der sich hinter dem klingenden Namen Ferdinand Fried verbarg, hieß Ferdinand Friedrich Zimmermann und kam als Handelsredakteur der Berliner *Morgenpost* zur *Tat*. In dem liberalen Blatt kann er unmöglich so geschrieben haben wie in der Zeitschrift *Die Tat*.

Ein Menschenleben ist lang, was normalerweise nicht auffällt, wohl aber, wenn es ein politisches Leben ist. Zum Beispiel gab es im französischen Nationalkonvent des Jahres 1793 einen Bürger, den man im Jahre 1853 als Senator Napoleons III. noch einmal treffen kann. Ferdinand Friedrich Zimmermann finden wir wieder, ebenso wie Hans Zehrer, bei der Axel Springerschen Tageszeitung *Die Welt* in unseren sechziger Jahren; den einen als wirtschaftspolitischen Leitartikler bis zu seinem Tod 1967, den anderen von 1953 bis 1966 als Chefredakteur und Kolumnisten. Beide nehme ich an, waren reifer, vernünftiger als im Jahre 31; wie wir alle, die überlebten.

Ein paar in Eisenbahnzügen überhörte Gesprächsfetzen mögen diese Beschreibung der Heidelberger politischen Szene beschließen.

Ich sitze im Abteil mit einem Bayern und einem Preußen. Der Bayer: »Der einzige echte deutsche Mann ist ja doch der greise Hindenburg. Ohne den hätten's heute in Berlin noch keine Regierung.« Der Preuße: »Tja, wo der Mann nur die Energie hernimmt!« Der Bayer: »Am meisten hat uns Münchner ja der Ludendorff enttäuscht.« Der Preuße: »Das ist ein Thema, über das man lieber gar nicht spricht.« Der Bayer: »Daß der sich von seiner Frau hat scheiden lassen und obendrein dann wieder geheiratet hat…« – Im Zug nach München, Dezember 1931. Im Abteil mit mir nur zwei Herren, die in Augsburg aussteigen, ein Arzt, ein Geschäftsmann. Der Arzt erzählt aus seiner Praxis. Oft kämen Leute zu ihm, die »fremdgingen« und von ihm sich Absolution erbäten, die könne er aber nicht liefern. »Die Gefahren sind drei: Erstens, daß er sie schwängert; zweitens, daß er etwas fängt; drittens, daß er dabei erwischt wird. Was kann denn da ich dazu tun? Bekanntlich ist es ja so, daß die Potenz der Männer bei ihren eigenen Frauen allmählich abnimmt. Das wollen unsere Damen eben nicht verstehen.« Gelächter. Danach wird das Gespräch politisch. »Die Nazis kommen jetzt.« »Ja, die kommen jetzt.« Die Gesichter der Reisenden verzerren sich zu einem Grinsen, so als ob sie sich auf ein Schlachtfest freuten. – Ich gehe den Korridor entlang. Aus einem offenen Abteil erschallt der Ruf: »Auch Frick in Thüringen hat sich seine Pension gesichert! (Frick, später Hitlers Innenminister, war damals Mitglied einer kurzlebigen Regierungskoalition der Rechten im Lande Braunschweig.) Die Pension – der Traum und Neid derer, und das war die große Mehrheit, welche einer staatlichen Sicherung des Lebensabends entbehrten. Vor jener Heidelberger Buchhandlung, in deren Schaufenster man die Fotos der Professoren bewundern konnte, ein alter Mann vor sich hinmurmelnd: »Die kriegen alle Pensionen!« Neuerdings und mehrfach gekürzte zwar, aber, zumal ja auch die Preise sanken, immer noch ausreichende.

Leopold Schwarzschild

Dieser deutsche Publizist war während der Jahre 30–33 mein politischer Mentor, ohne daß ich ihn persönlich gekannt hätte. Erst im Jahre 34 traf ich ihn in Paris. Seine Wochenschrift *Das Tagebuch* las ich regelmäßig; zu Hause, wo mein Vater darauf abonniert war, oder in der Heidelberger Lesehalle. *Das Tagebuch* hatte dieselbe Dimension wie die Konkurrenz weiter nach links, Carl von Ossietzkys *Weltbühne*, erschien aber unter einem grüngefärbten Kartondeckel, *Die Weltbühne* unter rotem. Ossietzky war der leidenschaftlichere, der radikalere, pessimistischere Schriftsteller. Er hielt die deutsche Republik für falsch konstruiert von Anfang und glaubte an sie nicht. Schwarzschilds Geist war positiv, klar, abwägend und erzgescheit, sein größter Vorteil ein gründliches ökonomisches Wissen. Und da konnte er die schwierigsten Dinge, zum Beispiel über Wesen und Funktion des Geldes, so auseinandersetzen, daß auch ein blutiger Laie wie ich es begriff, sogar Vergnügen daran fand. Er galt als links, das tat man damals in deutschen Landen sehr leicht, besonders, wenn man Jude war. Im Grunde aber war sein Temperament ein konservatives, wie das der meisten deutschen Juden. In den USA hätte man ihn einen »clever conservative« genannt, einen, der weiß, wo man ändern muß, um des Menschen Rechte und Werte, auf die es ankam, zu erhalten. Die Kritik an Zimmermann demonstriert, wie alles Verquollene, Chaotische, ein Zehntel Richtige und neun Zehntel Falsche ihm Ekel verursachte. Er kannte Marx, dessen Verdienste als Ökonom ebenso gut, wie er die fatalen Irrtümer seiner politischen oder Geschichtsphilosophie durchschaute. Später, im amerikanischen Exil, schrieb er ein Buch über Marx, *Der rote Preuße*; eine Polemik, die etwas unter seinem Niveau war, wie seine in New York geschriebenen Bücher überhaupt die Qualität nicht mehr besaßen, die ihn in Berlin heraushob und die er sich auch noch in Paris 1933–39 erhalten konnte. Für die Klarheit seines Denkens ein frühes Beispiel. Im Jahre 29 lud er Ernst Jünger ein, im *Tagebuch* seine Position zu beschreiben, und, kaum glaublich, der »heroische Nihilist« folgte der Einladung. Wie war ich, der zwanzigjährige, vom blanken Stil, von der hochmütigen Eiseskälte, von den drohenden Dekreten des Kriegshelden beeindruckt! *»In der Jugend«*, schrieb er, *»besteht die Auffassung, daß die Revolution nachgeholt werden muß... Zerstörung ist das Mittel, das dem Nationalismus dem augenblicklichen Zustand gegenüber allein angemessen erscheint ...* Was hat denn das Elementare mit dem Moralischen zu tun?« Schwarzschild replizierte in der folgenden Nummer: »Wer Nationalist sein will, Diener der Nation, hat nicht mehr an seinen privaten Lebensstil zu denken, sondern an die Lebensvoraussetzungen der Millionen Menschen, die sich unter dem verführenden Namen Nation verbergen... Insoweit der Mensch Teil der Nation ist, hat er den Anspruch darauf, daß sie ihm die Primitivitäten sichere, zu deren Sicherung sie existiert: Nahrung, Rechtssicherheit, Schutz gegen Gewalt und einige diffizilere Dinge.« Und eine Seite zuvor: »Die Zweckkategorie Sozialität und die ästhetische Kategorie Wildheit, Elementarheit, Abenteurertum sind kraß konträr, und wer sie zu einem System zusammenschweißen will, taumelt berauscht zwischen Ideologien, die sich gegenseitig ausschließen.« Das traf den Kern und trifft ihn auch heute noch, aber traf wohl Ernst Jünger nicht, wenn er es

416

denn gelesen haben sollte. Kurz vorher, August 29, hatte Schwarzschild das zehnte Jahr der Republik mit einem durchaus positiven Artikel gefeiert. Überall im Abendlande, zumal in dessen nordamerikanischem Teil, werden mehr Güter produziert und verkauft als je zuvor. Nach all den Wirren herrscht Sehnsucht nach Ruhe und ein wenig Wohlhabenheit. Die deutsche Republik scheint ihren Bürgern eben diese Werte gönnen zu wollen. »Man hat weniger Vorschriften, weniger Verbote, trotz allem größere persönliche Garantie als fast in allen Ländern des zerrütteten Europas.« Solches Lob, bei radikaleren deutschen Intellektuellen undenkbar, ist bezeichnend für den Lobenden, den Liberalen und Konservativen. Je normaler die Zeiten sind, desto besser. Denn dann kann der Staat tun, was er vor allem tun soll: der einzelnen Persönlichkeit den umhegten, privaten Raum sichern, in dem sie auf ihre Façon zu leben das Recht hat ... Ja nun, als Prophet erwies der Autor sich hier nicht. Wo gab es den?

Die beiden großen republikanischen Parteien, Zentrum und Sozialdemokratie, schätzte er als die staatserhaltenden Blöcke vernünftiger Wähler, ohne sich viel um ihre »Ideen« zu kümmern. Als nun aber die Wirtschaftskrise die letzte Große Koalition auseinandertrieb und sie durch die Präsidialregierung Brüning ersetzt wurde, war er zunächst auch mit dieser gerne einverstanden; Situationen gab es, in welchen die parlamentarische Demokratie auf Eis gelegt und anders regiert werden mußte. Brüning, ein integrer und energischer Politiker, gestützt durch den Hindenburg-Mythos, schien der rechte Mann dafür. Noch nach fünf Monaten Brüning-Ära schrieb der Publizist: »Eine Regierung von rechtschaffener Gesinnung, von Ideen und Tatkraft, wie diese Regierung es anfangs werden zu wollen schien, und in guten Augenblicken noch immer

scheint...« Zwei Jahre später, nach seinem Sturz, ist Brüning ihm »ein unglücklicher Mann, der trotzdem schon
zum besten Kaliber der deutschen Politik gehört«. Wie
gern hätte Schwarzschild dem menschlich tadellosen,
schwer ringenden Kanzler geholfen mit seinem Rat. Aber
Brüning ließ sich nicht raten und helfen; am wenigsten von
dem Herausgeber eines Wochenblättchens, der im Geruch
stand, links zu sein. Schwarzschild kannte, leider im Gegensatz zu Brüning, schon die Schriften des Professors
Keynes. Also war für ihn das Geld nicht mehr wie ehedem
eine Substanz, Tauschware beliebig einzutauschen für alle
anderen Waren, sondern nichts als Zeichen und Mittel, zu
vermehren oder zu vermindern je nach der Situation. Diesen Grundgedanken hatte er schon, ehe Brüning die Regierung antrat, in einer Reihe politischer Artikel gegen den
Reichsbankpräsidenten Schacht auseinandergesetzt. Die
Aufgabe des Notenbankpräsidenten sei keine bloß technische, sie sei eine eminent volkswirtschaftliche. Nicht muß
die Konjunktur sich dem vorhandenen Geld anpassen,
sondern das Geld sich der Konjunktur; teures Geld, wenn
die Konjunktur überbordet, billiges, wenn sie zu schrumpfen droht. Also hat der Lenker des Geldstromes eine ent-
scheidende Funktion; jedoch eine streng sachliche, keine
politische. Gegen den Präsidenten der Reichsbank, der
sein Amt benutzte zur persönlichen Machtballung, zu na-
tionalistischer Agitation, zum Kampf gegen breite, staatstragende Schichten, richtete Schwarzschild seinen Angriff
und hielt erst inne, nachdem Schacht, wieder zu demago-
gisch-politischen Zwecken, zurückgetreten war. Nun Brüning. Sein Notenbankpräsident hieß Luther, von Haus aus
Jurist und Gemeindepolitiker, als solcher fiskalisch denkend, ohne die Kenntnisse und Ideen, die jetzt gebraucht
wurden.

Die sich durch zwei Jahre hinziehende, immer dringendere, manchmal wie erschöpfte und verzweifelte, aber wieder und wieder sich zusammenraffende Kritik Schwarzschilds an Brüning hatte zwei Komponenten: eine wirtschaftliche, eine außenpolitische; zwei Armeen, die getrennt marschieren, aber vereint schlagen mußten. Denn, so Schwarzschilds These und eigenste, endgültig wahre Erkenntnis: Die Weltwirtschaftskrise, so wie sie in Europa und besonders in Deutschland wütete, beruhte auf zwei Ursache-Komplexen, dem allgemeinen, urkapitalistischen, sozusagen routinemäßigen, und dem besonderen der deutschen Politik und Außenpolitik. Auf eine zyklische Krise, die andernfalls ihr Ende gefunden hätte, wie noch alle ihre Vorgänger, wurde eine politische Krise gepfropft, der »Kalte Krieg«, den Deutschland, wie schon einmal zuvor, 1922/23, gegen Frankreich und den Vertrag von Versailles führte. Er hatte zwei Stoßrichtungen: jene gegen Frankreich, jene gegen die soziale Demokratie im Reich selber, gegen die Roten, die SPD. Die Krise sollte benutzt werden, um die Linke für lange Zeit auszuschalten. Letzteres war Brünings Politik nicht, wohl aber jene der Interessengruppen, auf die mehr und mehr sich zu stützen er durch die Hindenburg-Kamarilla sich gezwungen sah. Andererseits glaubte Brüning, die täglich und stündlich wachsende Zahl von Hitlers Anhängern habe gekränkten Nationalstolz zur Ursache: befriedigte man den Stolz, dann würde wieder Ruhe im Lande sein. Daher seine außenpolitischen Ziele: Die Beseitigung des »Tributes«, der Reparationszahlungen an Frankreich und Belgien, die Gleichberechtigung im Militärischen, allgemeine Wehrpflicht wie ehedem, anstatt des Hunderttausend-Mann-Heeres, die Restauration der Monarchie, für die er an einen Enkel Wilhelms II. dachte. Daher März 1931 die Zollunion mit

Österreich. Natürlich wäre es jederzeit möglich gewesen, die Zölle zwischen beiden Staaten in aller Diskretion bis zu einer baren Formalität zu reduzieren. Aber das, was Brüning zu benötigen glaubte, war die große, nationale, freie Tat; ein erster Schritt zur Gründung von »Großdeutschland«, so wie es die Österreicher selber unbestreitbar gewünscht hatten im Jahre 18. Und so verstanden es die Franzosen und liefen Sturm dagegen und zogen Hals über Kopf ihre Gelder aus Österreich zurück, was zum Zusammenbruch der größten Wiener Bank führte, dann zum Zusammenbruch einer der vier deutschen Großbanken, dann zu einem eigentlichen Bankkrach, zur Schließung der Banken und Börsen im Deutschen Reich.

Leopold Schwarzschild verstand es anders und besser. Nationalistischen Grimm gab es wohl, in den Geistern eines Großteils des Bürgertums und dessen Söhnen, der Studenten. Die breiten Massen dagegen, damals in Deutschland allemal die Mehrheit, fühlten diese Sorge kaum. Für sie ging es darum, wie sie in der folgenden Woche sich und ihre Kinder vor nacktem Hunger schützen könnten. Sie hätten jede Regierung gewählt, die starke, fühlbare Schritte tat, sie von dieser Qual zu befreien. Es waren die Schritte, die Schwarzschild forderte. Er glaubte durchaus nicht an das »Ende des Kapitalismus«. Auch ein wissenschaftlich kontrollierter Kapitalismus, prophezeite er, würde einmal imstand sein, zyklische Krisen zu verhindern. Übrigens waren, was immer man gegen die Lenker der deutschen Industrie einwenden mochte – »ein Überbau glänzender Formalintelligenz auf dem Fundament wahrhaft hoffnungsloser Phantasiedürre« – die wohlverstandenen Interessen von Unternehmern und Arbeitern in *dieser* Situation dieselben; ein riesiger Warenerzeugungs-Apparat, dem der Massenabsatz fehlte, konnte ja auch den Besitzern des Apparates nicht guttun. Eine Auffassung, mit der Schwarz-schild sich wieder von jenen linken Schriftstellern unter-schied, die in der ganzen Wirtschaftskrise nichts sahen als eine Verschwörung der Reichen, um noch reicher zu wer-den. Auch machte er es nicht der Bosheit und Willkür der einzelnen Kapitalisten zum Vorwurf, daß die fremden schleunigst ihr Geld aus Deutschland zurückzogen, die in-ländischen nicht mehr zu investieren wagten; der Leitstern des einzelnen mußte Sicherheit und konnte das Gemein-wohl nicht sein. Dann und eben darum hatte der Staat ein-zugreifen. »Kreditausweitung«, »Vorfinanzierung«, »anti-zipatorischer Kredit«, »Initialzündung« oder wie man das Ding nennen wollte, das konnte jetzt nur noch der Staat. Man mußte endlich lernen, »die öffentliche und die private Wirtschaft gewissermaßen als die Balken einer Waage zu betrachten, von denen der öffentliche immer gehoben wer-den muß, wenn am privaten Senkungserscheinungen sich zeigen – und nicht umgekehrt«. Solange Schwarzschild noch hoffte, Brüning und seine Ratgeber könnten umler-nen, war sein Ton ein gemäßigter, positiver. Da arbeitete er mit emsiger Gründlichkeit seine Vorschläge aus. Als Laie habe ich den Verdacht, daß sie mindestens so praktisch waren wie später Hjalmar Schachts zu Unrecht als genial bewunderte und ebenso zu Unrecht als »zweifelhafte Ma-növer« verurteilte »Mefowechsel«. Es kam hier auf das Prinzipielle an, nicht auf das technische Detail. Es kam auf den *Willen* an, wie Schwarzschild in einem Artikel *Ja, wenn Krieg wäre* unwiderleglich zeigte. Im Krieg, da würde plötz-lich alles möglich sein, da würde es mit einem Schlag Hun-derttausende von nicht zu besetzenden Arbeitsplätzen ge-ben anstatt von Millionen Arbeitslosen; wenn es auch im Krieg nicht ginge, wozu dann die Armee, wozu die neu zu erbauenden Panzerkreuzer? Aber im Krieg würde es ja ganz sicher gehen; warum dann nicht im Frieden, zu besseren Zwecken? Als die Erkenntnis sich ihm aufdrängte, daß Brüning von seiner Doktor-Eisenbart-Kur nicht lassen werde, als die Wirtschaftsschrecken des Jahres 31 genau so verliefen wie die des Vorjahres, als jede der Notverordnungen, welche der »Sanierung der Wirtschaft« dienen sollten, nicht einmal ihren engsten Zweck, den der Sanierung der Staatsfinanzen erfüllte, weil jede Steuererhöhung durch eine neue Schrumpfung des Sozialprodukts wieder zu nichts gemacht wurde, verwandelte sich Schwarzschilds Sprache. Nun finden wir schrille, durch die Not rings umher nur zu begründete Formulierungen: »höllischer Zirkel steter Steuersteigerung und Einkommenskürzung«, »wirtschaftszertrümmernder Wahnwitz«. »Begreift man, was es heißt, daß ein elendes technisches Hilfsmittel (nämlich das Geld, GM) ein Volk von 65 Millionen in Verzweiflung, Not und Aufruhr stürzen soll?«

Im Jahre 29 waren die deutschen Reparationszahlungen neu geregelt worden; ein Gesamtkapital von 34 Milliarden Mark sollte binnen 59 Jahren zurückbezahlt werden, zusamt der Amortisierung in Annuitäten von anfangs 1,7, später 2,1 Milliarden. Schon zwei Jahre später, im Sommer 1931, schlug der Präsident Hoover ein »Moratorium« vor; während eines Jahres durfte Deutschland die Bezahlung der Reparationen aussetzen, England und Frankreich die Bezahlung ihrer Kriegsschulden an die USA. Damals wies Schwarzschild nach, zwei Jahre Kampf gegen die »Reparationen« und »Versailles« hätten das Deutsche Reich schon soviel gekostet, wie die ganzen Reparationen wert waren: Das deutsche Sozialprodukt, in Geld gemessen, war mittlerweile von etwa 90 auf etwa 60 Milliarden Mark abgesunken... Wenn übrigens die Financiers, an ihrer Spitze der Amerikaner Owen Young, glaubten, die Deutschen würden ihre »Reparationen« bezahlen bis zum Jahre 1986, dann waren sie auch nicht gescheiter als gewöhnliche Leute. Das »Hoovermoratorium« dauert noch heute an.

Öfters schon wurde vor den großen, dummen Katastrophen der europäischen Geschichte von weisen Einzelnen gezeigt, wie unnötig, wie anachronistisch und selbstmörderisch sie wären. So von Walther Rathenau im Jahre 1913. So von Schwarzschild in den frühen dreißiger Jahren. Da sah er schon die Möglichkeit, nein, die schreiende Notwendigkeit dessen, was seit unseren fünfziger Jahren dann Wirklichkeit zu werden anfing. Merkwürdig, daß er einmal sogar von einer »Erneuerung des Reiches Karls des Großen« sprach. Der Weg dazu sei offen. »Ein Produktionsvolumen, doppelt so hoch wie das heutige amerikanische, ein Lebensstandard, vier- und fünfmal so hoch wie der gegenwärtige, stehen an seinem Ende.« Neben den zeitgemäßen, den schon vorhandenen oder werdenden politischen und wirtschaftlichen Großräumen, dem russischen, dem nordamerikanischen, dem ostasiatischen, nähmen die europäischen Räume sich aus wie dumpfe Ghettos. »Jedes Volk liegt auf den Knien vor seiner eigenen Souveränität und widmet sich, statt der Sorge um Brot und Güterfülle, dem Opfer für diesen Moloch von vorgestern«; dies »auf einer Entwicklungsstufe, in der es gerade auf die Integration ankommt«. Und wieder: »Unter den Bedingungen der modernen Wirtschaft sind die Staaten Europas Mittelstädte und Dörfer, die sich durch eine widersinnige Wirtschaftsgebarung selber ruinieren. Es ruinieren sich ganz besonders diejenigen, die in offener Feindschaft miteinander leben... wie etwa Deutschland und Frankreich... *Macht Frieden in Europa.* Geht sofort und energisch an die Arbeit, die wirtschaftlichen Kramläden, die die Staaten Europas heute darstellen, in moderne Großgebilde umzuwandeln. Kein Preis ist zu hoch, der dafür bezahlt wird, denn nichts kostet uns mehr an Störungen und damit an ausreichender Versorgung als das politische Fieber, das über Europa lastet, als seine wirtschaftliche Zerspaltung in eifersüchtig miteinander hadernde Zwergstaaten.« So in einer Rede, die er vor dem Berliner Rundfunk zu halten eingeladen worden war. Er hielt sie nicht, er durfte sie nur in einem seiner grünen Heftchen drucken. Der Reichs-Innenminister – Brünings Innenminister! – verbot sie als staatsgefährdend. So weit war es im Jahre 31 in Deutschland schon gekommen.

Nun mag ein kritischer Leser fragen: wie konnte ich einerseits ein braves Mitglied der Heidelberger Sozialistischen Studentengruppe sein, wo man, im Gegensatz zu Schwarzschild, die Tolerierungspolitik der SPD verdammte und irgendwie auf eine Revolution hoffte, andererseits in Leopold Schwarzschild meinen Mentor ehren? Die Antwort ist einfach. In der Gruppe war ich »offiziell«, wenn auch in zwergischen Dimensionen; als Leser von Schwarzschilds *Tagebuch* privat. Privat durfte ich mir jeden Widerspruch erlauben. Politisch entscheiden muß man sich im Handeln, nicht in bloßem Denken. Zum Handeln war ich ungeeignet, teils wegen meiner Jugend, teils aus anderen Gründen.

Im Frühling 1932, nach dem Sturz Brünings, zog Schwarzschild mitsamt seinem *Tagebuch* nach München um. In Berlin fühlte er sich nicht mehr sicher. An Bayern glaubte er noch. Ich auch.

Indessen ging das normale Leben weiter, wie es während des Krieges weitergegangen war. Jeder widmete sich, so gut er eben konnte, seinen Pflichten, Interessen, Vergnügungen. Treu hielten die Professoren ihre Vorlesungen und

Seminare ab, die mit dem Elend im Lande rein gar nichts zu tun hatten; luden auch wie eh und je ihre Seminarteilnehmer einmal während des Semesters zu einem Nachmittagstee, wobei dann der Gegensatz zwischen ihrer noch immer wohlhäbigen Lebenshaltung und jener der Studenten besonders kraß zu spüren war. Meine Freundschaft mit Harry S. geriet während der ersten Monate des Jahres 32 auf ihren Höhepunkt; ich pflegte sie in Wanderungen, für die ich mir trotz des Examensdruckes noch Zeit nahm, der Gesundheit und der Freundschaft halber, für die ein gemeinsames Naturerleben, Mühe und Lohn, zeit meines Lebens die glücklichste Verwirklichung blieb. Gelegentlich müssen es an die fünfzig Kilometer an einem Tag gewesen sein: ein weiter Bogen durch den Odenwald, Abstieg bei Hirschhorn am Neckar, wo es in der Burgkirche die Grüfte der alten Ritter gleichen Namens gibt, dann in der Nacht den ganzen langen Weg zurück auf der Landstraße, dem Neckar entlang; wir trennten uns unterhalb des Heidelberger Schloßberges gegen zwei Uhr morgens. Wann ich Examen machte, weiß ich nicht mehr, es muß aber in der zweiten Hälfte des April gewesen sein, weil ich die Reichspräsidenten-Wahlen – der erste Wahlgang am 13. März, der zweite am 13. April 1932 – noch in Heidelberg erlebte. Wiederum war es Tolerierungspolitik, wenn die SPD ihre Wähler aufforderte, für Hindenburg zu stimmen; und wie treu die folgten! Frau Jaspers zu mir: »Ihre Partei hat sich gut geschlagen.« Selber machte mir der uralte Mann Eindruck, als ich ihn am Rundfunk hörte. Offenbar hatte er seine Rede vorsichtshalber auf Platten gesprochen, denn man hörte deutlich ihr Auswechseln. Er wurde zornig, als er zu den Vorwürfen kam, die ihn nun von der äußersten Rechten trafen; ungerechte Vorwürfe, »wo nicht gar bewußte Lügen«. Und dann sehr stolz: »Wer mich nicht wählen will, der lasse es!« Tief und mühselig klang seine Stimme. Ich dachte: Der war nun als Leutnant bei König-grätz dabei gewesen, 1866, und als Hauptmann, sein Regiment vertretend, im Spiegelsaal von Versailles, Januar 71. Und ist immer noch da. Die greisen, aus tiefer Vergangenheit herübergekommenen historischen Persönlichkeiten haben mich immer angezogen; die Kaiserin Eugenie, Clemenceau, später Bertrand Russell. Kurzum, ich wählte ihn nicht ungern. Sein Sieg war beträchtlich: 19 Millionen Wähler gegen Hitlers 13. Noch immer also war die Mehrheit der Deutschen »vernünftig«, zum Richtigen neigend. Daß wir hier nicht richtig gewählt hatten – aber wo war die Alternative? –, daß der »Treue Eckart des deutschen Volkes« durchaus nicht treu war, vielmehr seinen Diener und inbrünstigen Verehrer Brüning so bald nach seinem Triumph davonjagen würde – wer sah es voraus?

Mein Examen verlief mittelmäßig; glanzvoll nur im Lateinischen, in dem mich der glücklose Rektor des Vorjahres prüfte, Professor Meister, ein herzensguter Mensch. Professor Andreas sprach am liebsten selber, ließ mir nur Zeit für die kürzesten Antworten, die er mit einem »Das haben Sie doch gewußt« oder »Das scheint Ihnen unbekannt« kommentierte. Karl Jaspers fühlte sich unwohl mit mir allein, so wie ich mich mit ihm – wir waren wohl beide froh, als der Dekan, Ernst Hoffmann, sich als Kontrolleur zu uns gesellte. Es war dann auch Hoffmann, der, nachdem ich für eine Weile hinausgeschickt worden war, mir das Resultat mitteilte: »Ich wünsche Ihnen Glück zu dem bestandenen Examen mit dem Prädikat Cum Laude. Das ist keine sehr hohe Auszeichnung, Sie werden jedoch einen Ansporn darin sehen.« Letzteres kaum; ich fühlte mich auf das ärgerlichste überrascht. Schuld hatte die

Dissertation; daß Jaspers recht hatte, indem er sie als unreif und übel aufgebaut beurteilte, wollte ich im Moment nicht einsehen.

Der Abschied von drei Jahren Heidelberg, ein paar ernsthafte Tage. Man macht Kasse; überschlägt, was man gelernt hat und was nicht; welche Genugtuungen man erlebte mit Menschen und Dingen, welche man sich hatte entgehen lassen. Letzte Besuche bei meinen Lehrern, mit fünf bescheidenen Blumensträußen, von einem Haus zum anderen. Ein paar Abendgänge noch durch den Schloßgarten, mit dem Blick auf die erleuchtete Stadt drunten – »schön ist das schon.« Wie ich einen riesigen Koffer mit meinen Büchern, den sämtlichen Werken Hegels, Schellings, Kierkegaards und so fort zum Bahnhof schaffte, weiß ich nicht mehr. Das Grammophon schenkte ich Harry S., der es später an Ricarda Huch weitergab. Sie wußte aber nicht viel damit anzufangen; das Wechseln der »Scheiben«, so schrieb sie mir, sei gar zu lästig.

Ein langes, letztes Jahr

Die Zukunft ist jederzeit ungewiß, die große allgemeine und jene in Miniatur. Sie ist lärmiger, krasser, ungewisser als gewöhnlich während der vierzehn Monate, die ich noch in Deutschland verbringen werde; zu der persönlichen Zukunft des alternden Studenten – für alt sehe ich mich mit 23 Jahren an – kommt die äußere, landweite, weltweite, deren geringer Spielball ich bin. Aber irgendeinen Plan muß man ja haben. Der meine bleibt, das anno 29 Karl Jaspers gegebene Versprechen zu erfüllen und ein Staatsexamen für das höhere Lehramt zu machen. Da ich nun durch meinen Vater die lübische Staatsangehörigkeit besitze, nicht die bayerische, Lübeck aber keine Universität besitzt, dafür einen Vertrag mit Hamburg, so muß ich es dort ablegen – jedenfalls sagt man mir so, und warum nicht. Um mich mit den Hamburger Verhältnissen vertraut zu machen, Kontakt mit den Professoren zu nehmen, die mich prüfen werden, beschließe ich, einstweilen Wohnung in Blankenese nahe Hamburg zu wählen. Ein anderer Grund dafür ist, daß Kais Mutter dort ein von ihrem Gatten ererbtes Haus besitzt, für welches sie Mieter sucht. Ein solcher werde ich, um Kai einen Gefallen zu tun; ein anderer ist mein Freund Max Weber-Schäfer, der in Hamburg studiert. Da ich an Vorlesungen und Seminarien nicht mehr teilzunehmen brauche, so bin ich beweglich; einmal in Blankenese, dann wieder in München, wieder in Blankenese, in Göttingen, wo Kai sich zurzeit aufhält, noch einmal zu juristischen Studien zurückgekehrt.

Die Beweglichkeit wird erhöht durch ein Auto, mit welchem meine Eltern, es ist sehr lieb von ihnen, meinen wenig bedeutenden, hohlen Doktortitel belohnen. Es ist ein Zweizylinder DKW-Wägelchen, mit einer Art von Zeltdach, das wenig vor Regen schützt, einem mit der Hand zu bedienenden Scheibenwischer und einem etwas nervösen Motor. Versagt er, so schiebe ich den Wagen, die rechte Hand am Lenkrad, die linke an der Türe, ein paar Kilometer lang, um es dann wieder mit Fahren zu probieren. Manchmal gelingt das, zu meinem staunenden Vergnügen, manchmal nicht, und dann wird die Situation unangenehm. Da das Dingchen unglaublich wenig Benzin – genauer, eine Mischung von Benzin und Öl – verbraucht, so benutze ich es häufig, derart, daß ich Deutschland in diesem letzten Jahr genauer kennenlerne als in den vorhergehenden dreiundzwanzig; ich er-fahre es, erlebe, wie schön und groß es ist, wie unberührt die Weiten zwischen den Städten. Nicht, daß solches mir besonders auffiele; ich hatte es nicht anders erwartet. Es ist im Rückblick, daß ich zornig werde, wenn ich an das damals umgehende Schlagwort »Volk ohne Raum« denke. Die hatten Raum, übergenug, und ließen sich vorlügen und einreden, sie hätten keinen, und haben so ihr Glück verspielt. In dem Wagen kann man reichlich Gepäck, Bücher, ein Zelt mitnehmen, aber mehr als Fahrer und ein Mitfahrer haben nicht Platz.

Zu Hause merkt man im Ökonomischen die Krise nicht. Noch immer gibt es fünf Angestellte, von denen vier im Keller etwas eng zusammen wohnen: die beiden Mädchen in einer Kammer, Köchin und Chauffeur in zweien; im ersten Stock das Fräulein der beiden Jüngsten, obgleich die beiden Jüngsten kein Fräulein mehr brauchen. Michael, »Bibi«, lernt und lebt in einem hochfeudalen Landerziehungsheim, Neubeuern, Elisabeth, »Medi«, geht in München aufs Gymnasium. Aber Fräulein Kurz bleibt als eine Art von Hausdame, stattliche Person mit gerötetem Gesicht und würdigsten Manieren. Gelegentlich macht mein Vater sich über sie lustig, was ich nicht sehr nett finde. Als wieder einmal von der Arbeitslosigkeit die Rede ist, zitiert er, einen Blick auf die am unteren Ende des Tisches Sitzende werfend, einen Kindervers: »Sei nur froh, daß einen Platz du schon hast, mein lieber Schatz« – und Fräulein Kurz erwidert: »Ich habe nicht verstanden, was Herr Professor gesagt hat.« Taktlos kann auch sie sein. Es ist von einem Jubeljahr des Heiligen Augustinus die Rede. TM spricht von tausend Jahren. Die Hausdame: »Sind es nicht eintausendfünfhundert Herr Professor?« Der Professor wird blaß vor Ärger, spricht kein Wort mehr und zieht sich noch vor dem Kaffee in sein Arbeitszimmer zurück. Noch immer, trotz mörderischer Steuern, sind die Eltern wohlhabend, dank des Nobelpreises und eines aus dem *Zauberberg* gewonnenen Vermögens. Es werden Reisen gemacht; es wird gut gegessen und getrunken, und zwei große Wagen stehen in der Garage, ein offener amerikanischer, eine deutsche Limousine. Es ist diese, den Leuten nicht verborgen bleibende Lebenshaltung – waren sie im Theater, so erscheint am Ende der Chauffeur mit den Pelzen im Foyer –, die sie bei ihren, an Zahl beständig wachsenden politischen Feinden noch verhaßter macht; einem Industriellen nimmt man seine stattliche Existenz nicht übel, wohl aber einem Schriftsteller, zumal einem, der nun als links gilt.

Vergleichsweise wohlhabend sind momentan auch Erika und Klaus, nicht von Schulden geplagt, wie vorher meist. Es geht dies auf ein Ereignis zurück, welches die beiden tief erschütterte; den Selbstmord ihres nächsten Freundes, des Nachbarkindes seit Anfang der Zeit, Richard, Ricki Hallgarten. Das geschah, während ich im Heidelberger Ex-

amen war, und man ließ es mich erst wissen, als ich, nach
München zurückgekehrt, nicht wie sonst von Erika, sondern von deren neuer Freundin, Annemarie Schwarzen-
bach, dem »Schweizer Kind«, abgeholt wurde. Sie teilte es
mir trocken mit: »Vorige Woche hat sich der Ricki in Utting erschossen.« In Utting am Ammersee hatte er eine
kleine Wohnung gemietet und mich im Vorjahr dort eine
Woche friedlich verbringen lassen. Dann kam er mit einer
Freundin und warf mich recht eigentlich hinaus, wobei ich
sehen mußte, daß ihm der Speichel aus dem Mund floß
und daß etwas mit ihm nicht in Ordnung war, Drogenmiß-
brauch oder was immer. Gerne hatte auch ich ihn gemocht,
ohne eigentlich mit ihm befreundet zu sein; er hatte viel
Humor und war auch begabt, obgleich mehr allgemein als
im speziellen, nicht als Maler, der er hätte sein wollen, aber
im Ernst nicht wurde. Seinen älteren Bruder, Wolfgang,
später George, haßte er aus dem Grunde, vermutlich im
Gefühl, daß »Wölfis« ordinäre Neigungen auch ihm nicht
ganz fremd waren; derart, daß mein Vater, in Abwesenheit
der Geschwister, bei Tisch bemerkte: »Er hat den Wölfi in
sich töten wollen.« Im übrigen, moralisch und prinzipiell
verurteilte TM den Selbstmord auch in diesem Fall und
sprach oder schrieb von »Rickis großer Ungezogenheit«.
Hier war und blieb ich anderer Meinung. In diesem Falle
gefielen mir nicht des armen Selbstmörders Abschieds-
worte, gerichtet an die nächste Polizeistation und lautend:
»Herr Wachtmeister, habe mich soeben erschossen. Ich
bitte Frau Katia M. in München, Telefonnummer soundso, davon zu benachrichtigen.« Es oblag also meiner Mutter, die Mutter Rickis zu informieren.
Erika und Klaus fand ich tief erschüttert durch den blutigen Verrat ihres Freundes. Blutig für sie im buchstäblichen
Sinn, denn, des Toten Nachlaß ordnend, sahen sie noch die

bespritzte Wand. Indessen hatte er den beiden je zehntausend Mark hinterlassen, eine Summe, damals schwerer wiegend als zehnmal mehr heutzutage, so daß sie den ihnen gewohnten Lebensstil weiter führen konnten. In meinem Tagebuch, Blankenese, den 11. September 1931: »Am späten Abend noch in die Stadt gefahren um Klaus im Hotel aufzusuchen. In jene Welt, in der der Boy mit großem Regenschirm zum Auto gesprungen kommt, um einen zum Eingang zu geleiten, an dem man zwei weitere Guten Abend wünschende Herren passieren muß...« Hielten die Geschwister sich in München auf, so fühlte ich mich wohl dort. Die Großmutter zu meiner Mutter: »Wo deine beiden Ältesten sind, ist es doch immer nett!«

Die Freunde der beiden gefielen mir weniger. »Erikas Geburtstagsfest neulich, mit sehr viel Alkohol, gleichgültigen, ja unerfreulichen Leuten. Ich merke wohl, daß sie den Verkehr nicht hat, der ihren eigenen Qualitäten entspräche. Tatsächlich war es recht langweilig und müde; trotzdem glaubten sie es bis ½ 4 Uhr treiben zu müssen.« Es war noch immer die Gesellschaft, ungefähr, wie TM sie in der – vielbewunderten, aber mir eher peinlichen – Novelle *Unordnung und frühes Leid* beschreibt. Natürlich urteilte ich höchst subjektiv; es war ihr Geschmack, nicht meiner, jeder hatte ein Recht auf den seinen. Mein Bruder, immer wohlmeinend und gütig, schrieb mir einmal, ich suchte mir die falschen Freunde aus, sie seien zu klug und zu hochmütig, von jenem halbberechtigten Hochmut, der kränke und an den man seine Liebe nicht vergeuden dürfe. »Davon verstehe ich etwas.« An die Harmlosen, nur auf Grund ihres Aussehens Hochmütigen, Kindlichen, Ahnungslosen müsse man sich halten. Dazu meine Anmerkung: »Wenn ich aber doch mit solchen Kindern gar nichts anzufangen weiß?«

Wir waren so nahe miteinander verwandt, in manchem

wohl auch ähnlich, gingen aber, ohne es zu wollen, die uns vorgezeichneten, sich weit voneinander entfernenden Wege. Daß der meine den seinen an schierer Länge zu verdoppeln droht, sagt über den Wert nichts aus. Bei aller seiner hohen Intelligenz war mein Bruder im Grunde naiver, lebensmutiger und viel optimistischer als ich. Immer wieder enttäuschter Optimismus wurde ihm zum Verhängnis; der so lebensmutig begonnen hatte, verbrauchte, verbrannte sich schnell. Obwohl er mit zweiundvierzig Jahren starb, hat er mehr geschrieben als ich bis zum heutigen Tag, darunter Dinge von sehr hohem Rang. Zu mir einmal über meine späteren Arbeiten: »Das wird ein schmales Œuvre« – womit er recht behielt. Was er vollbrachte und was ich, stammte aus so grundverschiedenem Talent, Willen, Ehrgeiz, daß ein Vergleich zu gar nichts führen könnte. Darum kam es, und dafür sei Gott gedankt, zwischen uns nie zu so quälenden Beziehungen, wie sie zwischen unserem Vater und unserem Onkel Heinrich von Anfang bis Ende bestanden; nicht zu dem leisesten Schatten davon. Möglich ist dies: Daß ich Schriftsteller im Ernst nur werden konnte, nachdem er verschwunden war. Möglich, sage ich; denn *wenn* es diesen Zusammenhang gab, so war er mir unbewußt.

TM befand sich mit seiner Arbeit an der biblischen Tetralogie schon gegen Ende des zweiten Bandes, *Der junge Joseph.* »Gleich am Abend, als ich ankam, las der Alte vor, ein Kapitel, das ich schon kannte; Jaakob bei Josephs (vorgetäuschtem) Tod, vorzüglich. Im *Zauberberg* werden die Verhältnisse des Geistes zum Objekt, die Begriffe durcheinandergebracht und aufgelöst; im *Joseph* das Ich selber. ... Der Alte hat neulich Abend noch einmal vorgelesen – Joseph vor den Pyramiden und der Sphinx. Das ist wohl eine große und unheimliche Sache. Gigantische Plage der Arbeit, ewige Dauer, sinnlose, schlechte Unendlichkeit im Gegensatz zur ›Gewärtigung‹ der Juden; auch, daß diese Arbeiter im glühenden Sande von der Sonne ›gefressen‹ werden, kommt vor. Sonst auch die meisten idealistischen Philosopheme, gelegentlich von Joseph. Er ist ja ein Kind; so muß er alle Denkmöglichkeiten des menschlichen Geistes durchkosten. Urgeschichte – das Kind – das Kind im Alten – eine wunderliche Phänomenologie des Geistes...« Etwas also spürte ich doch schon von der Größe dieses Werkes, welches der Autor später für sein außerordentlichstes hielt, wenn ich's auch flüchtig und etwas von oben herab ausdrückte.

Übrigens ging es in diesem Spätherbst und Frühwinter in der Poschingerstraße ganz hübsch gesellig zu. Anfang Dezember erschien zum »Frühstück« – so nannte man nun ein elegantes Mittagessen – der Philosoph Hermann Graf Keyserling mit seiner Gemahlin, wozu noch andere Gäste gebeten waren: TMs treuer Freund, Begleiter, Tröster und Hofnarr, der Übersetzer Hans Reisiger – im Roman *Doktor Faustus* Rüdiger Schildknapp –, den mein Vater bei solchen Gelegenheiten gern zur Hilfe rief, und ein Maler, Rolf von Hoerschelmann, Balte wie Keyserling, klein von Gestalt, fidel und medisant. Keyserling, ein Hüne von Gestalt, erschütterte, indem er sich zum Essen niedersetzte, den Tisch dermaßen, daß sämtliche schon gefüllten Weingläser umfielen und eine durch Lachen gemäßigte Verwirrung entstand. Später hielt TM eine Rede, frei gesprochen, jedoch offenbar vorher aufgeschrieben und konventionell; Keyserling erwiderte unvorbereitet und souverän, als der Weltmann, der er war. Danach sprach TM noch einmal: er hatte vergessen, der Gräfin zu gedenken, die als Enkelin Bismarcks aus großem und schicksalsschwerem Hause stamme. Die Unterhaltung verlief mühelos und interessant; darauf verstand Keyserling sich. Über Goethe bemerkte er, er habe im Grunde wenig Wirkung getan, die deutsche Weltfigur sei Hegel. Dazu mein Tagebuch: »Woher will er das wissen? Die Wirkung eines Dichters ist indirekt, imponderabil. Die philosophische Lehrmeinung dagegen steht in einer Tradition.« Die Mahlzeit war lang, Champagner zum Nachtisch; im Nebenzimmer Kaffee, Liköre, Zigarren. Zuletzt erhob Keyserling sich mit einem Seufzer, »Ach ja!« Er gedachte des öden Nachmittags, der folgen würde, des schwierigen Lebens nach ein paar guten Stunden. Als das Ehepaar verschwunden war, die anderen Gäste noch anwesend, wurde gehechelt. Maler Hoerschelmann äußerte sich mit seiner baltischen Singsangstimme: »Wissen Sie, Persönlichkeiten wie Keyserling hatten wir im Baltikum viele. Als beliebte Gäste traf man sie in allen Schlössern, weil sie plaudern, erzählen konnten und so ein bißchen philosophieren auch. Na, nun hat Keyserling sich eben selbständig und einen Beruf daraus gemacht« (worüber mein Vater lachen mußte). Die so sehr charakteristische, liebenswürdige Sprechweise der Deutsch-Balten werden wir bald gar nicht mehr hören, nicht die baltischen Witze, die baltischen Spukgeschichten. Die Letzten, denen die Tradition noch eigen war, sterben fort und haben keine Nachfolger.

Ein geselliger Höhepunkt war Mitte Dezember der Besuch Gerhart Hauptmanns. Er reiste damals mit seiner Frau Margarete von einer großen Stadt zur anderen, um seinen siebzigsten Geburtstag feiern zu lassen. In Berlin gab es sogar zwei Feiern; die eine ihm geboten von der preußischen sogenannten Hoheitsregierung unter dem sozialdemokratischen Ministerpräsidenten Braun, die andere unter dem durch den Reichskanzler von Papen eingesetzten »Kommissar«, der über die Vollzugsgewalt gänzlich verfügte. Dieser groteske Zustand war dem Staatsgerichtshof in Leipzig zu verdanken; der Weisheit der Richter zufolge durfte der Reichspräsident der Regierung eines Bundeslandes alle ihre Rechte nehmen, nicht aber sie absetzen. Daß Hauptmann nun die Ehrungen sowohl der würdigen Entmachteten wie der unwürdigen Machthaber entgegennahm, ist ein Beispiel für des großen Dramatikers völlige Blindheit im Politischen und Moralischen; leider geben seine Tagebücher noch ärgere Beispiele dafür. Mein Vater dachte sehr hoch und mit starker Sympathie von ihm – Mynheer Peeperkorn im *Zauberberg* läßt es erkennen. Nach Hauptmanns Tod hörte ich ihn sagen: »Er war doch eigentlich der einzige Pair« – der einzige ihm Ebenbürtige in Deutschland; wozu der Österreicher Hofmannsthal nicht gehörte, auch wohl Hermann Hesse nicht, weil der mittlerweile zu einem echten Schweizer geworden war. Aber Hauptmanns Verhalten zu Beginn des »Dritten Reiches« stieß ihn ab; der krame nun in seinem Werk, um etwas zu finden, was in die veränderte Situation paßte. »Das ist es, was ich an Hauptmann verachte...« – Übrigens bezweifle ich nicht, daß die beiden nach 1945 sich dennoch versöhnt hätten, wäre Hauptmann am Leben geblieben. Denn TM war, was seine alten deutschen Freunde betraf, damals nicht nachträgerisch; im ganzen wohl und aus verständlichen Gründen; in der persönlichen Sphäre aber nicht. Mich selber bewegte recht trübe eine Erklärung, welche Hauptmann nach der von ihm erlebten Zerstörung Dresdens, Februar 1945, in einer deutschen Zeitung drucken ließ: er habe weinen müssen, hieß es da; er werde bald sterben und dann Gott den Herrn bitten, er möge doch die Menschen von ihrem blutigen Haß gegeneinander befreien. Meine amerikanischen Kollegen fanden das komisch.

Nun also war Hauptmann mit Frau Margarete eines Abends bei uns und machte mir den Eindruck, den ich erwartet hatte – weil ich ihn erwartet hatte? – und den ich dank Mynheer Peeperkorn schon kannte. Jedoch sagte er in sich zusammenhängendere Dinge als der Holländer im Roman. Etwa erzählte er von der Liebhaberaufführung eines seiner schlesischen Dramen – *Rose Bernd* oder *Fuhrmann Henschel* –, mit der seine Nachbarn in Schreiberhau, Beamte, Angestellte, Förster und Bauern, ihn überrascht hatten; eigentlich hätten sie es besser gemacht als gelernte Schauspieler, völlig ungeniert, direkt, überzeugend, stark. Und kein Wunder; sie waren es ja, die in seinen Stücken vorkämen... Am nächsten Vormittag Matinée im Nationaltheater: Begrüßung durch den Hofschauspieler Ulmer, Rede meines Vaters, Dankesansprache Hauptmanns. TM hatte uns seine Rede schon vorgelesen. Im Tagebuch: »Sehr schön. Der Künstler als Überwinder des Chaosdrachens.« Hauptmann sprach improvisiert, gütig und diffus, so daß ich mir dachte: du hast schon Champagner getrunken. »Vergessen wir nicht, wir sind in – hier ein kurzes Zögern – in München und es ist Sonntag Vormittag.« Nach so häufigen Feiern fiel es ihm schwer, sich der Zeit und des Ortes bewußt zu bleiben. Er trete ja nun in das Greisenalter ein, fuhr er fort, aber vielleicht würden doch noch Forderungen an ihn herantreten, denen er sich auch stellen werde... Abends gab es *Hanneles Himmelfahrt* im Schauspielhaus. Der Dichter wollte nur der Höflichkeit halber ein paar Szenen sehen, blieb aber bis zum Schluß. Für mich gehört *Hannele* zu Hauptmanns Bestem: Realismus, Seelenkunde, Mitleid, Traum, Magie. So auch die *Ratten*, die ich am gleichen Ort im Januar sah; ein Stück, so vielschichtig wie Shakespeares *Sommernachtstraum*. Danach sah ich es nie wieder, las es nie wieder. Aber Frau John mit

438

ihrem geliebten und nicht existierenden Söhnchen, dem »Adelbertchen«, bleibt in meinem Gedächtnis eingegraben dank der gewaltigen Schauspielerin Therese Giehse. Sie, später unsere Freundin, war dem »Volk«, dem bayerischen und dem Volk überhaupt weit näher als irgendeine ihrer »arischen« Kolleginnen. Später hat Brecht seine *Mutter Courage* recht eigentlich für sie geschrieben. Ob auch Dürrenmatt seinen *Besuch der alten Dame*, weiß ich nicht; keinesfalls hätte er für die Verkörperung der Dame jemand Geeigneteres finden können als die »Theres«, so wie ich sie in Zürich erlebte.

Noch gab es für die Hauptmanns ein Fest im Saal des Alten Rathauses, eben dort, wo ich sieben Jahre früher jene Feier zu Ehren des fünfzigjährigen TM erlebte – und im Jahre 1971 die üppige Verabschiedung des Oberbürgermeisters Hans-Jochen Vogel erleben würde. Der Oberbürgermeister des Jahres 32 war es schon im Jahre 25 gewesen und sollte es im Jahre 45 noch einmal werden: Karl Scharnagl, von Haus Bäckermeister, ein urmünchner Typus, gutmütig aus dem Grunde, populär und sehr redefreudig. Völlig unvorbereitet sprach er darauflos, verhedderte sich, fand das Ende eines Satzes nicht, redete dunkel vom »Lärm der Straße, der zu uns heraufklingt« und zu unserer geistig erhebenden Feier, zur edlen Größe unseres Gastes so sehr im Gegensatz stehe, und dergleichen mehr. An zahlreichen Tischen wurde Bier getrunken. Im Tagebuch: »Ich saß neben dem Hans Ludwig Held, einem gescheiten bayerischen Mystiker und Paracelsus-Forscher, gewesenem Kapuziner. ›Fühlen Sie sich vereinsamt, Herr Doktor? Das geht doch anderen auch so!‹ Ich war es in der Tat. Dann aber mußte ich über Karl Valentin so lachen, daß mir etwas zuzustoßen drohte.« Es war die Szene, die es, glaube ich, auf keiner Platte gibt: Lisl Karlstadt als Dirigent kündigt an »Zum Schluß die Ouvertüre«. Es ist keine Ouvertüre, sondern die Barcarole aus *Hoffmanns Erzählungen*, die Musikanten, beherrscht von Valentin, spielen immer wieder die ersten berühmten Takte und kommen davon nicht los, wie sehr auch Frau Karlstadt mit verzweifelten Dirigentengesten sie weiter zu treiben sucht. Mit Hans Ludwig Held unterhielt ich mich gut, erzählte ihm auch von meinen Plänen, dem Staatsexamen, dem Beginn als Gymnasiallehrer. Held: »Das gefällt mir. Ich sehe darin eine Bestätigung der Moral Ihres Herrn Vaters, wonach man sich, gleichgültig welche Talente man hat, zunächst doch einmal in der bürgerlichen Gesellschaft bewähren muß.« Held kam öfters zum Abendessen in die Poschingerstraße, ließ sich aus *Joseph und seine Brüder* vorlesen und urteilte als Kenner scholastischer Theologie: der Autor komme da aus eigener Kraft auf Gedanken, wie sie dem und dem Heiligen des Mittelalters aus göttlicher Eingebung zuteil geworden seien. Und ohne Zweifel befinde er sich selber auf dem Weg oder der Rückkehr zum Glauben. TM, verbindlich-unverbindlich: »Ich stelle das anheim.«

Anfang Januar eröffnete meine Schwester Erika in München ihr Cabaret *Die Pfeffermühle*. Den Namen hatte mein Vater erfunden und gleich erprobt, indem er einen bitteren alten Schauspieler sprechen ließ: »Was erlauben Sie sich, ich war sieben Jahre bei der Pfeffermühle!« Für das Unternehmen wurde ein Cabaret-Theater, genannt die »Bonbonnière«, gemietet, zwischen Maximilianstraße und Hofbräuhaus gelegen. Während ich mich an die Programme der folgenden zwei Jahre in der Schweiz sehr genau erinnern kann, zumal an ein paar Gedichte oder Lieder prophetischen Inhalts, von Frau Giehse großartig dargeboten, ist mir dies erste, noch deutsche Programm, nicht mehr gegenwärtig, obgleich ich die Premiere erlebte. Es war noch nicht »Anti-Nazi« wie die späteren, jedenfalls nicht überwiegend, sondern bunt und vielseitig. An die Verspottung eines alten und geckenhaften Aristokraten als Vogelscheuche kann ich mich erinnern, weil sie mir mißfiel; noch mehr einem Grafen Arco, der im Protest den Saal verließ. Erika, die Leiterin und Dichterin, wirkte als Conferenciere; dunkle Augen, jung und schön. Als sie Worte Kurt Tucholskys aus einem Sketch über die versunkenen neunziger Jahre zitierte: »Aber eine Dame darf doch nicht Velociped fahren!« rief ein Herr im Saal: »Sehr richtig!« Offenbar meinte er, Erika sei zu gut für eine solche Darbietung. Sonst war die Stimmung im Saal heiter und warm, das Publikum fühlbar entzückt. Und so klang es zwei Tage später aus dem Bericht des führenden Kunstkritikers Wilhelm Hausenstein, später erster Botschafter der Bundesrepublik in Frankreich: eine so geistreiche Kameraderie sei allenfalls noch in Paris vorstellbar, nicht in Berlin. Während des Monats Januar blieb die »Bonbonnière« immer voll besetzt, so auch im Februar bei erneuertem Programm. Dann mußten die Vorstellungen abgebrochen werden, die Gründerin zusamt ihrer Freundin Therese Deutschland eilends verlassen.

Am 9. Januar 1933 trat ich die Rückfahrt nach Hamburg an, mit dem Gefühl, im Tagebuch ausgedrückt: »Übrigens ist es recht schön hier und ich trenne mich ungern« – während ich sonst das Elternhaus nur zu gern verlassen hatte. Auch im Politischen waren die Aussichten zum ersten Mal seit 1930 hoffnungsvolle. Der erfolgreiche Erzähler und Theaterdichter Bruno Frank, Schüler und naher Freund TMs, höchst angenehmer Mensch, als er den Weihnachtsabend bei uns verbrachte: »Wir sitzen doch heute in ganz anderer Stimmung zusammen als voriges Jahr.«

Unmöglich, mit einiger Genauigkeit zu unterscheiden zwischen dem, was man, auf eine ehedem erlebte Epoche zurückblickend, später über sie erfuhr, lernte, verstand, aufgrund von allerlei Büchern oder Dokumenten, ferner dann auch vom Fortgang der Dinge selber, der ein neues Licht auf das Zurückliegende wirft, andererseits aber dem, was man über jene Vergangenheit sich dachte, damals, als sie Gegenwart war. Auch ich gehöre zu denen, die nachher viel viel klüger waren als vorher. Ein Maß von Kontrolle gibt mein Tagebuch; es ist nicht völlig treu, weil zwei von den vier einschlägigen Heften fehlen und weil nicht alles, was ich so redete oder grübelte, von mir aufgeschrieben wurde.

Ein ärger von der Politik beherrschtes und behextes Jahr als annus domini 1932 hat Deutschland nie erlebt, nie vorher und auch nie nachher; keines auch, in dem die Dinge so auf des Messers Schneide standen, kein so schicksalschwangeres, derart jedoch, daß die Entscheidung bis zuletzt offenblieb. Bürgerkrieg war keiner, nicht in diesem Jahr, nicht im nächsten, in der modernen deutschen Geschichte überhaupt nie; wohl aber etwas von einem unterdrückten Kriegsfeuer, da und dort züngelnd, gelegentlich von Wahlkämpfen, auch ohne solche, aber Wahlkämpfe gab es übergenug. Gerade in dem Jahr, in welchem die Verfassung von 1919 zu funktionieren endgültig aufhörte, wurde das Volk fünfmal an die Urnen getrieben und folgte dem Rufe jedesmal, belehrt und gehetzt durch ein vorher nie erlebtes Maß wüster Propaganda: die beiden Gänge für die Wahl des Reichspräsidenten, März-April, Wahlen für zwei Reichstage, Juli und November, obgleich der Reichstag nichts mehr zu bestimmen hatte, dann noch Wahlen für den preußischen Landtag, die wieder dreifünftel der Nation aufpeitschten zu einer Selbstbestimmung, die nichts bestimmte, und Landtagswahlen in Bayern, Württemberg, Anhalt und Hamburg. Wie jedoch Kinder und Erwachsene, soweit sie nicht Soldaten sein mußten, während des Kriegs ihrem Beruf, ihren Interessen, ihren Vergnügungen ohne böses Gewissen nachgegangen waren, so auch der Schreiber dieser Zeilen im Jahre 1932. Ich besuchte Volksversammlungen, ich überhörte Gespräche da und dort; aber trotz der Unsicherheit allgemeiner Zukunft bereitete ich die meine vor, so als ob alles in Ordnung wäre, traf meine Freunde, gebrauchte das neue Geschenk, das Auto, für allerlei Reisen. Verglichen mit anderen meines Alters und Standes ging es mir gut. Noch immer erhielt ich im Monat 240 Mark, und wenn ich trotzdem ärmer war als vorher, dann nur wegen der häufigen Reparaturen des DKW. Es gab abscheuliche Morde in Massen, von Nazis an Kommunisten, auch von Kommunisten an Nazis, welch letztere mir weit weniger auffielen; nie sah ich einen Toten. In Altona, damals noch einer Stadt für sich, kam es im Juli zu einem Zusammenstoß zwischen den Kampfverbänden SA und Rotfront, welcher später der »Altonaer Blutsonntag« genannt wurde. Damals wohnte ich in Blankenese, nur ein kurzes Stück elbabwärts, aber ich merkte von keinem Blutsonntag etwas und trat bald darauf eine Reise nach Skandinavien an. So erlebt der einzelne das Ganze, es wäre denn, er sei mitten darin, und da weiß er auch nur von dem engen Sektor, den ein Zufall ihm zum Gefängnis machte.

An einem Tag Ende Mai hörte ich aus dem Mund unserer Hausdame Fräulein Kurz: »Brüning hat abgedankt.« Sie hatte es aus dem Rundfunk. Nun, »abdanken« konnten nur Könige. Andererseits durfte der Reichskanzler von dem Reichspräsidenten auch nicht »entlassen« werden, oder durfte es nur, weil der Oberleutnant Brüning dem Feld-

marschall von Hindenburg dies Recht zugestand. Er verschwand; mit ihm der letzte Rest von parlamentarischer
Demokratie, denn immerhin war er zwei Jahre lang von
einer Mehrheit des Reichstags toleriert worden, einer
Mehrheit, die freilich besser getan hätte, gemeinsam zu
agieren als nur zu tolerieren.

Wer und was hinter Brünings Verabschiedung stand, wußten wir alsbald: die Kamarilla um Hindenburg, sein Sohn
Oskar, sein Staatssekretär, seine ostpreußischen Gutsnachbarn, besonders aber ein politisierender General mit
Namen von Schleicher, Chef des Ministeramtes im Reichs-
wehrministerium. Und wir wußten, daß es Herr von
Schleicher war, der einen charmanten Edelmann, von Papen, Mitglied des »Landbundes« und des rechten Flügels
der Zentrumspartei, durch seine Frau der Keramikindu-
strie im Saargebiet verschwägert, daß also Schleicher den
»Herrenreiter« als Regierungschef ausgesucht und dem
Reichspräsidenten zugeführt hatte, der Wohlgefallen an
Herrn von Papen fand. Die Regierung des neuen Kanzlers
wurde das »Kabinett der Barone« genannt. Es waren unbestreitbar tüchtige Fachleute darunter, Politiker keine.
Bald stellte sich heraus, daß Schleicher, der geheime oder
längst nicht mehr geheime Macher des Ganzen, nun
Reichswehrminister, gewisse Abmachungen mit Hitler getroffen hatte: die Nazis würden Papen tolerieren, wie die
SPD Brüning toleriert hatte; ein von Brüning erlassenes
Verbot der Nazi-Kampftruppen, der SA, wurde aufgehoben, so daß Mord und Gegenmord lustig wieder begannen;
und dann sollten abermals Reichstagswahlen sein. Die Betrogenen waren hier die Mitte und die gemäßigte Linke,
Zentrum und Sozialdemokraten. Wenige Wochen vorher
noch hatten sie Hindenburgs Wiederwahl durchgesetzt,
was genau das war, was der alte Herr ihnen nicht verzieh;

denn von der Rechten hatte er gewählt werden wollen, nicht von den Linken. In München, wo seit 1920 die Bayerische Volkspartei regierte, eine bajuvarische Schwester des Zentrums, war man über die Untreue Hindenburgs besonders zornig. Ich erlebte es in einer Versammlung im gewaltigen Zirkus Krone. Es sprach der bayerische Staatsrat Fritz Schäffer, Verwalter von Bayerns Finanzen, wie er dann auch später der erste Finanzminister der Bundesrepublik wurde, ein charaktervoller, gescheiter und mutiger Mensch. Er genierte sich nicht, dem Feldmarschall vorzuwerfen, er habe die verraten, die ihn gewählt, und die belohnt, die ihn beschimpft hätten. Dagegen machte der Gast aus Norddeutschland, Prälat Kaas, Vorsitzender der Zentrumspartei, einen enttäuschenden Eindruck, ölig und immer noch den Hindenburgkult treibend: wir müßten zum inneren Frieden kommen, solange unser allverehrter Herr Reichspräsident noch unter uns weilte. Daß Kaas im Grunde auf eine Regierungskoalition Nazis – Zentrum hinauswollte, wußten wir recht gut. Als dann, nicht völlig ohne Mitschuld des kurzsichtigen Prälaten, die Diktatur Hitlers vollendet war, berief Pius XII. ihn nach Rom, wo er sich mit Forschungen nach dem Grabe des Heiligen Petrus befaßte.

Franz von Papen: elegant, unwissend und leichtsinnig, spielend mit nebulösen Ideen der Stunde, »konservative Revolution«, »antikapitalistische Sehnsucht des Volkes«, in Wirklichkeit aber Brünings Wirtschaftspolitik fortsetzend mit noch grausameren Notverordnungen, in der Außenpolitik erntend, was Brüning mit Geschick und Würde gesät hatte, die endgültige Abschaffung der Reparationen, auch wohl so mir nichts dir nichts den Franzosen eine militärische Allianz offerierend, hübscher Einfall, aber jeder Wirklichkeit bar; einer, der seine Stellung, man mag sie leider sogar historisch nennen, dem verrückten Theater verdankte, welches auf der obersten Etage gespielt werden durfte, weil im Tiefen und Breiten die Massenparteien einander blockierten. Um der weiten Welt, besonders aber dem vor den Toren der Macht lärmenden Adolf Hitler die Stärke der eigenen Stellung zu zeigen, ließ Papen im Juli die sozialdemokratische Regierung im Land Preußen absetzen, wieder ein durch Hindenburgs Notverordnungsrecht gedeckter Akt. Und der preußische Innenminister Severing, auf dessen Polizei wir bis zu jenem Tag gebaut hatten – sie sei wenigstens so stark wie die Reichswehr, so hieß es, und obendrein sehr zuverlässig im Politischen –, der sympathische, der treue, tapfere Severing wehrte sich nicht, verlangte nur, daß Gewalt angewendet werde, freien Willens könne ein Preuße nicht nachgeben. Man tat ihm den Gefallen, indem über Berlin der militärische Ausnahmezustand verhängt wurde. Danach, so erinnere ich mich, ließ Severing uns wissen, unter den und den Umständen habe er nicht »putschen« können. Um einen Putsch wäre es ja nun eigentlich nicht gegangen; eher um die Abwehr eines von der Reichsregierung unternommenen Staatsstreiches. Ein klägliches Schauspiel, kein überraschendes mehr. Es wurde da etwas aufgelöst, was nur noch den Schein von Wirklichkeit besessen hatte. Der preußische Ministerpräsident, Braun, befand sich damals in der Schweiz, krank nach allen den vergeblichen Mühen. Gelegentlich des Prozesses vor dem Staatsgerichtshof wurde von dem Vertreter der abgesetzten Regierung ein Privatbrief Brauns verlesen, dann gedruckt, den ich mir in meinem Tagebuch abschrieb: Wo er seine Pflichten gegenüber dem Reich denn verletzt habe, fragte er. Wie oft habe er doch auf Kosten der Werbekraft seiner Partei nur zu Gunsten der Reichseinheit gehandelt. Nun so weggejagt werden, »wie ein Dienstbote, der gestohlen hat, in dieser Form, mit dieser Begründung, auf Veranlassung des Mannes, für dessen Lauterkeit und Verfassungstreue ich mich vor kurzem mit meiner ganzen Person eingesetzt habe, und der dem nicht zuletzt seine Wiederwahl zum Reichspräsidenten verdankt, das ist ziemlich bitter. Aus einer vierzigjährigen politischen Tätigkeit weiß ich, daß es in der Politik keine Dankbarkeit gibt. Aber ein Mindestmaß von Achtung ist doch die Vorausbedingung auch einer politischen Zusammenarbeit.« So dachte er sich's und hat seine Gegner geachtet; die jedoch darum nicht aufhörten, den hochgekommenen alten Proleten in ihm zu sehen, den man in seine Grenzen verweisen müsse. Brauns Erinnerungen, *Von Weimar zu Hitler*, acht Jahre später erschienen, zeigten den Mann noch einmal, wie er war; seine moralische, auch politische Qualität und deren verhängnisvolle Grenzen; den Mangel an Phantasie, an Sinn für Macht, dort wo diese in ihrer Nacktheit entscheidend geworden war. Auch seine ergreifende Anständigkeit: nachdem der Staatsgerichtshof sein salomonisch-unmögliches Urteil gefällt hatte, sah er Hindenburg noch einmal und berichtet darüber: »Bei dieser Unterredung... machte Hindenburg einen erschütternd greisenhaften Eindruck, sodaß meine Empörung über seine Verordnung zurückgedrängt wurde durch das Mitleid mit diesem alten Mann, der aus Pflichtgefühl die Bürde der Reichspräsidentschaft nochmals auf sich genommen hatte und der nun von skrupellosen Menschen so infam mißbraucht wurde.« Otto Braun – er führt den tragischen Zug der alten deutschen Sozialdemokraten, denen das deutsche Bürgertum so abscheulichen Dank zollte dafür, daß es von ihnen gerettet worden war im Jahre 1919.

Herrn von Papen konnte sein preußischer Husarenritt wenig helfen. Der Wahlkampf vom Juli war der wüsteste, den

wir noch erlebt hatten; man sah Nazi-Plakate mit schreien-
den Titeln wie: »ZWEI MILLIONEN GESTOHLEN – haben die
roten Preußenminister aus dem Staatssäckel«, oder: »Es
spricht der Fememörder Heines« – ein Parteigenosse, der
ehedem in der Tat einige Morde begangen hatte. Der Ausgang der Wahlen überraschte nicht weiter; die Zahl der
Nazi-Stimmen verdoppelte sich noch einmal, sodaß sie
nun gegen 38 % zählten; verbessern konnten sich auch die
Kommunisten, für Hitler ein zusätzliches Glück, denn als
Bürgerschreck mußten sie ihm willkommen sein. Die beiden Säulen der Republik, wenn man von einer solchen
noch sprechen konnte, Zentrum und SPD, hielten sich, wie
auch die Schwester des Zentrums in Bayern. Die Wahlbe-
teiligung hatte nicht weniger als 83% betragen; das leidenschaftliche politische Interesse der Bürger, wenn nicht in
bürgerkriegsähnlichen Taten nur noch in Wahlen zu verwirklichen, kontrastierte sonderbar mit der Tatsache, daß
die Stärke der Fraktionen im Reichstag einstweilen ohne
jede Bedeutung blieb. Denn Herr von Papen und seine
Hintermänner waren von vornherein entschlossen, einer
Mehrheit überhaupt nicht mehr zu bedürfen, sondern ausschließlich mit den Dekreten Hindenburgs zu regieren, so
lange, bis eine geschwächte, an die Wand gedrängte Nazi-
Partei sich zur positiven Mitarbeit bereit sähe. Entsprechende Angebote wurden ihr schon im August gemacht,
aber von Hitler abgelehnt. Nicht Vizekanzler wollte er
sein, sondern Chef der Regierung eindeutig, mit solchen
Vollmachten, wie Mussolini sie in Italien besitze; eine For-
derung, die Hindenburg ablehnte, die Szene ist oft geschildert worden. Damals hielt ich Hitlers *Verweigerung* für einen
schweren Fehler; im Rückblick mußte ich's anders sehen.
Er wußte genau, was er brauchte, um eine »legale« Regierung in eine Diktatur zu verwandeln: Die Stellung des

Reichskanzlers und das Innenministerium. Und er war entschlossen, die Gelegenheit dafür abzuwarten. Da nun der fromme Reichspräsident seinen auf die Verfassung geleisteten Eid nicht brechen, also nicht diktatorisch regieren wollte, im Reichstag aber etwas anderes als eine negative, zur Regierung total unfähige Mehrheit von 9/10 nicht zu finden war, so blieb nichts als Auflösung des Parlaments, kaum daß es zum ersten Mal zusammengetreten war. Die Sozialdemokraten hatten Brüning toleriert – Herrn von Papen tolerieren, das ging nicht mehr, erst recht nicht nach seinem Staatsstreich in Preußen und im Zeichen einer Notverordnung, die nun auch dem Tarifrecht der Gewerkschaften ein Ende machte. Also abermalige Auflösung und abermalige Neuwahlen im November. Sie waren insofern interessant, als sie zum ersten Mal seit 1930 den Nazis eine Niederlage brachten: sie verloren etwa 12 % der Stimmen der Wählermasse, die sie im Juli erreicht hatten. Die Kommunisten gewannen; sonst änderte sich an der negativen Mehrheit nichts. Was tun? Papen, der mittlerweile mit einer gründlichen Revision der Verfassung gespielt hatte, zwei Häuser, die Mitglieder des Ersten ernannt, nicht gewählt, das Zweite nur mit dem Recht der Ratifizierung, nicht der Einbringung von Gesetzen, also ungefähr eine Rückkehr zu den Verhältnissen, wie sie im Königreich Preußen in den achtziger Jahren des vorigen Jahrhunderts geherrscht hatten, Papen wäre nun zu einer Regierung bei völliger Ausschaltung des Parlaments, einer Regierung, gestützt ausschließlich auf den Reichspräsidenten und die Armee, bereit gewesen. Aber sein Mentor, die »feldgraue Exzellenz« hinter den Kulissen, General von Schleicher, wollte nicht; er machte geltend, daß seine Reichswehr, in den unteren Rängen schon nazi-infiltriert, nicht mehr ganz zuverlässig sei und daß er mit ihr gegebenenfalls einen Krieg gegen zwei Fronten, Hitler und die Kommunisten, nicht führen könnte. Ich weiß nicht mehr, was uns damals von solchen im Innersten der Macht gebrauchten Argumenten bekannt war, was nicht. Immer besaßen die Korrespondenten der größeren Zeitungen in den Hauptstädten mehr oder weniger zuverlässige Informanten, immer wurde für Indiskretionen gesorgt. Daß es mit den beiden Freunden, Schleicher und Papen, nicht mehr zum besten stand, so viel sprach sich herum; den General kränkten die selbständigen Sprünge, welche er dem von ihm erwählten Kanzler, »Fränzchen«, nicht zugetraut hatte; andererseits blieb das notorische Ziel Schleichers, die »Zähmung« der Nazipartei, ihre Ausnützung zu Zwecken, welche die Zwecke Hitlers nicht waren, einstweilen unerreicht. Soviel wußten wir alle. Aber der neue Reichskanzler von Schleicher gefiel uns; trotz der Intrigen, mit denen er die erste »Präsidialregierung« Brüning *inszeniert* hatte, um sie zwei Jahre später wieder zu stürzen und Brünings noch maßvollen Halb-Parlamentarismus durch ein System zu ersetzen, das praktisch nichts mehr hinter sich hatte als die Armee und den Mythos des senilen Reichspräsidenten. Nun selber gezwungen, aus seinem stillen Ministerbüro herauszutreten in die grelle Öffentlichkeit, die höchste Verantwortung zu übernehmen, tastete er, nicht etwa zurück zu einer Erneuerung der Parlamentsherrschaft, wohl aber nach einer möglichst breiten Basis für seine Regierung außerhalb des Parlaments. Da gab es Hoffnungen. Hitlers Partei befand sich seit dem Herbst in einer schweren Krise: immense Geldschulden, Stimmverluste, Streit innerhalb der Führung, der zweite Mann in der Partei, Gregor Strasser, von dem Oswald Spengler schrieb, er sei der einzige, den man mit Mussolini vergleichen könne, begehrte auf gegen Hitlers Politik und forderte eine positivere, der Arbeiterschaft nähere. Schließlich legte er seine Parteiämter nieder. Nun, der Gedanke Schleichers: eine Weile ohne Reichstag zu regieren, vor dem erschien er gar nicht, sondern verlas seine Regierungserklärung am Rundfunk, die Nazi-Partei zu spalten, die Gewerkschaften, die »Christlichen« und die »Freien« oder Sozialistischen auf seine Seite zu bringen.

In München hörten wir seine Antrittsrede: intelligent, wohlgelaunt und jovial, undogmatisch im Politischen wie im Wirtschaftlichen, ohne Papens Arroganz und törichten Tiefsinn. Er habe nichts dagegen, wenn man ihn einen »sozialen General« nenne, betonte er. Veraltete Begriffe wie Kapitalismus und Sozialismus interessierten ihn nicht. Verfassungsreformen seien im Augenblick unnütz – eine Spitze gegen Papen. Worauf es ankomme, sei Arbeitsbeschaffung und wieder Arbeitsbeschaffung. Und das müsse für den Anfang durch den Staat, durch öffentliche Aufträge geschehen. So getan, wenn zunächst auch nur mit ein paar hundert Millionen. Darüber mein Mentor, Leopold Schwarzschild, in einer Betrachtung zur Jahreswende. »Der Landrat Gereke, Reichskommissar (für Arbeitsbeschaffung, GM), der jetzt erstmals in Versuchsdosis ein Mittel anwendet, das noch niemals und nirgendwo bewußtermaßen als Krisen-Heilmittel angewendet wurde, ist nur ein Vorläufer vieler Nachfolger und es wird sich zeigen, daß ›von hier aus und heute‹ eine neue Epoche der Wirtschaft-Theorie ausgeht... Herr von Schleicher, der sich in den Sattel schwang, um auf dem Rücken des von Wirtschaftssorgen tollgemachten Kleinbürgertums ein fritzisches Reich des Hohenfriedbergermarsches und des wohlwollend strengen Krückstocks zu gründen, mit etwas Voltaire, etwas Barberina und außerordentlich viel ›Manufaktur‹, ist zunächst einmal gezwungen, sich mit der Frage zu beschäftigen, wie die Wirtschaftssorgen dieser Leute beendet werden könnten, und damit ihre Tollheit und damit ihr Wert als gegenrevolutionäre Truppe.« Insgesamt eine optimistische Prognose für das nächste Jahr. Auch der Chefredakteur der liberalen *Frankfurter Zeitung* schrieb damals: Hitlers Ansturm auf das Reich sei abgeschlagen.

Zum Rückblick nun das Subjektive, Authentische, darum häufig Irrige: wie der Erzählende jenes Stück Zeitgeschichte erlebte und was er sich darüber notierte.

Blankenese, 10. September 1932. An dem letzten Abend, an dem Kai hier war, war ich mit ihm im Kino und hatte einen starken, häßlichen Eindruck davon. Unendliche Bequemlichkeit der auf Polsterstühlen das Gebotene Erwartenden. Beständiges Wechseln der Lichtfarben, rot, blau, Orgel und Orchester aus der Versenkung auftauchend und in ihr verschwindend, auch den hübschesten Offenbach zerspreizend, verhunzend... Blödes, farbloses Durcheinander der Wochenschau. Herr Geheimrat Hugenberg bei der Reichstageröffnung; Empfang der deutschen Olympiasieger: »Die Wunder der Insel Haiti«. Reichskanzler von Papen hält eine 1½minütige Ansprache über sein Programm und schließt mit den Worten »unseres Dichterfürsten«: »Hinter uns die Nacht, vor uns der Tag.«

1. Oktober. Gestern Abend beschloß ich in die Oper zu fahren, *Der fliegende Holländer*. Allein, wie ich schon vorher von Pech verfolgt war und weiter solches witterte, so fand ich den Wagen von Schurken demoliert und bestohlen, worüber ich mich im Augenblick alterieren und entmutigen ließ. So ist es: geht es einem an den eigenen Leib, so hört alles Verständnis für die Lage dieser unglücklichen jungen Leute auf; hat man erst solch ausnahmsweises Eigentum,

durch welches man den Menschen eine Angriffsfläche bietet, so ruft man nach Ordnung und staatlichem Schutz und treibt es einen zu Herrn von Papen...

10. Oktober. Gedanke, einer vom deutschen Außenminister nach Frankreich hin zu haltenden Rede, der mich plagt, mit dem Thema: daß Gerechtigkeit zwischen Völkern nichts sein kann als die Idee eines Zustandes, der von allen Partnern als Gleichmächtigen geschaffen und bejaht, von allen zunächst als wenigstens erträglich empfunden wird. Sonst ist immer ein Zustand, in dem der eine zufrieden ist, der andere nicht, woraus der Krieg die unvermeidliche Konsequenz ist; daher man, ist man wirklich friedliebend, den unzufriedenen Nachbarn fragen muß: Also, wir finden die Sache wie sie ist, zum Beispiel im Osten, ganz gemütlich. Sie aber, wie Sie sagen, können damit auf die Dauer nicht leben. Nun, was fehlt Ihnen, was wollen Sie geändert haben, und warum? Dann sich hinsetzen und es ausmachen. So spricht man unter erwachsenen Männern. Anderes ist Festreden- und Ministergewäsch. Es müßte demnach die französische Regierung einmal ein paar tüchtige, offenherzige Journalisten nach Ostpreußen, Danzig, Deutsch-Litauen und Memel-Land schicken und sie mitanhören lassen, was die Leute dort nicht aushalten, was sie geändert haben wollen. Ist erst ein modus vivendi, so ist bald alles gut. Umgekehrt, fehlt auch nur etwas zum modus vivendi, so ist bald alles schlecht. Ein Vertrag, mit dem alle einverstanden sind, wäre »heilig«; mit ihm könnte eine neue Epoche beginnen. Von dem von Versailles ist nicht einzusehen, warum er heiliger sein soll, als der von Tilsit, Paris, Frankfurt? Auf einen Vertrag, der zwischen Siegern und Besiegten, zugunsten des Einen, zuungunsten des Anderen geschlossen ist, folgt erfahrungsgemäß ein anderer,

der wieder zwischen einem Sieger und einem Besiegten geschlossen wird, und zwar meistens von einem anderen Sieger und einem anderen Besiegten. Das kann länger oder kürzer dauern. (1807–1815; 1871–1919). Es ist sonach nicht zu verstehen, wie jemand, der an der Heiligkeit eines solchen Vertrages festhält, zugleich intelligent und friedliebend sein kann. (Anmerkung 1985. Diese Gedanken wurden angeregt durch eine Reise, die ich kurz vorher durch die baltischen Länder und Ostpreußen gemacht hatte.)

11. Oktober. Die Regierung scheint einen Verfassungsentwurf vorzubereiten, der ein Abklatsch der Bismarck'schen Verfassung ist: Oberhaus, Wahl des Reichspräsidenten durch die Kammer, für diese nur Recht der Budgetverweigerung – eine Verfassung, die unbedingt eine monarchische Spitze verlangt. Mit Demokratie ist's nun für eine Zeit wieder zu Ende, das heißt, mit dem Primat der Politik.

16. Oktober. Eine Broschüre von Trotzki über die Frage der »Einheitsfront« – er ist der einzige sozialistische Schriftsteller, der dem Marx wirklich congenial ist. Dieselbe manchmal bis zum Wortspielerischen gehende Prägnanz im Ausdruck, unerbittliche, zynische Schärfe und Intelligenz, Hochmut, Bosheit, Verachtung der Gegner und der zu kritisierenden Nachbarn, dieselbe gnaden- und sozusagen pietätlose Beurteilung der einzelnen Faktoren im Licht der Klassenkonfrontation, unter verächtlichem Hinweggehen über das Persönliche... Er prophezeit einen vorübergehenden Konjunkturaufschwung, der gerade intensiv genug sein werde, den Arbeitern ihr Selbstvertrauen wieder zu geben und dadurch die Revolution zu beschleunigen: denn er werde von den furchtbarsten Zuckungen be-

gleitet sein und eine noch schlimmere Krise werde folgen. In seinem Principo, einem Nest, ich glaube sogar einer Insel, bei Konstantinopel, ist Trotzki ein Gegenspieler der gesamten bürgerlichen Welt und zugleich des kommunistischen Lagers – so einen gibt's nicht zweimal. Einseitig ist er freilich, zu einfach sieht er die Welt; es gibt zuviel, dem er nicht beikommen kann… Trotzki sagt: nach Meinung der Kommunisten würden die Sozialdemokraten sich niemals energisch gegen Bourgeoisie und Faschismus zur Wehr setzen, weil sie dafür zu feige und elend seien. Diese Kalkulation sei ganz unmarxistisch, weil sie dem Moralischen, Geistigen gegenüber dem Dinglichen, den Verhältnissen einen absoluten Wert beimesse. Aber nur innerhalb der sich verändernden Verhältnisse sei der Mensch zu betrachten, und die SPD, sie sei so feige, wie sie sein wolle, werde sich unter gegebenen Umständen zum Kampf bequemen müssen. – Da spürt man noch immer die *Phänomenologie des Geistes*.

21. Oktober. Gregor Strasser hat kürzlich erklärt: Es gehe zu Ende mit den vier Töchtern der Französischen Revolution: dem Nationalismus, dem Liberalismus, dem Marxismus, dem Pazifismus. – Wenn man eine Kuh mit einer Ellipse verbindet und dies mit drei Bausteinen multipliziert, so geht der Weg von Lübeck nach Mannheim durch eine Wiese.

25. Oktober. Eine Todesanzeige: Frau X… »Ihr Glaube an Adolf Hitler und das Dritte Reich war unerschütterlich.« Wenn er in diesen Wochen nicht erschüttert wurde, so war er's in der Tat. – Man sieht jetzt sehr viele rote Fahnen. Es ist mit einer starken Zunahme der KP zu rechnen… Vor einem großen Naziplakat, welches, obwohl gewiß von

Goebbels stammend, für mein Gefühl recht ungeschickt, weil wieder einmal das Juden- und Freimaurertum der Regierung entlarvend. Ein energischer Kleinbürger davor: »Natürlich, da wird es wieder einmal auf die Juden geschoben. Von denen – den Nazis – halte ich gar nichts mehr.« Ein Anderer, mit roter Nase, vorübergehend: »Es gibt nur zwei Klassen, arm und reich. Und wir gehören zu den armen!« – Der Erste: »Ja, freilich, Fensterscheiben einschmeißen! Ich ginge auch gern mit links, ich habe gar nichts gegen links. Nur anders anstellen müssen sie sich. Solange sie so dastehen wie jetzt...« – Was heißt heute revolutionär, da ganz Deutschland revolutionär ist? Es sind Unterschiede im Ton, in der Bildung, in der Beurteilung revolutionärer Gewaltstreiche.

München, 5. November. Eine Rede des Alten, die er vor Wiener Arbeitern gehalten hat, gehobenen und gesiebten ohne Zweifel; unter brausendem Beifall, wie mir die Mutter stolz versichert, aber ich kann und kann es mir nicht denken. Denn es war, neben einigen guten Formulierungen, doch fast nur von Kultur und Zivilisation, Geist und Leben, Bürgertum und Künstlertum die Rede; dabei eine wohl auf Ahnungslosigkeit beruhende Zivilcourage, mit der er immer wieder betonte, daß er kein Marxist sei und von Marxismus nicht viel halte.

6. November. Heute ist einmal wieder Wahltag. Gestern Nachmittag mit der Mutter und Erika in zwei großen Volksversammlungen. Hitler und Bayerische Volkspartei. Bei H. freilich das ganze alte Klimbim, Einmärsche, Ehrengarden, allerlei Orchester. Aber der Bursche sprach und gestikulierte wie der tragische Held im Schmierenschauspiel und seine Argumente waren langweilig, mono-

man und kümmerlich. Das Publikum recht dünn, ohne Begeisterung und ohne Aufmerksamkeit – es ist ein Spektakel, das langweilig geworden ist. Wie anders der Eindruck bei der Bayr. Volkspartei; der riesige Circus besetzt bis auf den letzten Platz, die Redner sachlich, ohne jede Flause, dicht von Argumenten, einfacher, übersichtlicher Ausdruck schwieriger Sachverhalte, zugleich populär und gebildet. O Bayern!

13. November. Täglich schreiben jetzt Arbeitervereine an den Alten, er möchte ihnen die und die Feier durch eine Rede verschönern, sie seien ein Verein, dessen Mitgliederschaft bis ins fortschrittliche Bürgertum reiche und wären so stolz, einmal einen Nobelpreisträger als Gast etc. – Auch von Minister Grimme kam ein Brief, der von freier Bundesgenossenschaft spricht auf dem dornigen Weg, auf dem der Prolet zum Menschen werden müsse etc. O SPD! – Übrigens steht es mit der Politik so miserabel wie möglich. Weil sie die Linke vollständig ausgeschaltet hat und ignorieren zu können glaubt, so kann die Rechte sich unter sich nicht einigen und jede Hand ist gegen jede andere.

Blankenese, 17. Januar 1933. Der Inhalt einer politischen Tageszeitung ist wohl augenblicklich das Erbärmlichste, was es überhaupt gibt. Täglich – seit Monaten – Nachrichten dieser Art: »Adolf Hitler hat sich nach Weimar begeben und soll dort eine Unterredung mit Gregor Strasser gehabt haben, die in den verbindlichsten Formen verlaufen sein soll. Den Plan, Strasser als Vizekanzler in eine Präsidial-Regierung Schleicher–Brüning–Stegerwald zu nehmen, scheint man aufgegeben zu haben. Dagegen wird neuerdings eine Kombination für möglich erklärt, die Schleicher, von Papen, Hugenberg und Frick umfaßte, und wohl auch vom Reichslandbund toleriert werden würde. Von dem nationalsozialistischen Parteiführer wird abhängen...« usw.

Was mir nach mehr als einem halben Jahrhundert auffällt: damals dachte ich doch mehr links, als ich später glaubte. Das Gedächtnis täuscht sich selten, wenn es um schiere Tatsachen geht. Geht's aber um weniger Greifbares, um Stimmungen, um Meinungen, dann kann es recht wohl täuschen und Späteres ins Frühere übertragen. Meine konservativen Instinkte, vorhanden von Anfang an, formierten sich erst unter dem Eindruck des Dritten Reiches; nun erst wurde ich allmählich frei von allen politischen Abstraktionen und Hirngespinsten, allen »ismen«. Vorher glaubte auch ich während ein paar Jahren an »die Revolution«, ohne mir über die Gestalt, die sie denn annehmen würde oder sollte, konkrete Vorstellung zu machen; ich wäre ja doch der letzte gewesen, der etwa meine alten Großeltern aus ihrem Hause hätte vertrieben sehen wollen, wie ich denn schon anno 25 ein leidenschaftlicher Gegner der »Fürsten-Enteignung« gewesen war, für die es damals ein Volksbegehren gab. Hier aber sind meine Bemerkungen über Trotzky, nicht ohne Kritik, aber doch mehr bejahend als verneinend. Und was ich niederschrieb, war nicht Aufspielerei; ausschließlich für mich bestimmt, bewußte oder unbewußte Vorbereitung für eine politische Publizistik, für die ich mich noch nicht reif fühlte. Daß ich auf der anderen Seite so sehr an Bayern glaubte, an die Bayerische Volkspartei, Vorgängerin der heutigen CSU, aber ungleich katholischer, klerikaler, daher wohl die stärkste Partei im Land, aber für sich allein nicht mehrheitsfähig, das war nun wieder einer der Widersprüche, wie nur der ihn sich

458

leisten kann, welcher der Öffentlichkeit keinerlei Rechenschaft schuldig ist. Was meine Fehlurteile betrifft, so beruhen sie teils auf lebendigen Eindrücken, teils auf der Lektüre von Autoren, denen ich vertraute. Solche Autoren braucht man, und ich brauche sie noch im hohen Alter. Völlig allein kann man mit seinen Gedanken nicht stehen und bleiben; wiewohl es Jahre gab, während derer ich einer solchen schwierigen Situation nahekam.

Nun, auch der Memorialist tat während jener letzten Monate der Weimarer Republik einiges mehr, als die öffentlichen Dinge zu begleiten als interessierter, aber unnützer Zuschauer. Das »private« Leben ging weiter mit Arbeit, Projekten, Muße. Wir vollziehen also diesen Durchgang, September 1932–Januar 1933 noch einmal, von einem anderen Blickwinkel her.

Blankenese. Das Haus »Am Rutsch«, mit Gärtchen oder Terrasse, auf halber Höhe zwischen der Stadt und der Elbe. Der Blick auf den breiten, immer belebten Strom, belebt besonders am Abend, wenn die großen Passagierdampfer ausfahren mit Lichtern und Musik. Unten am Quai ein Landesteg mit Bar, in der man Grog trinkt, Fischer, Seeleute. »Kalte Nacht, Blick auf das Wasser, Sterne am Himmel, Lichter am anderen Ufer, ein Dampfer, dessen rote Lampen sich im Wasser spiegeln. Dächer terrassenförmig den Berg hinunter.« Spaziergänge am Fluß entlang oder auf der Höhe. Dort ist es flach, zu flach für meinen Sinn, aber es gibt Wäldchen. Ein Pudel, welcher der Familie Köster gehört, aber nur zu gern sich mir anschließt. Das mit dem »treu wie ein Pudel seinem Herrn« stimmt nicht ganz; fehlt der Herr, dann nimmt der Pudel vorlieb mit jedem, der zur Hand ist. Ein Ort, dem ich gern zustrebe, heißt »Liliencronsruh«; gern, weil der Dichter, einer der drei Dutzend Lyriker, die ich liebe, dort ja wohl mit Vorliebe ausgeruht haben muß.

Allein einmal nach Lübeck; jetzt oder nie mußte ich die Stadt ja sehen. »29. September. Heute war ich mit dem Wagen – für sehr viel Geld wieder instand gesetzt – in Lübeck, wo ich mich lange herumtrieb – Feiertag, so darf ich's nennen, denn in den letzten vierzehn Tagen war ich fleißig; dann zurück über den Ratzeburgersee und den Sachsenwald. Der Abend war schön, kaltes Herbstwetter über den Wiesen, nur auf großen Strecken offener Heide graute mir etwas. ›Hinaus aus der Stadt! Und da dehnt sie sich, die Heide... Ach, wär' hier *ein* Schritt, wie tausend!‹ (Hebbels *Heideknabe*). Wie tausend ist selbst der Schritt des Wagens nicht; Fortunats Wunschkistchen aber trotzdem. Das Beste an ihm, daß man schnell, hübsch und billig und sozusagen aus eigener Kraft dahin kommt, wo man hin will, und intimer mit der Topographie des Landes wird... In Lübeck lang herumgetrieben – ich habe den Friedhof und die Gruft meiner Vorfahren ausfindig gemacht, zu meinem nicht geringen Vergnügen. Ein Friseur, den ich nach dem ältesten Friedhof fragte: Wollen Sie Verwandte besuchen? Im Friedhofsbüro ein etwas gereizter, nervöser alter Bursche wußte gleich Bescheid. Familie M? – und führte mich hin, es liegt nahe an der Straße. Die ganze waagerechte Liegeplatte ist dem Senator eingeräumt: Senator Th. Joh. Heinr. Mann 1840–1891. In der Mitte des steinernen Kreuzes steht: Familienbegräbnis von Johann Siegmund Mann. Dieser selbst ist der Älteste, der dort liegt, 1761 zu Rostock geboren, daneben seine Frau Anna Catharina, geb. Grotjan, aus Hamburg, 1766–1842. Es folgt der ›Konsul‹ Johann Siegmund Mann, jun., geboren 1797, gestorben

1863, sodaß also der Senator mit dreiundzwanzig Jahren (so alt wie ich jetzt bin) die Firma übernahm. Auch dessen zweite Frau, Elisabeth, geb. Marty, geboren 1810, gestorben 1890, fehlt nicht – sie ist die ›Konsulin‹, an deren Sterbebett der Alte als fünfzehnjähriger Knabe recht aufmerksam gesessen hat. Es sind noch zwei Knaben aus erster Ehe, Brüder des Senators, wie es scheint, im Kindesalter verstorben – Johann Marcus und Johannis –, in den Dreißigern und Vierzigern. Dann noch ein Mädchen namens Thekla (Klothilde) und einige unleserliche Namen. Das Wappen, ein vollbärtiger Mann mit einer Keule, daneben eine Tanne, darüber ein Schwanenkopf, liegt groß auf dem Deckel. Ich denke wohl, der Alte wird sich dort neben seine Väter legen und auch mir stünde es nicht übel an. Das Grab, das neunzig Jahre besteht, wird sich ja wohl weitere sechzig halten. Die Beerdigung des Großvaters – der Alte, ein sechzehnjähriger Junge – ›Ich sah meinen Vater sterben und weiß, daß ich selber sterben werde‹, schrieb er kürzlich... Ich bin im 20. Jahrhundert geboren und kenne selbst dessen Anfang nur vom Hörensagen; er tief im 19. Sein Vater ist die Generation Nietzsches (genau), sein Großvater die Generation Heines, Schopenhauers. So tief er in seiner Zeit und deren Gestalten wurzelt, von denen ich nichts Lebendiges weiß, so tief werde ich noch in eine Zeit und in Dinge hineinleben, von denen er nichts mehr wissen wird. Anders wäre es gegen die Natur und die Gerechtigkeit. Frage ich mich aber, woher ich die Kraft zu nehmen hoffen kann, um allen Übeln dieser Zeit, die mir noch bevorsteht, leidlich zu begegnen, so weiß ich wohl, daß es derselbe Ort ist, wo er sie auch hergenommen hat und daß er nicht allzuweit entfernt ist von Joh. Siegmund Manns Erbbegräbnis.«

In der Tagebuchnotiz ist von der Stadt selber nicht die

Rede. Das »Buddenbrookhaus«, in welchem es damals eine Buchhandlung gab, war leicht zu finden, Eingangshalle und Treppe noch so wie im Roman. Dagegen konnte ich nicht das Haus entdecken, das der Senator sich in der Beckergrube bauen ließ, in dem er starb und auf welches mein Vater so stolz war – im Roman ist Toni die Stolze. Ich fragte ein paar Bürger, sie wußten auch nichts davon. Worüber TM später etwas verärgert war: »Du hättest es doch an den Karyatiden erkennen müssen.« Auf dem Rückweg, durch den Sachsenwald fahrend, hielt ich in Friedrichsruh und betrat die Gruftkapelle, las die stolze, in aller Diskretion aber gegen den »jungen Kaiser« gerichtete Inschrift: »Ein treuer deutscher Diener Kaiser Wilhelms I.« In das Schloß, eigentlich ein Gasthof, in dem zu Bismarcks Zeiten die Nummern noch über den Zimmern standen, durfte man nicht hinein. Im benachbarten Restaurant fragte ich den an Jahren vorgerückten Kellner: »Haben Sie den Alten noch gesehen?« Ja, als Junge habe er noch erlebt, wie man den alten Fürsten im Rollstuhl spazierenführte – was wohl eine freundliche, von Besuchern gern geglaubte Erfindung war.

Fahrten kreuz und quer durch das weite Deutsche Reich, zwischen Blankenese und München, auf den unterschiedlichsten Routen, immer in dem offenen Wägelchen, der Nuß-Schale, der »Nähmaschine«, wie Kai sie nannte. Es war ein interessantes Reisen damals. Umgehungsstraßen keine: man fuhr durch jedes Städtchen, auch jede große Stadt und konnte halten, wo es einem gefiel, wobei der DKW durch ein das Lenkrad festmachendes Zahlenschloß gesichert war. Übernachten wo man wollte; die Hotels leer trotz halbierter Preise. Der ersten Fahrt, Mai 1932, nach Norden erinnere ich mich genau, auch ohne das verlorene Tagebuch; wie ich, nach einem Reisetag in Bamberg ange-

kommen, dort in der abendlichen Niederschrift die »ungeheuerliche Entfernung« bestaunte, die ich zurückgelegt
hatte: 250 Kilometer! Noch hatte ich die Strecken einer
Radtour im Gefühl; und wirklich war man der Straße, der
Landschaft so nahe wie auf dem Rad, nur daß es viermal
schneller ging. Es versteht sich, daß ich am Morgen den
Dom besuchte und dem Bamberger Reiter gebotene Bewunderung zollte, ehe ich den Weg nach Göttingen nahm.
Daß ich dort Freunde hatte, ebenso wie in Heidelberg,
machte diese Fahrten doppelt angenehm. Über die Reise
von Hamburg nach München, Oktober–November 1932
im Tagebuch:
»Freitag, den 18. X. von Hamburg fort, nachmittags, mit
Max Schäfer, einer Truhe enthaltend Kais Briefwechsel,
der Koffer hinten auf dem Wagen. Ausfahrt über Harburg,
Soltau; Regen. Die Heide spätherbstlich, manchmal ist sie
waldig und hügelig, stellenweise aber düster und flach.
Durch Celle schon im Dunkeln – die Oase, die schöne
Stadt. Kurze Rast und Würstchenessen in Hannover,
abends gegen zehn Eintreffen in Göttingen. Kai nicht bei
sich, sondern bei Hans Jaffé, laut Zettel. Als wir zu Jaffé
kommen, sind beide eben weg: planloses Suchen in der
nächtlichen Stadt, in der Tat treffen wir sie im Stadtcafé;
Biertrinken in seiner neuen Wohnung – ich mag ihn immer
noch recht gern, wenngleich es das alte Glück nicht mehr
ist. Am nächsten Vormittag eine Spazierfahrt mit ihm, bei
Nebel, die Umgegend ist weit, bergig und zeigt nach Süden. Mittags im Kaufhaus, Jaffé, Max, einige Physiker; leidenschaftliche wissenschaftlich-humoristische Unterhaltung über das alberne neue Spiel Jojo – eine Epidemie, von
der ich nichts wußte. Diskussion mit Kai und Hänschen
über den graduellen – vielmehr prinzipiellen – Unterschied
zwischen Völkerrecht und innerstaatlichem Recht; ich be-

hauptete ihn, Kai bestritt ihn mit Argumenten, die gangbarer waren als gewöhnlich; aber wenn nicht Hänschen auf meiner Seite gewesen wäre und ich ihn manchmal vorgeschickt hätte – gewiß, wir wären wieder in Wut geraten. So ist das nun zwischen uns. – Abends mit den dreien Wein, Philosophie, Politik – mein Gott, man hatte ja manchmal das Bedürfnis, sich zu unterhalten. Am nächsten Morgen nach Kassel, bis wohin Kai mitkommen wollte; aber je näher der Augenblick kam, in dem er sollte in die Retour-Eisenbahn steigen, desto schwankender wurden wir (er mehr als ich) und fünf Minuten vor Abgang des Zuges beschloß er, mit nach Heidelberg zu kommen. Rast in Marburg; Gang auf die Burg, die sehr schön liegt; das ganze weniger pompös, enger, realer als Heidelberg. Wunderliche Zentren, in die man einen raschen Blick tut. Ein großes Café auf dem Berg, vollgepfropft mit Studenten (Sonntag Nachmittag, Regenwetter), wohl viele Theologen und andere, auch einsam sitzende Professoren. Konsumiert wird nur Kaffee und Bier, viel Geld haben sie nicht, und ihre Gesichter sind töricht und grob. Weil sie nun, einer irrigen Konvention zufolge, alle glauben, sich dem Geiste widmen zu müssen, so ist ihnen eine Niederlage sicher. Gespräch zweier Nachbarn, binnen zwanzig Minuten: ›Wollen wir uns jetzt eines Bieres bemächtigen?‹ Der andere: ›Befleißigen.‹ Die wenigsten sprechen etwas, Tanzmusik spielt auf, es wurde aber weder getanzt, noch war die Möglichkeit dafür vorhanden. – Aber auch in Marburg gibt es gescheite Leute, Zimmer mit Büchern, Liebe, Freundschaften – Zentren, die ihr Zentrum in Marburg haben. – Im Dunkeln durch Gießen, Frankfurt, Darmstadt, eine Unzahl von kleinen Städten, die Gegend ist dicht besiedelt. Kommt man einmal ins Dunkle, so braucht man immer zwei Stunden länger, als man glaubt. – Handschuhsheim, Neuenheim, die Neue Brücke – hier überkam uns doch ein Gefühl beim Einfahren in diese Welt, Kai und auch mich. Die Pension Neuer, Dr. Klibansky gab gerade seiner Freundin Lotte Labowsky Philosophie-Unterricht. Allerlei Gespräche, ich todmüde. Leider Regen am nächsten Morgen. Den Kai brachte ich an die Bahn; recht ein Vergnügen mit dem Wägelchen in dem Nest herumzukarriolen... Am nächsten Morgen mit Harry S. bei trübem Wetter, das später hell wurde, über die Stiftsmühle dem Neckar entlang; braune Wälder, viele Burgen, Wimpfen, Heilbronn, Stuttgart, wo wir uns am Nachmittag herumtrieben. Mein guter Harry war sehr dankbar für diese Fahrt und wie gern hätte ich ihn nach Salem mitgenommen. Aber ich hatte nicht genügend Geld und er auch nicht. So schieden wir denn betrübt und freundlich voneinander... Bei beginnender Dunkelheit von Stuttgart fort, Wald, Berge, aber anstatt Freude an ihnen Konzentration auf das Fahren, Tübingen, Hechingen, Sigmaringen, Pfullendorf, Heiligenberg, Salem, dort kam ich um elf an und mußte, weil im »Schwan« kein Platz, mich im Dorf einquartieren. Zwischen Sigmaringen und Pfullendorf schlechte Vizinalstraßen, dichter Nebel unter der Sternennacht; immer wieder aus dem Wagen, um einen Wegweiser zu erkennen, um die Scheibe herumsehen, Schritt-Tempo, besonders schwierig die Abfahrt von Schloß Heiligenberg. Wie froh, als ich plötzlich nur noch 6 km von Salem entfernt war.« – An ein kleines, aber für die Dürftigkeit der Zeit charakteristisches, im Tagebuch nicht erwähntes Erlebnis erinnere ich mich. In einem jener durchfahrenen Städtchen hielt ich an, um Kaffee zu trinken; eine Konditorei; ein Spielautomat, in den man Münzen warf, zwanzig Pfennig oder fünfzig, sie meist verlor, aber auch etwas gewinnen konnte. Ich hatte Glück. Die Verkäuferin, mit lautem Schrecken: »Sie haben ja unsere

Bonbonnière gewonnen!« Es war der Haupttreffer, eine stattliche, geblümte Schachtel, die schönste im Laden, und die einzige ihrer Art. Aber nehmen mußte ich sie ja und überbrachte sie in Salem meiner alten Lehrerin, Fräulein Ewald, als Geschenk. Salem, den noch immer geliebten Ort, sah ich damals für Jahrzehnte zum letzten Mal. Die Mehrzahl meiner Lehrer noch dort; ein Primaner erinnerte sich, mich vor sechs Jahren als König Kreon in *Antigone* gesehen zu haben. Von Salem durch das Allgäu nach München. Unterwegs Aufenthalt in der alten Reichsstadt Memmingen, Wallensteins halber; dort hatte er im Sommer 1631 residiert, dort die Nachricht von seiner Entlassung würdig empfangen, in dem grauen Palast, vor dem ich parkte.

Vor Weihnachten, eine Woche auf dem Land. »17. XII. Seit zwei Tagen in einem Schloß am Starnberger See namens Kempfenhausen. Ein schönes altes Bauwerk mit einer Kirche, Wappen und Nebenflügel. Aber es wohnt kein Mensch darin außer mir, in einer Wohnung des Nebenflügels, die der Hofschauspieler Albert Fischel (Freund meiner Geschwister, in der Novelle *Unordnung und frühes Leid* Iwan Herzl) sich hier eingerichtet. Das Wetter ist schön, die Landschaft morgens und abends wie das Paradies, die Berge, Umrisse der Zugspitze, der See im Dunst. Die andere Seite des Schlosses zeigt nach einer bäuerisch waldigen Landschaft, in ein Tal, das mit dem See nichts mehr zu tun hat. Es macht mir großen Spaß, von da abends durch das Dorf so in mein Schloß zu schreiten und durch den kalten Gang in mein Zimmer, wo sind mein Manuskript, Teetopf, Wein, ein Ofen, Bücher; auch Äpfel, Nüsse, Zigaretten, Lebkuchen. Ein epikuräischer Mönch, schrieb ich gestern an Pierre... Vor wem fürchtet man sich, wenn man alleine ist? Im Grunde vor sich selbst; daß die eigene Phantasie, stofflos und auf sich selbst zurückgeworfen, einem ein Schnippchen schlagen könnte… Spaziergang wie gewöhnlich, vom späten Mittag bis in den Abend hinein; hinter meinem Schlößchen durch die Wälder; die Natur ist manchmal, morgens, noch mehr abends, so schön, daß ich glauben muß, Gott hält mich mit ihr zum Narren. Dabei ist alles gleich schön: die unendliche Bergkette, der See, mit Tannenbergen davor und darum herum, mit einem Kirchturm gegen den Schnee und den Abendhimmel; aber auch nur ein Bauernhof mit einer Kapelle; oder auch nur ein Stück verschneiter Wald. Überall Rehe; zum Schluß Nebel. ›Ergehst du dich im Abendlicht…‹ – wie wahr ist das! Morgen und Abend lieben – Jugend und Alter lieben. Aber jetzt komme ich in den schwülen Tag… Mittags im Gasthaus zu Percha; Blutwurst, ein barbarisches Essen. Ein verschmitzter, wüster, bärtiger Alter, der Zoten erzählt; eine geile Kellnerin, einige heiserkehlige Biertrinker… Jetzt habe ich noch einen Spaziergang gemacht und fahre nun wieder nach München. Gewiß war es ein guter Aufenthalt.«

Zum letzten Mal die Reise nach Hamburg, in der zweiten Januarwoche. Nun, mit dem Wägelchen mich frei wie ein Vogel fühlend, wollte ich sie über Böhmen machen, Pilsen, Prag, Eger, von dort nach Thüringen. »10. Januar. Von Prag hat man mir abgeraten, weil im Bayerischen Wald zu viel Schnee sei, und ich glaubte es wohl; denn in ganz Oberbayern war es mehr eine Bobschlitten- denn eine Wagenfahrt. Dies schreibe ich in Rothenburg, im Hotel zum Eisernen Hut, einem schönen und würdigen alten Haus und, ich glaube, entsprechend teuer. Die Stadt phantastisch, wenigstens bei Nacht; noch besser als ihr Ruhm, was anbelangt Lage und Kultur, Architektur und Inneneinrichtungen… Ingolstadt, Weißenburg, Ansbach. Dort einen Blick ins

Schloß geworfen. Die Stadt ist schön und lebt. Was hätte ich vor einem Jahr darum gegeben, des Emil Rousseau Grab zu sehen! Hinter Ansbach ins Dunkel gekommen, das Dach aufgespannt. In der Nacht soll der Mensch unter Dach sein...« Von Rothenburg ging die Fahrt nach Westen, das Kochertal entlang. Da mußte ich über die Fülle der alten Städtchen und Schlösser staunen, zumal über die hochgetürmte, von Wasser umgebene Burg Neuenstein. Zuletzt fand ich mich, zu meiner Überraschung im Nekkartal, in vertrauter Gegend. »11. Januar. Heidelberg. Hier ist alles beim alten und ich noch halb hier. 12. Januar. Den Abend bei der liebenswerten Ricarda Huch; sie war gar nicht zornig auf mich – ich hatte lange nichts von mir hören lassen – und freute sich, mich wieder zu sehen. ›Damals waren Sie ja noch ein halbes Kind.‹ Sie fragte, wer der beste in Heidelberg sei, und ich antwortete: Heinrich Zimmer. Von da kamen wir auf Andreas, an dem wir uns sehr verlustierten. Er hat als Rektor der Universität sehr feierlich bei ihr Besuch gemacht. Wie liebenswürdig ist die liebe, großartige, kluge, böse Alte auch noch in dieser traurigen Lage – sie hat die Berliner Wohnung aus Geldmangel aufgeben müssen und wohnt nun bei einer Alten, die nur Wasser zu trinken gibt... Sie hat einen geweckten und nervösen Enkeljungen, der ein wenig aussieht wie ein Japaner, was er von ihr hat. – Ich schreibe dies in dem Gasthaus eines Nestes zwischen Bebra und Kassel; eben dort war eine Panne zu buchen, es war noch ein Glück, daß es in der Nähe eines Dorfes geschah. Junge Leute, die ich herbeiholte; Lehrlinge, Arbeiter, sehr freundlich und ein erstaunlich großer Prozentsatz von ihnen ist hübsch, individuell dabei und von reinem Ausdruck. Übrigens scheinen sie durchwegs Nazis und tuscheln zusammen; ihr Führer ist auch ein schielender und gemeiner Mensch... Großer Lärm, Biertrinker aus allen Klassen dieser Klasse; auch Dorf-Dämchen. Ein Freundeskreis, der aus einem gläsernen Stiefel trinkt. Ich bin vielleicht noch 70 km von Göttingen.« Dort angekommen teilte ich meinem Freund Kai meine Pläne mit: Ende Januar würde ich meine Zelte in Blankenese abbrechen und bis zum Sommer in Göttingen bleiben; dort hatte ich ihn und Hans Jaffé, dort lag die Landschaft mir mehr als Flachland und Strom; dort war alles, was ich brauchte, nahe beisammen, Bibliothek, Markt und Wald. »17. Januar. Mein Plan ist dieser: Im Januar die Sache – meine historische Staatsexamensarbeit – im Rahmen fertig zu machen, Februar, März, April in Göttingen zu pauken, im Mai das Ding noch einmal vorzunehmen, Juni–Juli dem Pauken ein Ende zu machen. Resultat dieses Parforce-Halbjahres wird sein: Note 3–4 im Examen.« Homo proponit, Deus disponit. So sagt man und schiebt auf den lieben Gott, was böse oder dumme Menschen tun.

Die Vorbereitung auf das Staatsexamen, der Sache nach die Hauptaufgabe der fünfzehn Monate, von denen die Rede ist, bestand aus zwei Teilen: eine weitere Dissertation, diesmal eine historische, ferner eine nach Möglichkeit rasche und reiche Anhäufung von Kenntnissen im Lateinischen und in Geschichte, zumal jener des Mittelalters, mit welchem ich mich bis dahin nur wenig abgegeben hatte. Die Dissertation behandelte die Geschichte der Wallenstein-Forschung vom Anfang – eine freilich arg parteiische Art von Forschung begann ja gleich nach meines Helden Tod – bis zur Gegenwart. Dem alten Professor Hashagen, dem ich von diesem Vorhaben Mitteilung machte, gefiel es: »Da haben Sie überhaupt keinen Vorgänger. Das können Sie drucken lassen!« Wozu es nicht kam. Jedoch blieb eine Kopie des im Mai 1933 beendeten und der Hamburger Oberschulbehörde eingesandten Manuskripts dank eines

Glückszufalles erhalten in einer Kiste, die sich in der Garage des Hauses von Félix Bertaux, Pierres Vater, in Sèvres befand und all die schlimmen Jahre unberührt blieb. Das Ding kam mir zustatten, als ich im Jahre 66 meine Geschichte Wallensteins zu schreiben begann: die Bibliographie ohnehin; sogar fand ich ein paar Sätze, die ich vom Uralten ins Neue, Werdende übertragen konnte. Eine glückliche Formulierung bleibt aktuell, wäre sie auch in einer noch unreifen Epoche des Autors niedergeschrieben. Was mir während jener frühen Studien auffiel, im Tagebuch gibt es Zeugnisse davon: während des Lesens und Exzerpierens eines guten Buches erfährt man Anregung, glaubt man an das eigene Unternehmen: auch bei der Lektüre eines polemischen, ungerechten Werkes, wenn es nur geistvoll geschrieben und mit Dokumenten reich belegt ist. Es sind die mittelmäßigen, flauen, von bloßen Geschichtsbeamten verfaßten Werke, welche den Studierenden deprimieren, sodaß er dann sich selber und alles, was er tut, für unnütz hält. »9. September 1932. Dieser ganze wissenschaftliche Betrieb ist mir doch ein Greuel; es ist alles hohl und Schwindel geworden, das Völkerrecht und die ›Wallensteinsfrage‹. Da etwas beizutragen, halb drüber, halb draußen, in dem Jargon, ist mir unangenehm. Aber wir sind nun einmal in dieser Welt und es gibt keine andere.« Solche dunkle Laune wich dann wieder dem Vergnügen an einem von neuem, brennend interessantem Sachwissen strotzenden Werk wie Ernstbergers *Wallenstein als Volkswirt im Herzogtum Friedland.* Was mir ferner in jenem Studienjahr deutlich wurde: ein historisches Werk, das einen Mittelpunkt hat, eine Persönlichkeit, eine Stadt, sogar eine »Idee«, fesselt den Leser ungleich mehr als die allgemeine, zentrumslose Darstellung einer Epoche. Eine Geschichte der europäischen Außenpolitik im 19. Jahrhundert aus der

Feder des französischen Historikers Charles Seignobos: abstrakt und langweilig. Heinrich von Srbiks *Metternich*: ein immer interessanter Bericht über die europäische Diplomatie in der ersten Hälfte des 19. Jahrhunderts. Nicht, daß Srbik ein großer Schriftsteller gewesen wäre. Aber mit den Augen Metternichs, im Gedränge und aller Konflikte, in die er verwickelt blieb, konnte man das Ganze besser sehen als mit Hilfe jener, die sich im Prinzip *nur* mit dem Ganzen befaßten. Ebenso die Erfahrung mit Werken über das Mittelalter. Nichts ging mir da, geht mir heute noch über die *Geschichte der Stadt Rom* des Ferdinand Gregorovius. Wenn Europa während jener tausend Jahre, vom 6. bis zum 16. Jahrhundert, eine Hauptstadt hatte, dann war es Rom. Der Historiker, ob ihm dies gleich anfangs bewußt war oder nicht, konnte, während sein Werk ihm zu acht Bänden anwuchs, gar nicht anders, als das ganze christliche Europa einzubeziehen, jedoch immer mit dem Blick auf Papsttum, Feudalität und Volk von Rom, was von dort ins Weite ging und was von der Weite dorthin wirkte. Und welche Plastizität, welche Buntheit in der reich quellengenährten Darstellung, der ideellen Zusammenhänge wie der schrecklichsten Details, etwa jenes Prozesses, welchen der Papst Stephan VI. gegen einen Vorgänger namens Formosus unternimmt: der seit acht Monaten Tote wird aus seiner Gruft geholt, mit den pontifikalen Gewändern bekleidet, im Konziliensaal auf den Thron gesetzt, verhört, verurteilt und für abgesetzt erklärt; worauf ihm die Gewänder entrissen, drei Finger der rechten segnenden Hand abgeschnitten werden und man den nackten Toten in den Tiber wirft. So geschehen im Jahre 897; seitdem hat kein Papst sich mehr Formosus nennen wollen, obgleich es doch ein schöner Name bleibt. Den Gregorovius, eines der nicht gar zu vielen vollkommenen historischen Werke in deutscher

471

Sprache, las ich zum guten Teil während jener Woche am Starnberger See; las ihn, wie man einen großen Roman liest. Damals fingen meine Ansichten von dem, was Geschichtsschreibung sein kann, nicht sein muß, aber doch auf ihrem Höhepunkt sein sollte, gerade an, sich zu bilden.

Um mich meinem Prüfer im Lateinischen vorzustellen, besuchte ich den noch jungen Hamburger Ordinarius der klassischen Philologie, Bruno Snell, »einen sehr netten, scharfgesichtigen Mann; einen Brief, den ich ihm vorher geschrieben, hatte er nicht bekommen, sodaß ich genötigt war zu tun, was ich eben hatte vermeiden wollen: mich vorzustellen und mein Sprüchlein zu sagen«. Etwa fünfundvierzig Jahre später traf ich Herrn Snell im Orden Pour le Mérite für Künste und Wissenschaften wieder, ohne ihn an jenen frühen Besuch zu erinnern, der ihm gewiß nicht den mindesten Eindruck hinterlassen hatte. Dagegen erzählte er mir ein lustiges, hier festzuhaltendes Erlebnis. In den zwanziger Jahren war er Assistent des gewaltigen Philologen Ulrich von Wilamowitz-Moellendorff gewesen, welcher damals nicht mehr der Jüngste gewesen sein kann; hatte er doch zweimal eine Buchbesprechung mit dem Satz »Für die Wissenschaft existiert dieses Werk nicht« beendet, wobei es sich in einem Fall um Nietzsches *Geburt der Tragödie,* im anderen um Jacob Burckhardts *Griechische Kulturgeschichte* handelte. Auch meinen Vater konnte der Gestrenge nicht leiden, ich weiß nicht, warum. Nun waren sie beide Mitglieder des »Comité pour la Collaboration Intellectuelle« beim Genfer Völkerbund, eines Institutes, dessen Nutzen hier nicht in Frage gestellt werden soll. Seine Mitglieder trafen sich in Venedig und hatten im Goldenen Buch der Stadt sich einzutragen, womöglich mit einem goldenen Wort. Sie stehen Schlange; Wilamowitz, gestützt auf seinen Assistenten, hinter TM. Dieser, sich im Buche der Stadt verewigend, zitiert sich selber: »Ein Schriftsteller ist ein Mann, dem das Schreiben schwerer fällt als allen anderen Leuten.« Der große Gräzist liest es und murmelt dem jungen Snell zu: »Dann soll er's doch bleiben lassen!«

Von den Professoren, die ich zu besuchen hatte, erwies der berühmteste sich als der am wenigsten ansprechbare. »27. Oktober. Heute war ich bei Ernst Cassirer, der mich nicht kannte oder kennen wollte und von den dreien, die ich gesprochen, entschieden der kühlste war. Besonders meine Beziehungen zu Jaspers behandelte er mit souveräner Verachtung und fragte, ob ich auch bei Ernst Hoffmann gehört, was ich bejahen konnte. Ob ich meine von Herrn Prof. Jaspers akzeptierte philosophische Dissertation einsenden dürfe? ›Wenn Ihnen daran liegt, warum nicht? Vielleicht werde ich hineinschauen.‹ Warum ich übrigens das Examen in Hamburg machen wollte, da ich doch in München wohnte? ›Ich bin durch meinen Vater lübischer Staatsbürger und darum...‹ Für einen Moment wurde er stutzig; jedoch stellte er keine weiteren Fragen.«

Mit den lateinischen Lektüren ging es mir wie mit den deutschen; Vergnügen an guten, Ärger und Langeweile mit schwachen, wobei beides von demselben Autor ausgehen konnte. Ciceros Abhandlung über das Alter erschien mir beschönigend und süßlich; dazu offenbar von einem reichen, berühmten Manne geschrieben, der auch in hohem Alter von bedeutenden Freunden, von Klienten und Nutznießern, von Sklaven und Freigelassenen umsorgt sein würde. Dagegen fand ich seinen Essay über die Freundschaft schön und notierte mir mitunter einen Satz, der mir besonders gefiel, in meinem Tagebuch, zum Beispiel: »...daß man nicht immer suspiciosus, aliquid ab amico violatum esse semper aestimans sein sollte – zu deutsch: man darf nicht immer Verdacht im Herzen tragen, nicht immer vom Freund sich verletzt fühlen...« Oft sind im Tagebuch »lateinische Stilübungen« vermerkt. Da übersetzte ich von einem deutschen Caesar, einem deutschen Cicero ins Lateinische und verglich dann mein plumperes Produkt mit dem Original. Das ist lange her.

Ein paar Tage, bevor ich Ende Oktober 1932 von Blankenese nach Süden fuhr, traf ich in Hamburg auf der Straße einen Salemer Schulkameraden, Hans Berger mit Namen; wir hatten ihn »Neck« genannt, weil er im Wasser, mit blondem Haarschopf und etwas verzwicktem Gesicht, sich wie ein Nix oder Neck ausnahm. Austausch von Informationen; er studierte Mathematik an der Hamburger Universität, war unzufrieden mit seiner Bude, in dem Haus in Blankenese gab es bessere, die Besitzerin würde sich gewiß eines zusätzlichen Mieters freuen. Ein paar Tage später holte ich ihn mit dem Wägelchen ab, ihn, sein Cello und einen bescheidenen Koffer. Diesen Abend tranken wir Bier unten auf dem Landungssteg, bei starkem Regen draußen; Schul-Erinnerungen, seine Schwester, die taub war, sein Studium. Danach meine Reise nach München; die Rückkehr zweieinhalb Monate später.
Neck war jener Schüler gewesen, der in Salem eine kleptomanische Neigung gezeigt und an dem Kurt Hahnsche Pädagogik sich so schwer vergangen hatte, auf den Willen bauend, wo sie Krankheit hätte erkennen müssen. Jene Schwäche schien er einstweilen nicht überwunden zu haben, denn eines Morgens fand ich Gelegenheit ihm zu sagen: »Übrigens den Schlips, den du da trägst, hast du dir von mir ausgeliehen.« Er schlug sich vor den Kopf. »Ach

ja, ich habe mir erlaubt...« Ich lachte. »Du kannst ihn behalten, wenn er dir gefällt, er ist sowieso nichts wert«, ohne den Vorfall irgend ernst zu nehmen. Der Bursche imponierte mir; erfüllt von seinem Studium, seiner Doktorarbeit, angefertigt in genauestem Kontakt mit seinem Professor, Artin, der ein starkes Interesse daran zu nehmen schien. Für das Danach war ihm ein Stipendium an der Universität Harvard sicher. Dazu die musische Begabung, wie sie bei geborenen Mathematikern häufig ist; am späten Abend hörte ich ihn manchmal Cello spielen. Das Abendessen nahmen wir zu dritt, er, Max und ich, wobei die Kosten geteilt wurden. Dafür kaufte ich oben im Ort bei dem Delikatessenhändler Bräckwolt ein, einem leidenschaftlichen Nazi; er kannte meine Ansichten und ich die seinen.

Nun geschah es, daß ich eines Tages in der Schublade meines Schreibtisches etwas fand, was sich als Necks Tagebuch herausstellte. Natürlich las ich darin und fand Politik, Privates und Allgemeines, auch längere und ernstere Reflexionen, welche aus einer großen Naivität oder Unbelesenheit stammten. Es fehlten nicht ein paar Zitate aus Schriften Martin Heideggers, in der allerunverständlichsten, tollsten Sprache, welcher der berühmte Philosoph fähig war. Dann sein Studienfach, dem er sich mit brennendem Ehrgeiz widmete: »Ich werde auch den Artin noch überwinden.« »Es gibt für mich keine größere Lust als einen schönen mathematischen Beweis.« Neck besaß zwei Freundinnen, mit Namen Nasca und Sascha, die er häufig besuchte, ohne sie uns gegenüber zu erwähnen. »Nasca ist Journalistin. Ich weiß nicht, ob ich das schon erwähnt habe« – eine Bemerkung, die mir als unstimmig auffiel; Tagebuch schreibt ein junger Mensch für sich und für niemanden sonst. Auch klang »Journalistin« etwas vage: Journalistin, wie, wo, für was? Nun, jeder hat seinen eigenen Stil... Mich selber nun fand ich charakterisiert mit wahrhaft erstaunlicher Beobachtungsgabe oder Menschenkenntnis. Zuletzt: er freue sich darauf, im Januar mit mir zusammen zu sein. Mein Kommentar: »Den Abend bevor er das schrieb, erinnere ich mich, Ende Oktober, waren wir auf der Landungsbrücke beim Bier gesessen und ich hatte bedauert, so wenig von Mathematik zu verstehen. Er, in seiner untergründig spöttischen Art: ›Du tust ja sonst so viel.‹«... Am nächsten Tag gab ich ihm das Heft zurück mit den etwas strengen Worten: »Hier, man läßt sein Tagebuch nicht in fremder Leute Schreibtischen liegen.« Seine Reaktion war wie schon gelegentlich der entwendeten Krawatte: überrascht, verlegen, verwirrt.

Während der folgenden Tage war der Ton zwischen uns nicht mehr so nett wie vorher. Denn ich war ziemlich sicher, daß er mir sein Tagebuch in den Schreibtisch praktiziert hatte, *damit* ich es lese; kein behaglicher Vorgang. Und seine grau-blauen Augen schienen mir härter, fremder als vorher. Einmal gab ich ihm einen Brief zu lesen, der in einem Dokumentenband zur Geschichte des Dreißigjährigen Krieges stand, aus der Korrespondenz des böhmischen Rebellen Graf Thurn. Er handelte von dem evangelischen Militärpolitiker Arnim. Arnim, so Thurn, sei ihm ein Rätsel: er könne sich wie ein Kind des Lichtes stellen, andächtig in der Kirche sein; er könne aber auch lügen, betrügen, und da er es zum Schaden Böhmens tue, so glaubt der Schreibende, Arnim sei »beim Teufel in die Schul gangen«. »Das geht auf dich.« Er las und gab es mir wieder mit einem unguten Grinsen: »Beim Teufel in die Schul gangen?« Bald darauf teilte ich ihm mit, aus den und den Gründen würde ich anfangs Februar nach Göttingen umziehen. »Ja, dann mußt du es tun.«

Wann war es? Am 28., am 29. Januar? Ich weiß es nicht

mehr. Wieder einmal war ich auf der Bibliothek in Hamburg gewesen, kam am frühen Mittag nach Hause und läutete, weil ich den Schlüssel vergessen hatte. Herr Gans, ein Mitbewohner, öffnete mir. »Herr M., die Polizei hat nach Ihnen gefragt.« »Wieso denn?« »Herr Berger ist tödlich verunglückt.« Man versteht eine solche Nachricht, ehe man ihre Bedeutung realisiert. Ich konnte nichts anderes hervorbringen als: »Ein so begabter Mensch! Ein so begabter Mensch!« Er sei, fügte mein Informant hinzu, auf der S-Bahn unter einen entgegenkommenden Zug geraten. Ich ging in mein Zimmer, nicht wissend, was tun, was denken; ein Glück, daß bald mein Freund Max Weber-Schäfer eintraf. Er, praktischer als ich, wohl auch weniger erschüttert: »Wir müssen die Mutter benachrichtigen.« Wo wir die Adresse, wo die Telefonnummer hernahmen, entzieht sich meinem Gedächtnis. Schon fing Max an, dem Fräulein vom Amt die Nummer zu buchstabieren, als ich ihn unterbrach: »Nein, so geht es nicht. Der Schock wäre zu groß!« Wir beschlossen dann, den Professor Artin anzurufen. Der, ein bedeutender Mathematiker – ich glaube, später lehrte er in Princeton – zeigte sich so bewegt wie hilfreich. »Das ist ja furchtbar. Nein, natürlich können wir das der Mutter nicht am Telefon beibringen. Ich werde einen Kollegen in Köln bitten, sie zu besuchen. Übrigens würde ich Sie gerne sehen. Ginge es morgen nachmittag gegen drei Uhr in meiner Wohnung?«, was wir zusagten. Diesen Nachmittag noch besuchten wir das gerichtsmedizinische Institut in Hamburg und drangen zu dem »Prosektor« vor, der sich mit dem Fall befaßte. Der Mann erwies sich als zugänglich. Ob die Indizien etwas über die Art des Todes aussagten, Unglück oder Selbstmord? »Nein«, antwortete er, sich an Max wendend: »Sie als Physiker werden ja wissen, der freie Fall des Körpers im Raum...« Über die Frage, Selbstmord oder keiner, entscheide meistens ein Abschiedsbrief. Finde sich dergleichen nicht, so sei im Zweifelsfall ein Unglück das wahrscheinliche. Ob, wenn die Mutter käme, sie den Toten sehen dürfte? »Rate dringend ab. Wissen Sie, das ganze Gehirn ist ausgelaufen. Der Kopf ist geschrumpft, wie so ein Ballon ohne Luft. Ich müßte das ausstopfen, und für meine Arbeit müßte ich etwas verlangen. Sind Sie da dagegen?« Nein, wieso denn? Zudem sei es ja gar nicht sicher, ob die Mutter käme. »Wenn sie es geldlich irgend kann, dann tut sie es gewiß.« Der Prosektor dachte praktisch, wie es sein Beruf mit sich brachte. Viel Sinn hatte unsere Fahrt nicht gehabt, aber in solchen Situationen ist jederlei Tätigkeit besser als keine.

Während des Gesprächs mit dem Prosektor, als er uns den Kopf des Toten beschrieb, hatte ich Tränen nicht unterdrücken können. Trotzdem kaufte ich auf dem Rückweg irgend etwas zum Essen. Herr Bräckwolt, mit seiner Neugier, durch welche Bosheit schimmerte: »Ist Herr Berger freigegeben?« Ich hätte dem Kerl nicht geantwortet, auch wenn ich die Antwort gewußt hätte. Während des Abendessens – aber ich brachte kaum ein paar Bissen hinunter – erinnerte mich Max an zwei Dinge. Vor dem Zubettgehen gestern Abend hatte Neck uns gesagt, er wollte »heute abend baden«. Das hieß, er würde den Badeofen heizen; mehr als ein Bad gab der Ofen nicht her. Spät nachts hatten wir ihn dann noch Cello spielen hören. Musik zum Abschied? Und hatte er sauber sein wollen für den Zweck, den jeder von uns sich dachte, aber nicht – noch nicht – aussprechen wollte? Während der Nacht, im Halbschlaf, litt ich an einer Art von Alptraum: dem Gefühl, als hätte ich Druck und Geschmack von abscheulicher Schmierseife im Hals.

Am nächsten Vormittag, nach vorherigem Anruf, besuchten mich zwei Studenten, Necks Studiengenossen. Man sprach über ihn; er sei nicht der beste, aber doch einer der besseren in dem Kreis junger Mathematiker gewesen, etwas verschlossen freilich. Ob er irgend etwas Schriftliches hinterlassen hätte? Ich erhob mich, ging in sein Zimmer, was ich bis dahin nicht betreten hatte, öffnete die Schublade des Tisches. Dort lag das mir bekannte Tagebuch, darüber ein offenes Couvert. Darin sein Testament. Ich las, was ich hier aus dem Gedächtnis zitieren muß. Wohl kopierte ich es demnächst auf einer der ersten Seiten eines neu begonnenen Heftes. Aber dieses kam mir noch während des Jahres 33 abhanden; nicht im Laufe meiner freiwillig-unfreiwilligen Wanderungen später, wie andere Hefte, sondern bald. Wie, blieb mir ein Rätsel. Des Verdachtes konnte ich mich nicht erwehren, es habe mir der Tote entwendet, ein letztes Mal seiner kleptomanischen Neigung, wie auch einem Motiv folgend, welches das Testament selber formulierte. Ich weiß, ich weiß, so etwas gibt es nicht. Aber das Herz mag vermuten, halb spielend, halb ernsthaft, was der Verstand beiseite schiebt. Was ich im Folgenden in Anführungszeichen setze, ist wortgetreu, das andere gibt nur den Sinn wieder.

»Mutter hat neulich ein Testament gemacht und viel Geld dafür bezahlen müssen. Will sehen, was bei mir herauskommt, wenn ich eines schreibe.« Die Sachen in meinem Zimmer gehören meiner Mutter. Meinem übrigen Besitz, Bücher, Bilder, der sich bei meinen Freundinnen Nasca und Sascha befindet, soll man nicht nachspüren, wie man nach diesen beiden überhaupt nicht forschen soll. Auch nach meiner Dissertation zu suchen hätte keinen Sinn. »Man soll mich nicht mit gefalteten Händen aufbahren und man soll mich verbrennen. Je eher man mich vergißt, desto lieber ist es mir gewesen.« Nun wußte ich's. Das Dokument brachte ich Necks Kommilitonen und verließ sie sofort wieder, so erschüttert, wie ich es vorher nur einmal in meinem kurzen Leben gewesen war. Und ich weiß, daß ich für mich allein die Worte ausstieß: »Einen so zu betrügen!« Der Vorwurf, den der Lebende dem armen Selbstmörder macht und den ich, reifer geworden, entschieden verurteilte: wer sich selber *das* antut, antun *muß*, der befreit sich damit auch von jeder Pflicht, welche er anderen geschuldet hätte.

Am Nachmittag der Besuch bei Professor Artin, mit Max; jene beiden Studenten kamen auch. Ich berichtete von dem Testament, welches ja nun alles klar machte. Der Professor, wohlmeinend, wich aus. »Haben Sie noch nie Todesangst gehabt? Die kann man doch auch in jungen Jahren erleben, gerade in jungen Jahren. Und da hat er sich eben hingesetzt und das niedergeschrieben.« Dem versuchte ich beizupflichten. Schließlich hing ja dem Verunglückten der Himmel voller Geigen. Demnächst würde er promovieren, seine Dissertation sei Herrn Artin ja bekannt, und danach nach Harvard gehen, ein hohes Privileg. »Nach *Harvard?*« Also nicht nach Harvard? Die Doktorarbeit? Auch von ihr wußte der Gelehrte nicht das mindeste. Damit nicht noch mehr, im gleichen Stil, zutage käme, suchte ich die Unterhaltung zu beenden. Artin bat, ihm doch die Dissertation zugänglich zu machen, wenn wir sie fänden. Nur zu offenkundig wußte er gar nichts von ihr, hatte aber den Verstorbenen als einen begabten Studenten gekannt – das klang ehrlich –, und vielleicht brachte die Arbeit doch etwas Neues. Max, auf dem Rückweg, zu mir: »Neck hatte sich in ein Netz von Lügen verstrickt und konnte nicht mehr heraus.« Natürlich suchten wir nach der Dissertation; natürlich fanden wir sie nicht. Immerhin fanden wir ein umfangreiches Heft, aus dem Max dem Professor am Telefon ein

paar Überschriften vorlas: »Die Weierstraßsche Theorie«,
»Die Dedekindsche Theorie«. Ein sauber ausgearbeitetes
Kollegheft; weiter nichts.

Mir war es nun »wie Schuppen von den Augen gefallen«;
dieser Ausdruck, dies Bild ist treffend. Ich hatte, wenn
auch nur wenige Wochen, mit einem schwer Bedrohten,
Leidenden gelebt, einem Schizophrenen, und nichts davon
gemerkt, oder beinahe nichts. Es war alles Schwindel; die
Dissertation, und Harvard und die beiden Freundinnen
und das Tagebuch; letzteres nichts als eine schwache
Nachahmung des meinen, das er offenbar gelesen hatte
und woraus seine billig erworbenen Kenntnisse über mich
stammten. Warum war er nach Blankenese gekommen?
Suchte er Rettung bei mir? Warum wollte er mir imponieren? Das Datum seines Selbstmordes hing zusammen mit
meiner bevorstehenden Abreise, so viel war klar. Seine Reaktion auf meine Mitteilung, ich wollte demnächst nach
Göttingen gehen – »Ja, dann mußt du es tun« –, war ein
Selbst-Todesurteil. Aber vielleicht wollte er nur, daß jemand da wäre, der die Post-mortem-Geschäfte besorgte.
Ich konnte es drehen, wie ich wollte; nicht aber ein quälendes Schuldgefühl loswerden. Jeden medialen Instinktes
bar war ich gewesen. Daß es »Tagebuch Nr. 3« hieß, genau
wie meines – nicht einmal dies hatte mich stutzig gemacht.
Nur an mich hatte ich gedacht, nicht an ihn, das Zusam-
mensein mit ihm als ein ganz interessantes, kurzfristiges
Erlebnis empfunden; nicht den Menschen in höchster Not,
der sich – vielleicht – an mich klammerte als einen letzten
Rettungsanker. Warum sonst rang er mit seinen Betrüge-
reien um meine Hochschätzung? Das Gegenargument: retten hätte ich ihn ja doch nicht können. Denn erstens war er
krank; zweitens ein böser, in Lieblosigkeit völlig verein-
samter Mensch. Nein, ganz lieblos doch nicht. Denn kurz

vor dem Ende hatte er eine Lebensversicherung erworben, welche nach seinem »Unfall« der armen Mutter zugutekommen sollte. Daher auch die Begründung seines Testaments: »Will sehen, was dabei herauskommt« – es sollte als bloße Spielerei erscheinen. Einige Wochen später erhielt ich denn auch einen Brief von jener Versicherungsgesellschaft: ich möchte ihr doch etwas über die letzten Tage »unseres verstorbenen Freundes« berichten. Natürlich log ich das Blaue vom Himmel herunter: einen lebensfroheren jungen Menschen, einen leidenschaftlicheren, erfolgreicheren Studenten als ihn hätte ich nie gekannt und müsse die Möglichkeit eines Selbstmordes ganz einfach ausschließen. Es half aber nichts. Denn mittlerweile war längst der Bericht des Lokomotivführers eingegangen, welcher den entgegenkommenden S-Bahnzug steuerte: er habe beobachtet, wie ein Mann die falsche Türe öffnete, sich herauslehnte und heruntersprang, unmittelbar bevor sein eigener Zug jenen Punkt erreichte, so daß ein Anhalten unmöglich war.

Am Abend jenes mit Besuchen gefüllten Tages traf Necks Mutter ein, zusammen mit der tauben Schwester, Liesel, und einem Onkel, Bruder der Mutter. Ich holte sie am Hauptbahnhof ab. Die Mutter, mir mehr entgegentaumelnd als gehend: »Was ist geschehen?« »Ein schrecklicher Unfall.« Der Onkel nahm mich beiseite. »Ich weiß alles. Wie hat er es denn gemacht?« So und so. Dem Onkel schauderte. Man saß eine Weile im Restaurant des kleinen Hotels, in dem die Familie wohnte. Die Mutter: »Es war doch solch sonniges Leben! Ach, warum hat es nur so kurz sein dürfen?« – und weinte. Darüber die Schwester Liesel zu mir am nächsten Tag: »Wenn sie das glaubte von ihrem Sohn, das sonnige Leben, das spricht nicht gerade dafür, daß sie ihn gut gekannt hat.« Liesel hatte gelernt, von den

Lippen zu lesen, aber bei mir gelang es ihr nicht, so daß ich ihr meine Antworten auf der Maschine schreiben mußte.

Noch galt es, die Totenfeier zu organisieren. In Hamburg wohnte eine Musiklehrerin, die ich von Salem her kannte, sehr begabt für ihren Beruf, seit neuestem eine fanatische Kommunistin. Wir verabredeten uns irgendwo, um ihren Beitrag zu besprechen: Orgelmusik, vielleicht auch ein paar Lieder aus der Salemer Zeit, zu singen von dem Chor, den sie in Hamburg leitete. Die Idee gefiel mir. Aber sonderbar, wie doch die Menschen in solchen Situationen sich treu bleiben; die Dame, in diesem Falle, ihren neuesten Überzeugungen. »Ob es nun ein Unfall war oder Selbstmord oder Mord«, so bemerkte sie, »das werden wir nie erfahren. Unter *diesem* System – dem Kapitalismus – kommt nichts heraus, außer wenn die Machthaber es wollen.« Die Feier, mit Orgelklängen und Reden, ging dann leidlich vonstatten. Ein Student sprach kommilitonisch, »Wir danken dir, lieber Hans«, der Onkel biographisch, »Dann gings zur Universität«, zuletzt ich, ohne die nackte Wahrheit zu sagen und ohne zu lügen; was mir so von Herzen kam. Danach war mir wohler, und ich aß auch wieder mit Appetit. Eine Erfahrung, die ich später noch einige Male machte. Erst wenn der Tote »beigeschafft« ist, möchte man wieder essen, reichlich, um Versäumtes nachzuholen. Sogar mag es sein, daß die Sitte des Leichenschmauses eben daher kommt.

An einem der ersten Februartage siedelte ich nach Göttingen über. »Je eher man mich vergißt, desto lieber ist es mir gewesen.« Diesen Wunsch, sprachlich gut formuliert, konnte ich dem Neck nicht erfüllen, und er tat auch nichts dafür. Vielmehr verfolgte er mich im Traum, jahrelang, erst oft, dann seltener und seltener. Schuldgefühl, werden die Psychologen sagen und gewiß recht haben... Er erscheint mir, grinst böse, zeigt auf jene entwendete Krawatte: Mit der werde er sich jetzt erhängen. – Nein, tu mir das um Gottes willen nicht an! – Doch, ganz sicher; und du weißt es ja auch... Ein schmaler Pfad am Fluß, er mir auflauernd. Ich springe ins Wasser. Er, auf dem Weg, rennt mir voraus, man läuft ja schneller, als man schwimmen kann, und springt seinerseits in den Fluß, der böse Wasserneck, der Teufel, derart, daß ich ihm nicht mehr entgehen kann... In solchen Momenten pflegt man zu erwachen. Es mochte auch vorkommen, daß er mich heimsuchte zusammen mit jenem anderen Selbstmörder, mit Ricki Hallgarten, dem Freund meiner Geschwister. Es war ein sicheres Zeichen dafür, daß es mir schlecht ging.

In jenem so bald verschwundenen Tagebuch notierte ich etwa am 1. Februar: »Nicht einmal Kraft, um mich über den geilen Hitlerschwindel zu empören.« Auch bemerkte ich an einem dieser Tage heuchlerisch zu dem Händler Bräckwolt: »Daß Hitler sich nun doch mit diesem Papen verbündet hat, kann ich nicht verstehen.« Der Krämer, mit seiner hohen Stimme: »Er wird ihn rausbugsieren!« Er war schlauer als ich. Wir waren die Blinden noch immer während der ersten Tage der neuen Regierung, eine bis zwei Wochen lang, um dann, während Monaten, von einer schlimmen Überraschung in die andere gestürzt zu sein.
Eine totale Überraschung bedeutete schon der neue Reichskanzler selber. Wenn er eine war für den in solchen Intrigen überreichlich erfahrenen General von Schleicher, wenn der bis zuletzt eine Rückkehr seines Rivalen von Papen befürchtete, nicht aber die Ernennung Hitlers, wie sollten es dann wir, die unwissenden Bürger und unnützen Wähler? Was wir im Lauf des Januar erfuhren: Es ging

dem Reichskanzler von Schleicher nicht gut. Er verfehlte die halbdemokratische Basis, die er suchte, nicht wie Brüning, in Parteien, die ihn tolerierten, wohl aber in den Gewerkschaften und einzelnen populären Figuren der Nazipartei, an der Spitze Gregor Strasser. Aus der erhofften Spaltung der NSDAP wurde nichts; Strasser selbst verschwand sang- und klanglos, um sich der Leitung einer Chemiefirma zu widmen. Was wir erst lange danach erfuhren: Die Leiter der sozialdemokratischen, der Freien Gewerkschaften wären bereit gewesen, Schleicher zu unterstützen, auch wenn er eine Zeitlang ohne Parlament regierte; es waren die Parteiführer, Wels, Breitscheid, welche ihnen eine solche Zusammenarbeit verboten, dem hohlen Götzen »Verfassung der Republik« zuliebe. Auch muß man, rückblickend, bezweifeln, daß eine Duldung durch die Gewerkschaften die Regierung Schleicher hätte retten können. Denn eine solche Hilfe von links hätte sie den letzten Rest von Vertrauen gekostet in dem schmutzigen Intrigen-Nest, auf das nun alles ankam, dem Palais des Reichspräsidenten. Dort sah man sich dem ersehnten Ziel, die Linke zusamt der liberalen Mitte für lange Zeit auszuschalten, zu nahe, um noch an einer so zweifelhaften Kombination interessiert zu sein, so wenig wie an Siedlungsplänen im Osten auf Kosten bankerotter Großgrundbesitzer, an der Verstaatlichung der Stahlindustrie und anderen dilettantischen Projekten Schleichers. Am 7. Januar trafen Hitler und Papen sich in Köln im Hause eines Bankiers von Schroeder; die heimliche Begegnung wurde alsbald der Presse bekannt, sogar konnte eine Fotografie veröffentlicht werden. Mitte Januar fanden Wahlen in dem Staate Lippe statt und brachten Hitler einen Erfolg, er hatte die gesamte Prominenz der Partei in das Zwergländchen geworfen. Ein Triumph war es nicht; die Linke, Sozialdemokraten und

Kommunisten, gewannen mehr Stimmen als die Nazis; immerhin zeigte der Ausgang, daß die Partei die Krise des Frühwinters überwunden hatte. So viel wußten wir, ungefähr; alles schien uns möglich, nur die Ernennung Hitlers nicht.

Bei weitem die beste Gesamtdarstellung der geheimen Ränke im Palast des Greises, welche zu dem fatalen Ende führten, findet sich in Karl Dietrich Brachers Meisterwerk *Die Auflösung der Weimarer Republik*. Nur waren, als Bracher sein Buch schrieb, die Memoiren Heinrich Brünings noch nicht bekannt; sie erschienen erst nach Brünings Tod, 1970, und steuerten einige charakteristische Details bei; ich zitiere ein paar davon. »Am Ende der zweiten Januarwoche erhielt ich über Landbundkreise die Bestätigung meiner Befürchtung, daß Schleicher für eine Reichstagsauflösung überhaupt keine Vollmachten mehr vom Reichspräsidenten bekommen würde.« Also hatte Schleicher damals das Spiel schon verloren; denn der »alte« Reichstag sollte am 31. Januar zusammentreten und würde die Regierung gestürzt haben. »Jetzt wurde ein Freund des Hauses Hindenburg, der mich öfters besuchte, von Oskar Hindenburg nicht mehr in der Wilhelmstraße empfangen, sondern in den Tiergarten bestellt... Seine Informationen gingen dahin, daß Papen bereit sei, mit jeder Gruppe zusammenzugehen, wenn er nur wieder an die Macht käme.« Über ein Gespräch mit Gregor Strasser: »Er hielt eine Rückkehr in seine frühere Stellung in der Partei nicht mehr für möglich. Ich mache mir keine Vorstellung von dem Schmutz und den Intrigen in der Parteiführung. Darauf sagte ich ihm: ›Sie müssen bereit sein, den Kampf aufzunehmen bis zur letzten Konsequenz, selbst bis zur Übernahme des Kanzleramtes in dieser verfahrenen Situation. Ich werde auch dann hinter Ihnen stehen. Aber vor einem warne ich Sie – fallen Sie nicht auf leichtsinnige Versprechungen von Schleicher herein. Er ist klug, aber nicht treu. Deshalb müssen Sie ihn in Gegenwart des Reichspräsidenten festlegen. Sonst sehe ich nicht nur für Deutschland, sondern auch für Sie persönlich eine Katastrophe kommen.« Bekanntlich traf diese doppelte Prophezeiung ein, die allgemeine, wie die persönliche; im folgenden Jahr ließ Hitler den General von Schleicher wie auch Gregor Strasser umbringen, eine Rache dafür, daß sie gemeinsam ihn von der Führung des Landes hatten fernhalten wollen. Die Dinge blieben offen bis zum 29. Januar; als die neuernannten Minister am Morgen des 30. zur Vereidigung beschieden wurden, glaubten sie noch, es handle sich um ein anderes Kabinett Papen.

Und nun hielt ich's für Schwindel: den Fackelzug in Berlin am Abend des Dreißigsten, das »Deutschland ist erwacht«, die »Erhebung der Nation« dank des neuen Kanzlers. So war auch die Meinung Leopold Schwarzschilds. Sein erster Kommentar wurde hastig geschrieben. In ihm hieß es, den dritten Februar: »Daß Adolf Hitler die Macht ›erobert‹ und einen ›Sieg erkämpft‹ habe, wie die völkische Legende behauptet, und wie es die Fackelträger wähnten, ist eine kleine Geschichtslüge. Herr Hitler war bereits ein Besiegter, als ihm der Sieg geschenkt wurde... Den deutschen Mussolini hat kein Marsch nach Berlin, sondern nur ein Falschspiel der ostelbisch-westfälischen Kamarilla an die Krippe der Staatsmacht gebracht.« Dies Urteil wird bestätigt durch ein Gespräch mit General von Schleicher, von dem Brüning erzählt. »Er war am 11. Februar nahezu vier Stunden bei mir. Er schilderte mir die Vorgänge und wir sprachen von der Vergangenheit. Er erzählte mir, daß Hitler ihm bei der Verabschiedung gesagt hätte, es sei das Erstaunliche in seinem Leben, daß er immer dann gerettet

würde, wenn er sich selbst schon aufgegeben habe.« Eine
Offenheit, die zeigt, wie glücklich er damals war.

In der folgenden Woche stellte Schwarzschild eine Milch-
mädchenrechnung auf: der alte oder konservative Nationalismus war in der Regierung mit acht Ministern vertreten,
der neue, revolutionäre mit ganzen drei: dem Reichskanzler, dem Innenminister, Frick, und Göring ohne Porte-
feuille. Und der Reichskanzler sollte von dem Reichspräsidenten nur zusammen mit dem Vizekanzler von Papen
empfangen werden, also nur solche Unterschriften erlangen, die auch Papen genehm wären. Noch deutlicher standen die Dinge im großen Staate Preußen; dort war nun der
Vizekanzler der »Reichskommissar« und die Minister,
zum Beispiel Göring als Innenminister, nur dessen Befehls-
empfänger. Ja, so stand es auf dem Papier. Und wir glaubten es, wir waren blind wie Papen selber – »Sie irren sich,
wir haben ihn engagiert!« Von all den listigen Behinderun-
gen, mit denen man den neuen Mann umgeben hatte, waren ein halbes Jahr später nur noch letzte Schatten und
Spuren übrig, und nach einem weiteren Jahr verschwanden auch die. *Eine* überaus weittragende Entscheidung fiel
schon am 30. Januar: die abermalige Auflösung des Reichstags. Das würde nun ein Wahlkampf werden, noch ganz
anders als die früheren. Der Beginn eines fürchterlichen
Lehrgangs: wie man eine streng verfassungsmäßige, for-
mal obendrein künstlich eingeschränkte Macht binnen weniger Wochen in wirkliche, dann in totale verwandelt.

Damals also wohnte ich in Göttingen und fühlte mich,
meine eigene Existenz betreffend, ganz wohl dabei: ein
winziges Gartenhaus am Berg, nahe dem Wald, ein Zim-
merchen unten, eines oben und Kitchinette und alles das.
Die gewohnten Studien, bis zum Sommer. Die beiden
Freunde, Kai und Hans Jaffé. Mit ihnen Fahrten, verbun-

den mit Spaziergängen, manchmal auch nächtlichen. Weswegen ich denunziert wurde, denn eines Morgens erschienen zwei Polizeibeamte bei mir. Was wir denn nachts da so täten? Mit wem wir uns träfen? Ob wir etwa Flugblätter ausstreuten? Ich glaube, meine Unschuld muß überzeugend gewirkt haben. Jedoch: »Sie haben da einen Revolver liegen, Herr Doktor? Haben Sie einen Waffenschein?« »Bitte sehr, es ist ein Spielzeug.« Wirklich war es ein Gasrevolver harmlosesten Charakters... Dieser Besuch war ein erstes, noch zartes Anzeichen dafür, daß die Atmosphäre im Lande sich zu verändern im Begriffe war. Der Studienrat, Besitzer meiner Wohnung, der in der Villa nach vorne hauste, warnte mich: Wenn mir etwas zustieße, und das könne heutzutage ja nur »von rechts her« geschehen, so sei er nicht in der Lage, mich zu beschützen. »Wie kommen Sie denn auf so etwas?« »Nun ja, Sie kennen die Situation.«

Was im Lauf des Februar sich raschestens herausstellte: der starke Mann im Lande Preußen war Hermann Göring und keineswegs der Herr Vizekanzler. Zu Hunderten entfernte der »kommissarische« Innenminister ihm mißliebige Beamte, Sozialdemokraten und andere. Noch höre ich seine Stimme am Radio: »Wenn ich so einen roten Strolch hinausfeure...« Und Hunderte von Zeitungen wurden verboten; der sozialdemokratische *Vorwärts* unter ihnen. Noch war die unverbotene Presse frei; noch schrieb Carl von Ossietzky in seiner *Weltbühne,* Leopold Schwarzschild in seinem, nun Münchener *Tagebuch,* noch konnten liberale Leitartikler Görings Maßnahmen in Preußen milde rügen: es werde ja vermutlich auch einmal wieder eine andere Regierung kommen und machte sie es ebenso, dann gäbe es einen ständigen Wechsel, zum Schaden des Berufsbeamtentums. Man hatte noch immer nicht erkannt, was die

Stunde geschlagen hatte, und ich darf nicht behaupten, daß ich klüger gewesen wäre. Wohl hätten gewisse Erlasse Görings, gewisse Reden von Goebbels uns schon damals eines Schlechteren belehren können. Göring am 17. Februar: Er erwarte, daß die Polizei mit allen »nationalen Verbänden« – SA, SS, Stahlhelm – auf das freundlichste zusammenarbeite. »Dagegen ist dem Treiben staatsfeindlicher Organisationen mit den schärfsten Mitteln entgegenzutreten... Polizeibeamte, die in Ausübung dieser Pflichten von der Schußwaffe Gebrauch machen, werden ohne Rücksicht auf die Folgen von mir gedeckt. Wer hingegen in falscher Rücksicht versagt, hat dienststrafrechtliche Folgen zu gewärtigen.« Das ging schon ziemlich weit. So Goebbels in seinem Tagebuch, das er später veröffentlichte: »15. Februar. Jetzt haben wir auch eine neue Handhabe gegen die Presse und nun knallen die Verbote, daß es nur so seine Art hat... Es scheint sich im Übrigen in Deutschland noch nicht herumgesprochen zu haben, daß eine Revolution im Gang ist. Man hat unsere anfängliche Duldsamkeit als Schwäche ausgelegt und glaubte, uns auf der Nase herumtanzen zu können. Man wird sich auf das grausamste getäuscht sehen...« Revolution – schon zwei Wochen nach der in den Augen der Hindenburg-Kamarilla endgültigen Rückkehr zur verfassungsmäßigen Legalität unter Führung der Konservativen.

Entsetzlich war der Wahlkampf. Hier leistete Hitler Stärkeres als je zuvor und je nachher, wissend, daß er, zum allerletzten Mal, im neuen Reichstag eine Mehrheit brauchte. Daß von den Vorwürfen, welche er gegen »vierzehn Jahre Marxismus« erhob, keiner stimmte, was verschlug es? Marxismus war ein bequemer Sammelname, um alles, was in jenen vierzehn Jahren düster und elend gewesen war, zu benennen, den Gegner zu verteufeln, als jemand, der vom Bolschewismus sich nicht wesentlich unterschied. Zweifelnde Analysen waren das letzte, was Hitlers Zuhörern lag. Ihn am Rundfunk zu hören, wie ich es abends im benachbarten Landgasthof tat, die große Rede im Sportpalast, der Höhepunkt der Kampagne – qualvoll. Die Stimme »bellend« zu nennen, wäre eine Beleidigung der Hunde; sie hatte mit jenen nur gemeinsam, daß sie sich immer auf der gleichen Höhe und in der gleichen Lautstärke hielt, damit aber noch Steigerungen zu verbinden schien, wo solche gar nicht mehr möglich waren. Die Klimax am Ende: »Deutsches Volk, gib uns vier Jahre Zeit, dann richte und urteile über uns! Deutsches Volk, gib uns vier Jahre und ich schwöre dir, so wie wir und ich in dieses Amt trat, tat ich es nicht um Lohn und Gehalt, ich tat es um deiner selbst willen. Es ist der schwerste Entschluß meines Lebens gewesen. Ich habe ihn gewagt, weil ich glaubte, daß es sein muß... Dann: das gemeinsam geschaffene, mühsam erkämpfte Deutsche Reich der Größe und der Ehre und der Kraft und der Gerechtigkeit. Amen.« Dies letzte Wort dürfte der chemisch reine Atheist zum ersten und zum letzten Mal herausgekreischt haben. Wahrscheinlich aber glaubte er es im Moment, glaubte alles, was er sagte. So mußte er, um die »Massen« zu überzeugen. Anders, wenn er für »das Ausland« sprach. Da log er bewußt und mit ebensoviel Geschick wie Vergnügen; es sollte auch so schwierig nicht sein, die Leute zu überzeugen von dem, was sie selber wünschten und eben darum nur zu gern für wahr nahmen. Die wahre Wahrheit hinter der falschen würden nur »wir« kennen, seine unbeirrbaren deutschen Gegner – und der General Ludendorff. Der schrieb am 1. Februar 1933 an Hindenburg: »Sie haben durch die Ernennung Hitlers zum Reichskanzler unser heiliges deutsches Vaterland dem größten Demagogen aller Zeiten ausgeliefert. Ich prophezeie Ihnen feierlich, daß dieser unselige Mann unser Reich in den Abgrund stürzen und unsere Nation in unfaßbares Elend bringen wird. Kommende Geschlechter werden Sie wegen dieser Handlung in Ihrem Grab verfluchen.« Weder der Briefschreiber noch der Adressat haben die Erfüllung dieser Voraussage erlebt. Während eines zurückliegenden Wahlkampfes hatte sozialdemokratische Propaganda es einfacher formuliert: »Wer Hitler wählt, der wählt den Krieg.«

Die Stimmen der Nazi-Redner. Hitler hatte unter seinen Getreuen eine Menge Nachahmer, aber so gut wie er konnte es keiner. In seinem gutturalen Sprechen war für mein Gefühl etwas durchaus Fremdes, Undeutsches. Aber ein echter Österreicher war er auch nicht. Er war aus Niemandsland. Nur ein im Grunde Fremder konnte so faszinieren, so sich Deutschland unterwerfen, wie es diesem gelang. Görings Stimme: eine blecherne Trompete. Dagegen die von Goebbels völlig anders und damals einzig in ihrer Art: sonor, ja wie Samt, auch dann, besonders dann, wenn er eine gewaltige Bosheit aussprach, wie demnächst: »Wir sind die Herren über Deutschland.« Ein wollüstiger, aber leiser Triumph. Schreien konnte auch er – »Wollt Ihr den totalen Krieg?« – aber da war dann echte, theatralische Steigerung. Im großen und ganzen war Deutschlands politische Rhetorik mir schon vor dem Erscheinen, dann dem Dominieren der Nazis fremd geblieben: die Monotonie des vaterländischen Pathos, das schneidend Militärische im Akzent einer großen Zahl von Rednern, und dann das Schreien, wenn ein Höhepunkt markiert wurde. Als ich 1946 während eines ersten Wahlkampfes im Lande Hessen auf einem Frankfurter Platz Kurt Schumacher reden hörte, den Sozialdemokraten, den man wegen seines zwölfjährigen Martyriums in Hitlers Konzentrationslagern und seines ungebrochenen Mutes danach im höchsten Grade achten mußte, konnte ich mich doch des Gefühls nicht erwehren: Noch immer das Geschrei der Weimarer Republik. Seitdem hat so manches sich geändert. Eine Debatte im deutschen Bundestag, ein öffentliches Streitgespräch zwischen Politikern unterscheidet sich im wesentlichen nicht mehr von parallelen Veranstaltungen in London und Paris. Darum bin ich angesichts deutscher Politik heute weit weniger ein Fremder, als ich es in meiner Jugend war, indes man doch das Umgekehrte erwarten könnte; der biologischen Bedingung widerspricht hier die historische.

Hitlers betrogenen Partnern, den Herren Hugenberg und von Papen, wurde es bald übel zu Sinn, man merkte es in ihren Reden; kümmerlich schwachen im Vergleich mit jenen der führenden Nazis. Immer wieder betonten sie, daß der Pakt vom 30. Januar, ein Pakt zwischen Gleichberechtigten, eingehalten werden müsse. Sogar ließ Papen es an zarten Hieben gegen Hitler nicht fehlen. Von »gestenreichen Auftritten« sprach er, etwas abschätzig, oder davon, daß eine unfehlbar würdige, treudeutsche Gesinnung nur »unser Herr Reichspräsident« zur Darstellung bringe. Solch angedeuteter Tadel wurde dann von der noch immer liberalen *Frankfurter Zeitung* im Fettdruck gebracht – Grashälmchen im Orkan. Es dauerte nicht lange, und auch Papen sah sich in der Lage, von »unserem geliebten Führer« zu sprechen; was er auch dann noch tat, als der Geliebte den gesamten Mitarbeiterkreis des Edelmanns hatte ausmorden lassen.

In der Nacht vom 27. zum 28. Februar brannte das Reichstagsgebäude. Am nächsten Tag wurde die »Verordnung des Reichspräsidenten zum Schutz von Volk und Staat« veröffentlicht, die, so wie von ihr Gebrauch gemacht wurde, die gesamten Bürgerrechte außer Kraft setzte und zur legalen Grundlage von Hitlers Diktatur mehr beitrug als das Ermächtigungsgesetz gut drei Wochen später. Darüber der Schriftsteller Erich Ebermayer, naher Freund meines Bruders Klaus – damals noch – und Sohn des Oberreichsanwalts in seinem Tagebuch: »Mein Vater sitzt noch arbeitend an seinem Schreibtisch. Ich bringe ihm die Nachricht. Er schweigt ein paar Sekunden, dann sagt er in seinem reinsten Bayerisch: ›Den ham's doch natürlich selber angesteckt.‹ Aber der verhaftete Kommunist? Können sie den einfach erfinden? Der große Kriminalist mit fünfzig Jahren Erfahrung lächelt.« Dies war am 28. Februar die Überzeugung von Hunderttausenden innerhalb und außerhalb des Landes und blieb es; die meine auch. Eine solche Reaktion aller derer, die im Lande noch vernunftgemäß frei zu denken und ihre Gedanken mit anderen auszutauschen wagten, sollte man in keinem Fall die Bildung einer Legende nennen; auch dann nicht, wenn ein halbes Jahrhundert später sich herausgestellt haben sollte, daß es eine irrige Überzeugung war – was ja doch nie bewiesen werden könnte.

Es ist wahr, daß zur dämonischen Natur eines Menschen auch das Glück gehört. Dämonische Natur – Kräfte in einem Individuum, welche die große Mehrheit der Artgenossen nicht besitzt, ein sechster oder siebter Sinn. Goethe, selber eine dämonische Natur, obgleich eine edle und milde, spricht schön darüber. Aber das Glück, welches die dämonische Natur charakterisiert, obgleich unzuverlässig, kann nur aus dem Inneren des so begabten Menschen selber kommen und auf seine Umgebung einwirken. Zum Beispiel war Hitler »zufällig« nie da, wo er hätte sein sollen, wenn dann und dort ein Attentat gegen ihn verübt werden sollte; zum Beispiel spürte er, was in seinem Gesprächspartner vorging und richtete seine Reaktionen darauf ein. Was auch er nicht konnte: ihm unbekannte Dinge in weiter Ferne beeinflussen; in diesem Fall einen einsamen jungen Narren zu einer Wanderung aus den Niederlanden nach Berlin bewegen, um dort eine jeden – jeden! – Sinnes entbehrende, höchst schwierige Tat zu vollbringen, ausgerechnet jene jedoch, deren der werdende Diktator bedurfte, obendrein genau an dem Tag, an dem er ihrer bedurfte. Nur eine Woche später hätte der Brand die Wirkung nicht getan, die er am 28. Februar tun konnte; die Reichstagswahlen wären dann schon vorüber gewesen und hätten mit hoher Wahrscheinlichkeit der Hitler-Hugenberg-Koalition nicht die Mehrheit gebracht, die sie zu jener noch immer legalen Regierung brauchte, an welcher dem frommen Hindenburg alles gelegen war. Das Glück war also doppelt: Die Tat des dreiviertel blinden Psychopathen, tiefen Mitleids wert, und dann in dieser Nacht, anstatt in einer anderen.

Nein, solches Glück wird auch der dämonischen Natur nicht geschenkt. Ein kluger, mir übrigens unbekannter Mitarbeiter des Bayerischen Rundfunks, mit dem ich neulich am Telefon über den Fall zu sprechen in der Lage war, meinte: »Dann war es eben ein von der Geschichte selber angerichtetes dämonisches Glück.« Meine Antwort: »Das wäre Aberglaube. Die ›Geschichte‹ hat keine Identität, keine Persönlichkeit, also auch keine Dämonie. Sie ist ein bloßer Sammelname für das, was unzählbar viele Menschen treiben.« Dann bliebe nur noch der Zufall, um die Tat eines Einzelnen zusamt deren unermeßlichen Folgen, nicht zu erklären, Zufall erklärt nichts, sondern festzustellen: Ein Irrer aus der Fremde tat das und das und in der und der Nacht, und tat zufällig, was binnen weniger Stunden zur Basis der Hitlerschen Gewaltherrschaft wurde. Unmöglich ist das nicht. Das Unwahrscheinlichste – hier wäre es Ereignis geworden.

Gestehen will ich, daß der immer aufs neue mit sonderbarer Leidenschaft aufgenommene Streit um den Reichstagsbrand nachgerade öde Gefühle in mir erweckt. Auf beiden Seiten – und das Schiefe liegt ja schon darin, daß es sich um eigentliche Kriegslager handelt – sind neben geschickten auch höchst ungeeignete Hände am Werk. Ein pyrologisches Gutachten schlägt das andere. Und wenn ein vorgelegtes Dokument als manipuliert entlarvt wird, so kann das den armen van der Lubbe noch immer nicht von seinen Mitspielern oder Verführern befreien, wenn er solche gehabt hatte. In Nürnberg, 1946, versicherte Hermann Göring noch einmal, er sei es nicht gewesen, es könnte aber eine »wilde Truppe« gewesen sein. *Wenn* sie es war – die Namen ihrer Mitglieder standen gewiß von Anfang an in keinem Dokument und spätestens am 30. Juni 1934 hätte man sie für immer mundtot gemacht.

Ich blätterte in den Erinnerungen des Ministers Treviranus, eines konservativen Brüning-Anhängers, und fand dort, wie er die Nacht des 27. Februar erlebte. Er war zu Gast bei dem Oberbürgermeister von Berlin: »Gegen 10 Uhr abends stürzte ein Sohn des Hauses in das Speisezimmer mit dem Ruf: ›Vater, der Reichstag brennt!‹... Zu meiner Linken saß Frau von Neurath. Sie fragte mich: ›Wer sollte wohl ein Interesse haben, den Reichstag in Brand zu stecken?‹ ›Außer Göring wüßte ich niemanden!‹ Diese Antwort war eine Gedankenassoziation mit der Begegnung, die ich einige Tage vorher mit dem Hausmeister des Reichstags, den ich seit acht Jahren... kannte, gehabt hatte. Ich traf ihn zufällig auf der Straße. Er erzählte mir von Geräuschen im Maschinenhausgang zwischen den Reichstagskellern und dem Palais des Reichstagspräsidenten in den letzten Nächten. Er habe beim Nachsehen nichts finden können, aber Fäden vor den Eingangstüren gespon-

nen. Morgens seien sie zerrissen gewesen. ›Also tut sich da unten irgendwas. Aber was?‹ Ich wußte auch keine Antwort.« Durfte Herr Treviranus etwa während des Prozesses in Leipzig berichten, was jener Hausmeister ihm erzählt hatte? Was wären die Folgen für ihn gewesen und für die Richter, ehrenwerte Männer an sich, die aber doch nur eine einzige, von Anfang an hoffnungslose, die kommunistische Spur verfolgen durften, und durchaus keine andere? Wenn nun keine anderen Spuren verfolgt werden durften, damals, als sie noch frisch waren, wenn ein zu neun Zehnteln erstickter oder die Wahrheit erstickender Prozeß stattfand, als die lebendige Zeit für Wahrheitsforschung gewesen wäre – die Anmaßung, nach einem halben Jahrhundert zu wissen, was damals, als man hätte wissen können, zu erforschen versäumt wurde, befremdet mich unangenehm. An sich hat die Frage, wer oder wer nicht, sehr geringe historische Bedeutung. Daß die neuen Machthaber Meister sein konnten in der Arrangierung von Verbrechen, die ihnen zu großartigen Gegenaktionen Grund und Recht geben sollten, wissen wir; das klassische Beispiel bleibt der Überfall als polnische Soldaten verkleideter Deutscher auf den Rundfunksender Gleiwitz, der am 1. September 1939 den deutschen Angriff gegen Polen rechtfertigen sollte. Warum also hätten sie Vergleichbares am 28. Februar 1933 *nicht* arrangieren sollen? Entscheidend ist doch, mit welch ungeheuerlicher Promptheit sie den Flammenzwischenfall für ihre Zwecke gebrauchten, alsbald auch mit handgreiflichen Lügen anreicherten: der Holländer habe seine Beziehungen zur Sozialdemokratischen Partei zugegeben – die war genau die rechte für eine solche Tat, das muß man sagen!
Der Brand gab meinem Mentor Leopold Schwarzschild Gelegenheit zu seinem letzten und, für mich, stärksten Ar-

tikel. (Es kam noch ein allerletzter, aber der konnte schon nicht mehr taugen.) Warum, fragte er, das angeblich so genauestens bürgerkriegerische Material, welches man tonnenweise in den »Katakomben« des kommunistischen Hauptquartiers gefunden haben wollte – und von dem, möchte ich hinzufügen, nie etwas veröffentlicht wurde – nicht wenigstens eine schärfere Überwachung der Regierungsgebäude zur Folge gehabt hatte? »Von jenen Funden erfuhr die Öffentlichkeit am 24. Februar; am 28. noch mehr und zwar, was der Polizei schon vorher bekannt gewesen war: ›Sie wußte schon, daß in der Nacht vom 27. zum 28. Februar die planmäßige Durchführung der bolschewistischen Revolution beginnen sollte.‹... Von diesem der Öffentlichkeit bis dahin unbekannten Wissen der Polizei gab der *Amtliche preußische Pressedienst* erst nach Ausbruch des Reichstagsbrandes, dann aber sofort, der Bevölkerung Nachricht: ›Diese Brandstiftung ist der bisher ungeheuerlichste Terrorakt des Bolschewismus in Deutschland. Unter den Hunderten von Zentnern des Zersetzungsmaterials, das die Polizei... entdeckt hat, fanden sich die Anweisungen zur Durchführung des kommunistischen Terrors nach bolschewistischem Muster. Hiernach sollten Regierungsgebäude, Museen, Schlösser und lebenswichtige Betriebe in Brand gesteckt werden... Durch die Auffindung dieses Materials ist die planmäßige Durchführung der bolschewistischen Revolution gestört worden. Trotzdem sollte der Brand des Reichstages das Fanal zum blutigen Aufruhr und Bürgerkrieg sein. Schon für Dienstag früh vier Uhr (28. Februar) waren in Berlin große Plünderungen angesetzt.‹« Dazu Schwarzschild: wo unter solchen Umständen die polizeilichen Vorsichtsmaßregeln blieben? Eine andere Frage stellte er nicht, und sonderbarerweise wurde sie damals von niemandem gestellt, es wäre denn im stillen, zum Beispiel von mir. Wenn der Brand ein Fanal sein sollte, wenn für den nächsten Morgen ab vier Uhr die bolschewistische Revolution bis ins Kleinste und Größte geplant war, warum fand rein gar nichts von all den gräßlichen Dingen statt, die die Polizei für den frühen Morgen vorausgesagt hatte? Warum ließen fast sämtliche kommunistische Reichstagsabgeordnete sich ohne Gegenwehr verhaften, wo man sie antraf, zum Beispiel in ihren Wohnungen, wenn sie nicht, was auch geschah, sich freien Willens bei der Polizei meldeten, um ihre Unschuld registrieren zu lassen: sie wurden dann auch gleich einbehalten. Wohl hatten sie von Revolution und Bürgerkrieg geredet, soviel war richtig; dafür vorbereitet nicht das Allermindeste – »Papiertiger«, die sie waren. Freieste Erfindung das ganze fürchterliche Komplott.

Was den Brandstifter van der Lubbe betraf, so arbeitete Schwarzschild die sonderbaren Widersprüche seines Charakters auf das artigste heraus. »Noch ungewöhnlicher war am Tage der Tat die eigentliche Vorbereitung: die sachgemäße Anlage der 28 Brandherde und ihre Entflammung. Das muß, ob mit oder ohne Helfer, geraume Zeit in Anspruch genommen haben; und daß es ohne Entdeckung bewerkstelligt wurde, stellt sowohl der verbrecherischen Begabung des Lubbe wie seiner kühnen Selbstsicherheit der Gefahr des Erwischtwerdens gegenüber ein höchst bemerkenswertes Zeugnis aus... Um so rätselhafter wirkt andererseits die Häufung von groben Fehlern, zu der sich, wie das so oft zu gehen pflegt, zu guter Letzt auch die Verbrecherbegabung Lubbes hinreißen ließ. Das sind die großen Rätsel der Kriminalistik! Der Täter hat stunden- vielleicht tagelang sich ein- und auszuschleichen, hat sich bei seiner emsigen Arbeit allen Aufsehern und Beamten unsichtbar zu machen gewußt. Aber nachdem seine Arbeit schließlich vollendet ist, nachdem das Haus schon in hellem Brand steht und die Feuerwehr rasselnd angefahren kommt, treibt irgendein Dämon ihn, nicht zu entweichen, orientierungslos am Tatort herumzuirren und einfach der Polizei in die Arme zu laufen. Und dann stellt sich heraus, daß er auch die primitivste Verbrecher-Vorsicht, seinen Paß zu Hause zu lassen, versäumt hat; ja, daß er sogar die Papiere bei sich trägt, die ihn als Mitglied der Kommunistischen Partei ausweisen, wodurch rasch jedes Leugnen zwecklos wird und nur noch ein Geständnis übrig bleibt. Die Kriminalpsychologie ist um einen neuen Lehrfall bereichert...«

So viel, und mehr zwischen den Zeilen, durfte man am 4. März in München noch publizieren, eine Woche danach nicht mehr; geschweige denn, daß man Monate später Lubbes Verhalten während des Prozesses gegen ihn und seine niemals entdeckten Komplizen noch hätte kommentieren dürfen. Der in jener Brandnacht die Klugheit der Schlange mit der Gewandtheit des Leoparden verbunden haben mußte, saß nun Woche um Woche auf der Anklagebank, zu keiner vernünftigen Antwort fähig, in sich versunken, starrend und grinsend, während ihm beständig der Speichel von den Lippen floß. Nur einmal bemerkte er, der ganze Prozeß komme ihm komisch vor. Die Verwandlung des Helden in der Brandnacht in solch Jammerbild hat damals niemand eines Versuches der Erklärung für wert gehalten.

Was ich verstand, sofort und gegen meine Gewohnheit so schlau wie der Blankeneser Bräckwolt: Hier fällt eine Entscheidung. Nehmen die »bürgerlichen«, nicht in der neuen Koalition vertretenen Parteien, Zentrum, Bayerische Volkspartei und so fort die Lüge vom »Fanal« und der im letzten Moment erstickten bolschewistischen Revolution an, dann sind sie verloren. Dann ist die ganze Stoßkraft bei jenen, die in letzter Stunde uns vor dem blutigen Chaos der Bolschewisten retteten und für immer retten würden... Sie nahmen an; alles, die Lüge vom Fanal und den Rest. Womit sie sich der Möglichkeit beraubten, gegen jene Verordnung des Reichspräsidenten wenigstens zu protestieren; *mußte* sie nicht sein, um das Feuer des Bolschewismus auszutreten? Nur Heinrich Brüning wagte es noch, in einer seiner letzten Reden zu sagen, er hoffe, die Hintergründe des Brandes würden noch *vor* den Wahlen aufgedeckt werden – wozu ganze fünf Tage blieben. Ihrerseits konnten die Sozialdemokraten weder annehmen noch abstreiten, denn ihre gesamte Presse wurde für vierzehn Tage verboten, jene der Kommunisten für vier Wochen; eine feine, jedoch irreale Unterscheidung, denn verboten blieben die beiden für mehr als zwölf Jahre. Verhaftet wurden dann auch sozialdemokratische Abgeordnete. Und *wie* nun die letzten Dämme brachen, die bis dahin den Rechtsstaat noch geschützt hatten! Hermann Göring, für uns am 31. Januar noch nahezu machtlos, in einer Rede vom 3. März: »Volksgenossen, meine Maßnahmen werden nicht angekränkelt sein durch irgendwelche juristische Bedenken. Meine Maßnahmen werden nicht angekränkelt sein durch irgendeine Bürokratie. Hier habe ich keine Gerechtigkeit zu üben, hier habe ich zu vernichten und auszurotten, weiter nichts!«

Daß bei so viel Terror, bei mit so viel Intensität und höchster Kunst betriebenen Massenberauschung die Wahlen des 5. März den Nazis zwar starken Zuwachs, aber noch immer keine absolute Mehrheit brachten, eine äußerst knappe nur zusammen mit ihren verblendeten Bundesgenossen, mochte man als erstaunlich ansehen; es änderte nichts mehr. Gegen Mitternacht hörte ich lauten Jubel von der Stadt her und wußte Bescheid. Ein paar Tage später in meinem verlorenen Tagebuch: »Nun ist auch Bayerns Opposition zusammengebrochen. Diese Nachricht macht mich trauriger als alles Bisherige.« Die Bayerische Volkspartei hatte den Wahlkampf tapfer geführt, der Staatsrat Schäffer sich vermessen, wollte Berlin einen Reichskommissar im preußischen Stil nach Bayern schicken, dann werde man ihn an der Grenze verhaften. Der Ministerpräsident Held, streng konservativ, klerikal, national, aber ein guter Bayer auch, ein Mann des Rechtsstaates auch, klagte, Hermann Görings »Erlasse« seien das Unerhörteste, was er je erlebt habe. Noch erinnere ich mich an die folgenden Worte Helds: »Auch die Sozialdemokratie hat dem Staat sehr nützliche Hilfestellungen geleistet. Das sage ich, der ich mich immer geweigert habe, mit den Sozialdemokraten in eine Koalition zu gehen. Ich sage es, weil es die Wahrheit ist.« Was mir gefiel, spät wie es kam. Bayerns Mitschuld an der Katastrophe lag weiter zurück. Der deutsche Gesandte in Brüssel, Graf Lerchenfeld, war vordem bayerischer Regierungschef gewesen. Im März erzählte er meinen Eltern, die gelegentlich eines Vortrages von TM in Brüssel bei ihm wohnten: als er München verließ, habe er seine Nachfolger beschworen, diesen Funken – den Nazismus – auszutreten, ehe er zur Flamme werde; sein Rat wurde nicht befolgt.

Nun war Hitler der Herr auch in München; schlau genug, zu seinem Reichskommissar – demnächst »Reichsstatthalter« – dort einen angesehenen Münchner zu ernennen, den General von Epp, Besieger der Räte-Republik. Alsbald wurde das Konzentrationslager Dachau für die »in Schutzhaft« Genommenen eingerichtet; die staatlichen Gefängnisse konnten solche Massen nicht unterbringen und sollten es auch gar nicht.

Was ich mir für Bayern während des Winters 1932/33 erhofft hatte, war die Wiederherstellung der Wittelsbacher Monarchie. Es hatte auch der Staatsrat Schäffer Andeutungen in dieser Richtung gemacht: »In höchster Not holen wir uns einen Herzog aus tausendjährigem bayerischem Geschlecht.« Der Kronprinz Rupprecht, den er damit meinte, war kein Mann des Staatsstreiches. Als ich, nachdem alles entschieden war, nach München kam, hörte ich einen braven Bürger sagen: »Den letzten Schritt auf den Thron muß ein König allein machen.« Genau das wollte der Prinz nicht; die Krone mußte ihm von Ehrenjungfrauen entgegengetragen, nicht nach Bonaparte-Manier von ihm genommen werden. Seinerseits hatte Hitler die Frage einer Restauration offengelassen, um die noch immer zahlreichen Anhänger der Wittelsbacher nicht unnötig vor den Kopf zu stoßen; in Wahrheit lag ihm Stalins Herrschaftssystem näher als die liberale Monarchie Bayerns – »das milde Szepter der Wittelsbacher«, wie in den fünfziger Jahren der Sozialdemokrat Wilhelm Hoegner es einmal ausdrückte.

Es muß Mitte März gewesen sein, daß ich mit Kai Köster eine, wenn man so will, Vergnügungsreise nach Weimar machte. Unterwegs, in der Dämmerung und grauer Gegend überfiel mich ein Gefühl tiefen Schauders, und ich sagte zu Kai: »Das alles wird mit Krieg enden, einem noch viel schlimmeren als der vorige war« – ein Stimmungsmoment, der nicht lang dauerte, nicht einmal bis zur Einfahrt in das alte, scheinbar friedlich unveränderte Weimar. Wir fanden Quartier im »Elefanten«. Ein ehrwürdiges Hotel; jedoch das Abendessen im Restaurant verlief abscheulich. Von unseren Nachbarn, zwei Justiz-Referendaren mit ihren Freundinnen, waren wir durch eine durchbrochene Laube getrennt und konnten oder mußten ihr Gespräch überhören. Die jungen Herren imponierten den Damen mit ihrem Bericht über eine Hinrichtung, deren Zeugen sie unlängst hatten sein dürfen: wie der Scharfrichter den Delinquenten mit zwei geübten Griffen zu Boden geworfen, wie seine Gehilfen den Liegenden gepackt, auf den rechten Platz geschoben und angeschnallt hätten, welch sonderbares Geräusch dann das Fallbeil machte, während es die Halsknorpel durchschnitt. »Nächste Woche kommen gleich zwei dran!« Kai nachher zu mir: »Da kommt einem doch alles hoch. Ich hatte gedacht, der Verurteilte würde niederknien und noch ein Gebet sprechen und so...« – Mit Hinrichtungen in Deutschland stand es damals folgendermaßen. Der sozialdemokratische Justizminister in Preußen hatte einmal, pflichtgemäß, einer solchen beigewohnt und danach entschieden, solange er Minister sei, werde eine so grauenhafte Barbarei sich nicht wiederholen. Die Verurteilten blieben unbegnadigt, ihre Exekution aber für unbestimmte Zeit aufgeschoben; ein Zustand, an dem in Preußen sich auch unter dem Reichskommissar von Papen nichts änderte. Es scheint, daß kleinere Länder wie Thüringen dem preußischen Beispiel folgten. Das änderte sich unter der Regierung Hitlers, welcher das Recht der Begnadigung Hermann Göring überließ; der begnadigte keinen. Folglich gab es während des Frühlings und Sommers Hinrichtungen in Deutschland beinahe täglich. Sie wurden bis Ende März durch die Guillotine vollzogen. Eines der ersten Gesetze, die Hitler erließ, nachdem der neue Reichstag ihm das Recht, auf eigene Faust jederlei Art von Gesetzen zu machen, geschenkt hatte, war, die Guillotine durch die Axt oder, in besonders schmählichen Fällen, durch den Galgen zu ersetzen; die Guillotine sei eine undeutsche Erfindung. Also die Axt, etwa zwei Jahre lang. Dann wurde sie in aller Stille wieder abgeschafft und ersetzt durch ein

Ding, welchem man den schönen deutschen Namen Fall-schwert-Maschine gab; Guillotine durfte nun einmal nicht sein. Offenbar hatte es mit der Axt so gräßliche Zwischenfälle gegeben, daß die notwendigen Zeugen am Ende protestierten. Wir kennen das ja aus Berichten über die Hinrichtung der Maria Stuart; wie da der Scharfrichter dreimal zuschlagen mußte – nach dem ersten Schlag hörte man die Königin »sweet Jesus« murmeln –, um zuletzt das Beil noch als Säge zu gebrauchen… Jener, der die Guillotine als undeutsch abschaffte, hat zuletzt, als es ihm um seinen Nachruhm zu tun war, den guten Europäer gespielt – »ich war Europas letzte Chance«.

Am nächsten Vormittag das Goethe-Haus; ein verwunschenes Schloß inmitten gemeiner Gegenwart. Wir waren ganz allein, geführt von einem Hauswart, der ebensogut ein alter Diener hätte sein können und uns manches erzählte, zum Beispiel von Goethes Enkeln; wie kümmerlich sie gelebt hätten und nur aus Gnade zu herzoglich weimarischen Legationsräten ernannt worden seien. Den Lehnstuhl, in dem Goethe starb, glaube ich noch vor mir zu sehen.

Nach Göttingen zurückgekehrt, fand ich einen Brief meiner Mutter aus Arosa vor; sie würden noch eine Weile in der Schweiz bleiben und meine älteren Geschwister seien »sozusagen unabkömmlich« – sollte heißen, sie befanden sich in Frankreich und glaubten, bis auf weiteres nicht nach Deutschland zurückkehren zu können. Nun wohne aber immer noch im Münchner Haus das ganze Personal ohne Arbeit, ohne Kontrolle; ob ich solche nicht für einige Zeit übernehmen könnte? Natürlich tat ich's; Kai Köster war willig, mich zu begleiten. Meine Bücher ließ ich in Göttingen und zahlte dem Studienrat einen Monat voraus. Noch immer keine Klarheit über die Zukunft.

In München verfolgten wir am Radio die beiden Ereignisse vom 21. und 24. März. Die Feier in der Potsdamer Garnisonskirche und die Annahme des Ermächtigungsgesetzes im Reichstag. Potsdam: ein großartig aufgemachter Schwindel, um den Konservativen einen Gefallen ohne Wirklichkeit zu tun. Hitler im Gehrock und Zylinder; sanft wie nie zuvor und nie später. Die Stimme Hindenburgs dumpf, wie aus dem Grabe: »Preußisches Pflichtgefühl, heiße Vaterlandsliebe, Gottesfurcht.« Und daß es nun wieder eine klare Mehrheit im Parlament gebe, streng im Sinn der Verfassung, auf die er seinen Eid geleistet habe. Es war seine letzte Rede von Gewicht, ohne daß er es wußte, seine Abdankung; nun wurde er nicht mehr gebraucht, und nicht der Kreis der Intriganten um ihn herum. Der falsche Mythos hatte geleistet, was von ihm erwartet wurde, und damit fiel er in sich zusammen. Qualvoll dann die Reden im Reichstag zu hören. Von den Begleitumständen, von den SA- und SS-»Schutzwachen«, die nicht nur rings um das Gebäude, die Kroll-Oper, standen und ihr drohendes Kampfgeschrei ertönen ließen, sondern auch drinnen die Abgeordneten bedrohlich umgaben, gab der Rundfunk keine Vorstellung. Die Rede, mit der Hitler das Gesetz begründete, war schon eindeutig, denn er endete mit den Worten: »Mögen Sie, meine Herren, nunmehr selbst entscheiden über Frieden oder Krieg.« Das hieß: sie hatten zu wählen zwischen einer legalisierten Diktatur und einer durch nackte Gewalt erzwungenen; was verlockend gemildert wurde durch den Satz: »Die Zahl der Fälle, in denen eine innere Notwendigkeit vorliegt, zu einem solchen Gesetz die Zuflucht zu nehmen, ist an sich eine begrenzte.« Nachdem sich die Fraktionen zu einer dreistündigen Pause zurückgezogen hatten, sprach im Namen der sozialdemokratischen Restopposition der Parteivorsitzende Otto Wels.

Liest man seine Rede heute – man kann sie auch auf der Platte hören –, so wirkt sie schwach und beflissen. Wels betonte die Gemeinsamkeiten, die es zwischen seiner Partei und den Nazis gab: Seien sie denn nicht beide sozialistisch? Man muß wenigstens versuchen, sich in die Situation zu versetzen, um dem Menschen Mut zuzuerkennen. Er wagte es, das Nein seiner Fraktion offen zu begründen. Er endete mit den Worten: »Wir grüßen die Verfolgten und Bedrängten. Wir grüßen unsere Freunde im Reich. Ihre Standhaftigkeit und Treue verdienen Bewunderung. Ihr Bekennermut, ihre ungebrochene Zuversicht verbürgen eine hellere Zukunft.« Bei irgendeinem der konservativen Memoirenschreiber, von Papen oder wer es war, las ich später, sie hätten Sympathie für den Redner empfunden. Das kann sein; aber merken ließen sie sich's nicht. Immerhin fand Hitler es notwendig, sofort auf Wels zu antworten. Hier zeigte er, daß er improvisieren konnte; zeigte auch den Haß, das Tigerartige, das in ihm war. Er begann mit Schiller: »Spät kommt ihr, doch ihr kommt! Die schönen Theorien, die Sie, Herr Abgeordneter, soeben hier verkündeten, sind der Weltgeschichte etwas zu spät mitgeteilt worden.« Dann: »Es wäre in Ihrem Ermessen gewesen, die deutsche Erhebung zu einer wirklich nationalen zu gestalten, und Sie hätten dann das Recht gehabt, wenn die Fahne der Republik nicht siegreich zurückgekommen wäre, immerhin zu erklären: Wir haben das Äußerste getan, um diese Katastrophe durch den letzten Appell an die Kraft des deutschen Volkes abzuwenden.« Dann: »Sie reden von Verfolgungen. Ich glaube, es sind wenige nur unter uns hier, die nicht die Verfolgungen von Ihrer Seite im Gefängnis büßen mußten … Sie sind wehleidig, meine Herren, und nicht für die heutige Zeit bestimmt, wenn Sie jetzt schon von Verfolgungen sprechen.« Dies »jetzt schon« sagt sehr viel aus. Allein die beiden Worte widerlegen jene halbgelehrten Toren, die uns weismachen wollten, Hitler habe alles das am Anfang gar nicht gewollt und nicht vorausgesehen. Dann: »Sie sprechen weiter davon, daß nicht die Macht entscheidend sei, sondern das Rechtsbewußtsein... Allerdings, ich glaube nun einmal nach den eigenen politischen Erfahrungen, die ich mit Ihnen gemacht habe, daß das Recht allein leider noch nicht genügt, – man muß auch die Macht besitzen!« Zum Schluß: »Ich glaube, daß Sie (zu den Sozialdemokraten) für dieses Gesetz nicht stimmen ... und ich kann Ihnen nur sagen: ich will auch gar nicht, daß Sie dafür stimmen!«

Was gingen mir nicht für quälende Gedanken durch den Kopf, während ich diese Rede anhören mußte. Was hätte ein anderer Sozialdemokrat, etwa Carlo Mierendorff, der Kriegsoffizier mit dem »Ariergesicht«, antworten können? Zum Beispiel: »Die Macht, von der Sie sprachen, haben wir nie gehabt, nie gebraucht. Wir hätten sie haben können, im Januar 1919, als wir so viel Stimmen gewannen, wie Sie auf dem Höhepunkt, Sommer 1932. Wir haben sie brav mit bürgerlichen Parteien geteilt und sie wieder abgegeben schon im nächsten Jahr, nach einer bescheidenen Wahlniederlage. Wir haben während mehr als der Hälfte jener vierzehn Jahre überhaupt nicht regiert, die anderen Jahre nur so eben mitregiert. Wir haben gleich am Anfang eine marxistische Revolution mit allen Mitteln der Gewalt unterdrückt, kommunistischen Aufruhr niedergeschlagen da und da, dann und dann. Nicht wir waren schuld am plötzlichen Zusammenbruch von 1918. Es war Ihr alter Bundesgenosse, der General Ludendorff, der gegen den verzweifelten Widerstand der neuen parlamentarischen Regierung die Bitte um Waffenstillstand und Friedensverhandlungen aufgrund von Präsident Wilsons Friedensprogramm durchsetzte. Danach, und angesichts des militärischen Zusammenbruchs der Österreicher, war kein Halten mehr. Deutsche Erhebung? Ja, der jüdische deutsche Patriot, Walther Rathenau, von Ihren Freunden ermordet, hat die levée en masse gewollt, und vielleicht wäre es die bessere Lösung gewesen. Denn dann, mit absoluter Sicherheit, hätten sich die Alliierten von Westen und Süden kommend im Frühsommer 1919 in Berlin getroffen; dann hätten die Deutschen gewußt, daß es bei ihrer Niederlage mit rechten Dingen zuging, und dann, Herr Reichskanzler, stünden Sie heute nicht hier.«

Träume; dergleichen war unmöglich. Unmöglich der Form nach, jede Fraktion durfte nur einen Redner stellen; unmöglich der Sache nach. Ein Redner, der so begann, wäre alsbald niedergebrüllt und von SA-Leuten hinausgeschleppt worden. Diese Bataille war verloren, ehe sie begann. Die übrigen Redner sprachen süßlich, zumal der Prälat Kaas, Lob mit milden Bedenken paarend, zum Schluß alles bejahend. Mit einem Nein hätten sie ihre Ehre gerettet, sonst nichts; mit Ehre war in dieser Stunde nichts zu gewinnen.

Für die Bürokratie bedeutete das Ermächtigungsgesetz Entscheidendes. Von ihr hatte Max Weber ehedem behauptet, sie diene *jeder* Regierung. Gewiß; aber die deutsche Beamtenschaft bedurfte der Legalität. Seit dem Ermächtigungsgesetz war alles und alles legal, was die Regierung verfügte; alle Mördereien, die sie nachträglich für rechtens erklärte. Bis zum Tage, an dem das Gesetz verkündet wurde, war, so las ich in dem großen Werk *Bayern unter dem Nationalsozialismus*, die Staatsanwaltschaft pflichttreu noch immer jedem Mord nachgegangen, der in dem neuen Konzentrationslager Dachau geschah; danach nicht mehr ...

Dachau – meiner Großmutter Pringsheim wurde zugetragen, meine Schwester Erika sitze nun dort und »spinne keine Seide«. Das mußte einer erfunden haben, und dann wurde es mit Vergnügen kolportiert, gewiß auch von solchen, die vor wenigen Wochen noch sich im Cabaret *Die Pfeffermühle* amüsiert hatten. Schadenfreude. »Warum war sie auch so frech? Warum glaubten die M.s überhaupt, sie seien besser als wir?« Wer den Schaden hat, braucht für den Spott nicht zu sorgen. Unter Lachen erzählte mir mein Onkel Viktor, mit weitem Abstand – 19 und 15 Jahre – jüngerer Bruder Heinrichs und TMs, der bayerische Innenminister der gefallenen Regierung, namens Stützel, habe, als er nachts im Bett verhaftet wurde, schmutzige Füße gehabt. Später lernte ich: wenn immer gestürzte Inhaber der Macht, demokratische Minister oder Diktatoren, nächtens gefangen genommen wurden, dann mußten sie irgend etwas Schmutziges am Leib gehabt haben – es gehört zum Ritus der Schadenfreude. Auch ließ Onkel Viktor eine Schimpfkanonade gegen den Ministerpräsidenten Held los, für den er ohne Zweifel noch gestimmt hatte: seine Reden im Wahlkampf seien wahrhaft erbärmlich gewesen: »*So* kann man es eben nicht machen!« Im Begriff, zu den neuen Herren überzugehen, mußte er die alten verachten, so gut es ihm gelang. Nicht nur vor den anderen, auch vor sich selber. Denn schließlich, man war ein Ehrenmann, einer von Abermillionen »Mitläufern«, wie sie später genannt wurden. Man mußte sich der Vorteile, die nun zu gewinnen waren, guten Gewissens erfreuen können. In der Bayerischen Handelsbank als Diplomlandwirt tätig und dort noch nicht einmal Prokurist, stieg Onkel Viktor nun rasch zum Direktor auf und vertauschte seine bescheidene Wohnung in München-Ost mit einer ungleich eleganteren in Schwabing; ein Aufstieg, welchen er dem Auszug seiner jüdischen Kollegen verdankte. Seine Frau, eine Münchner Bourgeoise, bemerkte zu jemandem, von dem ich es über einen Dritten erfuhr: Sie habe den Namen M. nun überhaupt satt. Als ich solches später dem Onkel Heinrich erzählte, lispelte er in seiner sonoren, für mich immer leicht französisch gefärbten Sprache: »Die Gans wird frech.«

Was nun aber auch im Konzentrationslager Dachau, was in den Kellern der neuen »Politischen Polizei« geschah, die Atmosphäre der bayerischen Hauptstadt war nichts weniger als düster. Der Frühling kam und man erfreute sich seiner und der neuen Machtsonne auch, des Sieges im Bürgerkrieg, der nicht stattgefunden hatte. Gewiß mag man sagen, es sei gut, daß er nicht stattgefunden, daß es nicht jahrelange monströse Schlächtereien gegeben hatte, wie später im spanischen Bürgerkrieg auf beiden Seiten. Den Spaniern lag das nur allzu sehr, ihre Geschichte lehrt es; den Deutschen ganz und gar nicht. Trotzdem hatte dieser Sieg ohne Kampf wieder etwas Abscheuliches. Die ohne Gegenwehr Besiegten, zuerst die Kommunisten, dann, mehr und mehr, die Juden, dann auch demokratische oder liberale Politiker, zuletzt der preußische und bayerische Adel wurde behandelt, *als ob* ein Bürgerkrieg gewesen wäre. Aber das berührte die gewaltige Mehrheit wenig; jetzt nicht und auch später nicht viel. Es war doch *Ordnung*, endlich wieder, und *Macht* dahinter! SS-Offiziere in ihren kleidsamen schwarzen Uniformen promenierten durch die Straßen der Innenstadt; die neuen Machthaber selber sah ich in großen Wagen durch die Theatinerstraße fahren, der Herr, die Zigarre zwischen den Lippen, im Fond, vorne Chauffeur und Leibwächter. Mein Eindruck: Das ist die Konservative Revolution nicht. Es ist eine Machtergreifung durch Plebejer; und auch die materielle Seite der Sache genießen sie in vollen Zügen. Von der »Statthalterei«

– Sitz des neuernannten Reichsstatthalters im Prinz-Carl-Palais – sprach man, als hätte es nie einen anderen Namen getragen. Zu Hause fand ich noch meine Schwester Elisabeth, Medi vor, nun eine fünfzehnjährige Gymnasiastin. Sie erzählte mir, ihr Rektor – es war Erikas ehemaliger Klassenlehrer Dr. Jobst – habe in der Aula eine Rede gehalten, in welcher er kundtat: aus einem imperialen Staat sei nun ein idealer geworden – was die Schwester nicht verstand. Er kannte wohl ein wenig deutsche Philosophie und meinte: die Nation sei bis unlängst von Fremden beherrscht gewesen, jetzt aber sei sie selber der Staat... Am 1. April gab es den von Goebbels verordneten Boykott jüdischer Geschäfte, die gleichwohl gezwungen wurden, ihre Läden offen zu halten; ein Spektakel, das ich meinerseits boykottierte. Jedoch hörte ich, die Münchner Bürger seien zwar der Aufforderung, nichts zu kaufen, gefolgt – noble Ausnahmen gab es –, hätten aber kaum Zeichen des Beifalls gegeben.

Traurig ging es bei meinen Großeltern Pringsheim zu. Noch immer lebten sie im Prunk ihres verödeten Hauses an der Arcisstraße, vereinsamt längst und jetzt erst recht. In meinem Tagebuch – das Heft mit den Eintragungen ab 9. April existiert wieder: »Die armen Pringsheims. Dem Alten schielt der Tod aus den Augen; kein schöner. ›Daß man das noch erleben muß!‹ murmelt er.« Die Großmutter, eine alte Verehrerin Napoleons – im Haus gab es ein Napoleon-Zimmer, mit Bildern und Büchern ganz dem Kaiser gewidmet –, konnte sich einer zarten Bewunderung Hitlers nicht erwehren, worüber es zwischen den Greisen zu häufigen Streitereien kam.

Noch immer pflegte ich die Illusion einer Bewerbung um das höhere Lehramt. Die historische Arbeit hatte ich fertig; für die Reinschrift bedurfte ich einer Hilfe, wegen der ich mich telefonisch an das Arbeitsamt wandte. Das Fräulein nannte mir einen Namen, hinzufügend: »Aber die Dame – ist Jüdin.« Kann sie Schreibmaschine schreiben? »Ja, wir haben nur gute Berichte.« Sehen Sie, nur darauf kommt es mir an – und fühlte mich sehr liberal dabei. Die Dame kam dann auch, tief traurig, eingeschüchtert und lieb; ich diktierte. Jedoch wurde die Arbeit mehrfach durch Reisen in die Schweiz unterbrochen, die erste am 4. April. Meine Eltern, seit kurzem außerhalb von Lugano wohnend, wünschten mich zu sehen, vor allem aber Elisabeth aus dem Land und bei sich zu haben. Wir fuhren mit der Eisenbahn nach Friedrichshafen, in einem Schweizer Schiff über den See nach Romanshorn – welche Erleichterung, anstatt der Hakenkreuzfahne das Schweizerkreuz zu sehen! – und weiter über Zürich nach Lugano; zum ersten Mal die Fahrt über und durch den Gotthard. Am Bahnhof die Eltern. Was wir während zweier Tage im Hotel Villa Castagnola sprachen, weiß ich nicht mehr; noch wenig Praktisches. Natürlich schilderte ich die Situation »daheim« und warnte, wie schon vorher brieflich, vor einer baldigen Rückkehr, auch die Mutter, die alleine hatte kommen wollen, um das Haus aufzulösen. Ein Besuch bei Hermann Hesse, TMs gutem und damals sehr hilfreichen Freund, in seiner schönen Villa in Montagnola. Er hatte mir schon in München gefallen, diesmal noch mehr; sein schweres, aus dem Grunde wahres, zugleich poetisches und erdnahes Dasein. Er schien dem schüchternen jungen Mann, der ich noch immer war, zumal in solchem Kreise, helfen zu wollen, denn eine einzige Bemerkung, die ich machte, fing er auf und spann sie weiter. Es gab andere interessante Besuche; so bei Fritzi Massary, die überaus elegant wohnte. Sie und ihr Gatte, Max Pallenberg, hatten ihr gut und hart erarbeitetes Vermögen wohlberaten draußen angelegt.

Fritzi Massary – zu ihrem achtzigsten Geburtstag schickte ihr der Bundespräsident Lübke noch ein Telegramm – war nun wirklich ein Star der Weimarer Republik gewesen, Quelle hohen Vergnügens nicht nur für die Wenigen. Ihre Cabaretkunst hatte ein Niveau, das kaum wieder erreicht wurde – zum Beispiel das Lied »Warum soll eine Frau kein Verhältnis haben?«, woran ich mich heute noch verlustieren kann. Ihren Gatten hatte ich in München als »Braven Soldat Schwejk« bewundert, eine der Glanzrollen des großen Komikers. Frau Fritzis Schwiegersohn, Bruno Frank, und seine Frau waren in der Nähe; Frank, ein Autor, den das Glück auch jetzt nicht verließ: seine Stücke, in Deutschland verboten, wurden nun in London mit viel Erfolg aufgeführt. Im ganzen eine erregte, aber nicht eigentlich unglückliche Gesellschaft, mit einer Ausnahme: der Dichter und wahrhaft geniale Übersetzer Ludwig Fulda. Er wohnte mit den Eltern im Hotel und drangsalierte sie, der Arme, mit beständigen, empörten Klagen. Ja freilich, Anlaß genug gab es dafür, aber was half es. Die Söhne Gustav Stresemanns, von einer jüdischen Gattin, hatten Berufsverbot erhalten. »Stresemann, der Befreier des Rheinlandes!« hörte ich den armen Fulda rufen. Sein eigener Sohn, Justizreferendar, fand sich brotlos. »Diese Tyrannen, diese Hunde!« So jeden Abend. Aber das kann man in TMs Tagebüchern alles wirksamer beschrieben finden. Ein anderer Mitbewohner war der Münchner Rechtsanwalt Karl Löwenstein; ein fähiger, obgleich banaler Kopf, der später in den USA als Staatsrechtler Karriere machte. Mit ihm geriet ich in ein Streitgespräch. Die Parteidiktatur war seiner Ansicht nach eine unserer Epoche gemäße Regierungsform. Die gleiche These, die ich später einen gewichtigeren Staatsgelehrten, den Österreicher Hans Kelsen verfechten hörte. Ob, fragte ich Löwenstein, der neue

514

amerikanische Präsident Roosevelt, offenbar doch eine starke und ideenreiche Persönlichkeit, etwa als Parteidiktator anzusehen sei? Oder der englische Labour-Premier MacDonald? Ob er auch für die angelsächsischen Länder dergleichen erwarte? Ob nicht selbst der römische Faschismus von dem, was wir jetzt in Deutschland hatten, durchaus zu unterscheiden sei, ob es da Judenhetze und Konzentrationslager gebe? Meinem Vater, bemerkte ich, gefielen meine Einwände. Es wurde mit dem Rechtsanwalt auch über Möglichkeiten gesprochen, das Münchner Haus vor Konfiskation zu schützen, etwa, indem man es einem Schweizer Bürger »verpfändete«; juristische Denkgebilde ohne Realität.

Als ich meine Mutter bei Einkäufen in Lugano begleitete, kam uns ein langer, hagerer alter Herr entgegen, trotz des schönen Frühlingswetters mit Mantel und Hut. Sie flüsterte mir zu: »Den mußt du grüßen. Es ist der bayerische Ministerpräsident Held.« Er hatte, so erzählte sie mir, keine Pension entdeckt, die er bezahlen konnte, und in einem Kloster Quartier gefunden. Wie integer diese demokratischen deutschen Politiker waren! Weder Held, noch Otto Braun, der sich gleichfalls im Tessin aufhielt, noch der ehemalige Zentrums-Reichskanzler Wirth, noch der führende Sozialdemokrat Breitscheid hatten irgendwelches Geld draußen und blieben nur zu bald auf die Unterstützung ihrer Schwesterparteien in der Schweiz oder in Frankreich angewiesen. Der junge Bayer Wilhelm Hoegner – diesen ausgezeichneten Menschen lernte ich erst 1945 kennen –, Staatsanwalt und Reichstagsabgeordneter, der im Jahre 32 die Nazis im Parlament noch kühn und geistreich angegriffen hatte, dann, nur mit einem Rucksack, über die Berge nach Tirol hatte fliehen müssen, nahm Zürich zum Wohnsitz, wo er mit Übersetzungen gerade eben existieren konnte. Held, schwer erschüttert zwar, hegte noch immer Hoffnungen: nach ein paar Monaten würden die neuen Machthaber die Hilfe seiner Partei brauchen. »Im Herbst werden's froh sein ...« Noch immer Illusionen – die ich vage teilte.

Nach nur zwei Tagen reiste ich wieder ab, meine Schwester, die auch ich sehr gern mochte, wie heute noch, in Lugano zurücklassend. In Zürich, zwischen zwei Zügen, traf ich Erika, wie gewöhnlich unvergleichlich resoluter als ich. »Nichts wie heraus und nie mehr zurück und alles in München verloren geben.« *Alles* doch nicht. Denn ein paar Tage später erschien sie plötzlich im Haus an der Poschingerstraße, raffte die weit über den ersten Band gediehenen Manuskripte von *Joseph und seine Brüder* zusammen und verschwand wieder, nach wenigen Minuten. Eine kühne Tat, weit gefährlicher, als wir damals noch wußten, und von allen ihren Lebensleistungen wohl die bedeutendste. Ohne sie hätten die Manuskripte leicht den Weg aller anderen älteren gehen können, die – *Buddenbrooks*, *Zauberberg* etc. – in München für immer verschwanden. Im Zug zwischen Zürich und St. Margrethen wurde kontrolliert; nicht nur vom Schaffner die Billetts, auch durch einen Inspektor mein Name, Beruf und Reiseziel. Stolz improvisierte ich »Vermögensverwalter«, im Begriff nach München zurückzukehren. Man befürchtete also schon damals in der Schweiz eine politisch verursachte deutsche Immigration, die es in engen Grenzen zu halten galt.

Die zweite Reise nach Lugano nur acht Tage später, diesmal im Wagen und mit Kai. »15. April. Schöne Frühlingsfahrt nach Lugano, Malojapaß. Recht viel Sorgen. Was soll man tun, was lassen; und das Geld... Hier Frühsommer in allen Farben. In Sils Maria war Eis und Schnee. Auf der Fahrt dem Comersee entlang waren wir sehr albern.

Der Alte, von seinen Freunden verraten, ist sehr verstimmt.«

Es war während dieser Reise, daß ich zum ersten Mal italienischen Boden betrat, den ich, solange Mussolini regierte, eigentlich nie hatte betreten wollen. Eine Durchfahrt nur; aber dies vom Winter in den blühenden südlichen Frühling Fallen ein starker Nervenkitzel. In der Villa Castagnola wurde beschlossen, ich sollte möglichst viel Bargeld von den Banken der Eltern, Aufhäuser und Feuchtwanger, abheben und irgendwie in Sicherheit bringen. »In München gleich ein verspätetes Oster-Mittagessen bei den armen alten Pringsheims. Sie zeigten mir einen Aufruf der Münchner Oberen Zehntausend (in den *Münchner Neuesten Nachrichten*) gegen des Alten Wagner-Essay, samt den Unterschriften. Das ist ein Dokument menschlicher Gemeinheit oder Unzulänglichkeit, über das die Nachwelt sich entrüsten wird. Aber sie wird auch nicht viel besser sein.« »20. April. Telefongespräch mit der Mutter. Sie wollen berichtigen. Heute teilen die *MNN* mit, daß infolge eines bedauerlichen Irrtums die und die Unterschriften weggeblieben seien. Wirklich drängten nun ganze Gruppen nach, die en bloc erwähnt sein wollten, Orchester, Chöre, alle möglichen Vereinigungen. Ein Akt des nacktesten, stürmischen, freudigen Opportunismus; natürlich hatten neun von zehn Unterzeichnern den Vortrag gar nicht gelesen, den TM obendrein am 10. Februar an der Münchner Universität gehalten hatte und der damals von derselben Zeitung mit respektvollem Lob bedacht wurde. »22. April. In der *Frankfurter* und der *Deutschen Allgemeinen* eine Erwiderung des Alten. Sie ist mir etwas zu warm, werbend und marklos; am Ende hätte er's überhaupt sollen bleiben lassen. Wer diese Schweinerei unterzeichnet hat, ist kein ehrenwerter oder hervorragender

Mann mehr.« Einen der Unterzeichner, einen bedeutenden Gelehrten, nicht der brotlosen, sondern der unentbehrlichen Wissenschaften, in seiner Stellung völlig gesichert, traf ich in den siebziger Jahren häufig. Natürlich tat ich, als wüßte ich nichts von jenem dunklen Flecken auf seiner Ehre, und er desgleichen. Auch trug ich ihm allen Ernstes nichts nach. Es war ja nun alles so lange her; und was bedeutet ein einziger Moment der Schwäche in einem langen, verdienstreichen Leben? Was ich mich ferner fragte, wieder und wieder: wußte ich denn, wie ich mich verhalten hätte, wäre mir die Entscheidung nicht, ganz ohne eigenes Verdienst, erspart geblieben? Als unser Anwalt, Dr. Valentin Heins, wissen wollte, was ich denn antworten würde, wenn man mich fragte, wie ich zum »neuen Staat« stehe: »Natürlich positiv. Wenn sie mich so etwas fragen, dann sind doch die die Dummen, nicht ich.«

Dank den Forschungen Professor Hübingers (*Thomas Mann, die Universität Bonn und die Zeitgeschichte*, ein höchst aufschlußreiches Werk), wissen wir heute, was wir damals nicht ahnten. Der »Protest der Wagnerstadt München« war kein »freies«, sondern ein stärkstens politisches Dokument. Nach dem Umsturz in Bayern waren die *Münchner Neuesten Nachrichten* unter die direkte Herrschaft der von Heinrich Himmler organisierten Bayerischen Politischen Polizei gekommen. Himmler und sein ihm weit überlegener Helfer, Heydrich, hatten es auf TM abgesehen: man brauchte einen Grund, um sein Vermögen zu beschlagnahmen und ihn selber, *wenn* er nach München zurückging, in »Schutzhaft« zu nehmen. Nur »antinationale Gesinnung« gab das Recht dazu. *Darum* jenes Manifest, das keineswegs nur von Wagner und TM handelte, auch von dessen nationaler Haltung, die er verraten und mit einer demokratisch-kosmopolitischen vertauscht habe. Von diesem Zweck ahnten die Unterzeichner nichts. Unschuldiger-, rein opportunistischerweise erfüllten sie Himmlers Wunsch: Namen so hervorragender Persönlichkeiten wie der Dirigent Hans Knappertsbusch, die Komponisten Hans Pfitzner und Richard Strauss, der Zeichner Olaf Gulbransson – er, ein herzlicher, uralter Freund meiner Mutter – *bewiesen* TMs antinationale Haltung. Die Beschlagnahmung des Vermögens erfolgte im August, die Unterzeichnung des Schutzhaft-Befehls im Juli. Von ersterer wurden wir durch den Anwalt unterrichtet; das zweite befürchteten wir, ohne es zu wissen. Ich selber glaubte nicht recht daran, und zwar wegen »Berlin«, dem Auswärtigen Amt, dem die Reaktionen des Auslandes nicht gleichgültig sein konnten. In München scherte man sich um das Ausland nicht.

Einer dieser Tage meldete sich am Gartentor ein junger Mann: er sei von »Herrn Doktors Partei«. Natürlich hätte ich den Idealgermanen, Kai, herunterschicken sollen: Herr Doktor sei in keiner Partei, übrigens verreist. Aber weltfremd, tief ungeschickt, wie ich noch lange bleiben sollte, ging ich selber hinunter. Der Bursche, mit freudiger Begier: »Sie sind Herr Klaus Mann?« »Nein, Doktor Gottfried Mann.« Nun gut, er komme von der »Roten Hilfe«, die in solcher Zeit finanzielle Unterstützung dringend benötige. Ich: »Da handelt es sich um eine rein philanthropische Angelegenheit, das wird wohl nicht verboten sein.« Er: »Vielleicht; aber eine illegale Organisation sind wir!« »Ja, dann kann ich mich nur vermittelnd verhalten und ohne Erlaubnis meines Vaters nichts spenden. Übrigens kenne ich Sie ja gar nicht.« »Sie glauben doch nicht, daß ich ein Spitzel bin?« »Das weiß ich nicht.« »Ich gebe Ihnen mein studentisches Ehrenwort, daß ich *kein* Spitzel bin« – und zog einen blitzblanken Studentenausweis aus der Tasche. »Schon recht; aber tun kann ich in Ihrer Angelegenheit nichts. Wir haben hier das Haus und müssen vorsichtig sein.« Dieser Besuch sollte Folgen haben. Es war einer der Fälle, mir öfters vorgekommen, in denen mein Gefühl das richtige war, sich aber im Bewußtsein nicht genügend artikulierte, um praktische Folgen zu zeitigen. Einfacher gesagt: fehlende Geistesgegenwart.

Es telefonierte der alte Freund TMs, der Germanist Ernst Bertram; ich lud ihn zum Mittagessen ein. Im Haushalt hatte ich, völlig sinnloserweise, strenge Sparmaßnahmen verordnet; aber von Bertram pflegte meine Mutter zu sagen, »er schmaust gern«, und so gab es vorzüglich zu essen. Weniger freudig die Stimmung. Auch Bertram hatte sich bis wenige Tage zuvor nahe Lugano aufgehalten, jedoch TM, der ihm geschrieben hatte, nicht besucht. »Ich muß Ihnen sagen, daß Ihr Fernbleiben in dieser schweren Situation meinen Vater sehr enttäuscht hat.« Bertram: »Ich war nicht alleine.« Wirklich nicht; mit ihm hauste ein leidenschaftlich geliebter Freund, mit Namen Ernst Glöckner, ein pfäffischer Anhänger des George-Kreises, wie auch Bertram, dieser aber von der milderen Observanz. 1972 wurden Auszüge aus Briefen und Tagebüchern Glöckners veröffentlicht; erst aus ihm war zu entnehmen, wie sehr der Professor durch den von ihm ausgehaltenen Schöngeist Glöckner tyrannisiert wurde. Er hatte ihm den Besuch verboten. Natürlich wurde bei Bertrams Besuch von der Lage gesprochen. Ich, etwas heuchlerisch: »Ich kann nicht verstehen, wie der Nationalsozialismus, der doch eine Freiheitsbewegung sein will, so viele geistige Freiheit unterdrückt. Ein gleichgeschaltetes Geistesleben, das ist doch keines mehr.« Bertram: »Er unterdrückt die Freiheit derer, welche die Freiheit unterdrücken wollten. Freiheit ja, aber nur für gute Deutsche. Was wir erleben, ist das Tannenberg gegen den Bolschewismus!« Tannenberg – ein symbolträchtiger Name für »gute Deutsche«; Quelle des ganzen Hindenburg-Mythos. Bei Tannenberg, Ostpreußen, hatten 1410 Polen und Litauer dem Deutschen Orden eine vernichtende Niederlage beigebracht; ein Grund, warum die Schlacht im Raum Allenstein, August 1914, den gleichen Namen erhielt, des schönen Klanges halber, auch der Revanche halber, obgleich die Unterlegenen von 1914 Russen waren, nicht Polen und Litauer. Ach, die Germanisten! Wie gut verstehe ich, warum Walter Jens, so sehr deutsche Literatur ihn anzog, sich der Alt-Philologie zuwandte; dort war man vor teutonischen Versuchungen noch am sichersten geschützt, wenn man es sein wollte. Bertram betreffend, so gefiel der Tannenberg-Vergleich ihm so sehr, daß er ihn einige Wochen später in einem Festvortrag vor seinen Kölner Studenten wiederholte: »Die zweite große Tannenberg-Schlacht gegen Asien ist geschlagen... Wir haben wieder erleben dürfen, was allzuviele vergessen hatten...: daß in einem noch vom Geschichtsgeist nicht verlassenen Volk die große Gefahr das große Rettende heraufwachsen läßt – und den Retter. Wir haben wieder gesehen, was ›die Allmacht der ungeteilten Begeisterung‹ vermag, von der Hölderlins Hyperion spricht.« Hölderlin und Hitler... Und Bertram war ein Gelehrter von beträchtlichem Niveau; wie sonst hätte er so lang der Freund TMs bleiben dürfen? Zwischen den beiden fand noch eine Korrespondenz statt, quälend für den Schreibenden und den Empfänger. Das Letzte, was aus Köln kam, war ein neues Buch Bertrams, welches diese Widmung enthielt: »Für TM, mit der dringenden Bitte, den Anschluß nicht zu versäumen!« Als ich ihm bei jenem letzten Münchner Mittagessen gesagt hatte, TM werde wahrscheinlich nicht nach Deutschland zurückkehren, war Bertrams Reaktion: »Was? Um Gottes willen, warum denn nicht? Er ist doch ein deutscher Mann! Und wir leben doch in einem freien Land.«

In dem Gefühl, daß unser Haus über kurz oder lang verloren war, veranstaltete ich ein kleines Abendessen; ein bescheidenes Abschiedsfest gewissermaßen. Im Keller gab es noch der guten Dinge genug, Weine zumal, Geschenke rheinischer oder hessischer Bürgermeister. Es kamen Freunde meiner Geschwister, mehr als die meinen, der Schriftsteller W. E. Süskind, der Schauspieler Albert Fischel, meine Freundin aus Salem, Alice von Platen, ich weiß nicht wer noch. Es wurde politisiert, unvermeidlicherweise. Alfred Hugenberg, so bemerkte ich, werde wohl demnächst einen anderen Reichstag anzünden; er oder von Papen. Peinliche Stille, das hätte ich nicht sagen dürfen ... Im Haus stand es mittlerweile so, daß der Chauffeur, Hans Holzner, zusehends frecher wurde, mich bei Abrechnungen betrog und die Mädchen herumkommandierte. Ich erklärte mir solche Veränderungen damit, daß er im Haus rein gar nichts zu tun hatte und meine Autorität nicht ernst nahm. Einmal jedoch erwies er sich als gefällig. In einem Brief hatte TM mich gebeten, ihm einige Bündel von Notizen sowie eine Anzahl von Wachstuchheften, die sich da und da in seinem Arbeitszimmer befanden, in einem Handkoffer als Frachtgut nach Lugano zu schicken. »Ich rechne auf Deine Diskretion, daß Du nichts von diesen Dingen lesen wirst.« Eine Ermahnung, die ich so ernst nahm, daß ich mich in seinem Zimmer einschloß, während ich die Papiere verpackte. Als ich mit dem Koffer heraustrat, um ihn zum Bahnhof zu bringen, stand da der treue Hans: gerne werde er mir diese lästige Arbeit abnehmen. Desto besser; warum nicht? Aber der Koffer kam nicht an und kam nicht an und war drei Wochen später immer noch nicht angekommen; worüber mein Vater in wachsende Ungeduld, zuletzt geradezu in Verzweiflung geriet. So, als ich die Eltern am 30. April zum dritten Mal traf, diesmal zusammen mit dem Anwalt Heins, in Rorschach am Bodensee. Der Verdacht, die Politische Polizei habe den Koffer beschlagnahmt, war mittlerweile bis zur Sicherheit gewachsen. Es ging um TMs Tagebücher aus den zwanziger Jahren. In meinem eigenen finde ich, was er fürchtete und aussprach: »Sie werden daraus im *Völkischen Beobachter* veröffentlichen. Sie ruinieren alles, sie werden mich auch ruinieren. Mein Leben kann nicht mehr in Ordnung kommen.« Noch immer hatte ich den treuen Hans nicht in Verdacht.

Im Hause stand es ferner so, daß meine Freundschaft mit Kai, längst beschädigt, sich ihrem Ende näherte. Jetzt ging es um Politik. Meine These: Es ist die regierende Gemeinheit. Wie lange das dauern wird, weiß ich nicht; aber zu einer Katastrophe führen *muß* es; wenn nicht im Inneren, dann zum Krieg. Dagegen die seine: ob uns Hitlers Schnurrbart gefällt oder nicht, darauf kommt es nicht an. Wir haben es mit einer völlig neuen und wahrscheinlich zeitgemäßen Art von Herrschaft zu tun. Gelingt ihr das Notwendigste, die Arbeitslosen wieder an die Arbeit zu bringen, dann hält sie sich. Gelingt es ihr nicht, dann ist sie soziologisch erledigt. Wer bist du, daß du glaubst, einen so tiefen historischen Wandel einfach ablehnen zu können? Ändert das irgend etwas? Und so oft; zu oft. Eines Vormittags hatten wir uns wieder gestritten, diesmal um irgendeine lächerliche Bagatelle. Danach ging ich allein in die Arcisstraße zum Mittagessen. Als ich zurückkam, hörte ich ihn in seinem Zimmer rumoren; dann alles still. Ich ging hinunter zum Abendessen. Zwei Gedecke. Neben dem meinen ein Zettel, in dem Kai sich von mir verabschiedete, beginnend mit den höhnischen Worten: »Glückliche Reise!« In meinem Tagebuch steht nur das Datum vermerkt: 23. April. Dann zwei

Tage gar nichts. Am dritten: »Der Schmerz bei der Trennung – innerlichen – von einem langjährigen Freund, ist der Schmerz über die Trennung von der eigenen Vergangenheit; so als ob das alles umsonst gewesen wäre. Das ist aber ein Irrtum; es war genau so lange richtig, wie es ging; ein neues Gesetz hat keine rückwirkende Kraft.«

Im Winter 1957 besuchte Kai Köster, nun bundesdeutscher Diplomat, mich in Altnau am Bodensee, Gasthof »Zur Krone«, wo ich an meiner *Deutschen Geschichte* arbeitete. Wir sprachen über dies und das; zuletzt, nachdem wir reichlich »Arenenberger« getrunken hatten, auch über die alten Zeiten. Er: »Du magst damals recht gehabt haben. Die Frage ist, ob es dir zukam.« »Kai, wie lange ist das her?« »So zirka fünfundzwanzig Jahre.« »Na gut, dann reden wir darüber nach noch einmal fünfundzwanzig Jahren.« Wozu es nicht kam, denn Kai, Botschafter, wie sein Vater gewesen war, starb, 65 Jahre alt, an einem Krebsleiden, anno 1976.

Mittlerweile hatte ich angefangen, Gelder bei den Banken abzuheben, und war auf 60 000 Mark gekommen. Die sechshundert Hundert-Mark-Scheine versteckte ich in einer Kiste auf dem Speicher, unter alten Exemplaren des *Simplicissimus*. Als ich wieder kam, um mehr zu holen, bat mich Herr Feuchtwanger – er sah seinem Vetter, dem Romancier, lächerlich ähnlich – in sein Büro: er habe leider amtlichen Befehl, mir kein Geld mehr auszuzahlen. Von welchem Amt der Befehl stammte, verriet er nicht. Bei Aufhäuser dieselbe Nachricht. Nun überstürzten sich die peinlichen Vorkommnisse. Der treue Hans hatte den Auftrag erhalten, einen der Wagen meiner Eltern nach Lugano zu bringen, wozu für den Zoll ein Triptik benötigt wurde. Der Chauffeur kehrte zurück, stolz gebläht: Der Wagen dürfe nicht aus dem Land, weil es sich bei dem Besitzer um einen politischen Flüchtling handle. »Ich bin selber Hitler; aber von Mann zu Mann muß ich Ihnen sagen, daß auch Ihnen demnächst der Paß entzogen werden wird. Ich weiß auch, daß die Frau Erika hier war. Das ist mir nicht anvertraut worden (Gottseidank). Den Herrn Professor hab ich verteidigt in der Versammlung; was der Geld unter die Leute bringt« (Kein wahres Wort). »Hitler« – so nannten sich damals viele, zumal die Silbe »ler« auch für die Angehörigen kollektiver Gruppen gebraucht wurde: »Fortschrittler«, »Kriegsgewinnler« etc. Nun fiel es mir wieder einmal wie Schuppen von den Augen. Er war nicht seit vorgestern »Hitler«, er war es längst gewesen. Er hatte gar nicht den gänzlich unpolitischen Automobilclub besucht, von dem das Triptik zu erlangen war, sondern war geradewegs zur Bayerischen Politischen Polizei gegangen. Eben dorthin hatte er auch jenen Handkoffer mit TMs Tagebüchern gebracht; verführt doppelt dadurch, daß ich mich beim Einpacken so sonderbar benommen hatte und er glauben mußte, der Koffer enthalte hochpolitische Dokumente; sein Verrat werde ihm guten Lohn bringen. Nun alles heraus war, fing er an im Haus herumzutoben, die würdige alte Köchin Anna, die beiden Mädchen, Maria und Sophie, zu bedrohen: er werde sie verhaften lassen, wenn sie nicht ... usw. Zu spät fiel mir ein Wortwechsel ein, den ich etwa ein Jahr zuvor mit ihm gehabt hatte. Da, ohne jeden Grund, sagte er mir plötzlich: »Über die Nazi könnt' ich mich *so* ärgern!« Wieder in mir ein Gefühl, welches nicht zum klaren Gedanken geriet. Nur zufällig, oder instinktiv, gab ich die richtige Antwort: »Wissen Sie, diese Partei ist nun zu groß geworden. Die müssen jetzt einmal heran und zeigen, was sie können« – was ihn zu verblüffen schien. Natürlich war er »Hitler« schon damals und gehalten, in unserem Hause Spitzeldienste zu leisten. Nun, die »Machtergreifung durch Plebejer«, hier in grotesker Miniatur.

Prompt erfolgte die Beschlagnahmung der Wagen, noch am gleichen Tag. »Mittwoch, 26. April. Wirklich, wie ich nachmittags aus der Stadt zurückkomme, liegt Mademoiselle Kurz weinend auf dem Bett und kommen mir die Mädchen entgegengesprungen: ›Die SA ist hier gewesen, hat alles durchsucht, die Wagen mitgenommen, die Matratzen nach Waffen durchsucht!‹ Indem kommen sie noch einmal, ein Offizier, zwei Mann, um sich auch des DKW zu bemächtigen.« Sie wiesen ein Dokument der Bayerischen Politischen Polizei vor: Zu beschlagnahmen seien die Wagen des Herrn Thomas Mann und des Doktor Gottfried Mann. Letzterer Name konnte nur dem Jüngling mit dem studentischen Ehrenwort zu verdanken sein. In München war ich amtlich mit meinem ersten Taufnahmen, Angelus, eingeschrieben; den zweiten, Gottfried, fing ich erst in Heidelberg an zu gebrauchen, weil mir Angelus zu fromm klang – was ich später bereute. Auch wußte man in München von meiner Heidelberger Promotion nichts... Weiter im Tagebuch: »Ich: Wenn ich Ihnen mein Ehrenwort gebe, den Wagen nicht über die Grenze zu bringen, genügt das nicht? – Darüber mit Ihnen zu verhandeln, bin ich nicht befugt. – Übrigens waren die Burschen höflich und versicherten, die Waffensuche sehr milde vollzogen zu haben.« (Wirklich, denn das Geld hatten sie nicht gefunden!)
Offenbar konnte ich nun nicht länger in München bleiben. Es drohte der Paßentzug, dann war ich in der Falle, und ebenso die Konfiszierung des Geldes. 60 000 Mark – ein Vermögen damals, das, was meine Eltern in der Schweiz besaßen, um etwa ein Drittel vermehrend. »Erregtes Telefongespräch mit der Mutter; sie will partout, daß ich fines transire. Also am nächsten Morgen das Haus verlassen, mich den Tag in der Stadt, bei den alten Pringsheims und in Geschäften herumgetrieben, abends nach Stuttgart gefah-

ren mit... RM. Morgens nach Karlsruhe, dort geschäftlich (ich deponierte das Geld im Safe einer Bank), dann nach Basel, abends in Zürich, endlich nachts in Romanshorn. Von dort am nächsten Morgen nach Rorschach, Hotel Anker, wo nachmittags der Anwalt Heins in seinem Wagen eintraf, abends die Eltern. Mit ihnen lange Konferenzen. Es dreht sich immer um dasselbe, sie kommen zu keinem Entschluß.« Es war hier, daß TM über die Affäre mit dem Koffer, den Tagebüchern sprach, den Anwalt beschwor, alles zu versuchen, um ihn auszulösen. Was dem Doktor Heins tatsächlich gelang. Ein ungemein hilfreicher Erfolg, aber auch der einzige, der ihm beschieden war. Als verhängnisvoll sollte sich dagegen der Vorschlag meiner Eltern erweisen, Heins möge alle Manuskripte, die im Haus waren, von dem ersten Novellenband bis zum *Zauberberg* mitsamt den Briefen der Mutter aus Davos, eine unschätzbare Quelle, in seiner Kanzlei bergen. »Gestern Abend war es beschlossene Sache, daß ich mit nach Frankreich gehen sollte. Ich war es zufrieden, denn ich habe in Deutschland weder Freunde mehr, noch Arbeitsinteressen. Am Morgen entschied ich mich doch wieder anders; es ist sachlich notwendig. Gehe also zurück wie Regulus nach Karthago. Was daraus werden wird, weiß ich selber nicht; nichts Gutes... Für uns ist die Sache so oder so verloren, wir können tun und lassen was wir wollen. Freilich, je mehr wir lassen – und wir lassen manches – desto früher ist sie es.«
Also kehrte ich mit Herrn Heins nach München zurück. Wir übernachteten in Stuben am Arlberg, machten am Morgen noch einen Spaziergang und gelangten am Nachmittag des 1. Mai in die Stadt. Von allen Seiten endlose Züge von Arbeitern und Angestellten, die sich konzentrisch nach der Theresienwiese hin bewegten, wo abends die Feier der Arbeit stattfinden sollte. Die Menschen

machten einen eher amüsierten Eindruck, keinen bedrückten. Ein überaus schlauer Schachzug, den »Marxisten« die Feier zu stehlen. Zwang zur Freude; gelingt er, und hier gelang er zum guten Teil, dann schwindet der Zwang und es bleibt der Spaß übrig. Abends hörte ich die Rede, die Hitler in Berlin hielt: ein hohes Lied auf die nationale Arbeit und alle, die an ihr teilhaben, den Frieden zwischen den Klassen, die nationale Gemeinschaft aller Arbeitenden. Überaus geschickt wiederum; obgleich es mir damals nicht so vorkam. Am nächsten Tag dann der Überfall auf alle Gewerkschaftshäuser, wieder mit der nachfolgenden Versicherung, man sei übelsten Korruptionsfällen auf die Spur gekommen, so wie vorher im Haus der Kommunisten auf Tonnen von Bürgerkriegsplänen; wieder völliges Schweigen danach. Solche Lügen erreichten im Moment ihren Zweck; danach werden sie bald vergessen. »4. Mai. Morgen meine ich nach Berlin zu fahren; hier ist keine Ruhe nicht. Viel mit dem Rechtsanwalt Heins zusammen. Mein Auto sah ich vorgestern vor dem Braunen Haus stehen, gestern in der Poschingerstraße; ich machte einen Versuch, es zu entführen, welcher aber mißlang und mir nachmittags eine Diskussion mit seinem derzeitigen Besitzer, einem martialisch uniformierten Bürgersöhnchen eintrug. ›Wenn Sie diesen Versuch wiederholen, werden Sie in Schutzhaft genommen.‹ Ich blieb ihm keine Antwort schuldig, zum Schrecken des Rechtsanwalts« (der stumm dabeisaß). »6. Mai. Grunewald, bei Bermann-Fischer. Gestern abend um zehn hier angekommen. Vorgestern abend aus München fort, noch bei den guten alten Pringsheims zu Abend gegessen; Fräulein Kurz weinend zum Abschied, sie witterte wohl, daß es diesmal auf lang wäre – ich fürchte auch. Ich nahm meine liebsten Bücher mit, Hegel und Schelling; einiges ist ja noch in Göttingen, wo ich es holen

will. Um vier Uhr, es fing schon an zu dämmern, in Karlsruhe angekommen und ein paar Stunden im Hotel verbracht. Dann das abgeholt, was ich die vorige Woche depo-
niert und heil vorgefunden. Die Stahlkammer ist so, wie ich
mir die Aufbewahrungsstätte von lieber Asche vorstelle.
Dann verhältnismäßig glatt nach Berlin. Auf der Reise den
Roman *Oblomow* gelesen.«
In Berlin blieb ich gute drei Wochen, bis zum 31. Mai. Es
folgen einige Tagebuchnotizen aus dieser Zeit und nachträgliche Kommentare dazu. Das Ehepaar Bermann-Fischer, Gottfried und Tutti, verhielt sich überaus hilfreich
und liebenswürdig mir gegenüber. Ein eigentliches Gastzimmer fehlte in ihrer Villa, ich wohnte im »Schulzimmer«
der Kinder, an einem winzigen Pult sitzend, wenn ich etwas aufschreiben wollte. Den Vater, den alten S. Fischer,
besuchte ich einmal in seinem Verlagshaus und führte mit
ihm und dem Mitherausgeber der *Neuen Rundschau*, Samuel
Saenger, ein zeitgemäßes Gespräch. Der Alte, verdüstert
zwar, schien doch nicht mehr recht zu begreifen, was vorging, auch sein jüngerer Mitarbeiter kaum; so daß ich mir
ihnen gegenüber wie ein jugendlicher Realist vorkam.
»7. Mai. Gestern Abend mit Monika verbracht bei Heinz
Pringsheim und in einigen Lokalen; Herren in braunen
Uniformen an den Bartischen.« (Die Bar hieß »Der Jok-
key«, eröffnet ein paar Jahre zuvor von einem gewissen
Freddy Kaufmann, der zusammen mit den beiden ungleich begabteren Schriftstellern Bruno Frank und Wilhelm Speyer ein Freundschaftstrio bildete; sie waren in
dem Landeserziehungsheim Haubinda zur Schule gegangen. Der »Jockey« war ein großer Snoberfolg. Jetzt flüsterte Freddy mir zu: »Mit den neuen Herren, das geht
ausgezeichnet!« Nicht lange. Bald sah er sich genötigt, das
Land zu verlassen und eine Bar in Schanghai zu eröffnen,

wo er starb.) »8. Mai. Goebbels: ›Es geht allmählich; wir nehmen nicht mehr, als wir verdauen können, aber was wir verdauen können, das nehmen wir uns Stück für Stück; und so werden wir in ein paar Monaten das ganze Reich in uns hineingefressen haben.‹ Möchte er daran ersticken!« »9. Mai. Gestern ein Schweizer Bankdirektor zum Tee, der mit lustiger Düsterkeit von der deutschen Wirtschaft sprach, übrigens unbemerkte Wege zwischen Deutschland und der Schweiz zu kennen versichert hatte. Heute morgen kam ein Trost, Pierre Bertaux.« »10. Mai. Das Gesamtvermögen der SPD beschlagnahmt, ›durch den Staatsanwalt‹. Gestern nacht und heute Vormittag wieder lange Briefe an die Eltern geschrieben. Das ist zermürbend.« »11. Mai. Gestern abend waren Freunde von Pierre da, der Abgeordnete Pierre Viénot, der ein guter und gescheiter Mensch zu sein scheint, und ein kluger Normalien namens Raymond Aron. Das übliche Gespräch, nichts Neues; außer, daß Brüning ihm gesagt hat, er sehe auch nicht, was werden soll; seine Wahl zum Parteiführer sei ein Akt der Opposition. Nachher mit den Geladenen bei dem Autodafé verbotener Bücher vor der Universität. Eine schwache Rede von Goebbels und ein ziemlich dürftiges Theater. Meine Stimmung auf dem Nullpunkt; das bleibt nun so … Man müßte einen neuen Macchiavelli schreiben, aber nicht mehr den *Fürsten*, sondern das *Volk*. Ich muß es nachgerade beklagen, als Deutscher geboren zu sein.«

Ein später Kommentar zur berüchtigten Bücherverbrennung. Was ich damals nicht wußte: es gab sie nicht nur in Berlin, sondern am gleichen Abend in vielen Universitätsstädten; so in Köln, wo Ernst Bertram sie vollen Herzens begrüßte – »Verbrennt, was euch schwach macht!« – jedoch immerhin erreichte, daß die Werke TMs unverbrannt blieben. Das Unternehmen war durchaus studentisch; eine

Nachahmung des Wartburgfestes von 1817, wo man den *Code Napoléon* und andere »undeutsche« Werke verbrannte. Der Partei- und Staatsführung war es vielleicht im Moment so ganz angenehm nicht; denn nach den Ausschweifungen der ersten Monate galt es nun, dem Ausland vorübergehend ein zivilisiertes Gesicht zu zeigen. So klang auch die Rede von Goebbels eher ab- als aufwiegelnd. Verbrannt wurden Bücher von Marx, Freud, Emil Ludwig, Remarque, Kerr, Heinrich und Klaus M. – von TM nicht –, wobei ein »Rufer« zuerst eine Verdammung ausrief, um mit »Ich übergebe den Flammen die Schriften von ...« zu enden. Dem Ereignis wurde später, durchaus mit Recht, eine symbolische Bedeutung zugesprochen, die es im Moment doch wohl nicht hatte – »Wo Bücher verbrannt werden, da wird man bald auch Menschen verbrennen.« Tatsächlich hörte ich in meiner Nachbarschaft jemanden sagen: »Schade, daß wir sie nicht selber haben!« Sehr unglücklich fühlte ich mich dabei und verstehe nicht, warum wir aus schierer Neugier präsent waren. Raymond Aron bemerkte meinen Zustand und zeigte mir seine Sympathie auf eine mir unvergeßliche Weise.

»12. Mai. Die Tage vergehen hier jedenfalls sehr rasch. Pierre ist ebenso klug wie treu. Das ist das Beste, was ich von ihm sagen kann, und ist sehr viel. Abends war ich bei den Verwandten, wo ich auch Monika traf, nachts mit Pierre den Kurfürstendamm hinunter nach Grunewald ... Breitscheid schreibt aus Zürich an einen französischen Politiker, ob er ihm etwas verschaffen könnte, er habe kein Geld mehr. Ein anderer SPD-Abgeordneter verübt Selbstmord. Der Untergang dieser Führer berührt mich stark, obgleich sie durch eine trostlose Mischung von Idealismus, Bequemlichkeit und Feigheit selber daran schuld sind.«

»14. Mai. Hier wird es immer schlimmer. Die außenpolitische Lage ist katastrophal und läßt das Schlimmste befürchten. – Gestern abend waren wir im Theater, das Schlageter-Stück von Hanns Johst. Gehässig, gemein und öde, wie zu erwarten. Übrigens halbgeschickt und nicht schlecht in der Technik …«

Schlageter: ein patriotischer Terrorist, der während der Ruhrbesetzung 1923 von den Franzosen erschossen wurde, seitdem nationaler Märtyrer. Das Stück handelte davon und der Gegenfigur eines Sozialdemokraten, dessen Sohn ein früher Anhänger Hitlers ist. Johst begann als Expressionist, ging aber schon in den späten zwanziger Jahren zu den Nazis über. Es hat sich ein Brief von ihm, Oktober 1933, an Heinrich Himmler gefunden, in welchem er dem »Reichsführer« vorschlägt, an Stelle des Halbjuden Klaus Mann, »der schwerlich zu uns herüberwechselt, wir ihn also leider nicht auf's Stühlchen setzen können«, doch dessen Vater ein wenig zu inhaftieren. Seine geistige Produktion würde ja durch eine Herbstfrische in Dachau nicht leiden. »Famoses Schrifttum« sei ja von Häftlingen »zur glücklichen Niederschrift« gekommen – eine Anspielung auf *Mein Kampf*.

»Pierre sagt: ›1914 waren die Deutschen unvorsichtig genug, den Krieg zu erklären. Diesmal waren sie klüger, sie haben gleich den Sieg erklärt.‹« »17. Mai. Eine große staatsmännische Rede Hitlers – er hat gesagt, daß Deutschland den Frieden braucht. Er hat das gesagt, wofür er seine Vorgänger eingesperrt und bis ins Grab verfolgt hat.«

Wie genau ich mich an diese Rede erinnere. Gerade als Nationalist ehre er das Nationalgefühl aller Nationen und könne an das, was man im vorigen Jahrhundert Germanisierung nannte, überhaupt nicht denken. Alle Völker hätten das Recht auf ihren Staat, »wie die Geschichte lehrt, auch das polnische«.

»Ja, ich sehe ein, daß auch Polen einen Zugang zum Meere braucht« – eine Anspielung auf Danzig. Und was Kriegsrüstungen betraf, so sei er bereit, auch die letzte Kanone verschrotten zu lassen, »wenn die anderen es *auch* tun«. Als ich ein paar Tage später meinen Onkel Peter Pringsheim besuchte, empfing er mich mit den Worten: »Nun, was sagst du zu Hitlers neuer Rede? Geschickt, nicht wahr?« »Ja, geschickt schon, aber doch alles gelogen.« Der hochgebildete, flaue Skeptiker: »Woher weißt du denn das so sicher?« Ich wußte es; konnte es wissen, damals schon, noch ohne die Taten, noch ohne Kenntnis der Dokumente, wie sie nach 1945 ans Licht kamen. Da haben wir zum Beispiel das Resümee einer Rede, die Hitler schon am 3. Feburar 1933 vor den deutschen Generalen hielt: Die Wiederaufrüstung sei das erste Erfordernis, dann gelte es, die »Eroberung neuen Lebensraumes im Osten und dessen rücksichtslose Germanisierung in Angriff zu nehmen«. Dergleichen konnte man ja auch schon in *Mein Kampf* lesen, aber wer nahm dies Buch ernst, wer las es auch nur? Jene »staatsmännische Rede« war die erste in einer langen Reihe, mit der er die Welt zum Narren hielt, und situationsbedingt; eine Situation, welche in der Außenpolitik »das Schlimmste befürchten ließ«. Heute wundere ich mich, warum ich nicht schrieb: »Das Beste erhoffen ließ.« Nun, ich war eben, trotz allem, ein »guter Deutscher« und würde es noch lange bleiben. Was man kommen sah, ein paar Tage lang, war ein polnisch-französischer Präventivkrieg gegen das Reich; heute wissen wir, daß Marschall Pilsudski den Franzosen dergleichen vorschlug, in Paris aber auf taube Ohren stieß. Charakteristisch in diesem Sinn sind auch die folgenden Sätze in jener Ansprache vor den Generalen: »Gefährlichste Zeit die des Aufbaus der Wehrmacht. Da wird sich zeigen, ob Frankreich Staats-

männer hat. Wenn ja, wird es uns nicht Zeit lassen, sondern über uns herfallen, vermutlich mit Ost-Trabanten.«
Wenn Frankreich Staatsmänner hat – wenn man dort die Welt so sähe, wie er sie sah.

»18. Mai. Goebbels vor einer Schriftsteller-Versammlung im Hotel Kaiserhof: ›Man hat uns vorgeworfen, daß wir uns nicht um die Intellektuellen kümmern. Das hatten wir nicht notwendig. Wir wußten gut: wenn wir erst die Macht haben, dann kommen die Intellektuellen von selber.‹ Brausender Beifall – der Intellektuellen.« »21. Mai. Wie richtig meine Meinung von der Ephemerität und Albernheit zwischenstaatlicher Beziehungen ist, erfahren wir leider alle Stunde. Vor einer Woche hieß es: Sanktionen, Präventivkrieg gegen Deutschland; jetzt ist alles wieder eitel Sonnenschein und auch im Inneren, bei uns, so teilen uns Engländer und Amerikaner mit, soll alles in Ordnung sein. ›Daß Juden belästigt werden, sieht man nirgends.‹ Wenn ihr so verächtlich blöde und leichtsinnig seid, so wäre es besser, ihr hättet euer Maul von Anfang an gehalten. Erst seine Tugend durch Entrüstung bezeugen, dann sich abfinden, Geschäfte machen, finden, daß alles halb so schlimm sei.« »22. Mai. Gestern abend bei Peter Pringsheim. (Mein Onkel, Ordinarius für Physik an der Berliner Universität, war als Jude seines Amtes enthoben worden. Max Planck, so erzählte er mir, habe ihn besucht, jedoch nur um Sympathie und Bedauern kundzutun; mehr könne er nicht, er sei gänzlich ohne Einfluß.) Tags waren drei große Feste: Gewerkschafts-Appell, landwirtschaftliche Ausstellung, Autorennen; die Stadt durch Aufmärsche, langwierige, anstrengende, völlig verbaut: zu meinem Balkon gellten den ganzen Tag Reden herauf. Auf dem Tempelhofer Feld, mit Zufahrtsstraßen, auf denen die Leute zehn bis zwölf Stunden verbrachten, gab es ganze acht Toiletten – für eine

Million Menschen entschieden zu wenig. Die andere Seite der Demokratie, des Stadtstaates. Ein Stadtstaat sind wir – Hitler, von Königsberg aus, wird in Lindau besser verstanden, als Gracchus von seinen Leuten auf dem Forum.«

»26. Mai. Boethius, *De Consolatione Philosophiae* – das lese ich jetzt. – Vorgestern habe ich von Neck und von Ricki Hallgarten geträumt; darauf gestern recte und geradeaus von meinem Selbstmord. So übrigens, daß ich halb absichtlich und um das Leben, *wenn* es gut ginge, neu als Geschenk zu erhalten, etwas seitlich des Herzens schoß. Ich kann nicht leugnen, daß der Gedanke dichter in mir ist als sonst: objektiv freilich immer noch nicht sehr dicht. – In der *Deutschen Allgemeinen* ein Brief an ›literarische Emigranten‹ von Gottfried Benn. Ohne Namensnennung die Antwort auf einen Brief von Klaus gegen Benns neue politische Haltung. Der Brief von Klaus scheint freilich nichts Bedeutendes zu sein, aber doch anständig und gut, wie der Mensch einmal ist. Dagegen reizt mich die Antwort Benns zum Äußersten: schriftstellerisches Niveau und ein oberflächliches, prahlerisches Gewäsche. Nämlich: Schicksalsbejahung! Metaphysische Weltanschauung! Neuer Menschentypus! Der Mensch ist mythisch und tief! Keine Diskussion über das geschichtlich Notwendige. Hitler als der große Mann und mythischer Ausdruck der Bewegung. Das ganze alberne Arsenal.«

Als alles vorüber war, gestand Benn generöserweise ein, daß Klaus ihm damals weit überlegen gewesen sei. Meinen Bruder hatte ich seit Anfang Januar nicht gesehen; als ich im März nach München kam, befand er sich schon in Paris. Ein paarmal konnte ich ihm Geld schicken, Banknoten in gewöhnlichen Briefen ohne Absender, die ich in einen Briefkasten der Innenstadt warf. Erstaunlicherweise hat Klaus den Großteil der Briefe treu bewahrt, trotz aller seiner Wanderungen, so daß er heute in meinem Besitz ist. So wie Erika war auch Klaus damals ungleich weitsichtiger und konsequenter als ich. Zum Beispiel schrieb ich ihm einmal, verschlüsselt, er möchte mit öffentlichen politischen Äußerungen doch etwas vorsichtiger sein; andernfalls werde unser Haus konfisziert mit allem, was darin sei. Er darauf: »Diese Leisetreterei – da meinte er den schweigenden Vater – ist mir schon längst zuwider. Ich habe von Anfang an gespürt und gewußt, daß von diesen Machthabern für uns nichts, nichts, nichts, zu erwarten ist.«

Es war nun auch meines Bleibens nicht länger. Die Münchner Polizei konnte, wenn sie wollte, jederzeit herausfinden, wo ich mich aufhielt. Sie würde das Geld konfiszieren, nicht ohne mich zu fragen, zu welchem Zweck ich denn eine so große Summe mit mir herumschleppte; worauf ich eine glaubhafte Antwort nicht hätte geben können. Mein Berufsplan war in jedem Fall zerrissen, an eine Anstellung nicht zu denken. Doppelt fand ich mich kompromittiert; durch die jüdische Herkunft meiner Großeltern Pringsheim – jene der Großmutter blieb nur darum etwas unbestimmt, weil die Dohms im frühen 19. Jahrhundert zum Christentum übergetreten waren; durch das einstweilen, aber wie lange noch, schweigende Draußenbleiben TMs, das gar nicht schweigende Draußenbleiben meiner Geschwister und Heinrich Manns. Immer wäre ich eine Geisel zur beliebigen Verwendung geblieben, völlig vereinsamt, ohne Arbeit, ohne Lohn. Der Familie abzuschwören, würde nicht helfen; das stand dem Onkel Viktor, der nicht Sohn war, nur Bruder, sehr anders geartet, ganz ein Biedermann, und »reiner Arier« obendrein. Zu bereuen gab es in jenen Frühlingsmonaten nichts; vom werdenden Dritten Reich hatte ich immerhin mehr gesehen als jene, die das Land schon im Winter verließen. Es gab keinen Grund, den Anschauungsunterricht zu verlängern. Was in den Hochsommer hinein noch geschah, war der Punkt, nach dem Satz, überaus leicht vorauszusehen.

Das Aus-dem-Lande-Schaffen der 60 000 Mark konnte geregelt werden durch Pierre Bertaux und Raymond Aron, die ihrerseits sich der Vermittlung Pierre Viénots bedienten. Der Botschafter François-Poncet erklärte sich bereit, die Summe in der Kuriertasche der Botschaft nach Paris zu senden. Das gelang, obgleich nicht ohne ärgerliche Verzögerungen. Vorher erhielt meine Schwester Monika, noch in Berlin, einen Brief TMs, der leider verloren ist und ungefähr folgendermaßen lautete: »Meine liebe Monika! Es hat uns sehr gefreut zu hören, daß Du Dich entschlossen hast, in den Stand der Ehe zu treten. Meine Einwilligung gebe ich Dir um so lieber, als ich den von Dir erwählten jungen Mann seit längerem kenne und ihm mein volles Vertrauen schenke. Als Mitgift kann ich Dir eine Summe bieten, wie sie in meiner Familie seit Generationen üblich ist; auf die heutige Währung übertragen einhunderttausend Reichsmark. Dein Bruder G. wird dafür sorgen, daß Du sie erhältst noch vor Deiner Hochzeit, welcher wir angesichts des Gesundheitszustandes Deiner Mutter wohl leider nicht werden beiwohnen können. Ich bin sicher, daß Dein zukünftiger Gatte das Geld solide anlegen wird, derart, daß Ihr nur die Rendite gebraucht, ohne das Kapital anzugreifen. Letzteres wirst Du bei einer Erbteilung nach mir Deinen Geschwistern gegenüber zu verrechnen haben. Von Herzen hoffe ich, liebe Monika, daß Dein Entschluß Dir ein reines Glück bescheren wird. Dein treuer Vater, Thomas Mann.« Der ganz mit eigener Hand geschriebene Brief dürfte dem Autor ein gewisses Vergnügen gemacht haben, er spielte noch einmal *Buddenbrooks*. Vielleicht stand wieder der Rechtsanwalt Löwenstein hinter der Idee; praktisch war nichts damit anzufangen. Als Monika mir das Schreiben zeigte, lachte sie hell auf: »Jetzt weiß ich, daß alles aus ist!« Sie reiste dann auch noch vor mir nach Frankreich.

Noch wollte ich mich von Kurt Hahn verabschieden. Darüber im Tagebuch: »Die letzten Berliner Tage – was mich am stärksten berührt, ja erschüttert hat, war ein Besuch bei Kurt Hahn in Wannsee. Er lud mich für acht Uhr zum Frühstück ein; am Bahnhof traf ich den Wolfram Lange, der auch gebeten war; ein blonder Prachtskerl, den ich für einen Nazi hielt, der sich aber als das Gegenteil erwies. Hahn sah schlecht aus, verstrubelt, mit Ringen unter den Augen; er nahm sich meiner Angelegenheiten, die er alsbald übersah, mit Feuer an, um nur etwas zu tun zu haben. Seine eigene war aus den Briefen, Reden und Befehlen zu erkennen, die er mir zeigte. Es hat etwas Tragisches und ungeheuer Bezeichnendes, diesen Mann, [...] in dessen unterdrücktem, heimlich brennendem Judentum ein furchtbarer innerer Widerspruch liegt, welcher sich nun straft, diesen Mann verfolgt, in seiner Tätigkeit mit sadistischem Raffinement gelähmt, verbannt, ruiniert zu sehen. Da nützt kein Appell an ihre eigensten Begriffe, kein von Mensch zu Mensch, von Mann zu Mann – er ist eine politische Energie, eine *fremde* politische Energie – raus! Das ist die neue Staatskunst. Nachdem alles und alles zugesagt und anerkannt war – nur die graue Schuluniform sollte in der Woche noch getragen werden dürfen anstatt des Braunhemdes, weil zwei Uniformen gegen die militärische Disziplin verstießen, wurden noch die folgenden Bedingungen vereinbart. Der frühere Leiter der Schule, Herr K. Hahn, darf nicht südlich des Mains reisen – Befehl des Statthalters in Karlsruhe, im Zeichen der ›Abschaffung der Mainlinie‹; der Prinz Berthold von Baden darf mit

Herrn Hahn weder fernmündlich noch brieflich noch durch einen Dritten in Verbindung stehen – dies, damit kein neuer Reichskanzler Prinz Max entsteht, die Zähringsche-Hahnsche Wetterecke ausgeräuchert werde. Auch darf Herr Hahn nicht mit Eltern von Salemer Schülern sprechen, oder mit Schülern in den Ferien usw. Sein Besitz in Baden, Hermannsberg, seine Lebensarbeit, sein Geld – alles verloren. Und dabei ist's ein nationaler Mann! Seine Mutter, ein stolzes Judenweib, ist wahnsinnig geworden. – Im Politischen waren wir im Wesentlichen einer Meinung: die Chance Schleichers, die falsch gestellte Weiche, der Verrat Hindenburgs, das Lügenhandwerk des windigen Papen. Für die Zukunft hofft er sich freilich von Hitler persönlich etwas – denn was soll man sonst hoffen? Auch ein Argument. ›Man muß sein Vaterland auch dann lieben, wenn es einen nicht liebt. Das ist sogar das Wesen der Vaterlandsliebe.‹ Armer Mann!«

In den fünfziger Jahren erzählte mir der Markgraf Berthold, er habe gelegentlich einer von Papen für eben diesen Zweck veranstalteten Soirée ein kurzes Gespräch mit Hitler gehabt. Dieser: in lokale Angelegenheiten greife er grundsätzlich nicht ein, dafür seien die von ihm Delegierten da. Tauge die Schule Schloß Salem etwas, dann werde sie sich schon halten; tauge sie nichts, dann sei es nicht schade darum. Ein Beispiel für des Tyrannen hohe Intelligenz: er durfte sich nicht um alles kümmern, was unten und im Breiten vorging. »Details interessieren mich nicht«, wie er einmal in Gegenwart von Hermann Rauschning sagte. Nachzutragen: während des Monats März war Hahn einige Wochen lang verhaftet gewesen, dann freigekommen, dank einer Intervention des britischen Premiers MacDonald. Hahn war einer, der auf die Dauer sich nicht unterkriegen ließ; der, selber hilfreich, auch immer die Helfer, noch mehr die Helferinnen fand, die er brauchte. Demnächst ging er nach England.

Am Abend des 30. Mai verließ ich Berlin. Darüber im Tagebuch: »31. Mai, im Zug vor Kehl. Gestern nacht um ½12 Uhr von Berlin fort, von einer Gesellschaft bei Bermanns, Peter Suhrkamp, Wolf Zucker u. a.; gut unterhalten. (Nachtrag 1985: Suhrkamp, verantwortlicher Redakteur der *Neuen Rundschau*, bat mich um einen Beitrag; dergleichen hielt er noch für möglich, wenn es kein politischer wäre.) Etwas gedöst, um ½5 Dämmerung, in Göttingen ausgestiegen, in der leeren Stadt, dem regnerischen Hainberg herumgegangen, um ½7 bei Hans Jaffé gepfiffen, der dann wirklich noch da war und schlaftrunken am Fenster erschien. Netter Vormittag mit ihm, meine Bücher beim Studienrat zusammengepackt und um ½12 weitergefahren, über Heidelberg nach Karlsruhe, wo drei Stunden Aufenthalt ... Der Morgen in Göttingen, es hat mich stark berührt, so in den Ruinen meines letzten, zu späten – ich wußte das von Anfang an – Baues zu wandern. Schön war es gewiß. Und dann, daß noch post festum, zunächst unglaublicherweise, jemand da war, Hänschen. Der Kluge sagte mir: ›Dein Göttinger Aufenthalt, obgleich im Frühjahr, kommt mir vor, wie ein Nachsommer‹ – ganz das richtige Bild und Wort ... Daher hat dies nachträgliche Studentendasein denn auch nicht sein sollen, sondern sich feindlich aufgelöst, so hübsch es war. Die Neck-Katastrophe am Anfang, die hereinbrechende Politik. – Der Blick vom Hainberg auf die Stadt, ich saß auf einer nassen Bank. Dagegen dann Heidelberg in voller Abendpracht.«

»2. Juni. Bandol bei Toulon. War also bis auf weiteres der letzte Abend in Deutschland ... Übrigens, ohne pathetisch Auf Wiedersehen zu sagen; der Grenzübergang ziemlich glatt ... Die Eltern samt dem Heinrich und den drei Jüngeren (Monika, Elisabeth, Michael)«. »3. Juni. Die Brüder H. und Th. Sehr gemütlich ist es hier nicht ... Jetzt ist die Familie das Einzige, was mir geblieben ist; das kann nicht gut gehen ...« »6. Juni. Gestern abend mit Heinrich am Meer promeniert; er tut mir wirklich leid, trägt sein Schicksal mit viel Würde, ja selbst mit Charme, und nicht so damenhaft in seinen Schmerzen, von aller Welt beleidigt wie der Alte. Seine politischen Ansichten sind klug, wenn auch einer gewissen Altfränkischkeit und Naivität nicht entbehrend. Nachmittags war ich für ihn in Toulon, ein Telegramm aufzugeben, welches die Versteigerung seiner Möbel in München verhindern sollte. Nun will er sich ein Zimmer mieten und mittags auf der Gasflamme Eier mit Schinken kochen.« »11. Juni. Gestern abend von Bandol fort und morgens nach einer mühseligen Drittklaß-Nacht in Paris angekommen. Hotel Jacob, rue Jacob, wo ich die Geschwister in ihren Betten antraf. Wie immer bestechen sie mich durch den Witz und die Klugheit ihrer Argumente, durch die – wenigstens scheinbare – Dichte ihres Betriebes; an dem ich doch aber nur sehr partiell werde teilnehmen können. Den Mittag zusammen mit Pierre Bertaux – ich muß sagen: Amicus certus re in incerta cernitur (Ein sicherer Freund wird in der Unsicherheit erkannt) – und in der hochgelegenen Wohnung des Abgeordneten Viénot, seines einflußreichen politischen Freundes, der das hochwichtige negotium in Berlin vermittelt hat. Wir gingen dann auch zum Quai d'Orsay und holten dort das wunderliche Paketchen, eben jenes, was in Karlsruhe im Safe gelegen, was ich in Hotelnächten in Stuttgart, Karlsruhe und bei Bermanns bei mir gehabt und lieb gewonnen. Es ist eine Beunruhigung weniger – ich hatte meinen Ehrgeiz daran gesetzt. Den Abend mit dem alten Bertaux in Sèvres. Er meinte, ich müßte mich daran halten, hätte nicht viel Zeit zu verlieren,

541

auch den moralischen Halt der Arbeit nötig, sollte mich in den nächsten Monaten ganz auf das Französische konzentrieren, dann würde es wohl eine Lehrerstellung geben. Pierre, weitergehend, steht auf diesem Standpunkt: Daß es von Monat zu Monat zur Katastrophe kommen werde, hätten die Russen, die Italiener auch geglaubt – man solle sich auf lange Sicht einstellen und auf eine andere Nation – es kommt in Europa nur diese in Frage – bauen; also binnen vier Jahren die ganze Reihe vom Abitur – ›Bachot‹, Chemie, Physik – bis zum Agrégé durchmachen und die Germanisten-Karriere einschlagen. Könnte man zurück, so sei immer nichts verloren. Zum Journalisten taugte ich nicht – er achtet diesen Beruf wenig. Und Göttingen – Würzburg – Rothenburg – Nördlingen? Und diese Sprache, die einzige, die ich kann, *meine* Sprache, der Ausdruck meines Geistes? Ist das alles nichts? Verschandeltes Vaterland!«

Auf Frankreich würde es während der nächsten Jahre hinauslaufen; jedoch immer nur als Provisorium, dem andere, geringere Provisorien folgten, bis zu einem, das sich *beinahe* als endgültiges ausnahm.

»In deiner Brust sind deines Schicksals Sterne« heißt es bei Schiller; bei Goethe, was schon einmal zitiert wurde:

> Wie an dem Tag, der dich der Welt verliehen,
> Die Sonne stand zum Gruße der Planeten,
> Bist alsobald und fort und fort gediehen
> Nach dem Gesetz, wonach du angetreten.

Schön gesagt. Nur ist das Peinliche für jederlei Astrologie, die eigentliche wie die uneigentliche, dies schon von Kepler Erkannte: es sind unsere äußeren Schicksale, was uns zustößt, uns aus der Bahn wirft, von dem Einzeln-Selbständigen nicht zu trennen; welches so aufhört, selbständig zu sein, weil es von dem betroffen wird, was ungezählte andere, unter einer anderen Konstellation Geborene auch betrifft. Man mag einwenden: gewiß, aber es wird trotzdem darauf ankommen, wie der Einzelne auf allgemeines Schicksal reagiert, zum Beispiel auf eine Vertreibung aus der Heimat; der eine mag in der Fremde höher steigen, als es ihm daheim glückte, der andere im neuen Land scheitern. Wahr; aber wenn es der Massentod ist, eine Seuche, ein Vulkanausbruch, die Vernichtung einer großen Stadt aus der Luft? Wo bleibt da das Gesetz, nach dem der Einzelne angetreten? Sehr schön hat Thornton Wilder diese Frage gestellt in seinem Roman *Die Brücke von San Luis Rey*. Es ist da ein Mönch, der sich unterfängt, die Charaktere, die Lebensläufe, grundverschieden jeder von jedem, zu untersuchen derer, die zuletzt alle den gleichen Tod sterben durch den Einsturz der Brücke, auf der sie sich befanden, jeder aus einem anderen Grund, in einem anderen, unvergleichlichen Lebenszusammenhang. Was 1933 in Deutschland begann, hat Hunderte von Millionen Menschen in seinen Bann geschlagen, mehr als fünfzig kamen um, und noch die heutige Anordnung der Staaten und Gesellschaften des Planeten wäre eine unvorstellbar andere, ohne jenen verfluchten Beginn. Wie hätte nicht auch ich zu jenen gehören sollen, deren Leben fortan einen unvorhergesehenen, fremdbestimmten Verlauf nahm?

Von Haus aus war ich ein Provinzler; es war mir nicht an der Wiege gesungen, mich jahrelang heimatlos herumzutreiben, einmal da, einmal dort, und andere lange Jahre in Nordamerika zu verbringen. Ich liebte die Stadt München und war stolz auf sie, worüber meine Salemer Schulkameraden, zumal jener aus Berlin, sich gerne lustig gemacht hatten. Heute kann ich sie so nicht mehr lieben, weil ich dort auf den Spuren meiner törichten Kindheit, meiner überwiegend unguten frühen Jugend gehe; was nicht so wäre, hätte ich ohne lange Unterbrechungen dort gewohnt. Ich liebte das bayerische Oberland, noch mehr die Gegenden um den Bodensee; das bergende, uralt und lieblich kultivierte Salemer Tal. Es sollte ein hartes Stück Arbeit sein, mir fremde Landschaften zu erobern; bei den fremdesten, den Wüsten von Kalifornien und Nevada, gelang mir das ganz und gar nicht. Im Grunde suchte ich in der Fremde immer das Vertraute, etwa in Spanien; das völlig Fremde war das Beängstigende. Daß fremde Sprachen sprechen und schreiben Vergnügen machen kann, wußte ich nicht, solange ich in Deutschland lebte; da konnte ich französisch und englisch zur Not lesen, weiter nichts, das Latein, als »tote« Sprache, ging für sich. Meine historische, literarische Bildung war nahezu ausschließlich deutsch; ich konnte ein paar hundert deutsche Gedichte auswendig, kein einziges nicht-deutsches, von Horaz abgesehen. Und das wäre vermutlich alles so geblieben, ohne die Ereignisse des Jahres 1933. Was ohne sie aus mir geworden wäre? Ich weiß es nicht; wirklich, wie Jaspers es mir in den Kopf gesetzt hatte, ein Gymnasiallehrer, später allenfalls an der Universität lehrend? Vorstellbar, wenn auch nicht mehr als das. Daß ich im Grunde ja doch zum Schriftsteller bestimmt war, sei es auch nur zum historisierenden, ein wenig philosophierenden, verbarg ich mir lange Zeit; unbewußt wohl darum, weil ich meinem Bruder Klaus nicht ins Gehege kommen und weil ich den Tod meines Vaters abwarten wollte. Auch durch die Zeitläufe wurde es mir verborgen. Denn obwohl ich französisch, zeitweise leidlich, später englisch glatt genug schrieb, nie hätte ich ein französischer oder amerikanischer Autor sein können. Dafür brauchte ich den deutschen Sprachraum, und der besteht, gewaltig überwiegend, aus dem eigentlichen Deutschland: von Österreich allein, von der Schweiz allein, konnte noch kein österreichischer oder schweizerischer Schriftsteller existieren, viel weniger ein Nicht-Österreicher, Nicht-Schweizer. Sodaß auch meine spät begonnene Schriftsteller-Existenz nur wieder durch allgemeines Schicksal möglich wurde. Wäre Hitler nicht Hitler gewesen, begnügte er sich mit dem im Jahre 1938 Gewonnenen, anstatt seine Götterdämmerung aufzuführen, so hätte ich für immer mein Leben gefristet in den USA, Lehrer an irgendeinem College, gelegentlich einen gelehrten Aufsatz veröffentlichend, in einer Zeitschrift, die niemand las. Und säße dann da heute noch irgendwo, in kärglichem Ruhestand, ohne je ins Öffentliche gewirkt, ohne mein Talent je verwirklicht zu haben; ein Maler ohne Augen und Hände. Dergleichen kommt vor, wir wissen nicht wie oft, eben darin liegt das Traurige der Sache. Auch kam nach 1945 von mir keine Initiative; wohl warb ich, aber mit abgewandtem Gesicht, wie immer meine Art war, hoffend, daß andere die Initiative ergriffen. Was auch geschah, zu meiner Überraschung; kleinere Aufträge zuerst, dann immer größere, zuletzt autonome Unternehmungen. So viel über das einzelne Schicksal, in diesem unbedeutenden Fall das meine, und seine Verhängtheit in das Allgemeine.

Das Allgemeine – war es unvermeidlich? Stand wenigstens dies in den Sternen geschrieben? Nein. Es wurde nur, um so näher es kam, desto wahrscheinlicher; um zuletzt noch einmal während ein paar Monaten unwahrscheinlich zu sein. Hier ist jedoch auf die Silbe »schein« Gewicht zu legen.

Über die Unvermeidlichkeit dessen, was die Menschen im Kollektiv tun, also der »Geschichte im Werden«, habe ich mir eine einfache Theorie zurechtgelegt. Zu sagen, was ich neulich wieder las: »Der Erste Weltkrieg war unvermeidlich, weil er nicht vermieden wurde«, ist ungenügend bis zum Lächerlichen, eine Leerformel, auf den Satz »a gleich a« hinauslaufend. Ebenso unnütz ist das Hantieren mit dem klassischen, dem Immanuel Kantischen Begriff der Kausalität. Noch immer kommen wir in der Praxis ohne diesen Begriff nicht aus, wie vielfältig und vage er auch sein mag. Eines Sommernachmittags 1933, dort unten an der Côte d'Azur, erklärte mir der Romancier Arnold Zweig – *Der Streit um den Sergeanten Grischa* –, das Heisenbergsche »Indeterminations-Prinzip« habe den Kausalitätsbegriff zerstört. Bloße Schulmeisterei; eine Entdeckung in der Mikrophysik bedeutet für menschliches Treiben nichts. Noch immer wird der Arzt nach der Ursache des Fiebers, der Garagist nach der Ursache des geplatzten Reifens, die Direktion oder die Richter nach der Ursache des Flugzeugunglücks fragen. Bertrand Russell, im Gegensatz zu Arnold Zweig ein gewaltiger Logiker, kommt der Aufhebung des Begriffes schon näher: die ins Endlose wachsende Vielheit der Ursachen, je weiter man sie in der Zeit zurückverfolgt; die zeitliche Trennung, häufig, von Ursache und Wirkung, so daß die Ursache erst dann wirken soll, wenn sie gar nicht mehr ist; die Verwechslung zwischen der Kausalrelation und dem menschlichen Operieren oder Wollen. An Stelle des Wortes Kausalität setzt Russell das Wort »Determination«; ist der Unterschied gar so groß? Übrigens hat Russell, der Historiker, sich um seine logischen Erkenntnisse nicht gekümmert; zum Beispiel handelt er, gerecht und einsichtsreich, von den »Ursachen« des Krieges von 1914. Aber »Kausalität« oder »Determination« – für mich sind beide Begriffe, wenn es zu menschlichem Tun kommt, gleich richtig und gleich leer. Macht der Verteidiger vor Gericht geltend, sein Klient habe unter dem Zwang der Kausalität oder Determination sein Verbrechen unmöglich vermeiden können, so wird der Richter antworten: das mag schon sein, aber das von mir zu fällende Urteil wird unter demselben Gesetz stehen ... Nun zu meiner eigenen, für die Historie geltenden Formel. Je mehr wir uns wegdenken müssen, um eine Ereignisfolge, etwa eine Revolution, einen Krieg, eine geistige, wissenschaftliche Entwicklung wegzudenken, oder anders zu denken als sie waren, desto unvermeidlicher waren sie. Und je weniger wir uns wegdenken oder anders vorstellen müssen, desto vermeidbarer waren sie. Nun ist der Begriff einer größeren oder geringeren Unvermeidlichkeit ein widerlogischer: Unvermeidlichkeit oder keine, mag man einwenden. Es muß aber der praktizierende Historiker von »meinem« Begriff Gebrauch machen, ob es ihm bewußt ist oder nicht. Einige Beispiele. Um uns die sogenannte Aufklärung des 18. Jahrhunderts wegzudenken, müßten wir uns einen zweitausendfünfhundertjährigen Arbeitsprozeß des europäischen Geistes wegdenken oder völlig anders denken, als er war; dazu reicht unsere Phantasie nicht aus. Ein Gleiches gilt für die großen Entdeckungen des fünfzehnten, sechzehnten Jahrhunderts, die Expansion Europas. Um uns die Mutterkatastrophe des zwanzigsten Jahrhunderts, den Ersten Weltkrieg, wegzudenken, bedarf es schon geringerer Phantasie. Die großen Entdeckungen, die Expansion Europas, waren keineswegs anachronistisch, sie waren eindeutig zeitgemäß. Der Erste Weltkrieg war, wirtschaftlich und zivilisatorisch gesehen, schon ein grotesker Anachronismus, die Zivilisationen der großen west- und mitteleuropäischen Staaten glichen sich schon wie ein Ei dem anderen; angesichts der kraftvoll sich anmeldenden außereuropäischen Weltmächte, der USA und Japans, wäre ein europäischer Zusammenschluß, ohne Rußland, schon damals das Mög-

liche, Wünschbare, Richtige gewesen. Was dem entgegen-
stand, waren veraltete, ranzig gewordene Ideologien aus
dem vorigen Jahrhundert und gewisse Standes-Inter-
essen – »Standes«, nicht »Klassen«! Die deutschen Herr-
schaftsverhältnisse, im Gegensatz zur Kultur, zur Wissenschaft, zur mustergültigen Verwaltung der großen Städte,
waren veraltete und überquere, welche ihre Nutznießer um
jeden Preis zu erhalten wünschten. Das *mußte* ihnen nicht
gelingen. Die Sozialdemokraten, im außenpolitischen Bereich überaus vernünftig, stellten seit 1912 die bei weitem
stärkste Fraktion im Reichstag, der nicht allmächtig war,
ohne den aber schon nichts mehr ging. Wären ihre Anführer so energisch, mutig und geistvoll gewesen wie sie brav
waren, sie hätten angesichts der längst deutlich gewordenen Krise der Hohenzollern-Monarchie eine parlamentarische Regierung durchgesetzt; und ein sozialdemokratischer Reichskanzler 1914 – das hätte einen Unterschied
gemacht. Um wieder Bertrand Russell, nun den Historiker, zu zitieren: »Des Kaisers Deutschland, das unsere
Kriegspropaganda als ein Nest von Greueln darstellte, war
im Grunde nur säbelrasselnd und etwas komisch. Ich lebte
in des Kaisers Deutschland, ich kannte die fortschrittlichen
Kräfte dort, die sehr stark waren und die beste Aussicht auf
endgültigen Erfolg hatten. Es gab mehr Freiheit in des Kaisers Deutschland als es heute, außerhalb von England und
Skandinavien, irgendwo auf Erden gibt.« Diese Freiheit,
diese Vernunft auch in der Außenpolitik zur Geltung zu
bringen war schwierig, angesichts anachronistischer Wi-
derstände; unmöglich gewiß nicht. Die Herrschaftsverhält-
nisse innerhalb des russischen Imperiums waren gefährde-
ter, veralteter als in Deutschland; jedoch die monarchische
Spitze mehr englisch und deutsch, als russisch. Fortschritte,
die, ohne Krieg, weiter hätten führen können, gab es seit

1905 auch da. Eine Reformierung von Grund auf der österreichischen Monarchie war wünschbar und möglich; der Erzherzog-Thronfolger Franz Ferdinand hatte die besten Ideen dafür. Es wäre auf einen Bund, nicht von Staaten, sondern von autonomen Nationalitäten hinausgelaufen, unter dem Präsidium der historischen Dynastie. Überblicke ich die Schicksale jener Nationalitäten seit ihrer »Befreiung« bis zum heutigen Tage, so muß ich diese *versäumte* Lösung für die bessere halten. Sie war nicht unmöglich; blinder Fanatismus hat sie verhindert, der Aberglaube, es müßte jede Nation einen Staat im Stil des französischen besitzen. Es war ein unseliger Irrtum Europas, den französischen Sonderfall für einen nachzuahmenden Modellfall zu halten; ungut schon für die Deutschen und Italiener; katastrophal für Süd-Ost-Europa.

Die zugleich am tiefsten sitzende und einfachste Ursache für den Krieg von 1914 ist in meiner Ansicht diese: der Krieg selber als permanente Institution. Es hatte doch immer Kriege gegeben, lokalisierte – sie überwiegend im 19. Jahrhundert seit dem Ende Napoleons – oder und öfter gesamteuropäische; so ab und an, in Zeitabständen von höchstens vierzig Jahren. Und nun waren es schon vierunddreißig; obendrein gab es – Bismarcks schwerster Irrtum – durch die Jahrzehnte dauernde Allianzsysteme, dergleichen es früher nie gegeben hatte. Die »Kriegsministerien« waren zumeist die Keimzelle moderner Regierungen; nun existierten sie überall, von den zivilen getrennt und sehr einflußreich. Alle hatten sie ihre Kriegspläne ausgearbeitet, für den Fall, und es gab nur *einen* Fall und nur *einen* Kriegsplan, was, trat der Fall ein, für jede der Mächte eine Art von Zwangsjacke bedeutete. Je länger der Friede nun schon gedauert hatte, desto näher mußte, aller bisherigen Erfahrung nach, der Krieg sein; er würde

»kommen«, er würde »ausbrechen«. Darum jene sonderbare Vermehrung der Militärkonzerte in Bad Tölz im Sommer 1913. In Berlin gab es noch einen speziellen Aberglauben: den, wonach Rußland mit jedem Jahr stärker und losschlagen werde, wenn es stark genug sei. Darüber Fürst Lichnowsky, Juli 14, in einem Brief an den Staatssekretär des Auswärtigen Amtes: Er sei nun dreißig Jahre im diplomatischen Dienst und in jedem dieser Jahre hatte er gehört, Rußland sei mit seinen Rüstungen noch nicht fertig, werde es aber demnächst sein; wenn solches nun in keinem der vergangenen Jahre zutraf, warum denn jetzt? – Die schwache Stimme der Vernunft. Um sich den Ersten Weltkrieg wegzudenken, müßte man sich manches anders denken, aber durchaus Vorstellbares. Vor allem: klare Einsicht in die wirkliche Situation Europas, kraft derer dieser gänzlich sinnlose Krieg hätte verhindert werden können und müssen. Es gab Persönlichkeiten genug, auch solche von Rang und Namen, die es so sahen; vor allem in England, in Deutschland auch. Man hörte nicht auf sie. Zu Beginn des Krieges herrschte in allen Hauptstädten der nun kriegführenden Staaten unbeschreiblicher Jubel; in ihm gingen die Stimmen der Bekümmerten, Voraussehenden unter; einer von ihnen, Jean Jaurès, wurde in Paris ermordet, der Mörder freigesprochen.

So blind und blöde der Krieg begonnen wurde, so miserabel wurde er politisch geführt, ignoriert die Weisheit Clausewitzens, wonach auch im Krieg die strategische Führung der politischen unterworfen bleiben müsse. Und da schoß das Deutsche Reich den Vogel ab. Im Gegensatz zu Hitlers Krieg gab es während jener vier Jahre Möglichkeiten, das zu beenden, was sich immer mehr als mörderischer Wahnsinn herausstellte, unvergleichlich schon mit allen europäischen Kriegen der Vergangenheit. Das Deutsche

Reich besaß überhaupt keine politische Führung mehr; darum seit 1917 die Diktatur des »Generalquartiermeisters« Ludendorff.

Wenn Hitler den Reichskanzler Bethmann Hollweg einen »philosophierenden Schwächling« nannte, so hatte er recht; nur, daß er aus Bethmanns Scheitern die fatalsten Folgerungen zog, anstatt der vernünftigen. Die »Reichsleitung«, wie man das Ding jetzt zu nennen anfing, besaß keine Kriegsziele, schwankend zwischen der These, wonach Deutschland sich nur verteidige, und der ihr entgegengesetzten, wonach man »reinen Herzens« in den Krieg gezogen sei, jedoch weniger reinen Herzens, nicht ohne Beute, heimzukehren wünschte. Worin die Beute bestehen sollte, verriet die Regierung nie; das überließ sie der Obersten Heeresleitung auf der einen und völlig unverantwortlichen, jedoch lautstarken Vereinigungen auf der anderen Seite.

Wann Friede möglich war? Zum Beispiel nach dem militärischen Zusammenbruch Rußlands und nach der Leninschen Machtergreifung, *vor* der letzten deutschen Offensive im Westen. Da hätte deutsche Politik sich an die Westmächte wenden können: ein Status-quo-ante-Friede im Westen, allenfalls mit einer Volksabstimmung in Elsaß-Lothringen über die Frage, zu welchem Staat die Bürger der »Reichslande« gehören wollten, unter neutraler Kontrolle; freie Hand für das Reich im Osten, um Bolschewismus auszutreten, ehe der Funke zur Flamme würde. Ein solches Angebot hätten die Westmächte unter dem Druck der öffentlichen Meinung annehmen *müssen*. Stattdessen der »Siegfriede« im Osten, der zwar den Russen die Ukraine zusamt den baltischen Ländern abnahm, der aber die neuen Machtzentren in Petersburg und Moskau unangetastet ließ. Danach die Offensive im Westen, um Franzosen und Briten in die Knie zu zwingen, ehe die Amerikaner kämen. Und wenn die Offensive scheiterte? »Dann«, so Ludendorffs Antwort, »muß Deutschland zugrunde gehen.« Schon damals das Hitlersche Vabanque-Spiel, das Alles oder Nichts. Nachdem die Offensive gescheitert war – sie war es, noch ehe die amerikanischen Truppen ernsthaft ins Spiel kamen –, Ludendorffs Bitte um Waffenstillstand. Sein Argument: »Ich will meine Armee retten.« Womit er zugab, daß *ohne* Waffenstillstand seine Armee verloren war und mithin der Krieg. Jene fünf Worte allein hätten die Legende vom Dolchstoß in den Rücken des siegreichen Heeres widerlegen müssen, wären die Leute wahrheitswilliger, die neuen aufeinanderfolgenden demokratischen Regierungen energischer und ein wenig geistvoller gewesen.

Die Hohenzollern-Monarchie war am Ende; die Abdankung des Kaiser nicht nur eine Konzession an den Professor Wilson, der, ahnungslos wie er war, in der längst nicht mehr existierenden preußischen »Autokratie« den Kern des deutschen Übels sah; sie entsprach dem völligen Versagen der Monarchie, schon vor dem Krieg, erst recht während des Krieges. Der Sturz der Hohenzollern mußte den der anderen deutschen Dynastien nach sich ziehen; von Wilson wurde er keineswegs verlangt. Sie hatten sich im vorigen Jahrhundert unter die Obhut der preußischen begeben; übrigens, während des Krieges infolge der »Kriegsämter«, der Zentralisierung aller für den Bürger wichtigen Entscheidungen in Berlin, sich in ihren Residenzen als ohnmächtig und überflüssig erwiesen, eine Entwicklung, welche der kluge bayerische Kronprinz früh erkannte, ohne ihr steuern zu können. An sich wäre die Erhaltung der Monarchie in Bayern, Württemberg, Baden, Hessen und so fort wünschenswert gewesen; noch immer ein Hort der Kontinuität, bürgerlicher Anhänglichkeiten und Sympathien. Eine große Bequemlichkeit. Da geht es um einen Wunsch, der nun nicht mehr verwirklicht werden konnte; ein in sich falsches, nun unvermeidliches Geschehen, auf Grund von falschen, ehedem vermeidlichen Vorgegebenheiten. Die Republik war eine faute de mieux; wo Monarchie nicht mehr sein konnte, was sollte denn anderes sein als Republik? Ihr schlimmes Muttermal, daß sie von der Niederlage geboren wurde. Der Sozialdemokrat Philipp Scheidemann in einer Sitzung des Kabinetts Max von Baden, welches noch nicht die Grundlagen der Republik, wohl aber des parlamentarischen Systems schuf: Persönlich empfinde er es als etwas Schmachvolles, daß man alle die freiheitlichen Änderungen, die man früher stets vergebens gefordert habe, jetzt unter dem Druck der Feinde vornehmen müsse. Wie recht der Mann hatte!

Die Verfassung der neuen Republik war eine demokratische Ideal-Verfassung, so recht nach dem Textbuch; als so modern galt sie, daß die Spanier sie sich zum Modell nahmen, als sie im Jahre 31 zur Gründung ihrer unseligen Zweiten Republik gingen, übrigens ohne zu bemerken, daß ihr Modell eben damals schon wieder zu funktionieren aufgehört hatte. Freilich gab es inmitten aller der demokratischen Vorkehrungen einen Fremdkörper, den Reichspräsidenten, gewählt vom Gesamtvolk, nicht nach dem überaus feinen und komplizierten nordamerikanischen Muster, sondern durch die rohe Zahl der Stimmen im ganzen Lande; den Reichspräsidenten mit dem Privileg, den Reichstag jederzeit aufzulösen, und mit dem Notverordnungsrecht des Paragraphen 48. Schon der erste Präsident, Ebert, sah sich unter dem Zwang, von diesem Recht im Chaos der frühen Jahre Gebrauch zu machen. Angesichts seiner biederdemokratischen Gesinnung erschien das so gefährlich nicht; Präzedenzfälle waren es. Als verhängnis-

voll für die Republik sollte sich die Wahl des Feldmarschalls von Hindenburg, 1925, erweisen: nicht in den
ersten Jahren, aber sobald die Weltwirtschaftskrise einsetzte. Der Alte schien, oder war anfangs ein redliches
Staatsoberhaupt; jedoch gegen seine innersten Überzeugungen, welche durch die einsetzende Krise, das Ausein-
anderbrechen der Großen Koalition, bestätigt wurden.
Ohne Hindenburg keine »Präsidialkabinette«; nur der falsche Mythos und die Kamarilla, unter dessen Schutz,
konnten sie erfinden, decken, je nach Belieben auswechseln. Ohne den falschen Mythos hätte aus dem im Jahre 30
gewählten Reichstag sich eine Regierung bilden und erhalten können. Eben das wollte die Hindenburg-Kamarilla
nicht, entschlossen, die Krise für ihre antidemokratischen
Zwecke auszunützen. Zu ihr gehörte auch der später von
ihr ruinierte General von Schleicher; die Nazis, schrieb er,
seien zwar »keine guten Brüder«, aber gebe es sie nicht, so
müßte man sie erfinden – um sie zu ihnen fremden Zwek-
ken zu gebrauchen. Ein so recht guter Demokrat war auch
Brüning nicht, er dachte autoritär und hoffte, sein Werk
durch die Wiederherstellung einer konstitutionellen Monarchie zu krönen. Später meinte er, die Katastrophe wäre
zu verhindern gewesen, hätten nur Hindenburgs Geistes-
kräfte ein paar Jahre länger ausgehalten; ein vernichtendes
Urteil über die Republik, auch über seine eigene Politik,
welche auf die abnehmenden Kräfte eines aus dem mittleren 19. Jahrhundert stammenden Militärs baute.
An der Wahl Hindenburgs im Jahre 25 waren die Führer
der Kommunistischen Partei schuld. Hätte sie nicht, auch
noch für den zweiten Wahlgang, ihren eigenen Kandidaten
aufgestellt, so wäre anstatt des Feldmarschalls der Kandi-
dat der Mitte und gemäßigten Linken gewählt worden; die
Rechnung ist eindeutig. Ich war Zeuge des Wahlkampfes

und erinnere mich gut daran. Die Kommunisten richteten ihre Propaganda nicht gegen Hindenburg, sondern gegen den republikanischen Kandidaten. Eines ihrer Plakate: »Nur die allerdümmsten Kälber wählen ihre Schlächter selber. Wählt den Zentrumsmann Marx nicht!« Sie *wollten* also die Wahl Hindenburgs, weil er der Republik Schaden tun und so, auf die Dauer, sie ihren eigensten Zielen näher bringen würde. Was da in ihren durch den Hokuspokus der Dialektik verdrehten, vergifteten Hirnen vorging, ist unsagbar. Bis zuletzt sahen sie nicht in den Nazis, sondern in den Sozialdemokraten, den »Sozialfaschisten«, ihren Hauptfeind, und gehörten so zu den Totengräbern der Demokratie. Unvermeidlich? Was die Menschen im politischen Bereich tun, ist niemals unvermeidlich; immer gibt es da Alternativen, und auch den Kommunisten fehlte es nicht an Leuten, die richtiger urteilten, zum Beispiel der erwähnte Karl Korsch.

In seinen Erinnerungen nennt Otto Braun als die beiden Krebsschäden, an denen die Weimarer Republik zugrunde ging, Versailles und Moskau. Nun war der Vertrag von Versailles unbestreitbar ein Diktat, nicht mehr ein ausgehandelter, alle Beteiligten leidlich befriedigender und damit befriedender, wie die großen europäischen Friedensverträge der Vergangenheit; der letzte und schon entartete, entsprechend der Entartung des Krieges, den er beendete. Das, was von ihm auf die Dauer bleiben würde, die territorialen Bestimmungen, war jedoch gar so schlimm nicht. Nur die Ergebnisse der Volksabstimmung in Oberschlesien, auf dem Papier gerecht, muß man in ihrer Verwirklichung als in hohem Grade ungeschickt bezeichnen. Die Trennung Ostpreußens vom Reich durch einen schmalen Korridor wäre durchaus erträglich gewesen, hätten nur Polen und Deutsche sich vertragen wollen, wofür der

Wunsch auf beiden Seiten gering war. Den nicht-territorialen Bestimmungen – die militärische Besetzung der Rheinlande, das auf einhunderttausend Mann beschränkte Berufsheer, die Reparationen –, ihnen stand an der Stirn geschrieben, daß sie nicht dauern würden; tatsächlich waren sie insgesamt beseitigt, noch ehe Hitler zur Macht kam. Nicht die einzelnen Paragraphen des Vertrages waren es, was die Deutschen wurmte: Versailles wurde ihnen zum Symbol der Niederlage, an die sie nicht glauben wollten, die sie nicht verstanden, obgleich so schwer es nicht gewesen wäre, sie zu verstehen. Was aber Moskau betrifft, die von Moskau gegängelte Kommunistische Partei Deutschlands – da muß man Otto Braun recht geben. Wenn dann so viele deutsche Kommunisten im Dritten Reich eines elenden Todes starben, so gilt hier Goethes: »Denn alle Schuld rächt sich auf Erden.« Ich wünschte, dieser Satz bewährte sich überall und immer.

Daß die Reichswehr oder die Industrie die Republik ruiniert haben sollen – Hitler also ohne ihr Zutun vermeidbar gewesen wäre –, gehört zu den unverwüstlichen Geschichtslegenden. Die Reichswehr besaß überhaupt keine Politik, nicht unter ihrem Gründer, dem General von Seeckt, erst recht nicht unter seinen beiden Nachfolgern, genannt Heye und Hammerstein, die sich durchaus loyal verhielten, ohne Freude vermutlich, aber loyal. Hammerstein gegen Ende: wenn Hitler noch einmal putschte, dann müßte er schießen; werde er verfassungsgemäß zum Regierungschef ernannt, dann sei dagegen nichts zu unternehmen. Die Reichswehr war durchaus nicht der »Staat im Staat«, von dem geschwatzt wurde; dazu war ihre Leitung viel zu schwach und im Politischen ungeübt. Der Intrigant, General von Schleicher, ist etwas für sich; sein Einfluß beruhte nicht so sehr auf der Armee, von der er zuletzt selber gestand, er könne gar nicht Gebrauch von ihr machen, wie auf der Hindenburg-Kamarilla. Ebensowenig besaß die Schwerindustrie eine Politik. Während der späten zwanziger, der frühen dreißiger Jahre gab es eine Vereinigung mit dem sonderbaren Namen »Ruhrlade«. Es gehörten ihr die bedeutendsten Großbesitzer oder Topmanager der Industrie an, nicht nur an Rhein und Ruhr, auch der Stuttgarter Robert Bosch zählte dazu. Unter den zwölfen gab es einen einzigen Anhänger Hitlers: Fritz Thyssen. Ein wohlmeinender Romantiker, der an den Ständestaat glaubte; gerade er hat später sich gegen das Naziregime gewandt, aus rein moralischen, nicht etwa aus wirtschaftlichen Gründen, und es nahm ein trauriges Ende mit ihm. Alle zwölfe waren von Hitlers Ernennung zum Reichskanzler total überrascht. Danach freilich dienten und zahlten sie gehorsam; mit Stahlwerken kann man nicht so leicht auswandern wie mit einem Romanmanuskript. Längst wußten wir, oder hätten wir wissen können, was unlängst ein amerikanischer Historiker noch einmal nachgewiesen hat: in den entscheidenden Jahren seines Aufstieges wurde Hitler nicht von der Industrie finanziert, sondern durch die bescheidenen Beiträge der ständig wachsenden Zahl seiner Anhänger, unter denen sich natürlich auch eine Anzahl kleiner Industrieller befand. Man hatte in den zwanziger Jahren an Rhein und Ruhr ein Institut organisiert, zweigeteilt in die »Kohlenseite« und die »Stahlseite«, welches Gelder an die politischen Parteien verteilte, nach dem heutigen Maßstab lächerlich geringe Summen. Bedacht wurden alle Parteien, von Stresemanns Deutscher Volkspartei bis zur Demokratischen; nicht die SPD, nicht die Kommunisten – man wird das verstehen – und *nicht* Hitler. Was den zu seiner Zeit lächerlicherweise so genannten »Kanonenkönig« betrifft, Gustav Krupp von Bohlen, so gehörte er zu den Gescheitesten und Vernünftigsten in seinem Kreis. Schon während des Kriegs war er, was den Ausgang betraf, pessimistisch, zumal seit der Intervention der USA, welche Einsicht er seiner halbamerikanischen Herkunft verdankte; schon damals sah er voraus, daß man nach dem Krieg mit den Gewerkschaften und den Sozialdemokraten werde zu Rande kommen müssen. Bis zum Äußersten loyal verhielt er sich gegenüber den Regierungen der Republik; noch im Kampf um die Präsidentschaft des Jahres 32 setzte er sich für Hindenburg, also gegen Hitler ein.

Irgendwann in den siebziger Jahren stand ich gelegentlich eines Kongresses vor der Münchner Feldherrnhalle mit einem französischen Professor. Dieser: »Wenn Hitler anno 23 erschossen worden wäre, wie es einigen seiner Genossen erging, hätte das irgend etwas geändert?« Meine Antwort: »Etwas? Es hätte alles geändert. Wie, in welchem Sinn, wissen wir nicht. Aber das Dritte Reich, so wie es unter Hitlers Führung entstand, hätte es ohne ihn niemals gegeben!« Dabei bleibe ich. Man hat mir vorgeworfen, ich glaubte an den Lehrsatz »Männer machen die Geschichte«. Ich glaube auf diesem Feld an gar nichts. Keine vorgefaßte Theorie kann mich daran hindern, zu finden, was ich finde. Hitler allein konnte ausführen, was er sich vorgenommen hatte: eine »Volksbewegung« aufzubauen und, einmal bestehend, unter seiner eigensten, striktesten Kontrolle zu halten. Allen seinen Rivalen, zeitweise Gegenspielern in der Partei zeigte er sich turmhoch überlegen, so wie seinen konservativen Steigbügelhaltern. Der Judenhaß war *seine* Leidenschaft; der Krieg war *sein* Unternehmen von Anfang an, 1933 bis 1945. Der Wille, zu beweisen, daß Deutschland den Krieg von 1914 hätte gewinnen können, wenn er damals schon kommandiert, wenn er den Krieg mit den rechten Mitteln zu den rechten Zwecken geführt hätte, bleibt die Quelle seines ganzen unglaublichen, folgenschweren Abenteuers. »Damals war es der Kaiser, jetzt bin ich es.« In der modernen Geschichte Europas finde ich keinen anderen, der so entscheidend, so verderblich in die Ereignisse eingegriffen hätte wie dieser, stärker noch als Napoleon. Der, als »Erster Konsul«, fand schon einen ewigen Krieg vor, den er gern beendet hätte und vorübergehend ja auch beendete. Eine Situation, an der der *General* Bonaparte mit schuld war, durch die Teilung Norditaliens zwischen Frankreich und Österreich, so viel ist richtig. Aber Italien war nicht der Hauptgegenstand der Napoleonischen Kriege, die im Grunde ja immer ein englisch-französischer Krieg blieben. Der Sündenfall war die für England unerträgliche Annexion Belgiens durch die Jakobiner; und die geschah, als Bonaparte noch ein unbekannter Artillerieoffizier war. Keine solchen unentrinnbaren Vorgegebenheiten für Hitler.

Nun gibt es im menschlichen Geschehen nichts Zufälligeres als das Individuum; solange wir rational, nicht religiös oder metaphysisch urteilen. Denken wir uns dies eine Individuum weg, so wäre alles, alles anders gekommen; in welchem Sinn anders, bleibt der Phantasie überlassen. Immer muß man es als ein unermeßliches Unglück ansehen, daß dieser Mensch Hitler dann und dort zur Stelle war. Wird eingewandt, er habe doch nur auch ohne ihn wühlende Kräfte, gute und böse Leidenschaften mobilisieren können, so ist die Antwort: Gewiß doch. Aber er, der Eine, war durchaus unentbehrlich; es war niemand anderes da, der solches vermocht hätte.

Er hatte Glück, davon sprachen wir schon. Sein Glück war die Weltwirtschaftskrise, auf deren Ursprünge er nicht den mindesten Einfluß besaß. Glück hatte Hitler auch darin, daß, als sein Ziel erreicht war, die Weltwirtschaftskrise dank des ihr eigenen Automatismus zu Ende zu gehen im Begriff war. Hier muß man jedoch sagen, daß die Überwindung der Arbeitslosigkeit, ein Anwachsen von Produktion und Konsum in Frankreich, in Osteuropa einschließlich Österreichs kümmerlich langsamer vor sich ging als in Deutschland. Auch der Präsident Roosevelt erreichte mit seinem »New Deal« bei weitem nicht das, was Hitler erreichte: die Verwandlung von Massenarbeitslosigkeit in einen Mangel an Arbeitskräften binnen vier Jahren. In den USA wurde die Arbeitslosigkeit erst dank des Krieges in Europa überwunden; vorher gab es Milderungen, höchst wohltuende soziale Errungenschaften, nicht die eigentliche Erlösung, welche die Reichsdeutschen erfuhren. Und dies war der Diktatur zu danken; sie konnte tun, was immer ihr beliebte, während Roosevelt einen beständigen Kampf mit dem Kongreß und dem Obersten Gerichtshof zu führen hatte. Da spielte nun auch wieder die närrische Psychologie des deutschen Bürgertums, der deutschen Unternehmer mit hinein. Es war nicht nur, daß sie unter Hitler gehorchen *mußten*. Sie wollten auch.

Bleibt die Frage nach der Schuld, die Frage nach der Unvermeidlichkeit benachbart und zugleich ihr entgegengesetzt, weil Schuld die Möglichkeit anderen Handelns voraussetzt.

Die oberen, die einfluß-mächtigen Schichten der deutschen Gesellschaft waren kurzsichtiger, unnachgiebiger, verblendeter auf die Erhaltung ihrer Stellung bedacht als etwa die englischen. Spätestens seit 1914 identifizierten sie den Besitz ihrer Privilegien mit der Erweiterung deutscher Macht nach außen hin; dies der tiefste Grund dafür, daß keine Möglichkeit, irgendwann während des Vierjahrkrieges zu einem für beide Seiten erträglichen Frieden zu kommen, ernsthaft erprobt wurde. Daher die totale Niederlage anstatt des erträumten Totalsieges, gefolgt von der Gründung einer demokratisch-parlamentarischen Republik. Sie erschien der alten Oberschicht, Militär, Kirche, Justiz, Bürokratie, Grundbesitz, Industrie, historisch illegitim, ebenso wie der mit der Entstehung der Republik eng verbundene Friedensvertrag. Aber alle diese Gegner oder Halbgegner opponierten vage und negativ; sie waren ohne Programm, sie wußten nichts anderes, als daß die Situation, so wie sie war, ihnen aus dem Grunde mißfiel. Der junge Demagoge aus Österreich mißfiel ihnen auch; der aber besaß ein Programm und die Kunst, die breiten Massen zu bewegen, welche den Konservativen durchaus fehlte. Hätten sie den demokratischen Staat zusamt seinen sozialen Einrichtungen, zusamt seinen geduldigen Bemühungen, die Bosheiten des Friedensvertrages Stück für Stück abzutragen, ehrlich unterstützt, dann hätte die deutsche Demokratie denkbarerweise überleben können. Diese Schuld der alten Oberschicht ist festzustellen, Schuld, weil sie vermeidlich war. Die Verschwörung, mit Hilfe Hitlers die soziale Demokratie loszuwerden, *ohne* Hitler zur Macht, viel weniger zur ganzen Macht kommen zu lassen, beruhte auf einer sehr geringen Auslese der Oberschicht; eben der Hindenburg-Kamarilla. Die große Mehrheit jener, die im Westen die Schwerindustrie, im Osten und Süden den Grundbesitz vertraten, verhielten damals sich merkwürdig untätig, weil ratlos und ohne politische Eignung. Der bei weitem stärksten staatstragenden Partei der Republik aber fehlte es völlig am Sinn für Macht; noch ihre besten Vertreter waren integre, tüchtige Verwalter, nicht weniger und auch nicht mehr. Im März 1940 schrieb ich in einer Kritik der *Erinnerungen* Otto Brauns: »Man darf nicht in die Detailarbeit, die Verwaltung, die kleinen Reformen fliehen, wenn der ganze Bau wankt und der Fundamente ermangelt ... In Zeiten, da es um das Ganze geht, muß man der Wahrheit nicht ausweichen und muß das Ganze wagen und wollen.« Es ist nicht zu bestreiten, daß in einem gesellschaftlich gesehen schon längst demokratischen, von Angestellten und Arbeitern, nicht mehr wie ehedem von Adel, Beamten und Bauern bestimmten Gemeinwesen Hitler sich als der bei weitem stärkste Politiker erwiesen hat. Er und die Seinen waren *neu*, ein gänzlich neuer und aktiver Typus, nicht kompromittiert durch Elend und Düsternis der Republik; während seine Gegner insgesamt aus der Kaiserzeit herübergekommen waren, weder neue Gesichter noch neue Ideen vorweisen konnten. Noch erinnere ich mich der Worte, mit welchen die Chefs der Zentrumspartei deren »freiwilliges« Verschwinden rechtfertigten: Adolf Hitler besitze nun eine Machtfülle, wie kein deutscher Kaiser sie je besaß; er bedürfe des Rates der politischen Parteien nicht mehr.

Die Republik, ein Gebäude, insgesamt, das man mit einem Fußtritt einstoßen konnte. Der Botschafter François-Poncet, in einem seiner Reporte, spricht vom Zusammenfallen eines Kartenhauses; ein Vergleich, der jedem Beobachter sich aufdrängte. Woraus zu schließen, daß die Republik, unter düsteren Vorzeichen geboren, durch die wüste Krankheit der letzten zwei Jahre zum Sterben reif gemacht worden war. Unvermeidlich? Nein. Nur: Die führenden Politiker der Republik hätten müssen ein wenig begabter, kühner, schöpferischer sein. In einer Notiz, von mir im Jahre 1938 veröffentlicht: »Es gibt viele Gründe für den Untergang der deutschen Republik und man mag sie in der Zeit, solange man will, zurückverfolgen. Wer aber die Menschen, die ihre entscheidenden Machtpositionen in entscheidenden Stunden innehatten, post festum im Ausland trifft, für den ist das Problem erledigt;

der braucht sonst keine Gründe für den Zusammenbruch mehr.«

Wo liegen die Grenzen zwischen Schuld und Unvermeidlichkeit? Mit welchem Schritt, wann, begann der Sündenfall der deutschen Politik? Wann erschien der letzte Moment, in dem es noch möglich gewesen wäre, Europa von seinen extremsten Folgen zu bewahren? Beweisen läßt sich hier in aller Ewigkeit nichts. Die »logischen Positivisten« lehren uns, eine Frage, die man prinzipiell niemals beantworten könne, sei keine. Falsch. Es gibt solche, über die man nachdenken *muß*, auch wenn sie keine Lösung zulassen; und das können die allerernstesten sein.

Während der ersten Monate der »Emigration«, drei Sommermonaten in Sanary-sur-Mer, beschäftigte ich mich mit einem Aufsatz über Ernst Jünger, zumal über sein Buch *Der Arbeiter. Herrschaft und Gestalt.* Es hatte mir so starken Eindruck gemacht, daß ich mich dagegen wehren mußte. Der Aufsatz erschien später in der von meinem Bruder in Amsterdam herausgegebenen Zeitschrift *Die Sammlung.* Nebenher las ich viel, an Zeit fehlte es gar nicht; Lektüren, in denen ich Trost suchte. Da waren noch einmal die *Annalen* des Tacitus; die Machtergreifung des Tiberius etwa und das Verhalten der Senatoren dabei; ihr »ruere in servicium«, ihr »sich in die Knechtschaft stürzen«. Alles schon dagewesen. Da waren auf der anderen Seite die Oden des Horaz, ihr göttlicher heiterer Unernst; ein Trost angesichts der immerwährenden Rätsel unseres Daseins, wie auch gegenüber politischen Katastrophen, die dem Dichter im Grunde gleichgültig waren, trotz der patriotischen Phrasendrescherei, die er dem Augustus schuldete. Horaz wünschte sich nichts, als gut zu leben und noch bessere

Gedichte zu machen. Auch hatte ich eine Auswahl der Lyrik des Johann Christian Günther bei mir, besorgt durch den berühmten Germanisten Berthold Litzmann, der, leider, ein Freund meines Vaters gewesen war. Diese aufgeblähte Mediocrität hatte Günthers stärkstes Anklagegedicht weggelassen, seines obszönen Charakters halber. Aber es gab genug andere, schöne, traurige und bittere. Besonders wohl tat mir das Gedicht *An sein Vaterland.*
Die erste Strophe:

> So lebe wohl mit allen Spöttern,
> Du ehmals wertes Vaterland.
> Du trotzest bei so nahen Wettern,
> Ich wünsche dir nur auch Bestand.
> Was hat dir wohl mein Geist zu danken?
> Verfolgung, Schande, Neid und Zanken
> Und Freunde, die kein Flehn gewinnt.
> Ja, müßt ich heute bei den Drachen
> Gefährliche Gesellschaft machen,
> Sie wären gütiger gesinnt.

Die letzte:

> Ich fürcht, ich fürcht, es blitzt von Westen,
> Und Norden droht schon über dich.
> Du pflügst vielleicht nur fremden Gästen.
> Ich wünsch es nicht. Gedenk an mich.
> Du magst mich jagen und verdammen,
> Ich steh wie Bias bei den Flammen
> Und geh, wohin die Schickung ruft.
> Hier fliegt dein Staub von meinen Füßen,
> Ich mag von dir nichts mehr genießen,
> Sogar nicht diesen Mund voll Luft.

Namenregister

571

575

Eine Jugend in Deutschland – keine alltägliche, sondern gefährdet durch Anlagen und Umstände, gleichwohl im bürgerlichen Rahmen behütet und gefördert, eigensinnig und doch in vielen Entwicklungen repräsentativ für dieses Land und für die Zeit – 1909 bis 1933 –, durch die Golo Mann seinen Weg mit beharrlicher Unabhängigkeit und kritischer Selbstzucht findet.

Die Stationen: Das vom Vater überschattete Elternhaus mit den großen Geschwistern Klaus und Erika. Literatur, Musik, Theater als frühe Eindrücke, Schule und Pfadfinder, Internat Schloß Salem. Nach dem Abitur Studium in München, Berlin, Heidelberg: Jaspers, der Sozialistische Studentenbund, erste Aufsätze, Versuche, dem Nazi-Geist entgegenzutreten. Hamburg, Göttingen: Selbstaufgabe der Weimarer Republik, alles Spätere vorbereitende Anfänge des »Dritten Reichs«.

Erinnerungen und Gedanken – Erzählung, behaglich anekdotenreich, »eine Art von Roman früher Entwicklung« (Zitat G. M.), und Reflexion, weite Räume und Zeiten umfassend. Ein Buch mit zwei Ebenen und zwei Blickpunkten: die Gegenwart des gelebten Moments, unmittelbar zur Anschauung gebracht, die Rückschau, die Vergangenheit in Lebens- und geschichtlichen Zusammenhängen deutet. Golo Mann beschwört keine »besonnte Vergangenheit«, viel zu sehr litt und leidet er an den Irrtümern deutscher Politik. Dennoch weckt dieses große deutsche Bekenntnisbuch Hoffnung: »es ist weise und, aller Bitterkeit zum Trotz, zugleich auf seine Art heiter« (Marcel Reich-Ranicki).